欧洲藏汉籍目录丛编

Catalogues of Ancient Chinese Classics in Europe

张西平　主　编

谢　辉　林发钦　副主编

文化公所
Hall de Cultura

SPM
南方出版传媒
广东人民出版社
·广州·

图书在版编目（CIP）数据

欧洲藏汉籍目录丛编 6 / 张西平主编，谢辉、林发钦副主编. —澳门：文化公所；—广州：广东人民出版社，2020.1

ISBN 978-99981-36-67-0（中国澳门）

ISBN 978-7-218-13891-6（中国内地）

Ⅰ. ①欧… Ⅱ. ①张… ②谢… ③林… Ⅲ. ①古籍—图书目录—汇编—欧洲 Ⅳ. ①Z838

中国版本图书馆CIP数据核字（2019）第228770号

欧洲藏汉籍目录丛编 6

张西平 主编 谢辉、林发钦 副主编

出 版 人：肖风华

策划编辑：梁 茵

编 辑：赵香玲 王俊辉 李永新

出 版：文化公所 广东人民出版社

发 行：文化公所

电 邮：macau.publish@gmail.com

网 址：www.macau-publish.com

印 刷：广东鹏腾宇文化创新有限公司

开 本：787 毫米 × 1092 毫米 1/16

印 张：256 字 数：4760千

版 次：2020年1月第1版

印 次：2020年1月第1次印刷

定 价：MOP360.00

Catalogue des Livres et Manuscrits Formant la Bibliothèque de Feu Mr P.Léopold Van Alstein

已故皮埃尔·利奥波德·范·阿尔斯坦先生收藏书籍与写本目录

CATALOGUE

DES

LIVRES ET MANUSCRITS

formant la bibliothèque de feu

Mr P. LÉOPOLD VAN ALSTEIN,

Professeur agrégé à l'université de Gand,

dont la vente publique aura lieu le Mardi 26 Mai 1863 et jours suivants, à 9 1/2 heures du matin et 2 1/2 heures de l'après-midi, à la maison mortuaire,

RUE DU MIROIR, N° 2[1], A GAND,

sous la direction du libraire **F. HEUSSNER**, de Bruxelles, et par le ministère du notaire **BOSSCHAERTS** à Gand.

TOME I.

GAND,
IMPRIMERIE ET LITHOGRAPHIE DE C. ANNOOT-BRAECKMAN.

1863.

NOTICE.

La bibliothèque dont nous publions aujourd'hui le catalogue (tome 1er) est, sans contredit, l'une des plus remarquables qui aient jamais été formées en Belgique par des particuliers. A ne voir que le nombre de volumes, la collection de feu M. Pierre Léopold Van Alstein, quelque considérable qu'elle soit, le cède peut-être à d'autres qui ont été mises en vente en ce pays depuis le commencement de ce siècle; mais sous plusieurs autres rapports et notamment sous celui de la linguistique, nous croyons pouvoir dire qu'elle n'a jamais eu son égale.

M. Van Alstein s'était de bonne heure proposé de recueillir les œuvres les plus précieuses pour l'étude des langues. Dans cette vue, il n'avait reculé devant aucun sacrifice. Aussi l'examen de ce tome du catalogue prouvera-t-il que le savant bibliophile a été bien près d'accomplir la vaste tâche qu'il avait entreprise. On y rencontrera des grammaires et des lexiques non-seulement des principaux idiomes du globe, mais encore des patois les plus infimes.

2

Parmi les langues, il affectionnait surtout celles de l'Orient. Il avait réussi à rassembler à peu près tous les ouvrages publiés en sanscrit; ses livres chinois suffiraient seuls à former une belle bibliothèque. Ce qu'en fait de langues orientales, les collections Lammens, Raetzel, Klaproth, Langlès, etc. avaient de plus précieux, a passé dans les mains de M. Van Alstein. C'est de la vente Lammens que proviennent la plupart des magnifiques manuscrits dont nous donnons la description.

Tout en réunissant avec la plus grande ardeur, mais aussi avec un soin religieux, les ouvrages de linguistique, M. Van Alstein ne négligeait aucune branche des connaissances humaines. Après les langues, l'histoire était son étude de prédilection. Aussi la partie de ce catalogue consacrée à l'histoire, est-elle des plus riches. Pour ne pas donner de trop vastes proportions à cette première vente, force nous a été de nous borner à faire un choix tant parmi les ouvrages historiques que parmi ceux traitant des sciences; ce n'est que lorsque nous aurons publié notre second volume, que l'on connaîtra dans toute leur étendue les trésors que M. Van Alstein avait accumulés dans l'immense salle qu'il appelait modestement son cabinet de travail.

M. Van Alstein n'était pas un de ces bibliomanes entassant livres sur livres, bons, médiocres et mauvais, pêle-mêle, sans discernement, sans goût, quelquefois sans autre but que d'acquérir une certaine célébrité dans le monde littéraire. C'était un bibliophile vraiment digne de ce nom; un savant avec lequel les plus illustres linguistes de notre époque, les Burnouf, les Rémusat, les Bopp, les Pott, les Champollion s'honoraient d'entretenir une correspondance active. Comme épigraphiste, il avait un mérite rare. Un article fort remarquable sur quelques *anciens morceaux de sculpture récemment importés de la Grèce en Belgique*, inséré dans le *Messager des sciences*, année 1823, p. 377, en fait foi. Au sujet de ce travail, on raconte — et ceci donnera une idée de la grande modestie de M. Van Alstein — on raconte qu'il refusa d'en donner la suite, parce que la rédaction n'avait pas cru devoir le publier sous le voile de l'anonyme..... C'est encore à lui que M. le baron de Saint-Genois est redevable de l'analyse des manuscrits orientaux de la bibliothèque de l'Université de Gand, analyse que ce savant a publiée dans le *Catalogue des manuscrits* de cette bibliothèque. Enfin, différentes œuvres manuscrites, dont quelques unes figurent dans cette vente, montrent que M. Van Alstein était aussi laborieux qu'érudit.

Ajoutons que, par arrêté royal du 25 octobre 1845, M. Van Alstein fut nommé professeur agrégé près de la faculté de philosophie et lettres de l'université de Gand. Cette nomination était due à la haute estime que ses talents inspiraient à M. Vande Weyer, alors Ministre de l'intérieur, et qui, durant sa longue ambassade près de la Cour de Londres et par ses relations avec les membres de la société des bibliophiles anglais, avait appris à connaitre et à apprécier le rare mérite de ce modeste savant.

D'un caractère affable, d'une grande bienveillance, mais aussi d'une timidité excessive, M. Van Alstein vivait dans l'isolement le plus complet. Entièrement voué à l'étude, il ne quittait que fort rarement ses excellents amis, les livres, qu'il gardait comme un avare garde ses trésors. C'est au milieu d'eux qu'il s'éteignit paisiblement le 22 février 1862. Né à Gand en 1792, il avait donc atteint l'âge de soixante-dix ans.

Un mot encore sur la confection de ce catalogue. Par suite de différentes circonstances, la classification des ouvrages à

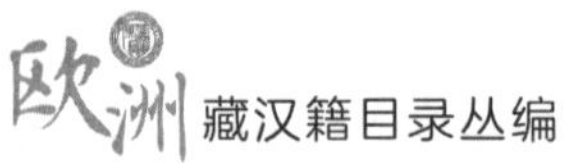

laquelle nous aurions désiré pouvoir consacrer davantage nos soins, a dû se faire en peu de jours; c'est ce qui explique les quelques erreurs, heureusement assez peu importantes, qui s'y sont glissées et que, nous n'en doutons point, MM. les bibliophiles nous pardonneront aisément. A la fin du catalogue nous en avons indiqué quelques-unes.

Pour ne pas disséminer les ouvrages composés en langues et dialectes indiens, en chinois, en japonais, etc., nous nous sommes permis de nous écarter de la classification de Brunet. Sauf cette seule partie de notre catalogue, nous nous sommes tenus strictement aux règles tracées par ce savant bibliographe.

La vente de la seconde partie de la bibliothèque Van Alstein aura lieu vers la fin d'octobre ou au commencement de novembre prochain. Nous prendrons nos mesures pour en faire paraître le catalogue en temps utile.

FD. H.

前　言

本藏书目录（第一卷）必将成为比利时最引人瞩目的私人藏书目录之一。从数量上来看，已故的皮埃尔·利奥波德·范·阿尔斯坦（Pierre Léopold Van Alstein）先生的藏书尽管无法与自本世纪初以来在这个国家出售的书籍数量媲美，但在其他方面尤其是在语言学方面，我们可以毫不夸张地说，其藏书之富无人匹敌。

范·阿尔斯坦先生早年就开始收集最有价值的著作以便研究语言。因此，他在任何困难面前都没有退缩。本卷目录可以证明这位藏书学者已经非常接近完成他当初的宏大设想，其中不但有世界主要语言的文法和词汇，还包括了稀有语种。

在这些语言中，他对东方语言情有独钟，收集了几乎所有用梵文出版的作品，其汉语书籍也足以建成一个优质图书馆。拉芒斯（Lammes）、拉扎尔（Raetzel）、克拉普罗特（Klaproth）、朗德雷斯（Langlès）等人的藏书中最珍贵的部分都被范·阿尔斯坦先生收入囊中。我们下面将介绍的大部分精美手稿都出自于拉芒斯。

怀着满腔热情与宗教关怀，范·阿尔斯坦先生不仅搜集了语言学著作，也没有忽略人文知识的其他学科。除语言外，历史是他最喜欢研究的科目，因此该藏书中历史类的书籍也非常丰富。鉴于首次出版，为了平衡第一卷中书籍分类的比例，我们不得不选择减少历史类和科学类书籍。在第二卷中，读者们将看到范·阿尔斯坦先生在被他谦称为工作间的巨大房间里堆积的其他宝藏。

范·阿尔斯坦先生不是那些把良莠不齐的书毫无秩序、毫无品味地胡乱堆积起来的藏书人，也不是那种企图在文献界沽名钓誉之徒。他是一位名副其实的藏书家，一位学者，我们这个时代最杰出的语言学家勃吕诺（Burnouf）、雷慕沙（Rémusat）、鲍谱（Bopp）、波特（Pott）、商博良（Champollion）等人都与他保持着积极的通信联系。同时作为铭文学家他也有着不俗的功绩，一篇出色的关于《流转至比利时的古希腊雕塑》（*Anciens morceaux de sculpture récemment importés de la Grèce en Belgique*, Messager des sciences, 1823, p. 377）便可证明。由于出版方无法匿名发表，范·阿尔斯坦先生拒绝发表这一研究的后续部分，这不得不让人敬佩他的无上谦逊……圣-日诺瓦男爵（M. le baron de Saint-Genois）发表在《手稿目录》（*Catalogue des manuscrits*）上的对根特大学（l'Université de Gand）图书馆东方手稿的研究也受惠于范·阿尔斯坦先生。最后，本藏书中的各种手稿著作也表现出他的博学和勤勉。

另外补充一下，根据1845年10月25日的王家法令，范·阿尔斯坦先生被授予根特大学文哲学院教授一职。这项任命表达了内政部长维耶（Vande Weyer）先生对他的崇高敬意与认可。维耶先生曾在长期担任法国驻英使节期间与英国藏书家协会成员的交往，得以充分了解并十分欣赏这位谦逊而优秀的学者。

范·阿尔斯坦先生平和仁慈却非常羞怯。一直独身一人的他全然投身于研究之中，将书籍视作他最亲密的朋友，像一位忠诚的卫士一样守护着这些宝藏。1862年2月22日，他在这些书中安详离世，享年70岁（1792年出生于根特）。

最好要补充的是，我们本希望在作品分类上能够投入更多的精力，但由于条件所迫必须在短时间内完成，不免导致一些谬误，幸运的是这些错误无伤大雅，希望各位藏书家们可以谅解。在该藏书目录的末尾处，我们已经对部分错误作出了修正。

为了不将印度、中国、日本等语言和方言的著作分散开来，我们没有使用布吕奈（Brunet）的分类方法。除了这一部分外，我们严格遵守这位目录学专家制定的规范。

范·阿尔斯坦先生藏书目录的第二部分将在明年10月底或11月初发售，具体时间将在适当的时候另行告知。

（王辉译，卢梦雅校）

Langue et littérature chinoises.

La plupart des ouvrages rangés dans les catégories suivantes sont imprimés à la Chine.

Le titre indiquera suffisamment ceux qui sont écrits en langues européennes.

Les mots volumes, cahiers, désignent pour les ouvrages chinois, des *pens* brochés à la chinoise. *Les reliures*, à moins d'indication du contraire, sont faites en Europe.

I. — *Les cinq Kings.*

2466 Hoang thsing king kiai. Collection de 360 vol. in-8, renfermant les principaux travaux faits sur les 13 livres classiques, depuis le commencement de la dynastie tartare jusqu'à l'année 1839.

2467 King tien chi wen. Variantes des livres canoniques du Lunyu, du Hiaoking et des philosophes Laotseu et Tchoungtseu. Ouvrage composé par Lo te ming. 12 vol. in-8.

2468 Lou king thou. Planches pour servir à l'intelligence des six kings. 6 vol. in-8.

2469 Ou king tsi tchou. Les cinq livres classiques avec commentaires. Éd. de Nankin. 26 vol. in-8. *Un volume endommagé.*

2470 Idem.

2471 Idem. *Dans deux enveloppes ou taos.*

2472 Les 5 livres canoniques avec commentaires, en 19 vol. in-8. 3 pour le 1er livre et 4 pour chacun des 4 autres.

2473 Y king expliqué par Koueï Py. Ancienne édition gr. in-8. d. rel. mar. v.

2474 Y king, premier des livres canoniques. 3 cahiers in-12.

2475 Y king, antiquissimus Sinarum liber. Edidit Julius Mohl. Stuttgartiæ, 1834-39. 2 vol. pet. in-8. br.

2476 Le même ouvrage. Stuttgartiæ, 1834. in-8. br.

2477 Chou king ta thsiouan. Le Chou king, avec divers commentaires. 12 vol. gr. in-8. *Dans une enveloppe.*

2478 Le Chou king, avec notes marginales. 1 vol. in-12.

2479 Idem, autre édition, notes marginales.

2480 Libri Chi king versionis tataricae latina interpretatio, a P. Al. de la Charme S. J. in-fol. parchemin.

Mss. autographe du siècle passé.

2481 Mao chi kou hiun tchouen. Le plus ancien commentaire du Chi king. 4 vol. gr. in-8.

2482 Chi king to pen. Le livre des vers, 3e des livres canoniques, avec notes. 3 vol. in-12.

2483 Chi king, avec nombreux commentaires. 6 vol. in-12.

2484 Confusii Chi-king, sive liber carminum. Ex latinâ P. Lacharme interpretatione edidit Julius Mohl. Stuttgartiæ, 1830. in-8. br.

2485 Tchhoun Tseou. Le 4e des Kings. Avec commentaires. 14 vol. in-8.

2486 Li ki. 5e des livres canoniques, avec expl. latérale. 6 vol. in-8.

2487 Tchhoun tseou. 4e des livres canoniques, avec commentaire. 2 vol. in-8.

2488 Idem. Petite édition avec notes marginales. 1 cahier in-12.

2489 Li ki. Livre des Rites. 5e des livres canoniques. 5 vol. in-12.

II. — *Les quatre livres moraux.*

2490 Les quatre livres moraux. 11 cahiers dans un tao, dont 5 contiennent le texte simple et les 6 autres le texte avec commentaires. in-8.

2491 Les quatre livres moraux. 6 vol. in-8. *Édition très-élégante.*

2492 Les quatre livres moraux, avec commentaires. 6 vol. in-8. Ed. 1727.

2493 Les quatre livres moraux. Notes marginales. 5 vol. in-12.

2494 L'invariable milieu. 2e des livres moraux. Paris, lithogr. par Levasseur. in-32 à la chinoise. *Deux exemplaires.*

2495 Lun yu. Le 3e des livres moraux. 2 vol. in-12.

2496 Idem, liv. 3, 4, d'une ancienne édition avec notes. in-8.

2497 Idem, 2e et 3e volume d'une édition in-12.

2498 Meng tseu. éd. de Paris. en 4 parties, pages 1-64; 64-122; 1-100; 101-161.

2499 Idem, 1 cahier, pp. 1-122.

2500 Meng tseu. 3e et 4e livre en 1 vol. in-8. avec notes marginales.

2501 Mencius, avec notes marginales. Anc. édition. gr. in-8, rel. en mar. *Le premier livre seulement.*

2502 The works of Confucius, containing the original text, with a translation, by J. Marshmann. Serampore, 1809. Vol. I (seul publié) gr. in-4. cart. *Contient le Lun yu.*

2503 Le Ta hio, ou la grande étude : le premier des quatre livres de philosophie morale et politique de la Chine, ouvrage de Khoung-fou-tseu (Confucius) et de son disciple Thseng-tseu, par G. Pauthier. Paris, 1837. gr. in-8. d. maroq. rouge.

2504 L'invariable milieu, ouvrage moral de Tseu-sse en chinois et en mandchou, avec une version latine, une traduction française et des notes, précédé d'une notice sur les 4 liv. moraux communément attribués à Confucius. Paris, 1817. in-4. broché.

2505 Meng tseu vel Mencium, inter sinenses philosophos ingenio doctrina nominisque claritate Confucio proximum, edidit, latinâ interpretatione illustravit Stanislaus Julien (Pars prior et partis posterioris continuatio). Lutetiae, 1829. 2 vol. in-8. broché.

III. — *Livres élémentaires.* — *Rites.*

2506 Le livre de la *Piété filiale* et la *Petite étude*, classiques élémentaires. En 1 vol. in-8. d. rel. mar. bl.

Éditions japonaises de 1778 et 1763, n° 1600 catal. de Rémusat. Avec une note hollandaise de Titsingh.

2507 San tseu king. Le livre des phrases de trois mots. in-12.

2508 Tsian tseu wen. Traité des mille mots. in-12.

2509 Pe kia king. Livre des cent noms. Liste des noms de famille chinois. in-12. *Dans un étui avec* 2507 et 2508.

2510 Si chy hien wen. Sages maximes du temps passé. in-12. *Quelques pages.*

2511 San li thou. Figures dont la connaissance est indispensable pour comprendre les trois *Li*, ou Rituels. — Le Li Ki (5e king) le Y li et le Tcheou li. Chaque figure est suivie d'un commentaire. Belle impression. 2 vol. in-8.

2512 Tcheou Li. Le rituel des Tcheou, avec paraphrase et commentaire *variorum.* 14 vol. in-8.

2513 Y li king tchouen, etc. Y li. Rituel célèbre avec de nombreux commentaires. 24 vol. in-8. trois taos.

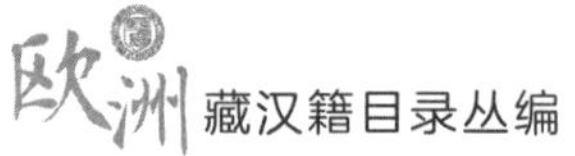

IV. — *Religion chrétienne.*

2514 Jesuitica, in-8 d. rel. mar. v. Contenant les trois ouvrages suivants :

1. Notice exacte des saints maîtres, ou histoire de la mission des jésuites, avec indication de leurs ouvrages, jusqu'en 1673. Interfolié de papier blanc. M. Klaproth y a ajouté les noms des pères et la traduction des titres de leurs ouvrages.

2. Explication abrégée de la s^{te} image du maître du ciel, par le P. J. de Rocha, 1719.

3. Origine véritable de toutes choses, par le P. J. Aleni, surnommé le Confucius du nord.

Cat. Klaproth, II, 54.

2515 Lettres en mandchou, en latin et en chinois, où, par l'ordre de l'empereur, on demande des nouvelles des PP. Barros, Beauvolier, Provana, de Arxo, envoyés en Europe par l'empereur. Datées de 1716, 31 oct. 1 feuille lith. avec fac-simile de la signature des missionnaires.

2516 Livre chinois renfermant des remonstrances adressées à l'empereur Kien long par les missionnaires. *Note mss. collée dans l'ouvrage. Jugement de M. de Guignes.*

2517 Innocentia victrix.... Sinico-latine exposita. 1671. In Quam-cheu, metropoli prov. Quam-tum. Reliure ancienne. médaillon sur plat.

Ouvrage très-rare, renfermant la sentence des tribunaux chinois en faveur de la religion chrétienne. V. Catal. Abel Remusat, n° 1071. — On a ajouté à cet exemplaire un portrait du P. Schall, en costume de mandarin, légende hollandaise, et une série de gravures sur le Nouv. Testament, avec explication en chinois au bas des pages.

2518 Thian chin hoei kho, ou Entretien des anges. Catéchisme catholique, composé par le P. François Brancato, sicilien.

Manque un feuillet et demi au commencement. A la première page se trouve cette curieuse note : Abrégé des lois de Confucius...que Ko Chinois a doné à moy Ratel en partant pour la Chine etc... — Ce livre est relié en maroquin rouge, et sur le dos il porte le titre : Loi de Confucius.

2519 Ching chi thsou jao. « Le foin ou la paille qui remplit le siècle (expression figurée pour désigner les vanités du monde), ouvrage composé par Tin-'ai-ching, de la société de Jésus. » (Note d'A. Rémusat sur le contenu de l'ouvrage, écrite par lui-même sur la couverture du volume.) 4 cahiers in-8. dans une enveloppe. Aux armes.

2520 Ching kiao youe ko. Examen de la parole de la doctrine

très-sainte : supplément, par le P. Nicolas Longobardo, S. J. pet. in-12.

2521 Sieou tchin jy kho. Livre de prières catholiques à l'usage de l'église de Pékin, par les missionnaires Jean Monteyro, Diego Pantoja, Emmanuel Diaz. joli in-32. relié en velours bleu à dessins de fabrique chinoise.

2522 Vie de St. Stanislas Kostka. Cahier chinois. pet. in-fol.

2523 Litteræ patentes imperatoris Sinarum Kang-hi sinicè et latine; cum interpretatione Ignatii Koegleri. Norimbergæ, 1802. in-8. br. *Avec des planches sur cuivre.*

2524 Brochures publiées par les missionnaires protestants.
- I. San pao etc. Notice sur les trois sociétés qui prêchent l'évangile.
- II. Huit cahiers d'un journal publié à Malacca.
- III. Dialogue de deux amis sur la religion chrétienne.
- IV. Livre de prières.
- V. Cinq autres brochures, hymnes etc.

2525 Second exemplaire du n° I.

V. — *Philosophie.* — *Sectes de la Chine.*

2526 Kia yu. Entretiens familiers de Confucius. 4 vol. in-8. *Une enveloppe.*

Exempl. de Guignes.

2527 Recueil des plus beaux morceaux de 191 philosophes qui ont fleuri en Chine depuis le VIe siècle avant J.-C. jusqu'à la dynastie actuelle. 27 vol. in-8.

2528 OEuvres de Siun tseu, philosophe célèbre du IIIe siècle avant l'ère chrétienne. Avec commentaire, éd. de 1787. 4 vol. in-8. *Premier volume endommagé.*

2529 Maximes de l'empereur Kang hi, avec la paraphrase de l'emp. Yong tching. in-8.

2530 Les dix préceptes de Yong tcheng. Chinois-mandchou. in-8. broché en soie jaune.

Exempl. de Guignes.

2531 Sing ly, etc. Véritable explication de la philosophie par Tchou hi. 2 vol. pet. in-fol. d. rel.

2532 Jin siang tsiouen pen. Ouvrage sur la physiognomonie 6 vol. in-8. *Avec figures.*

2533 Idem. in-12. *Les quatre premiers livres.*

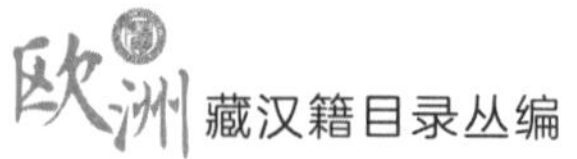

2534 San kiao seou chin ki. Mémoires sur l'origine des divinités des trois religions principales de la Chine, des empereurs, de Bouddha et de Lao tseu. in-12. d. rel. mar. r. *Figures.*

Exempl. d'A. Rémusat.

2535 Idem, 3 cahiers brochés. *Dans une enveloppe.*

2536 Hiang than thou khao. Observances de la religion de Confucius. in-12. d. rel.

2537 Chin sien tong kien. Miroir universel des dieux et des génies. Belle impression, ponctuée : noms propres marqués par une ligne verticale. 39 vol. in-12.

2538 Chan hai king. Livre des montagnes et des fleuves. 4 vol. in-12. Ouvrage mythologique. *Figures.*

Voir Catal. Klaproth, II, 25.

2539 Tao te king. Le livre de la raison et de la vertu de Lao tseu, avec commentaires. in-8 d. rel. r.

Exempl. de Rémusat.

2540 Tao te king. Le livre de la voie et de la vertu, par Lao Tseu, traduction et commentaire par S. Julien. Paris, 1842. in-8, br. *Hommage du traducteur.*

2541 OEuvres de Hoaï nan tseu, philosophe célèbre de la secte de Lao tseu, un siècle avant Jésus-Christ, avec notes et variantes. 6 vol. in-8.

2542 OEuvres de Tchoang tseu, philosophe célèbre du IVe siècle avant J.-C. de la secte de Lao tseu. Éd. avec commentaire. 5 vol. in-8.

2543 Sing ming koueï tchi. Résumé de la doctrine des Tao ssé. 4 vol. in-8. *Le 2e, le 3e et le 4e fortement endommagés.*

2544 Ou tchin pien. Le livre de l'intelligence et de la vérité, suivi du livre de l'union intime et de la tradition véritable de l'Ambroisie. Traités célèbres des Tao ssé, avec commentaires. 4 vol. in-8. *Le 2e volume du 1er traité est fortement endommagé.*

2545 Tao yen nei wei. Traité de la doctrine ésotérique et exotérique des Tao sse, avec commentaires. 4 vol. gr. in-8.

2546 Kan Yng Pien. Le livre des récompenses et des peines, ouvrage Tao ssé, suivi d'autres ouvrages de la même secte. 2 vol. in-12. *Deux exemplaires. 2e vol. endommagé dans un exemplaire.*

2547 Livre des récompenses, etc. *Avec figures : incomplet.*

2548 Le livre des bienfaits secrets (ouvrage Tao ssé avec des planches et un commentaire). 4 vol. in-8.

2549 Exhortations pour exciter à la vertu, et détourner du vice. Ouvrage Tao ssé, avec des gravures représentant l'enfer des Tao ssé. in-8.

2550 Tsi yao. Nomenclature des termes bouddhiques en cinq langues. in-4. d. rel. mar. r.

Cet exemplaire est chargé d'interprétations manuscrites. Ex. Klaproth, II, 38.

2551 Dict. des mots chinois les plus importants, qui sont employés dans les livres bouddhiques. 1 vol. in-8. *Belle édit. Papier blanc.*

2552 Abrégé des préceptes que doivent suivre les prêtres bouddhistes, avec commentaires. in-8.

2553 Siouen seng thou. Livre sur l'élection des prêtres bouddhistes. in-8.

2554 Fo choue in lan pen etc. Ouvrage bouddhique. in-8. *Belle édition sur papier blanc.*

2555 Mo meou thou. in-8. Ouvrage moral bouddhique, orné de figures allégoriques.

2556 Fo choue O mi to king. Livre d'Amitaba expliqué par Bouddha. 1765. in-8. d. rel. mar. r.

Exempl. Klaproth, II, 40.

2557 Yuen kio king. Livre des Youan kio ou saints du bouddhisme. Éd. de 1593. pet. in-fol. d. rel. mar. vert.

Exempl. Klaproth, (catal. II, 43).

2558 Tchi mien. Preuves de la religion de Fo. in-8.

2559 Ta pei shin tchou sin king. Petit livre bouddhique de quelques pages entre deux planchettes.

2560 Lettre adressée au rédacteur du journal asiatique par M. Pauthier, relativement à une critique de son mémoire sur la doctrine du Tao. Paris, 1831. in-8. broché.

2561 Mémoire sur l'origine et la propagation de la doctrine du Tao, fondé par Lao-tseu, traduit du chinois par M. G. Pauthier. Paris, 1831. in-8. broché.

VI. — *Astronomie.*

2562 Uranographie chinoise. Man. autogr. d'Abel Remusat. in-fol. cart.

2563 F. Verbiest. S. J. Recueil d'instruments de physique et d'astronomie etc. de l'observatoire de Peking, gravé en Chine. 2 vol. in-fol. non reliés, 1 feuille texte au 1r vol. le reste planches, dans un double étui. dos de mar. rouge.

2564 F. Verbiest. S. J. Ephemerides sinicæ Planetarum, anni 1684. — Calculatae sub meridiano pekinensi. in-fol. br.

2565 F. Verbiest. S. J. Typus eclipsis lunae anno Christi 1671 etc. en deux langues, chinois et mandchou, titre latin. in-8. allongé, plié en paravent. *Un peu endommagé.*

Exempl. Klaproth.

2566 Thsoung ching li chou. Astronomie chinoise par les missionnaires jésuites. Tome II contenant les principes de géométrie nécessaires pour l'astronomie. in-4. relié en Atlas.

2567 Cartes célestes chinoises. pet. in-fol. pliées en paravent.

Exempl. bibl. P. Brotier.

2568 Explication de la sphère céleste, par Li ming tche. Canton, 1820. 3 vol. pet. in-fol. (Cfr. Klaproth II. 149). *Cartes et figures. Deux exemplaires.*

2569 Tsien wen ta tching. Traité complet d'astronomie. 32 vol. in-8. *Belle édition.*

2570 Calendrier impérial en chinois dans une couverture en parchemin.

2571 Thaï thsing etc. Espèce d'almanach impérial pour l'an 1820, renfermant la liste des magistrats nommés par l'empereur. 4 cahiers. in-12.

2572 Un 3e cahier de même espèce, dépareillé, (pour quelle année)?

VII. — *Sciences, médecine, arts, jeux.*

2573 Loui king thou y. Traité de physiologie et de physique. 7 cah. in-8. *Dans une enveloppe. Avec figures.*

2574 Tcheou hai thou pien. Ouvrage sur la navigation, 16 vol. gr. in-8. *Avec cartes et figures.*

2575 Ta kouan Pen thsao. Histoire naturelle des années Ta kouan, c. a. d., composée pendant les années qui portent ce nom, (1107-1110). 1 cah. renfermant le 13e livre en assez mauvais état. Cfr. Klaproth, no 144. — Idem. Une partie du livre 13e. *Très-endommagé.*

2576 Pen thsao kang mou. Histoire naturelle. 7 vol. d. rel. Titre écrit à la main en français avec le contenu de chaque volume.

Confrontez Klaproth, II, 144.

2577 Kouang kiun fang pou. Encyclopédie botanique. Cet ouvrage diffère du Pen thsao, qui ne considère les plantes qu'au point de vue médical. 38 vol. in-8.

2578 Tou tchu pen thsao. Recueil des préceptes médicaux du Pen thsao, 6 vol. in-12.

2579 Un volume renfermant 3 ouvrages médicaux incomplets. Le 1er est le 6e livre du Miroir de la médecine ancienne et nouvelle. in-8. reliure en soie.

2580 Y fang khao. Ouvrage indiquant des remèdes pour les diverses maladies. Livre 5e. in-8. mar. rouge.

2581 Ping chi kin nang. Encyclopédie médicale. Ed. 1722. Ponctuée avec notes. 30 vol. in-8.

2582 Waï tai pi chou. Ancien ouvrage de médecine chinoise composé par le docteur Wangchou, sous la dyn. des Thang. 20 vol. in-8.

2583 Le miroir d'or de la médecine: Encyclopédie médicale rédigée en 1788, par l'ordre de Kienlong. 40 vol. in-8. *Cet ouvrage est orné de beaucoup de planches. Préface et pièces officielles imprimées à l'encre rouge.*

2584 Kao yo fang. Formulaire médical. 2 vol. in-8.

2585 Hoa tchhouan. Instructions pour la peinture. 17 cahiers gr. in-8. *Figures. 3 enveloppes et 5 cahiers.*

2586 Ouvrage sur le jeu de patience chinois. in-12. cart.

2587 Explication du jeu d'échecs. 5 cahiers in-8. dans une enveloppe.

2588 Instruction sur le jeu Ouei khy, espèce de dominos. 2 cahiers dans une enveloppe.

VIII. — *Ouvrages européens sur l'étude de la grammaire chinoise.*

2589 St. Julien. Vindiciae philologicae in linguam sinicam. Dissertatio prima etc. Parisiis, 1830. in-8. br.

2590 J. Hager. Monument de Yu, suivi de trente-deux formes d'anciens caractères chinois. Paris, 1801. in-fol. cart. — Autre exemplaire du même. relié.

Plus : le type de cette inscription en 12 feuilles à part tirées par les soins de Klaproth, voir Catal. K. II, 257.

2591 An explanation of the elementary characters of the Chinese, by Joseph Hager. London, 1801. in-4. cart.

2592 Mss. de Rémusat. Explication des clefs chinoises.

2593 Petite grammaire chinoise-française. *Manuscrite dans une enveloppe.*

2594 Th. Myers. An essay on the nature and structure of the chinese language. London, 1825. in-8. br. 32 pp. *Exemplaire présenté par l'auteur à M. Kieffer.*

2595 Notitia linguae sinicae, auctore P. Premare. Malaccae, 1831. in-4. br.

2596 Explication d'une inscription en caractères chinois et mandchous, gravées sur une plaque de jade de la bibl. de Grenoble, par A. Rémusat. 3 pp. extrait du Journal de l'Isère. *Deux exemplaires.*

2597 Éléments vocaux de l'écriture chinoise, par Levasseur et Kurz. Lithogr. Paris, 1829. in-8. br.

2598 St. Hernisz. A guide to conversation in the english and chinese languages. Boston, 1855. in-8. oblong. br.

2599 Morrison. Translations from the original chinese with notes. Canton, Chine, 1855. in-8. br. 55 pp.

2600 La Chine d'Athanase Kircher, jésuite, avec un dictionnaire chinois très-rare traduit par F. S. Dalquié. Amsterdam, 1670. in-fol. v.

2601 Le même ouvrage. Amsterdam, 1670. in-fol. v.

2602 Theophili Sigefridi Bayeri regiomontani *Museum sinicum* in quo sinicæ linguæ et litteraturæ ratio explicatur. Petropoli, 1730. 2 vol. in-8. v.

2603 Le même ouvrage. Petropoli, 1730. 2 vol. in-8. veau.

2604 A view of China for philological purposes containing a sketch of chinese chronology, geography, government, religion and customs, by R. Morrison. Macao, 1817. in-4. br.

2605 On the three meanings of the word *Shin*, as exhibited in the quotations adduced under that word in the chinese imperial usually called the Pei-Wan-Yun-Foo, translated by W. H. Medhurst. Shanghae, 1849. in-8. broché.

2606 Systema phoneticum scripturæ sinicæ, auctore J. M. Callery. Macao, 1841. 2 vol. gr. in-8. br.

2607 A dissertation on the nature and character of the chinese systema of writing in a letter to John Vaughan, by Peter S. Du Ponceau. — A vocabulary of the cochinchinese language by Joseph Morrone. — A cochinchinese and latin dictionnary. Philadelphia, 1838. in-8. cart.

2608 Le même ouvrage. in-8. cart.

2609 Le même ouvrage. in-8. cart.

2610 Discoveries in chinese of the symbolism of the primitive characters of the chinese system of writing, by Stephen Pearl-Andrews. New-York, 1854. pet. in-8. en toile.

2611 Anfangsgründe der chinesischen Grammatik von Stephan Endlicher. Wien, 1845. 2 parties en 1 vol. in-8. br.

2612 Chinesische Sprachlehre von Wilhelm Schott. Berlin, 1857. in-4. br.

2613 An essay on the nature and structure of the chinese language with suggestions on its more extensive study, by Thomas Myers. London, 1825. in-8. cart.

2614 A guide to conversation in the english and chinese languages for the use of Americans and Chinese in California and elsewhere, by Stanislas Hernisz. Boston, 1854. pet. in-4. obl. br.

2615 Dialogues and detached sentences in the chinese language with a free and verbal translation in english. Macao, 1816. in-8. veau jaspé à dent.

2616 A grammar of the chinese colloquial language commonly called the mandarin dialect, by Joseph Edkins. Shanghai, 1857. in-8. cart.

2617 Elements of chinese grammar, by J. Marshman. Serampore, 1814. in-4. cart.

2618 A grammar of the chinese language, by the rev. Robert Morrison. Serampore, 1815. in-4. cart.

2619 Lettre de Pekin sur le génie de la langue chinoise et de la nature de leur écriture symbolique comparée avec celle des Égyptiens, par un P. jésuite. Bruxelles, 1773. in-4. br.

2620 Lettre de Pékin sur le génie de la langue chinoise, comparée avec celle des anciens égyptiens, par M. De Guignes. Bruxelles, 1773. in-4. *Avec grand nombre de planches.*

2621 Notice de l'ouvrage intitulé : Lettre à M. Abel Rémusat sur la nature des formes grammaticales en général et sur le génie de la langue chinoise en particulier, par de Humboldt. Paris (imp. royale), 1828. in-8. br.

2622 Programme du cours de langue et de littérature chinoises et de tartare mandchou, par Abel Remusat. Paris, 16 janvier 1815. in-8. br.

2623 Éléments de la grammaire chinoise, par M. Abel Rémusat. Paris, 1822. in-8. br.

2624 Le même ouvrage. in-8. br.

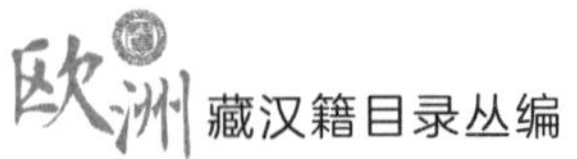

2625 Essai sur la langue et la littérature chinoises, par Abel Rémusat. Paris, 1811. in-8. broché.

2626 Meditationes sinicae, auctore Stephano Fourmont. Lutetiae Parisiorum, 1737. in-fol. v. *Un peu piqué.*

2627 Linguae Sinarum mandarinicae hieroglyphicae grammatica duplex, latine et cum characteribus Sinensium; item sinicorum regiæ bibliothecæ librorum catalogus, auctore Fourmont. Lutetiae Parisiorum, 1742. in-fol. v.

2628 Le même ouvrage. 1742. in-fol. veau.

2629 Arte China constante de alphabeto e grammatica comprehendendo modelos das differentes composioes composto por J. A. Gonçalves. Macao, 1829. in-4. broché.

2630 Notitia linguae sinicae, auctore P. Premare. Malaccae, 1831. in-4. broché.

2631 Examen critique de quelques pages de chinois relatives à l'Inde, traduites par Pauthier, avec des discussions grammaticales par Stanislas Julien. Paris (impr. roy[le]), 1841. in-8. d. r.

IX. — *Ouvrages chinois sur l'étude des caractères.*

2632 Rouleau de toile sur lequel sont imprimées des inscriptions dans les différentes espèces d'écriture chinoise.

2633 Sse tseu fa. Méthode pour apprendre les quatre espèces d'écriture. Élég. éd. pap. blanc. 2 vol. in-12. *Deux exemplaires.*

2634 In hio ou chou. Recueil de cinq ouvrages d'auteurs différents sur l'étude des sons et de la prononciation. 12 vol. in-8.

2635 Tseu hio tsin leang. Pont pour arriver à la connaissance des caractères. Traité de paléographie chinoise. pet. in-fol. d. rel. mar. v.

Exempl. Klaproth, II, 252.

2636 Yun fa tchi thou. — Yun fa houeng thou. Deux syllabaires chinois, avec l'expl. de la prononciation. gr. in-8. d. rel.

Prononciation ajoutée en lettres européennes à la main en tête des colonnes.

2637 Tan chan loui pien. Ouvrage sur la calligraphie chinoise. 4 vol. in-8.

2638 Fa iu hiu tseu. Traité des particules chinoises. Mss. in-8. tout chinois.

Une note manuscrite l'attribue au P. Gollet. Cat. Kl. II, 166.

2639 Yun mou. Ouvrage donnant la prononciation des caractères. in-4. d. rel. mar. r.

Exempl. Klaproth, II, 163.

2640 Tchhouan li sin hoa. Recueil des caractères avec la prononciation annotée au crayon rouge. in-8. d. rel. mar. r.

Exempl Klaproth, II, 253.

X. — *Dictionnaires.*

2641 Eul ya. Vocabulaire fort ancien par ordre de matières. Suivi du petit Eul ya. gr. in-8. d. mar. vert.

Exempl. Klaproth, II, 167.

2642 Eul ya. Édition accompagnée de commentaires. 4 cah. in-8.

2643 Yu pian. Dictionnaire célèbre composé en 543 par des bouddhistes, et où les caractères et la prononciation sont altérés, dans l'esprit de la secte, afin de donner aux mots une nouvelle acception. 1704. in-4. d. r. rel. m. v.

Exempl. Klaproth, II, 170.

2644 Hiu chi choue wen. Le plus ancien des dictionnaires chinois proprement dits. 2 vol. pet. in-fol. d. mar. rouge. ex. Rémusat n° 1612.

2645 Lou chou pen y. Sens primitif des six caractères : Renferme l'explication de beaucoup d'anciens caractères. 1520. in-8. d. rel. mar. v.

Exempl. Klaproth, II, 171.

2646 Pou thsiang tsu y. Origines des caractères anciens, contenant les 540 caractères anciens du Choue wen. pet. in-fol. d. rel. mar. vert. magn. impression.

Note catal. D. D. descript. de l'ouvrage.

2647 Tchhouan tseu wei. Dict. des caract. Tchouan. 6 cahiers en un tao. gr. in-8.

2648 Tchy kou weï wen. Dict. des caractères anciens. Ordre tonique. gr. in-8. d. mar. v.

Exempl. Klaproth, II, 173.

2649 Thsao tseu weï. Dict. des caractères cursifs. 1788. gr. in-8. d. rel. m. bl.

Exempl. Klaproth, II, 183.

2650 Dictionnaire Phin tseu thsian, par classes. 1687. 3 vol. in-4. d. rel. m. v. Le 3e vol. est un index pour faciliter l'usage du dictionnaire.

Exempl. Klaproth, II, 184.

2651 Index par ordre de clefs pour le dict. chinois Phin tseu

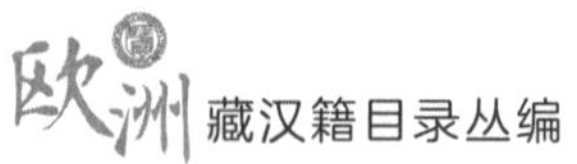

thsian. 1677. 3 cah. gr. in-8. cartonnés en 1 vol. *C'est le même que le 3e vol. du numéro précédent.*

« F. Antonius Diaz scripsit europaeis litteris voces sinicas seu accentus qui videntur in hoc dictionario. »

J'ai marqué d'un point rouge les caractères que j'ai fait graver pour mon Confucius, ils sont à l'imprimerie royale (Cette note de la main d'A. Rémusat). V. catal. d'A. R. n° 1621.

2652 Table de tous les mots de la langue chinoise afin de se servir sans peine du dictionnaire des rimes. Man. in-4. exécuté à la Chine.

C'est un index pour faciliter l'usage du Phin tseu tsian.

2653 Hiouan kin tseu weï. Dictionnaire de Meï tan seng, disposé par clefs. 14 vol. in-8.

2654 Idem. dans une enveloppe. édition plus récente. *Note de M. Van Alstein.*

2655 Tseng pou tseu weï. Autre édition du même dictionnaire. 14 vol. in-8.

2656 Tseu weï. 2 vol. dépareillés d'un abrégé du tseu wei.

2657 Index des clés du dict. Tseu weï. in-fol. rel. cart.

Mss. européen du siècle passé.

2658 Dictionnaire Tching tseu tong. Ce n'est qu'un abrégé du grand dictionnaire de ce nom. 22 vol. in-12.

2659 Tching tseu tong. 24 vol. in-8. qui en renferment 36. Dict. chinois.

C'est cet ouvrage qui a servi de base au dict. de Kang hi. L'édition actuelle de 1733 est conforme à l'édition originale de 1670, et à la deuxième de 1671. — Le même dans 2 enveloppes. Cet ouvrage donne de longues explications omises par Kang hi. Il est plus riche quant à l'étymologie; depuis longtemps on n'en réimprime plus qu'un abrégé. V. Fourmont, p. 361, col. I n XI.

2660 Supplément au dictionnaire Tching tseu, etc. in-8. d. rel. m. bl.

2661 Dictionnaire chinois de l'empereur Kang hi. Éd. in-8. 31 vol.

2662 Le même. Édit. in-12. 32 vol.

2663 I wen pi lan. Dictionnaire universel des caractères classiques et des caractères antiques par clefs. 42 vol. in-8.

Ce dictionnaire est d'une grande autorité pour l'analyse et l'étymologie des caractères. Confrontez Klaproth, II, 186, 187.

2664 Yu tang tseu weï. Petit dictionnaire chinois très-estimé in-12. d. rel. Note sur une page détachée, extraite de Callery, touchant le contenu et la valeur de l'ouvrage.

2665 Fragment du Haïpien, édition de 1596, suivant une note manuscrite (de Klaproth?)

2666 Ou tchhe yun soui. Dict. par ordre de tons. 5 vol. pet. in-4. v. br. fil. etc.

Exempl. Klaproth, II, 176.

2667 Fen yun tso yao. Vocabulaire tohique chinois. Index tonique du Tseu weï. 4 cahiers en 1 vol. in-12. v. rac. fil.

Exempl. Klaproth, II, 181.

2668 Yun fou kiun yu. Forêt de perles du trésor des rimes. — 10 vol. in-8.

Dict. très-important pour l'intelligence des historiens, des philosophes et surtout des poëtes. On y trouve une foule de traits historiques, de notices biographiques, de fables etc. Ed. de 1590.

2669 Idem. En deux vol. gr. in-8. d. rel.

Note de Klaproth.

2670 Dictionnaire des rimes. Ed. 1759. 20 vol. in-8.

2671 Tsi yun. Dictionnaire tonique. 10 vol. in-8. *Très-belle édition.*

2672 N. Trigault, S. J. Si jou eul mou tseu. Vocabulaire disposé par tons, suivant l'ordre des mots européens. 1626. in-4. d. rel. m. vert.

Exempl. Klaproth, II, 192.

2673 Dict. chinois-russe. in-4. dos mar. rouge.

Mss. Le russe est écrit en caractères chinois. Catal. Klapr. II, 198.

2674 Vocabulaires manuscrits de diverses langues en chinois. 6 vol. in-4. d. r.

I. Si tian; sanscrit.
II. Si fan; tibétain.
III. Siuan lo; siamois.
IV. Mian; pégu.
V. Pa pe; dialecte du S.-O. de la Chine.
VI. Pe y; id.

Accompagnés de traductions latines et de notes.

2675 De Guignes. Dictionnaire chinois-français-latin. Paris, 1813. in-fol. d. rel. non rogné.

2676 Le même ouvrage. Ibid., 1813. in-fol. br. non rogné.

2677 Supplément au dict. de De Guignes, par J. Klaproth. 1re livr. Paris, 1819. in-fol. broché. *Tout ce qui a paru.*

2678 Le même supplément. in-fol. br.

2679 Le même supplément. in-fol. br.

2680 Basile de Glemona. Dict. chinois-latin, envoyé par M. Raux, supérieur de la mission française à Peking, à M. De Guignes. 1788. pet. in-fol.

2681 English and chinese vocabulary in two volumes, by W. H. Medhurst, Shanghae, 1847. 2 vol. in-8. d. rel.

2682 Dictionnaire chinois-latin-allemand, par Klaproth.

Manuscrit contenant l'explication d'environ 1600 caractères, avec la clef en rouge. Commencement d'un grand travail entrepris par Kl. V. Cat. Kl. II, 197.

2683 Caract. chinois expliqués en latin. in-4. d. rel.

Mss. européen du siècle passé.

2684 Bocabulario de lengua sangleya por las letras del *a b c*. Lo que deve saver el ministro para administrar los sacramentos. Arte de la lengua Chio-Chiu. d. r. mar. vert.

Mss. sur papier de Chine. Dialecte-Chinois du Fo-kien. Klap. II, 200.

2685 Dict. chinois, par Ab. Rémusat.

Man. très-bien écrit. pet in-4. achevé en décembre 1808.

2686 Yin yun tseu haï. La mer des caractères. Dict. par ordre tonique. in-4. d. rel. m. v. *Rare même à la Chine.*

Exempl. Klaproth. II, 174.

2687 Diccionnario portuguez-china *et* china-portuguez, no estilo vulgar mandarim e classico geral composto por J. A. Gonçalves. Macao, 1831-33. 4 vol. in-4. br.

2688 Vocabularium sinicum, concinnavit Guilelmus Schott. Berolini, 1844. in-4. br.

2689 Lexicon sinico-latinum. in-fol. cart.

Manuscrit sur papier du dernier siècle. Dans ce volume se trouvent tous les caractères du dictionnaire tser wei, avec la traduction d'un certain nombre de caractères par Mentzel, Bayer, Klaproth. Les caractères chinois sont écrits par Mentzel. — Avec signature de Montucci.

2690 A dictionary of chinese language, by the Rev. Robert Morrison. Macao, 1815-22. vol. I et II, gr. in-4. cart. non rognés.

2691 Vocabulary of the canton dialect, by R. Morrison. Macao, China, 1828. 3 parties en 2 vol. in-8. broché.

2692 Klaproth. Un dernier mot sur le dictionnaire de Morrison. Paris, 1830. lithogr. in-8. br.

2693 A dictionary of the Hok-Këèn dialect, of the chinese language, by W. H. Medhurst. Macao, China, 1832. gr. in-4. cart. non rogné.

2694 Sylloge minutiarum lexici latino-sinico-characteristici observatione sedula ex auctoribus et lexicis Chinensium characteristicis eruta et exposita a Christiano Mentzelio. Norimbergiæ, 1685. in-4. cart.

XI. — *Poésie chinoise.*

2695 Poésies de la dynastie des Thang. Avec notes. 6 cahiers in-8. *Une enveloppe.*

2696 OEuvres complètes de Li thai Pé, le poëte le plus célèbre de la Chine. 14 vol. in-8. *Avec commentaires.*

2697 OEuvres complètes de Tou fou, le 2e poëte de la Chine. 14 vol. in-8. *Belle édition. Avec commentaires variorum.*

2698 Tse y tsao mou lo. Recueil de poésies. 1 vol. in-8.

XII. — *Romans.*

2699 Kin kou ky kouan. Recueil de nouvelles, anciennes et modernes. 10 vol. in-12.

2700 L'histoire des trois royaumes, par le premier des écrivains Thaï Tseu ou beaux esprits, en 60 livres. Roman hist. 20 vol. in-12. *Dans une enveloppe.*

2701 Yu kiao li, roman chinois par le 3e des Thaï tseu ; il porte en français le titre : les deux Cousines. 4 vol. *Dans une enveloppe.*

2702 Idem. Autographié par Levasseur.

2703 Phing chan leng yan. Roman chinois célèbre, par le quatrième des Thaï-tseu. 4 vol. in-12.

2704 Histoire des rivages, par le 5e des écrivains appelés Thaï-tseu. Roman. 20 vol. in-12.

2705 Kin phing meï. Célèbre roman chinois. 20 vol. in-12.

2706 Sing sin pien. Livre qui excite le cœur à la vertu. Roman de mœurs. 4 vol. in-12.

2707 Les songes de la chambre rouge, célèbre roman chinois. 20 vol. in-12.

2708 Histoire du songe, en 3 parties. Rom. Hist. 4 vol. in-12.

2709 Hong wou thsiouen tchouen. Roman historique, qui se rapporte à la dynastie des Song. 10 vol. in-12.

2710 Choue yo Thsiouen Tchouen. Roman historique mêlé de merveilleux. 10 vol. in-12.

2711 Histoire complète de la dynastie des Thang. Roman historique. 14 vol. in-12.

2712 Histoire des cinq petites dynasties qui ont succédé aux Thang. 6 vol. in-18.

2713 Hist. de la dynastie des Han de l'ouest et de l'est. Romans hist. en 8 in-8. et 5 vol. in-12. en tout 13.

2714 Ly koue Tsiouen tchouen. Histoire des différents royaumes du temps des Tcheou orientaux. 24 vol. in-12.

2715 Idem.

2716 Idem. *Dans une enveloppe.*

2717 Conquêtes de Jin koueï dans l'est de la Chine. Roman hist. en style moderne. 8 vol. in-12.

2718 Conquêtes etc. dans l'ouest etc. 12 vol. in-12.

2719 Histoire des exploits de Lo thong dans le nord de la Chine. Rom. historique. 3 vol.

2720 Histoire des Song du midi et du nord. Roman hist. en style mod. 10 vol. in-12.

2721 Histoire de la pacification du midi de la Chine. Roman hist. 6 vol. in-12.

2722 Siao haï sin ching. Recueil d'anecdotes. petit cahier in-12.

XIII. — *Littérature.* — *Encyclopédies.*

2723 Chrestomathie chinoise, publiée à Paris à l'imprimerie royale. 1833. in-4.

2724 Kiang hou Tchi etc. Modèles de lettres. 4 vol. in-12.

2725 Kou wen youen kien. Miroir de la littérature du style antique. 28 vol. in-fol. *Magnifique impression.*

Texte en noir, ponctué en rouge, notes en jaune, vert, bleu, rouge (ces dernières de l'empereur).

2726 Kouen hio ki tsi Tching. Revue critique des principaux ouvrages chinois et leurs difficultés, avec comm. 12 vol. in-8. *Ouvrage magnifiquement imprimé. Deux exemplaires.*

2727 Tchao ming wen siouen. Modèles de littér. recueillis par le prince Tchao ming, de la dynastie des Liang. Avec comment. imprimés en petits caractères. Éd. compacte en 12 vol. pet. in-fol.

2728 Tcheou chi kin wang. Encyclopédie de pièces remarquables écrites en style élégant (Wen tchang), avec comment. 10 vol. in-12.

2729 Kou wen ping tchou. Chrestomathie des plus beaux morceaux écrits en style antique, depuis les Tcheou jusqu'à nos jours, avec comm. perpétuel. 10 vol. in-8.

2730 Klaproth Verzeichniss der Chinesischen und Mandschuischen Bücher und Handschriften der K. Bibliothek zu Berlin; suivi de : Abhandlung über die Sprache und Schrift der Uiguren. Paris, 1822. in-fol. d. rel. non rogné.

2731 Catalogue de la bibliothèque des quatre magasins. 1762. 4 vol. in-12. d. mar. rouge.

Exempl. Klaproth, II, 263.

2732 Entwurf einer Beschreibung der chinesischen Litteratur, von Wilhelm Schott. Berlin, 1854. in-4. br.

2733 Tsou hio ki. Encyclopédie littéraire à l'usage des étudiants, publiée pour la première fois en 1134. 14 vol. in-18.

2734 Tsou hio teng long. Ouvrage de même espèce. 4 vol. in-8.

2735 Tsi sieou kao loui. Encyclopédie littéraire en 51 livres, avec un supplément. 1776. 18 vol. in-12. *Belle édition, papier blanc.*

2736 Tchi nang pou. Petite encyclopédie littéraire, renfermant un grand nombre de notices historiques sur des personnages célèbres. 10 vol. in-12.

2737 OEuvres complètes de Han in, l'un des plus illustres écrivains de la dynastie des Thang. 12 vol. in-8.

2738 OEuvres de Ngheou Siang Sieou, l'écrivain le plus célèbre du XIe siècle de notre ère. 28 vol. in-fol.

2739 Wan pao, etc. Encyclopédie pour les enfants. 6 vol. in-8. *Avec figures.*

2740 Idem. édition plus récente.

2741 Chi tse toung khao. Petit ouvrage encyclopédique pour les enfants. in-8. *Incomplet à la fin.*

Note manuscrite de Rémusat sur l'utilité de ce livre. Cat. Rémusat n° 1583.

2742 Sin thseng etc. Forêt de branches de corail. Encyclopédie élémentaire en deux livres. in-8.

2743 Tsou hio ming kien. Miroir des commençants.

2744 Tchi pou tso tchaï chi san tse. Collection littéraire renfermant en trente recueils 204 ouvrages. 240 vol. in-12. *Le 121e volume est un peu endommagé.*

2745 Yuan kian luy han. Encyclopédie. 450 cahiers reliés en 32 vol. in-8. d. rel.

Exempl. Klaproth, II, 267.

2746 Long wei tsi. Recueil contenant 46 ouvrages rares, tirés des archives de l'empereur. 80 vol. in-12. *Belle édition, sur papier blanc.*

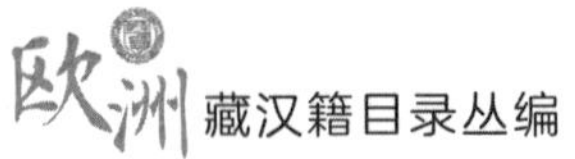

2747 Idem. Il n'y a ici que 56 vol. sur 80. *Cinq enveloppes. Incomplet.*

Exempl. Klaproth, II, 261.

2748 Pi chou nien i tchong. Recueil de 20 ouvrages rares tirés des archives secrètes, on y trouve, entre autres, la chronique de Bambou. 10 vol. in-12.

2749 La mer de Jade. Encyclopédie très-estimée. 100 vol. in-8. *Au premier volume les pièces préliminaires et les deux premières feuilles de la table, fortement endommagées.*

2750 Wen hian thoung khao. L'encyclopédie de Ma touan lin. 100 vol. in-8.

2751 Wen hian etc. Tching su ho pian. 32 cahiers reliés en 7 volumes. in-8. d. rel. *Supplément du N° précédent.*

2752 Taï ping kouan ki. Encyclopédie en 500 livres, divisée en 48 vol. in-12. *Le titre et la préface sont rongés.*

2753 Idem. *Très-bien conservé.*

XIV. — *Histoire et géographie.*

2754 Kia tseu hoeï ky. Tableau complet des cycles. in-8. d. rel. mar. v.

Exempl. Klaproth, II, 74.

2755 Chronol. des dix-mille années. in-8. d. rel. Chronologie chinoise, avec concordance des dates manuscrite.

Exempl. Klaproth, II, 75.

2756 Chronique du livre de Bambou. Copie manuscrite envoyée par le P. Gambil, avec lettre de ce dernier. in-8. d. rel. mar. bl.

Exempl. Klaproth, II, 76.

2757 Koue li tchi. Description du Koue li : Histoire de Confucius. Incomplet. 9 cahiers in-8. *Dans une enveloppe, manquent les livres 4 à 8 incl.*

Exempl. Klaproth, II, 90.

2758 Tso tchouen. Traditions de Tso. Ouvrage historique de Tso Khieou Ming, disciple de Confucius, avec commentaire. 6 vol. in-8. 5e *vol. endommagé.*

2759 Idem, bien conservé.

2760 Tso tchouen. Incomplet. Livres 38, 39, 40 et une partie du 41.

2761 Koue yu. Discours sur les royaumes. Ouvrage de Tso Kieou. Belle édit. avec comment. 4 vol. in-8.

2762 Idem. 4 vol. in-8. *Édit. plus ancienne. Dans une enveloppe.*

Exempl. de Guignes.

2763 Fong chin yen thsiouen. Histoire complète de la fondation des dieux et des génies suivant les idées de la secte des lettrés. 20 vol. in-12.

2764 Fong tcheou kang kien. Histoire abrégée de la Chine jusqu'à la fin de la dynastie mongole. 36 vol. in-12. Suivi d'un supplément en 4 vol. contenant l'histoire des Ming. Ensemble 40 vol. in-12.

2765 Le même. cart. divisé en 44 vol. *Le supplément commence au T. 40.*

2766 Sse ki. Mémoires historiques de Sse ma thsian. éd. 1806. 5 vol. in-8. d. rel.

Catal. Klaproth n° 77.

2767 Idem. 40 vol. in-8. broché.

2768 OEuvres complètes de Lo py, écrivain célèbre sous la dynastie des Song. 24 vol. in-12.

2769 Thoung kian kang mou. Histoire générale de la Chine depuis les temps les plus reculés jusqu'en 1367 de l'ère chrétienne. 120 vol. gr. in-8. *Contenu des volumes indiqué (par Klaproth?) sur la couverture du premier volume.*

Voir Catal. Klaproth, II, 78.

2770 Idem. 112 vol. in-12. *Papier blanc.*

2771 Supplément au Thoung kian etc. Histoire de la Chine depuis les Ming (1368) jusqu'à l'an 1644. 6 vol. in-8.

2772 Un volume dépareillé du Thoung Kian, renfermant le 3e livre, 2e partie du Tching pian (de 80 à 157 de J. C).

2773 Chi lou Koue tchun tseou. Printemps et automne de 16 royaumes. 18 cahiers pet. in-fol. *En deux enveloppes.*

2774 Chroniques des Hans antérieurs. 23 vol. gr. in-8. *Deux enveloppes.*

2775 Chroniques des Hans postérieurs. 17 vol. gr. in-8. *Deux enveloppes.*

2776 Histoire de la dynastie des Tang (769-1067). 5 vol. in-8.

2777 Ming Ki thsiouen tsaï. Annales de la dynastie des Ming. 6 cahiers in-fol. dos mar. rouge. *Rel. du siècle passé. Dans une enveloppe en forme de livre.*

2778 Ming tchao ky. Annales des Ming. gr. in-8. 20 *cahiers en 2 enveloppes.*

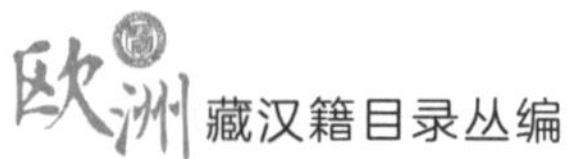

2779 Histoire des dynasties, Han, Thsin, Soung, Thsi, Liang, Tchin, Soui, depuis l'an 32 av. J.-C. à 626 p. l. 6 vol. in-8. *Une enveloppe*.

2780 Li ti kin kao. Moelle d'or du beau corps. Hauts faits de la dynastie actuelle. 7 vol. pet. in-12. *Dans une enveloppe*.

2781 Mémoires sur la conquête des Miao, sous Kang hi, suivi de poésies sur cet événement. 8 cahiers (2 derniers, poésies) gr. in-8.

2782 Histoire des guerres sous les Tcheous. 6 vol. gr. in-8.

2783 Manuscrit chinois. in-8. d. rel. d. mar. v.

D'après M. Landresse, catal. Klaproth, II, 87, ouvrage historique sur le règne de Young-Lo, dynastie des Ming.

2784 Tseng ni ki. Histoire des dernières insurrections qui ont éclaté en Chine. 2 vol. in-8.

2785 Ly sse kang kien pu. Abrégé des annales de la Chine jusqu'en 1650. 5 vol. in-8. d. rel.

Exempl. Klaproth, II, 81.

2786 Kang kien y tchi. Histoire de la Chine. 40 pp. 4 tao. gr. in-8.

2787 Lie tchao kang kien. Miroir des dynasties. 30 vol. *Dans trois enveloppes en forme de livres*.

2788 Toung hoa lou. Histoire manuscrite de la dynastie actuelle, jusqu'en 1735. 16 cahiers in-8. *En quatre enveloppes*.

Exempl. Klaproth, II, 88.

2789 Sing chi tso pou. Biographie universelle. 110 vol. in-8.

2790 Notes biographiques sur des personnages célèbres de l'histoire de la Chine. in-12. *Renfermées dans une enveloppe en carton*.

2791 Si hou tchi. Histoire du lac Si hou, des temples qui l'environnent, etc. 20 vol. in-18.

2792 Si yeou ki. Histoire d'un voyage dans les pays occidentaux (Thibet, Inde). 20 vol. in-12.

2793 Récit de ce qu'il y a de curieux dans les contrées occidentales 1777. in-8. d. mar. rouge. *Cartes*.

Exempl. Klaproth, II, 125.

2794 Description de Java, avec 2 cartes, Java et la Presqu'île, in-8. oblong. d. rel. cuir de Russie.

Exempl. Klaproth, II, 106.

2795 Foe koue ki, ou relation des royaumes bouddhiques. Voyage dans la Tartarie, dans l'Afghanistan et dans l'Inde, par

Chy fà biou, traduit du chinois par Abel Rémusat, revu par M. Klaproth et Landresse. Paris, 1836. in-fol. broch.

2796 Kouang yu ky. Description de la terre. 10 cahiers en une enveloppe. *Avec cartes.*

2797 Idem. Divisé en 12 cahiers.

2798 Tchen koue tsé. Ouvrage sur la politique et la statistique composé avant l'incendie des livres, regardé comme un modèle de style antique. 5 vol. in-8. *Belle édition, avec commentaire.*

2799 Koue tse tsiang liu. Le même, avec un commentaire plus étendu. 9 vol. in-8.

2800 Tse tchy sin chou. Encyclopédie politique, judiciaire et administrative. 20 vol. in-12. *Le 2e vol. manque, le 12e est presque détruit, il ne reste que le titre et la plus grande partie de la table.*

2801 Kiang hou tchi lo. Manuel des voyageurs et des marchands. 4 vol. in-18.

2802 Testament de Kang-hi. Chinois avec traduction française en regard.

Man. du siècle passé. Reliure en satin à fleurs.

Appendice au chinois.

2803 Vocabulaires, phrases, fragments de traduction etc. 2 cahiers in-fol.

2804 Manuscrits du siècle passé renfermant, entre autres, la traduction du Ta hio et de Mencius préparée pour l'impression à Rouen par un *Littérateur* (sic). in-4.

2805 Odes extraites du Chi-king, avec le calque des caractères et la version latine. in-fol.

Man. du siècle passé.

2806 Recueil de pièces utiles pour l'étude du chinois, dialogues etc. in-fol.

2807 Manuscrits. Ce carton renferme le lexicon latino-sinicum Bayeri. — Voces et claves sinicae. — Dict. chinois tiré de Kircher avec les caractères chinois écrit par le Chinois Arcadius Hoang.

2808 Plaintes adressées à l'empereur par des négociants français, en chinois avec les signatures et cachets des négociants français.

2809 Carton contenant des phrases chinoises d'un certain nombre de caractères, traduites en partie en français. in-fol.

2810 Manuscrit en caractères chinois renfermant entr'autres des phrases d'un certain nombre de lettres, des parties du nouv. testament.

2811 Manuscrits sur les différends des missionnaires. Évangiles de l'avent et du carème et autres manuscrits religieux en caractères latins, titres en espagnol. in-4.

2812 Fragments, pièces détachées imprimées en caractères chinois. Un cahier du grand dictionnaire mandchou.

2813 Cahier in-4, contenant des phrases chinoises. Sans traduction. *Papier européen.*

2814 Sept cartons de divers formats, contenant les manuscrits, extraits, notes de Jacquet.

Langue Japonaise,

Linguistique et belles-lettres.

2815 Compendious instruction of the japonese language, composed from the work called the great science of the japonese language, et autres manuscrits sur la grammaire et la prononciation. *Une liasse de la collection Titsingh.*

2816 ARTE DE LINGOA DE JAPAN composto pelo padre João Rodriguez, portuguez, da cōpanhia de Jesu. Em Nangasaqui, no collegio de Japão da companhia de Jesu, anno 1604, in-4. sur papier du pays. En reliure originale, en étoffe japonaise.

Livre très-rare, imprimé sur papier du Japon. L'exemplaire est d'une conservation parfaite et conforme à la description donnée par M. Brunet. Vendu 640 fr. Langlès.

2817 Ars grammatica japonicae linguae in gratiam et adjutorium eorum, qui predicandi evangelii causa ad japoniae regnum se voluerunt conferre. Composita, etc. a F. Didaco Collado, ordinis praedicatorum etc. Romae, 1632. pet. in-4. veau aux armes.

2818 Le même ouvrage. Suivi de : Dictionarium, sive thesauri linguae japonicae compendium, compositum et sacrae de propaganda fide congregationi dicatum a fratre Didaco Collado etc. Romae, 1632. in-4. veau raciné à fil.

America, by Benj. Smith Barton. Philadelphia, 1798. in-8. demi-reliure.

5408 Relation de la nouvelle mission des Pères de la Compagnie de Jésus au royaume de la Cochinchine, trad. de l'italien du Père Christofle Borri, milanois, par le Père Antoine De la Croix. Lille, 1631. in-12. vélin.

5409 Eutychii patriarchae alexandrini annales. Oxoniae, 1658. 2 vol. in-4. veau. *Aux armes. Un peu taché d'eau.*

Appendice aux ouvrages chinois.

5410 Livre chinois.

Imprimé sur feuilles collées, pliées en paravent, de manière à former un tout continu. La 1re partie en lettres blanches sur fond noir donne 18 petites prières en caractères cursifs, ces pièces sont reproduites en rouge dans la 2de partie, caractères ordinaires avec explications latérales.

5411 Si ho ho tsy. 7 volumes in-12.

5412 Tsin tang siao choue. 7 vol. in-12. — Kou kin chi hoa tsy. 6 vol. in-12. *Treize volumes en un lot.*

5413 Tsien kia chi tou. in-12. *Figures.*

5414 Ching Ky Pe yen. Les cent avis de la Ste-Mère (Ste-Thérèse). Ouvrage du Père Jacques Rho. in-8. br.

5415 Ngen sse tchao chou. in-8. br.

5416 Histoire des hommes illustres. 1e livre in-8. br.

Roman ? Cet ouvrage doit avoir 10 livres.

5417 Premier livre de l'encyclopédie élémentaire: N'an pao etc. gr. in-8.

5418 Manuscrit chinois. 12 feuilles pet. in-8.

5419 Tsou hio tseu ke. Sur la manière de tracer les caractères. 6 feuilles. *Car. rouges.*

5420 Tsou hio ji men. Ouvrage élémentaire. 1 vol. in-8. *Les 15 premières feuilles rongées.*

5421 Plus un vol. in-8. *Partie en lettres rouges. Avec figures.*

Ouvrage Tao ssé?

5422 Ling kou ky kouan. 4e volume. livres 13, 14, 15.

FIN DU PREMIER VOLUME.

Catalogus Librorum Sinicorum Bibliothecae Electoralis Brandenburgicae

勃兰登堡选帝侯藏中文书籍目录

CATALOGUS LIBRORUM SINICORUM BIBLIOTHECÆ ELECTORALIS BRANDENBURGICÆ.

I.
Historia Evangelica.
Sinicè: *Tien-chu kiam sem cho siao kim kiao.*
Hoc est: *Vita mortisq; Domini doctrinalis per figuras explicatio.*
Hæc bis extat.
Edita anno Christi 1637.
Autore P. Julio *Alenio.* S. I.

II. *Historia Sanctorum.*
Sinicè; Xim-gin hin-Xe.
Hoc est, Acta Sanctorum.
Extant Pars IX. X. XI.

III. *Vita Sanctorum.*
Pars VII. Operis.
Continens Historiam XII. Sanctarum. E. g. *Catharina Svecica.*

IV. *Historia Evangelica Major.*
Est colloqvium Magistri cum Discipulo de momentis Christianæ Religionis.
Qvibus inseruntur *Imagines & Preces.*

V. *Co-Cu.*
Sunt libelli XII. de Virtutibus & Vitiis.
Editi anno *Ken-xin.* [57. Cycli LXXI.] sub Rege *Van-lie.* anno H. e. Christi 1560.

VI. *Lim-yen.*
Sermones Spirituales.
Extat Pars I. & II.

VII. *Ku-kin siao xue.*
Historiola nov-antiqva.
Extat pars XXV. XXVI. XXVII.

VIII. *Preces Christianæ.*
Editæ anno Chri. 1627.

IX. *Geometrica P. Matthæi Riccii.*
Extat Pars IV. & V.

X. *Liber Astronomicus* Europæus.
Extat Pars ultima.

XI. *De Formâ Christi Domini.*
Extat bis.
Excusus anno *Ki-vi* Regis Van-lie. [56. Cycli LXXI.] H. e. anno Christi 1559.

XII. *Euclidis liber sextus.*

XIII. *Battologia sectæ Fe-Kiao.*
Extat Pars VI. & alia.
Qvota, non memini.

XIV. *Hai-pien.*
Notarium Sinicum.
Extat Pars XVI. XVII.

XV. *Cu-hai.*
Notarii genus aliud.

XVI. *Cu-gvei.*
Notarii genus tertium.

XVII. *Hoei-van-pim-chun.*
——— Liber Medicus.
Extantejus aliqvot partes.

XVIII. *Puen-cao.*
Herbarium.
Extant *duo Tomi.*

XIX. De *Arboribus* Liber, admodum mutilus, ut qvidam alii.

XX. *Chi-nan nan-kim.*
Tabulæ Anatomicæ.
Ex his una est de *Circulatione Sangvinis.*

XX. *Su-Xu.*
Tetrabiblium.

XXI. *Nomenclator Sinicus,*
cum *Indice* MS.

XXII. *San-Kue.*
Opus Historico-Politicum.
Extat pars VIII. IX. X. XI. XII. XIII. XIV. XV. XVI.

XXIII. Annalium *Sinensium* Particula qvædam.
Continet *finem Chevarum,*
& initium Cinarum.

XXIV. *Annalium Tomi qvamplures.*
Extat omnium *Exemplum geminum.*
Extat & *Index* eorum dudum à me editus.

Summa Tomorum, CCC. circiter.

Anderer Theil des Catalogi der Sinesischen Bücher

中文书目的其它部分

Anderer Theil
Des
CATALOGI
der
Sinesischen Bücher/
Bey der
Churfürstl. Brandenburgischen
BIBLIOTHEC,
Zu Cölln an der Spree
ANNO 1683.
Auff Churfürstl. gnädigstem Special-Befehl
in unterthänigsten Gehorsam
Von

ANDREA MÜLLERO Greiffenhagio,
Churfürstl. Consistorial-Rahte und Probsten
in Berlin
auffgesetzt.

Cölln an der Spree /
Druckts Georg Schultze / Churfürstl. Brandenb. Hoff-Buchdrucker.

I.

CXX. Bände

(in XII. Bünden)

Sinesischer Jahr-Bücher/

Welcher Einhalt/

Den Liebhabern/ der/

noch zur Zeit in Europa nicht deduciret en

und doch überaus nützlichen/

Welt-Geschichte und Zeit-Rechnung/

Zu Dienste/

Etwas eigentlicher von Königen zu Königen hieher gesetzet ist/ und zwar also/ daß man so fort wissen könne:

1. In welchem Bande/ Tomo und Buche/ auch auff welchen Blättern von diesem oder jenem Könige gehandelt werde.

2. Wenn ein jeder zu regieren angefangen habe.

3. Wie lange er regieret habe.

Sinesische Jahr-Bücher. Die Erste Edition. N°. I.

Bände.	Bücher.	Blätter.	Anzahl der Tomorum.	Königliche Familien.	Namen der Könige.	Die haben angefangen zu regieren.	MS. Frontale.
I.	1. Titul. - -	- - - - 1.				Anno Cycli / Im Jahr vor Christi Geburt	I.
	2. Vorrede -	- - - - 19.					
		5.					
		2.					
		2.					
		4.					
		1.					
		8.					
		20.					
	3. Register -	- - - 67.					
	Summa -	- - - 129.					
II.				CHEU.		XXXIX.	II.
	1.	33.	I. - - -	- fol. 1. a.	Guei-Lie, (r. a. 24.)	53. - 425.	
	2.	34.	II. - - -	- fol. 20. b.	nGan-Vang, (r. a. 26.)	- - 17. - 401.	
			- -	- fol. 30. b.	Lie, (r. a. 7.)	- - 43. - 375.	
	3.	31.	III. - - -	- fol. 1. a.	Hien. (r. a. 48.)	- - 50. - 368.	
			- - -	- fol. 1. a.	Xi-çin, (r. a. 6.)	XL. 38. - 320.	
			- - -	- fol. 6. b.	Eoi, (r. a. 59.)	- - 44. - 314.	
III.	1.	34.	IV. - - -	- fol. 1. a.	derselb.		III.
	2.	31.	V. - - -	- fol. 1. a.	derselb.		
IV.				CHIN.		XLI.	IV.
	1.	36.	VI. - - -	- fol. 1. a.	Chao-Siang.	- - 44. - 254.	
			- - -	- fol. 11. b.	Hiao-ven-vãg	- - 52. - 246.	
			- - -	- fol. 12. b.	Chao-Siang,		
	2.	34.	VII. - -	- fol. 16. b.	Ching, Hoang-ti.		
			- - -	- fol. 23. a.	Lh-xi, Hoang-ti,		
	3.	30.	VIII. - -	- fol. 1. a.	derselb.		
V.				HAN.			V.
	1.	27.	IX. - - -	- fol. 1. a.	1. Kao-ti,	- 32. - 206.	
	2.	25.	X. - - -	- fol. 1. a.	derselb.		
	3.	30.	XI. - - -	- fol. 1. a.	derselb.		
	4.	34.	XII. - -	- fol. 1. a.	derselb.		
			- - -	- fol. 27. a.	2. Hoei.	- 44. - 194.	

Sinesische Jahr-Bücher   N°. I.

Bände.	Bücher.	Blätter.	Anzahl der Tomorum.	Königliche Familien.	Namen der Könige.	Die haben angefangen zu regieren.	MS. Frontale.
VI.	1.	32.	XIII. - -	- fol. 1. a.	derselb.	Im Jahr vor Christi Geburt	VI.
			- - -	- fol. 19. b.	3. Venti.	Anno Cycli XLII. 59 179.	
	2.	27.	XIV. - -	- fol. 1. a.	derselb.		
	3.	30.	XV. - -	- fol. 1. a.	derselb.		
			- - -	- fol. 26. b.	4. King-ti.	XLIII. 22. 156.	
VII.	1.	31.	XVI. - -	- fol. 1. a.	derselb.		VII.
	2.	29.	XVII. - -	- fol. 1. a.	5. Vu-ti,	XLIII. - 38. - 146.	
	3.	33.	XVIII. - -	- fol. 1. a.	derselb.		
VIII.	1.	33.	XIX. - -	- fol. 1. a.	derselb.		VIII.
	2.	31.	XX. - - -	- - fol. 1. a.	derselb.		
	3.	35.	XXI. - -	- fol. 1. a.	derselb.		
IX.	1.	28.	XXII. - -	- fol. 1. a.	derselb.		IX.
	2.	24.	XXIII. - -	- fol. 1. a.	6. Chao.	XLIV. - 32. - 86.	
	3.	33.	XXIV. - -	- fol. 1. a.	derselb.		
			- - -	- fol. 19. b.	7. Siven-ti.	- 45. - 73.	
X.	1.	30.	XXV. - -	- fol. 1. a.	derselb.		X.
	2.	25.	XXVI. - -	- fol. 1. a.	derselb.		
	3.	27.	XXVII. - -	- fol. 1. a.	derselb.		

Sinesische Jahr-Bücher. N°. II.

Bände.	Bücher.	Blätter.	Anzahl der Tomorum.	Königliche Familien.	Namen der Könige.	Die haben angefangen zu regieren.	MS. Frontale.
I.	1.	28.	XXVIII. - -	- fol. 1. a.	8. Yven-ti.	Anno 10. Cycli XLV. Im Jahr vor Christi Geburt 48.	XI.
	2.	31.	XXIX. - - -	- fol. 1. a.	derselbige		
	3.	33	XXX. - -	- fol. 1. a.	9. Ching-ti.	26. 32.	
II.	1.	32.	XXXI. - -	- fol. 1. a.	derselbige		XII.
	2.	26.	XXXII. - - -	- fol 1. a.	derselb.		
	3.	30.	XXXIII. - -	- fol. 1. a.			
			- - -	- fol. 20. b.	10. nGai-ti.	- 52. - - 6. nach Christi Geburt	
	4.	26.	XXXIV. -	- fol. 1. a.	derselb.		
III.	1.	30.	XXXV. - -	- fol. 1. a.	derselb.		XIII.
			- -	- fol. 21. a.	Ping-ti.	- 58. - 1.	
	2.	30.	XXXVI. -	- fol. 1. a.	derselb.		
			- - -	- fol. 19. a.	Vang-ti.		
	3.	34.	XXXVII. -	- fol. 1. a.	derselb.		
IV.	1.	32.	XXXVIII. -	- fol. 1. a.	derselb.	XLVI.	XIV.
	2.	34.	XXXIX. - -	- fol. 1. a.	Chung-yang-vang.		
	3.	33.	XL. - - -	- fol. 1. a.	Quang-Vu-ti.	- 22. - 25.	
			- - -	- fol. 25. b.	Ming-ti.	- 53. - 56.	
V.	1.	32.	XLIII. - -	- fol. 1. a.	derselb.		XV.
	2.	30.	XLII. - -	- fol. 1. a.	derselb.		
	3.	31.	XLI. - -	- fol. 1. a.	derselb.		

Sinesische Jahr-Bücher N°. II.

Bände.	Bücher.	Blätter.	Anzahl der Tomorum.	Königliche Familien.	Namen der Könige.	Die haben angefangen zu regieren.	MS. Frontale.
VI.	1.	34.	XLIV. - - -	- fol. 1. a.	derselb.	ANNO CYCLI XLVII. Im Jahr nach Christi Geburt	XVI.
	2.	26.	XLV. - - -	- fol. 1. a.	derselb.		
	3.	28.	XLVI. - - -	- fol. 1. a.	Cao-ti.	10. - 73.	
	4.	28.	XLVII. - -	- fol. 1. a.	derselb.		
			- -	- fol. 17. b.	Ho-ti.	22. - 85.	
VII.	1.	29.	XLVIII. -	- fol. 1. a.	derselb.	XLVIII.	XVII.
	2.	29.	XLIX. - - -	- fol. 1. a.	Chang-ti.	- 8. - 101.	
			- - -	- fol. 5. b.	nGan-ti.		
	3.	35.	L. - - -	- fol. 1. a.	derselb.		
VIII.	1.	37.	LI. - - -	- fol. 1. a.	Xun-ti.		XVIII.
	2.	29.	LII. - -	- fol. 25. b.			
	3.	29.	LIII. - -	- - fol. 1. a.	Che-ti.	- 7. - 120.	
			- - -	- fol. 5. a.	Suen-ti.	- 8. - 121.	
IX.	1.	30.	LIV. - - -	- fol. 1. a.	derselb.		XIX.
	2.	29.	LV. - -	- fol. 1. a.	derselb.		
	3.	29.	LVI. - -	- fol. 1. a.	derselb.		
			- - -	- fol. 5. a.	Ling-ti.	- 18. - 141.	
X.	1.	29.	LVII. - -	- fol. 1. a.	derselb.		XX.
	2.	27.	LVIII. - -	- fol. 1. a.	derselb.		
	3.	31.	LIX. - -	- fol. 1. a.	derselb.		
			- - -	- fol. 20. b.	Chang-ti.		

Sinesische Jahr-Bücher. N° III.

Bände.	Bücher.	Blätter.	Anzahl der Tomorum.	Königliche Familien.	Namen der Könige.	Die haben angefangen zu regieren.	MS. Frontale.
I.	1.	30.	LX. - - -	- fol. 1. a.	derselbige	Anno Cycli / Im Jahr nach Christi Geburt	XXI.
	2.	30.	LXI. - -	- fol. 1. a.	derselbige		
	3.	33.	LXII. - -	- fol. 1. a.	derselb.		
II.	1.	29.	LXIII. - -	- fol. 1. a.	derselb.		XXII.
	2.	24.	LXIV. - - -	- fol. 1. a.	derselb.		
	3.	31.	LXV. - -	- fol. 1. a.	derselb.		
III.	1.	27.	LXVI. - -	- fol. 1. a.	derselb.		XXIII.
	2.	23.	LXVII. - -	- fol. 1. a.	derselb.		
	3.	27.	LXVIII. - -	- fol. 1. a.	derselb.		
				GYEI.			
IV.	1.	55.	LXIX. - -	- fol. 1. a.	Ven-ti.		XXIV.
	2.	29.	LXX. - -	- fol. 1. a.	Ming-ti.		
	3.	27.	LXXI. - -				
V.	1.	36.	LXXII. - -	- fol. 1. a.	derselb.		XXV.
	2.	29.	LXXIII. - -	- fol. 1. a.	derselb.		
	3.	32.	LXXIV. - -	- fol. 1. a.	derselb.		
			- - -	- fol. 18. a.			

Sinesische Jahr-Bücher — N° .III.

Bände.	Bücher.	Blätter.	Anzahl der Tomorum.	Königliche Familien	Namen der Könige.	Die haben angefangen zu regieren.	MS. Frontale.
VI.	1.	34.	LXXV. - -	- fol. 1. a.	derselb.	ANNO CYCLI / Im Jahr nach Christi Geburt	XXVI.
	2.	29.	LXXVI. - -	- fol. 1. a.	derselb.		
			- - -	- fol. 13. a.	Kao-ti.		
	3.	30.	LXXVII. - -	- fol. 1. a.	derselb.		
	4.	29.	LXXVIII. -	- fol. 23. b.	Yven-ti.		
				CIN.			
VII.	1.	36.	LXXIX. - -	- fol. 1. a.	Va-ti.		XXVII.
	2.	30.	LXXX. - -	- fol. 1. a.	derselb.		
	3.	31.	LXXXI. - -	- fol. 1. a.	derselb.		
VIII.	1.	29.	LXXXII. -	- fol. 1. a.	derselb.		XXVIII.
			- - -	- fol. 6. a.	Hoei.		
	2.	26.	LXXXIII. -	- fol. 1. a.	derselb.		
	3.	26.	LXXXIV. -	- - fol. 1. a.	derselb.		
	4.	30.	LXXXV. - -	- fol. 1. a.	derselb.		
IX.	1.	31.	LXXXVI. -	- - fol. 1. a.	derselb.		XXIX.
			- - -	- fol. 17. a.	- - -		
	2.	34.	LXXXVII. -	- fol. 1. a.	derselb.		
	3.	32.	LXXXVIII.	- fol. 1. a.	derselb.		
			- - -	- fol. 16. a.	- - -		
X.	1.	23.	LXXXIX. -	- fol. 1. a.	derselb.		XXX.
	2.	24.	XC. - - -	- fol. 1. a.	Yven-ti.		
	3.	26.	XCI. - -	- fol. 1. a.	derselb.		
	4.	27.	XCII. - - -	- fol. 1. a.	derselb.		
			- - -	- fol. 18. b.	Ming-ti.		

Sinesische Jahr-Bücher. N°. IV

Bände.	Bücher.	Blätter.	Anzahl der Tomorum.	Königliche Familien.	Namen der Könige.	Die haben angefangen zu regieren.	MS. Frontale.
I.	1.	29.	XCIII. - - -	- fol. 1. a.	derselbige	Im Jahr nach Christi Geburt / Anno Cycli	XXXI.
			- - - -	- fol. 20. a.	Chin-ti.		
	2.	32.	XCIV. - - -	- fol. 1. a.	derselbige		
	3.	32	XCV. - -	- fol. 1. a.	derselb.		
II.	1.	32.	XCVI. - -	- fol. 1. a.	derselb.		XXXII.
			- - - -	- fol. 7. a.	- - ti.		
			- - - -	- fol. 15. b.	Mo-ti		
	2.	33.	XCVII. - -	- fol. 1. a.	derselb.		
	3.	30.	XCVIII. - -	- fol. 1. a.	derselb.		
III.	1.	32.	XCIX. - - -	- fol. 1. a.	derselb.		XXXIII.
	2.	33.	C. - - - -	- fol. 1. a.	derselb.		
	3.	31.	CI. - - -	- fol. 1. a.	derselb.		
			- - -	- fol. 9. b.	nGai-ti.		
			- - -	- fol. 21. b.	Hai-Sikung.		
IV.	1.	29.	CII. - - -	- fol. 1. a.	derselb.		XXXIV.
	2.	28.	CIII. - -	- fol. 1. a.	Kien-Ven-ti.		
			- - -	- fol. 19. b.	Hiao-Vu-ti.		
	3.	32.	CIV. - -	- fol. 1. a.	derselb.		
V.	1.	32.	CV. - - -	- fol. 1. a.	derselb.		XXXV.
	2.	32.	CVI. - -	- fol. 1. a.	derselb.		
	3.	29.	CVII. - -	- fol. 1. a.	derselb.		

Sinesische Jahr-Bücher   N°. IV.

Bände.	Bücher.	Blätter.	Anzahl der Tomorum.	Königliche Familien.	Namen der Könige.	Die haben angefangen zu regieren.	MS. Frontale.
VI.	1.	32.	CVIII. - -	- fol. 1. a.	derselb.	ANNO CYCLI Im Jahr nach Christi Geburt	XXXVI.
	2.	24.	CIX. - -	- fol. 1. a.	nGan-ti-		
	3.	25.	CX. - - -	- fol. 1. a.	derselb.		
	4.	30.	CXI. - - -	- fol. 1. a.	derselb.		
VII.	1.	31.	CXII. - - -	- fol. 1. a.	derselb.		XXXVII.
	2.	28.	CXIII. - - -	- fol. 1. a.	derselb.		
	3.	31.	CXIV. - -	- fol. 1. a.	derselb.		
	4.	32.	CXV. - -	- fol. 1. a.	derselb.		
VIII.	1.	31.	CXVI. - -	- fol. 1. a.	derselb.		XXXVIII.
	2.	25.	CXVII. - - -	- fol. 1. a.	derselb.		
	3.	32.	CXVIII. -	- fol. 1. a.	derselb.		
			- - -	- fol. 26. b.	Kung-ti.		
				SUNG.			
IX.	1.	30.	CXIX. - - -	- fol. 1. a.	Va-ti, (r. a. 3.)		XXXIX.
			- - -	- fol. 19. a.	Xao-ti, F. (r. a. 2.)		
	2.	33.	CXX. - -	- fol. 1. a.	Ven-ti, Fr. (r. a. 30.)		
	3.	28.	CXXI. - -	- fol. 1. a.	derselb.		
X.	1.	30.	CXXII. - -	- fol. 1. a.	derselb.		XL.
	2.	32.	CXXIII. - -	- fol. 1. a.	derselb.		
	3.	34.	CXXIV. - -	- fol. 1. a.	derselb.		

Sinesische Jahr-Bücher. N°. V.

Bände.	Bücher.	Blätter.	Anzahl der Tomorum.	Königliche Familien.	Namen der Könige.	Die haben angefangen zu regieren. Anno Cycli Im Jahre nach Christi Geburt	MS. Frontale.
I.	1.	31.	CXXV. - -	- fol. 1. a.	derselbige		XLI.
	2.	22.	CXXVI. - -	- fol. 1. a.	derselbige		
	3.	25.	CXXVII. - -	- fol. 1. a.	derselb.		
	4.	31.	CXXVIII. -	- fol. 1. a.	Hiao-Vuti, Fr. F. (r. a. 11.)		
II.	1.	26.	CXXIX. - -	- fol. 1. a.	derselb.		XLII.
	2.	21.	CXXX. - -	- fol. 1. a.	Ming-ti, tertii F. (r. a. 8.)		
	3.	34.	CXXXI. - -	- fol. 1. a.	derselb.		
III.	1.	25.	CXXXII. - -	- fol. 1. a.	derselb.		XLIII.
	2.	30.	CXXXIII. -	- fol. 1. a.	derselb.		
			- - -	- fol. 17.	Fi-ti. (iterum) (r. a. 4.)		
	3.	33.	CXXXIV. -	- fol. 1. a.	derselb.		
			- - -	- fol. 6. a.	Xun-ti, (r. a. 2.)		
				CI.			
IV.	1.	34.	CXXXV. -	- fol. 1. a.	Kao-ti, (r. a. 4.)		XLIV.
			- - -	- fol. 28. b.	Vu-ti, F. (r. a. 1.)		
	2.	32.	CXXXVI. -	- fol. 1. a.	derselb.		
	3.	33.	CXXXVII. -	- fol. 1. a.	derselb. yó-vâng-nep. (r. a. 1.) Hai-vang. (r. a. 4.)		
V.	1.	10.	CXXXVIII. -	- fol. 1. a.	derselb.		XLV.
	2.	30.	CXXXIX. -	- fol. 1. a.	Ming-ti, noni Fil. (r. a. 5.)		
	3.	30.	CXL. - -	- fol. 1. a.	derselb.		

Sinesische Jahr-Bücher — N°. V.

Bände.	Bücher.	Blätter.	Anzahl der Tomorum.	Königliche Familien.	Namen der Könige.	Die haben angefangen zu regieren.	MS. Frontale.
VI.	1.	27.	CXLI. - -	- fol. 1. a.	derselb.	ANNO CYCLI / Im Jahr nach Christi Geburt	XLVI.
	2.	24.	CXLII. -	- fol. 1. a.	Tung-hun-heoi. Fr. F. (r. a. 1.)		
	3.	22.	CXLIII. -	- fol. 13. a.	derselb.		
	4.	32.	CXLIV. - -	- fol. 1. a.	Chi-ti.		
					Summa 77.		
				LEANG.			
VII.	1.	33.	CXLV. - -	- fol. 1. a.	Va-ti.		XLVII.
	2.						
	3.	29.	CLXVI. -	- fol. 1. a.	derselb.		
		33.	CXLVII. -	- fol. 1. a.	derselb.		
VIII.	1.	31.	CXLVIII. -	- fol. 1. a.	derselb.		XLVIII.
	2.	34.	CXLIX. -	- fol. 1. a.	derselb.		
	3.	33.	CL. - - -	- fol. 1. a.	derselb.		
IX.	1.	22.	CLI. - - -	- fol. 1. a.	derselb.		XLIX.
	2.	22.	CLII. - -	- fol. 1. a.	derselb.		
	3.	26.	CLIII. - -	- fol. 1. a.	derselb.		
	4.	27.	CLIV. - -	- fol. 1. a.	derselb.		
X.	1.	30.	CLV. - -	- fol. 1. a.	derselb.		L.
	2.	31.	CLVI. - -	- fol. 1. a.	derselb.		
	3.	30.	CLVIII. - -	- fol. 1. a.	derselb.		

Sinesische Jahr-Bücher. N°. VI.

Bände.	Bücher.	Blätter.	Anzahl der Tomorum.	Königliche Familien.	Namen der Könige.	Die haben angefangen zu regieren.	MS. Frontale.
I.	1.	32.	CLVIII. - -	- fol. 1. a.	derselbige	Anno Cycli / Im Jahre nach Christi Geburt	LI.
	2.	21.	CLIX. - - -	- fol. 1. a.	derselbige		
	3.	33.	CLX. - - -	- fol. 1. a.	derselb.		
II.	1.	30.	CLXI. - - -	- fol. 1. a.	derselb.		LII.
	2.	34.	CLXII. - -	- fol 1. a.	derselb.		
	3.	25.	CLXIII. - -	- fol. 1. a.	Kien-Ven-ti. (r. a. 2.)		
III.	1.	34.	CLXIV. - -	- fol. 1. a.	derselb.		LIII.
	2.	29.	CLXV. - -	- fol. 1. a.	derselb.		
			- - -	- fol. 17.	Yven-ti, (r. a. 3.)		
	3.	31.	CLXVI. - -	- fol. 1. a.	Kung-ti. (r. a. 3.)		
				CHIN.			
IV.	1.	33.	CLXVII. - -	- fol. 1. a.	Ven-ti.		LIV.
	2.	31.	CLXVIII. -	- fol. 1. a.	Ven-ti. (r. a. 3.		
	3.	32.	CLXIX. - -	- fol. 1. a.	derselb.		
V.	1.	34.	CLXX. - -	- fol. 1. a.	Ling-hai-vãg. (r. a. 3.)		LV.
	2.	35.	CLXXI. - -	- fol. 1. a.	derselb.		
			- - -	- - -	Suen-ti, (r. a. 14.)		
	3.	27.	CLXXII. - -	- fol. 1. a.	derselb.		

Sinesische Jahr-Bücher — N°. VI.

Bände.	Bücher.	Blätter.	Anzahl der Tomorum.	Königliche Familien.	Namen der Könige.	Die haben angefangen zu regieren.	Im Jahr nach Christi Geburt	MS. Frontale.
VI.	1.	32.	CLXXIII. -	- fol. 1. a.	derselb.	ANNO CYCLI		LVI.
	2.	26.	CLXXIV. -	- fol. 1. a.	derselb.			
	3.	37.	CLXXV. -	- fol. 1. a.	derselb.			
			- - -	- fol. 26. b.	Chang-Ching			
	4.	28.	CLXXVI. -	- fol. 1. a.	derselb.			
				TO.				
VII.	1.	33.	CLXXVII. -	- fol. 1. a.	Ven-ti,			LVII.
	2.	33.	CLXXVIII.	- fol. 1. a.	derselb.			
	3.	31.	CLXXIX. -	- fol. 1. a.	derselb.			
VIII.	1.	35.	CLXXX. -	- fol. 1. a.	derselb.			LVIII.
	2.	31.	CLXXXI. -	- fol. 1. a.	derselb.			
			- - -	- fol. 15.	Cang-ti. (r.a.13.)			
	3.	34.	CLXXXII. -	- - fol. 1. a.	derselb.			
IX.	1.	35.	CLXXXIII.	- fol. 1. a.	derselb.			LIX.
	2.	35.	CLXXXIV.	- fol. 1. a.	derselb.			
			- - -	- fol. 16. a.	Kang-ti. (r. a. 1.)			
				TÁNG.				
X.	1.	35.	CLXXXV. -	- fol. 1. a.	Kao-çu. (r. a. 9.)	LVI. 15.	- 618.	LX.
	2.	30.	CLXXXVI.	- fol. 1. a.	derselb.			
	3.	35.	CLXXXVII.	- fol. 1. a.	derselb.			

Sinesische Jahr-Bücher. N°. VII.

Bände.	Bücher.	Blätter.	Anzahl der Tomorum.	Königliche Familien.	Namen der Könige.	Die haben angefangen zu regieren. Anno Cycli	Im Jahr nach Christi Geburt	MS. Frontale.
I.	1.	32.	CLXXXVIII.	- fol. 1. a.	derselbige			LXI.
	2.	35.	CLXXXIX.	- fol. 1. a.	derselbige			
	3.	38.	CXC. - - -	- fol. 1. a.	derselb.			
II.	1.	35.	CXCI. - - -	- fol. 1. a.	derselb.			LXII.
	2.	34.	CXCII. - -	- fol 1. a.	derselb.			
			- - - -	- fol. 10. b.	Tai-çung. (r. a. 13.)	- 24.	- -627.	
III.	1.	35.	CXCIII. - -	- fol. 1. a.	derselb.			LXIII.
	2.	34.	CXCIV. - -	- fol. 1. a.	derselb.			
IV.	1.	33.	CXCV. - -	- fol. 1. a.	derselb.			LXIV.
	2.	29.	CXCVI. - -	- fol. 1. a.	derselb.			
	3.	29.	CXCVII. -	- fol. 1. a.	derselb.			
V.	1.	32.	CXCVIII. -	- fol. 1. a.	derselb.			LXV.
	2.	35.	CXCIX. -	- fol. 1. a.	derselb.			
				- fol. 15. b.	Kao-çung. (r. a. 34.)	- 37.	- 640.	
	3.	36.	CC. - - - -	- fol. 1. a.	derselb.			

Sinesische Jahr-Bücher N°. VII.

Bände.	Bücher.	Blätter.	Anzahl der Tomorum.	Königliche Familien.	Namen der Könige.	Die haben angefangen zu regieren.	MS. Frontale.
VI.	1.	33.	CCI. - -	- fol. 1. a.	derselb.	Anno Cycli LVII. Im Jahr nach Christi Geburt	LXVI.
	2.	36.	CCII. - -	- fol. 1. a.	derselb.		
	3.	35.	CCIII. - -	- fol. 1. a.	derselb.		
			- - -	- fol. 1. a.	Ke-tien-heu. (r. a. 21.)	11. 674.	
VII.	1.	32.	CCIV. - -	- fol. 1. a.	derselb.		LXVII.
	2.	34.	CCV. - -	- fol. 1. a.	derselb.		
	3.	34.	CCVI. - -	- fol. 1. a.	derselb.		
VIII.	1.	33.	CCVII. - -	- fol. 1. a.	derselb.		LXVIII.
	2.	34.	CCVIII. - -	- - fol. 1. a.	derselb.		
			- - -	- fol. 29. b.	Chum-çung. (r. a. 5.)	- 32. - 695.	
	3.	35.	CCIX. - -	- fol. 1. a.	derselb.		
			- - -	- fol. 21. b.	Jui-çung. (r. a. 3.)	- 37. - 700.	
IX.	1.	37.	CCX. - -	- fol. 1. a.	derselb.		LXIX.
	2.	36.	CCXI. - -	- fol. 1. a.	derselb.		
			- - -	- fol. 16. b.	Hiven-çung. (r. a. 45.)	- 42. - 703.	
	3.	36.	CCXII. - -	- fol. 1. a.	derselb.		
X.	1.	33.	CCXIII. - -	- fol. 1. a.	derselb.		LXX.
	2.	38.	CCXIV. - -	- fol. 1. a.	derselb.		
	3.	38.	CCXV. - -	- fol. 1. a.	derselb.		

Sinesische Jahr-Bücher. N°. VIII.

Bände.	Bücher.	Blätter.	Anzahl der Tomorum.	Königliche Familien.	Namen der Könige.	Die haben angefangen zu regieren.	MS. Frontale.
I.	1.	33.	CCXVI. -	- fol. 1. a.	derselbige	Anno CYCLI - 25. - Im Jahr nach Christi Geburt 743.	LXXI.
	2.	38.	CCXVII. -	- fol. 1. a.	derselbige		
	3.	39.	CCXVIII. -	- fol. 1. a.	derselb		
			- -	- fol. 1. a.	So-çung. (r. a. 17.)		
II.	1.	30.	CCXIX. - -	- fol. 1. a.	derselb.		LXXII.
	2.	35.	CCXX. - -	- fol. 6. a.	derselb.		
	3.	35.	CCXXI. - -	- fol. 1. a.	derselb.		
III.	1.	39.	CCXXII. - -	- fol. 1. a.	derselb.		LXXIII.
			- - - -	- fol. 33. b.	Tai-çung. (r. a. 18.)	LVIII. 40. - 763.	
	2.	39.	CCXXIII. -	- fol. 1. a.	derselb.		
	3.	37.	CCXXIV. -	- fol. 27. a.	derselb.		
IV.	1.	37.	CCXXV. - -	- fol. 1. a.	derselb.		LXXIV.
	2.	34.	CCXXVI. -	- fol. 1. a.	derselb.		
			- - -	- fol. 8. b.	Te-çung. (r. a. 15.)	- 57. - 780.	
	3.	36.	CCXXVII. -	- fol. 1. a.	derselb.		
V.	1.	31.	CCXXVIII.	- fol. 1. a.	derselb.		LXXV.
	2.	31.	CCXXIX. -	- fol. 1. a.	derselb.		
	3.	28.	CCXXX. -	- fol. 1. a.	derselb.		

Sinesische Jahr-Bücher — N°. VIII.

Bände.	Bücher.	Blätter.	Anzahl der Tomorum.	Königliche Familien.	Namen der Könige.	Die haben angefangen zu regieren. (Anno Cycli — Im Jahr nach Christi Geburt)	MS. Frontale.
VI.	1.	31.	CCXXXI. -	- fol. 1. a.	derselb.		LXXVI.
	2.	35.	CCXXXII. -	- fol. 1. a.	derselb.		
	3.	39.	CCXXXIII. -	- fol. 1. a.	derselb.		
VII.	1.	34.	CCXXXIV. -	- fol. 1. a.	derselb.		LXXVII.
	2.	32.	CCXXXV. -	- fol. 1. a.	derselb.		
	3.	29.	CCXXXVI. -	- fol. 1. a.	derselb.		
			- - -	- fol. 12. a.	Xun-çung. (r. m. 8.)	LIX. - 22. - 805.	
VIII.	1.	35.	CCXXXVII.	- fol. 1. a.	Hiven-çung, (r. a. 16.)	- 23. - 806.	LXXVIII.
	2.	33.	CCXXXVIII.	- fol. 1. a.	derselb.		
	3.	32.	CCXXXIX.	- fol. 1. a.	derselb.		
IX.	1.	30.	CCXL. -	- fol. 1. a.	derselb.		LXXIX.
	2.	31.	CCXLI. -	- - fol. 1. a.	derselb.		
	3.	29.	CCXLII. - -	- fol. 26. b.	Mo-çung. (r. a. 4.)	- 38. - 821.	
X.	1.	36.	CCXLIII. -	- fol. 1. a.	derselb.		LXXX.
			- - -	- fol. 16. b.	King-çung. (r. a. 7.)	- 42. - 825.	
			- - -	- fol. 29. b.	Ven-çung. (r. a. 14.)	- 44. - 827.	
	2.	32.	CCXLIV. -	- fol. 1. a.	derselb.		
	3.	34.	CCXLV. -	- fol. 1. a.	derselb.		

Sinesische Jahr-Bücher

No. IX.

Bände.	Bücher.	Blätter.	Anzahl der Tomorum.	Königliche Familien.	Namen der Könige.	Die haben angefangen zu regieren. Anno Cycli	Im Jahr nach Christi Geburt	MS. Frontale.
I.	1.	38	CCXLVI. -	- - fol. 1. a.	derselb.			LXXXI.
			- - -	- - fol. 17. b.	Vu-cûng, (r. a. 7.)	- 58.	841.	
	2.	32.	CCXLVII. -	- fol. 1. a.	derselb.			
	3.	37.	CCXLVIII. -	- fol. 1. 8.	derselb.			
			- -	- fol. 24. b.	Siven-çûng. (r. a. 13.)	LX. 4.	847.	
II.	1.	35.	CCXLIX. -	- fol. 1. a.	derselb.			LXXXII.
	2.	37.	CCL. - - -	- - fol. 1. a.	Y - çung. (r. a. 15.)	- 17.	- - - 860.	
	3.	33.	CCLI. - - -	- fol. 1. a.	derselb.			
III.	1.	34.	CCLII. - -	- - fol. 1. a.	derselb.			LXXXIII.
			- -	- - fol. 15. b.	Hi-çung. (r. a. 15.)	- 31.	- 874.	
	2.	42.	CCLIII. - -	- fol. 1. a.	derselb.			
	3.	33.	CCLIV. - -	- fol. 1. a.	derselb.			
IV.	1.	39.	CCLV. - - -	- fol. 1. a.	derselb.			LXXXIV.
	2.	26.	CCLVI. - -	- fol. 1. a.	derselb.			
	3.	34.	CCLVII. - -	- fol. 1. a.	derselb.			
V.	1.	37.	CCLVIII. -	- - fol. 1. a.	Chao-çung. (r. a. 17.)	- 49.	- 892.	LXXXV.
	2.	36.	CCLIX. - -	- fol. 1. a.	derselb.			
	3.	33.	CCLX. - - -	- fol. 1. a.	derselb.			

Sinesische Jahr-Bücher

No. IX

Bände.	Bücher.	Blätter.	Anzahl der Tomorum.	Königliche Familien.	Namen der Könige.	Die haben angefangen zu regieren. ANNO CYCLI	Im Jahre nach Christi Geburt	MS. Frontale.
VI.	1.	29.	CCLXI.	fol. 1. a.	derselb.			LXXXVI.
	2.	36.	CCLXII.	fol. 1. a.	derselb.			
	3.	33.	CCLXIII.	fol. 1. a.	derselb.			
VII.	1.	30.	CCLXIV.	fol. 1. a.	derselb.			LXXXVII.
					derselb.			
	2.	31.	CCLXV.	fol. 1. a.				
				Heu-Leang.				
	3.	35.	CCLXVI.	fol. 1. a.	Tai-cu. (r. a. 6.)			
VIII.	1.	34.	CCLXVII.	fol. 1. a.	derselb.			LXXXVIII.
	2.	36.	CCLXVIII.	fol. 1. a.	derselb.			
				fol. 24. b.	Kiun-Vang. (r. a. 11.)			
	3.	36.	CCLXIX.	fol. 1. a.	derselbige.			
IX.	1.	34.	CCLXX.	fol. 1. a.	derselb.			LXXXIX.
	2.	28.	CCLXXI.	fol. 1. a.	derselb.			
				Heu-Tang.				
	3.	32.	CCLXXII.	fol. 1. a.	Choang-cũg. (r. a. 3.)			
X.	1.	31.	CCLXXIII.	fol. 1. a.	derselb.			XC.
	2.	31.	CCLXXIV.	fol. 1. a.	derselb.			
				fol. 11. b.	Ming-cung. (r. a. 8.)			
	3.	32.	CCLXXV.	fol. 1. a.	derselb.			

Sinesische Jahr-Bücher

N°. X.

Bände.	Bücher.	Blätter.	Anzahl der Tomorum.	Königliche Familien.	Namen der Könige.	Die haben angefangen zu regieren. Anno Cycli / Im Jahr nach Christi Geburt	MS. Frontale.
I.	1.	29.	CCLXXVI.	- - fol. 1. a.	derselb.		XCI.
	2.	34.	CCLXXVII.	- fol. 1. a.	derselb.		
	3.	27.	CCLXXVIII.	- fol. 1. a.	derselb.		
			- - -	- fol. 24. b.	Lo - vang. (r. a. non 13.)		
II.	1.	34.	CCLXXIX.	- fol. 1. a. Heu-CIN.	derselb.		XCII.
	2.	30.	CCLXXX.	- - fol. 1. a.	Kao - çu. (r. a. 7.)		
	3.	28.	CCLXXXI.	- fol. 1. a.	derselb.		
III.	1.	34.	CCLXXXII.	- - fol. 1. a.	derselb.		XCIII.
	2.	30.	CCLXXXIII.	- fol. 1. a.	derselb.		
			- -	- fol. 10. a.	Ci - vang. (r. a. 5.)		
	3.	29.	CCLXXXIV.	- fol. 1. a.	derselb.		
IV.	1.	30.	CCLXXXV.	- fol. 1. a. Heu-HAN.	derselb.		XCIV.
	2.	30.	CCLXXXVI.	- fol. 1. a.	Kao - çu, (r. a. 1.)		
	3.	28.	CCLXXXVII.	- fol. 1. a.	derselb.		
	4.	29.	CCLXXXIIX.	- fol. 1. a.	derselb.		
				- - fol. 19. a.	Ven - ti, (r. a. 2.)		
V.	1.	31.	CCLXXXIX.	- - fol 1. a. Heu-CHEU.	derselb.		XCV.
	2.	31.	CCXC.	- - fol. 1. a.	Tai - çu.		
	3.	32.	CCXCI.	- - fol. 1. a.	derselb.		

Sinesische Jahr-Bücher N°. X. S

Bände.	Bücher.	Blätter.	Anzahl der Tomorum.	Königliche Familien.	Namen der Könige.	Die haben angefangen zu regieren.	MS. Frontale.
VI.	1.	30.	CCXCII. -	- fol. 1. a.	derselb.	Anno Cycli / Im Jahr nach Christi Geburt	XCVI.
			- -	- fol. 9. a.	Xi - çung. (r. a. 6.)	- 51. 945.	
	2.	30.	CCXCIII. -	- fol. 1. a.	derselb.		
	3.	29.	CCXIV. -	- - fol. 1. a.	derselb.		
VII.	1.	Titul. 1.					XCVII.
	2.	Vorrede. 3.					
	3.	4.					
	4.	7.					
	5.	Register. 28.		SUNG.			
	6.	28.	I. - - -	- fol. 1. a.	Tai - çu. (r. a. 17.)		
	7.	30.	II. - - -	- fol. 1. a.	derselb.		
VIII.	1.	31.	III. - - -	- fol. 1. a.	derselb.		XCVIII.
	2.	16.	IV. - - -	- fol. 1. a.	derselb.		
	3.	30.	V. - - -	- fol. 1. a.	Tai - çung. (r. a. 22.)	LXII. - 14. - 977.	
	4.	20.	VI. - - -	- fol. 1. a.	derselb.		
IX.	1.	12.	VII. - -	- fol. 1. a.	derselb.		XCIX.
	2.	21.	VIII. - -	- - fol. 1. a.	derselb.		
	3.	15.	IX. - - -	- fol. 1. a.	derselb.		
	4.	29.	X. - - -	- fol. 1. a.	Chin-çung. (r. a. 85.)	- - 35. - 998.	
	5.	15.	XI. - - -	- fol. 1. a.	derselb.		
	6.	19.	XII. - -	- fol. 1. a.	derselbige.		
X.	1.	16.	XIII. - -	- fol. 1. a.	derselb.		C.
	2.	18.	XIV. - -	- fol. 1. a.	derselb.		
	3.	25.	XV. - -	- fol. 1. a.	derselb.		
	4.	24.	XVI. - -	- fol. 1. a.	Gin-çung. (r. a. 41.)	60. - 1023.	
	5.	11.	XVII. - -	- fol. 1. a.	derselbige		

Sinesische Jahr-Bücher N°. XI.

Bände.	Bücher.	Blätter.	Anzahl der Tomorum.	Königliche Familien.	Namen der Könige.	Die haben angefangen zu regieren.	MS. Frontale.
I.	1.	18.	XVIII. - -	- - fol.1.a.	derselb.	Anno Cycli / Im Jahre nach Christi Geburt	CI.
	2.	23.	XIX. - -	- fol. 1. a.	derselb.		
	3.	24.	XX. - -	- fol. 1. a.	derselb.		
	4.	17.	XXI. - -	- fol. 1. a.	derselb.		
	5.	20.	XXII. - -	- fol. 1. a.	derselb.		
II.	1.	14.	XXIII. - -	- fol. 1. a.	derselb.		CII.
	2.	14.	XXIV. - -	- - fol. 1. a.	derselb.		
	3.	18.	XXV. - - -	- - fol. 1. a.	derselb.		
	4.	11.	XXVI. - -	- fol. 1. a.	derselb.		
	5.	21.	XXVII. -	- fol. 1. a.	derselb.		
	6.	20.	XXVIII. - -	- fol. 1. a.	derselb.		
III.	1.	15.	XXIX. - -	- fol. 1. a.	Yng-çung. (r.a.4.)	LXIII-41-1064.	CIII.
	2.	15.	XXX. - -	- fol. 1. a.	derselb.		
	3.	37.	XXXI. - -	- fol. 1. a.	Xin-çung. (r. a. 8.)	- - 45. - 1068.	
	4.	24.	XXXII. - -	- fol. 1. a.	derselb.		
IV.	1.	18.	XXXIII. - -	- - fol. 1. a.	derselb.		CIV.
	2.	19.	XXXIV. - -	- - fol. 1. a.	derselb.		
	3.	25.	XXXV. - -	- - fol. 1. a.	derselb.		
	4.	11.	XXXVI. - -	- - fol. 1. a.	derselb.		
	5.	17.	XXXVII. -	- - fol. 1. a.	derselb.		
	6.	18.	XXXVIII. -	- - fol. 1. a.	derselb.		
V.	1.	15.	XXXIX. - -	- fol. 1. a.	derselb.		CV.
	2.	24.	XL. - -	- fol. 1. a.	derselb.		
	3.	14.	XLI. - - -	- fol. 1. a.	Che-çung. (r. a. 15.)	LXIV.-3.-1086.	
	4.	15.	XLII. - - -	- fol. 1. a.	derselb.		
	5.	13.	XLIII. - -	- fol. 1. a.	derselb.		
	6.	14.	XLIV. - - -	- fol. 1. a.	derselb.		

Sinesische Jahr-Bücher

No. X

Bände.	Bücher.	Blätter.	Anzahl der Tomorum.	Königliche Familien.	Namen der Könige.	Die haben angefangen zu regieren.	MS. Fronte.
VI.	1.	12.	XLV. - - -	- fol. 1. a.	derselb.	Anno Cycli - 18 - Im Jahr nach Christi Geburt 1101.	CVI.
	2.	19.	XLVI. - -	- fol. 1. a.	derselb.		
	3.	15.	XLVII. - -	- fol. 1. a.	Hoei-çung. (r.a.25.)		
	4.	14.	XLVIII. - -	- - fol. 1. a.	derselb.		
	5.	16.	XLIX. - - -	- fol. 1. a.	derselb.		
	6.	8.	L. - - -	- fol. 1. a.	derselb.		
	7.	9.	LI. - - - -	- fol. 1. a.	derselbige.		
VII.	1.	16.	LII. - - -	- fol. 1. a.	derselb.		CVII.
	2.	16.	LXIII. - - -	- fol. 1. a.	derselb.		
	3.	16.	LIV. - - -	- - fol. 1. a.	derselb.		
	4.	21.	LV. - - - -	- fol. 1. a.	derselb.		
	5.	15.	LVI. - -	- fol. 1. a.	derselb.		
	6.	13.	LVII.	- fol. 1. a.	derselb.		
VIII.	1.	50.	LVIII. - -	- fol. 1. a.	Hin-çung. (r.a.2.)	- 43. - 1126.	CVIII.
	2.	26.	LIX. - -	- fol. 1. a.	derselbige		
	3.	28.	LX. - -	- fol. 1. a.	Kao-çung. (r.a.36.)	- 40. - 1123.	
	4.	17.	LXI. - -	- fol. 1. a.	derselb.		
IX.	1.	18.	LXII. - -	- fol. 1. a.	derselb.		CIX.
	2.	16.	LXIII. - -	- fol. 1. a.	derselb.		
	3.	22.	LXIV. - -	- fol. 1. a.	derselb.		
	4.	22.	LXV. - -	- fol. 1. a.	derselb.		
	5.	16.	LXVI. - -	- fol. 1. a.	derselb.		
	6.	27.	LXVII. -	- fol. 1. a.	derselb.		
X.	1.	12.	LXVIII. -	- - fol. 1. a.	derselb.		CX.
	2.	10.	LXIX. - -	- - fol. 1. a.	derselb.		
	3.	12.	LXX. - -	- fol. 1. a.	derselb.		
	4.	21.	LXXI. - -	- - fol. 1. a.	derselb.		
	5.	10.	LXXII. - -	- fol. 1. a.	derselb.		
	6.	14.	LXXIII. - -	- fol. 1. a.	derselb.		
	7.	18.	LXXIV. - -	- fol. 1. a.	derselb.		
	8.	9.	LXXV. - -	- fol. 1. a.	derselb.		
	9.	20.	LXXVI. - -	- fol. 1. a.	derselb.		
	10.	14.	LXXVII. -	- fol. 1. a.	derselb.		

Sinesische Jahr-Bücher. N°. XII.

Bände.	Bücher.	Blätter.	Anzahl der Tomorum.	Königliche Familien.	Namen der Könige.	Die haben angefangen zu regieren	MS. Frontale.
I.	1.	11.	LXXVIII.	fol. 1. a.	derselb.		CXI.
	2.	19.	LXXIX.	fol. 1. a.	derselb.		
	3.	16	LXXX.	fol. 1. a.	derselb.		
	4.	22.	LXXXI.	fol. 1. a.	Hiao-çung. (r. a. 27.)	Anno Cycli LXV. 16. – Im Jahr nach Christi Geburt 1159.	
	5.	12.	LXXXII.	fol. 1. a.	derselb.		
	6.	16.	LXXXIII.	fol. 1. a.	derselb.		
	7.	17.	LXXXIV.	fol. 1. a.	derselb.		
	8.	14.	LXXXV.	fol. 1. a.	derselb.		
	9.	17.	LXXXVI.	fol. 1. a.	derselb.		
II.	1.	15.	LXXXVII.	fol. 1. a.	derselb.		CXII.
	2.	18	LXXXVIII.	fol. 1. a.	derselb.		
	3.	26.	LXXXIX.	fol. 1. a.	derselb.		
	4.	26	XC.	fol. 1. a.	Quang-çung. (r. a. 5.)	43. – 1186.	
	5.	17.	XCI.	fol. 1. a.	Ning-çung. (r. a. 30.)	48. – 1191.	
	6.	19	XCII.	fol. 1. a.	derselb.		
	7.	20.	CIII.	fol. 1. a.	derselb.		
III.	1.	10	XCIV.	fol. 1. a.	derselb.		CXIII.
	2.	14	XCV.	fol. 1. a.	derselb.		
	3.	13.	XCVI.	fol. 1. a.	derselb.		
	4.	12	XCVII.	fol. 1. a.	derselb.		
	5.	13.	XCVIII.	fol. 1. a.	derselb.		
	6.	20.	XCIX.	fol. 1. a.	derselb.		
	7.	17.	C.	fol. 1. a.	derselb.		
	8.	14.	CI.	fol. 1. a.	derselb.		
IV.	1.	12.	CII.	fol. 1. a.	derselb.		CXIV.
	2.	16.	CIII.	fol. 1. a.	Li-çung. (r. a. 40.)	LXVI. 18. 1221.	
	3.	12.	CIV.	fol. 1. a.	derselb.		
	4.	11.	CV.	fol. 1. a.	derselb.		
	5.	10.	CVI.	fol. 1. a.	derselb.		
	6.	17.	CVII.	fol. 1. a.	derselb.		
	7.	18.	CVIII.	fol. 1. a.	derselb.		
	8.	17.	CIX.	fol. 1. a.	derselb.		
	9.	17.	CX.	fol. 1. a.	derselb.		
V.	1.	17.	CXI.	fol. 1. a.	derselb.		CXV.
	2.	11.	CXII.	fol. 1. a.	derselb.		
	3.	18.	CXIII.	fol. 1. a.	derselb.		
	4.	15.	CXIV.	fol. 1. a.	derselb.		
	5.	11.	CXV.	fol. 1. a.	derselb.		
	6.	16.	CXVI.	fol. 1. a.	derselb.		
	7.	10.	CXVII.	fol. 1. a.	derselb.		
	8.	23.	CXVIII.	fol. 1. a.	derselb.		
	9.	12	CXIX.	fol. 1. a.	derselb.		
	10.	14.	CXX.	fol. 1. a.	derselb.		

Sinesische Jahr=Bücher

No. XII

Bände.	Bücher.	Blätter.	Anzahl der Tomorum.	Königliche Familien.	Namen der Könige.	Die haben angefangen zu regieren. Anno Cycli	Im Jahre nach Christi Geburt.	MS. Fronte.
VI.	1.	14.	CXXI. - -	- fol. 1. a.	Tu-çung. (r. a. 10.)		1226.	CXVI.
	2.	11.	CXXII. - -	- fol. 1. a.	derselb.			
	3.	13.	CXXIII. -	- fol. 1. a.	derselb.	- 58. -	1261.	
	4.	17	CXXIV. -	- fol. 1. a.	derselb.			
	5.	26	CXXV. -	- fol. 1. a.	Kug-ti. (r. a. 2.)	LXVII. 8.	1271.	
	6.	20.	CXXVI. -	- fol. 1. a.	derselb.			
	7.	11	CXXVII. -	- fol. 1. a.	Tuon-çung. (r. 8. 3.)	- 11. -	1274.	
	8.	16.	CXXVIII. -	- fol. 1. a.	Ti-Ping. (r. a. 2.)	- 13. -	1276.	
				YVEN.				
VII.	1.	20.	CXXIX. - -	- fol. 1. a.	Xi-çu. (r. a. 15.)	- 15. -	1278.	CXVII.
	2.	14.	CXXX. - -	- fol. 1. a.	derselb.			
	3.	17.	CXXXI. -	- fol. 1. a.	derselb.			
	4.	13.	CXXXII. -	- fol. 1. a.	derselb.			
	5.	14.	CXXXIII. -	- fol. 1. a.	derselb.			
	6.	14.	CXXXIV. -	- fol. 1. a.	Ching-çung. (r. a. 9.)	- 30. -	1293.	
VIII.	1.	13.	CXXXV. -	- fol. 1. a.	derselb.			CXVIII.
	2.	11.	CXXXVI. -	- fol. 1. a.	derselb.			
	3.	10.	CXXXVII. -	- fol. 1. a.	derselb.			
	4.	13.	CXXXVIII.	- fol. 1. a.	Vu-çung. (r. a. 4.)	- 39. -	1302.	
	5.	11.	CXXXIX. -	- fol. 1. a.	derselb.			
	6.	13.	CXL. - -	- fol. 1. a.	Gin-çung. (r. a. 9.)	- 43. -	1306.	
	7.	18.	CXLI. - -	- fol. 1. a.	derselb.			
	8.	13.	CXLII. - -	- fol. 1. a.	Yng-çung. (r. a. 3.)	- 52 -	1315.	
IX.	1. 2.	14.	CXLIII. -	- fol. 1. a.	Ting-ti. (r. a. 5.)	- 55. -	1318.	CXIX.
		13.	CXLIV. - -	- fol. 1. a.	derselb.			
	3.	11	CXLV. - -	- fol. 1. a.	Ming-çung. (r. a. 2.)	- 60. -	1323.	
	4.	12.	CXLVI. -	- fol. 1. a.	Ven-çung. (r. a. 4.)	LXVIII. 2. -	1325.	
	5.	12.	CXLVII. -	- fol. 1. a.	Xun-ti. (r. a. 3.)	- 6. -	1329.	
	6.	12.	CXLVIII. -	- fol. 1. a.	derselb.			
	7.	13.	CXLIX. -	- fol. 1. a.	derselb.			
	8.	12.	CL.	- fol. 1. a.	derselb.			
X.	1.	13.	CLI. - -	- fol. 1. a.	derselb.			CXX.
	2.	13.	CLII. - -	- fol. 1. a.	derselb.			
	3.	12.	CLIII. - -	- fol. 1. a.	derselb.			
	4.	13.	CLIV. - -	- fol. 1. a.	derselb.			
	5.	15.	CLV. - -	- fol. 1. a.	derselb.			
	6.	12.	CLVI. - -	- fol. 1. a.	derselb.			
	7.	13.	CLVII. -	- fol. 1. a.	derselb.			

II.

Andere CXX. Bände

(in XII. Bünden)

Sinesischer Jahr-Bücher.

Sind gedruckt in fünfften Jahr

des Käysers Tien-ki,

Im Jahr Yi-cheu.

Das ist:

Im andern Jahr des LXXII. Cycli sexagenarii

Im Jahr Christi 1625.

Sind der vorhergehenden Edition von Blat zu Blat gleich/

doch aus andern Druck-Taffeln.

So sind auch die Bücher ungleich eingebunden/ und in der letzten Edition hie und da mehr oder weniger als in den vorhergehenden beysammen gemacht.

Die Præfationes variiren ingleichen.

III.

XIV. Bände

(in einem Bunde.)

Eines Schrifft-Zeichen-Wercks/

Çu-guei genannt.

IV.

Andere XIV. Bände

(in einem Bunde)

desselben Operis.

V.

VIII. Bände
(in einem Bunde)
Eines andern Schrifft-Zeichen-Wercks
Çu-hai genannt.

Summa
bis hieher
CCLXXVI. Bände
in XXVII. Bünden.

S. D. G.

Verzeichniss der Chinesischen und Mandshuischen Bücher und Handschriften der Königlichen Bibliothek zu Berlin

柏林皇家图书馆藏汉满文图书目录

VERZEICHNISS

DER

CHINESISCHEN UND MANDSHUISCHEN

BÜCHER UND HANDSCHRIFTEN

DER

KÖNIGLICHEN BIBLIOTHEK ZU BERLIN,

VERFASST VON

JULIUS KLAPROTH.

HERAUSGEGEBEN

AUF BEFEHL

SEINER MAJESTÄT DES KÖNIGES VON PREUSSEN.

PARIS,

IN DER KÖNIGLICHEN DRUCKEREI.

1822.

DRUCKFEHLER

UND VERBESSERUNGEN.

Seite 5. In der ersten Zeile der Columne der cyclischen Zeichen, lies 寅戊 für 寅戌

Ebendaselbst. — Das erste *Niân-chaó* des Kaisers 帝文孝 *Chiaó-wên-tý* heisst nur 後 *Cheû*, und nicht 元後 *Cheû-yuân*; die des Kaisers 帝景孝 *Chiaó-king-tý* unter N.° 2, 3 und 4, heissen 元 *Yuân*, 中 *Dschūng* und 後 *Cheû*, und nicht 年元 *Yuân-niân*, 元中 *Dschūng-yuân* und 元後 *Cheû-yuân*, wie ich auch Versehen geschrieben hatte.

S. 11, Zeile 5, der *Niân-chaó*-Colonne, lies *Thaý-phîng* für *Yuân-phîng*.

Ebendaselbst. Zeile 12, lies *Kián-chīng* für *Kiá-chīng*.

Seite 24, in der ersten Columne muss der Name des Kaisers 帝貞 vor dem 330sten *Niân-haó* stehen, welches das erste seiner Regierung ist. Da hingegen das *Niân-chaó* 329 道至 *Dschý-taó*, das letzte seines Vorgängers 宗太 *Thaý-dsūng* ist.

S. 32. Seit dem Abdrucke meiner Tafel der *Niân-chaó* ist die Nachricht von dem Tode des vorigen Chinesischen Kaisers, dessen *Niân-chaó*, 慶嘉 *Kiā-khíng*, das letzte in dieser Tabelle ist, nach Europa gekommen. Er hat 25 Jahre regiert, ist am 2 September 1820 gestorben, und hat den Ehrennahmen

帝睿 *Shuý-tý*, d. i. der scharfsinnige Kaiser,

erhalten.

Sein Sohn und Nachfolger hat für die Jahre seiner neuangetretenen Regierung das *Niân-chaó* 光道 *Taó-kuāng* (Mandshuisch) erwählt, von denen das erste das cyclische Zeichen 巳辛 hat und mit 1821 unserer Zeitrechnung übereinkommt.

S. 37, Z. 15, lies

S. 65, Z. 9, für 元 lies 原

Ebendaselbst. — Für 義 *ý*, lies 翼 *ý*.

Ebendaselbste und folgende Seiten ist zu bemerken, dass nach der Chinesischen handschriftlichen Geschichte der Mandshuischen Dynastie, die, 1764, unter dem Titel 錄華東 *Tūng-chuâ-lū*, verfasst worden ist, die 祖六 *Lū-dsù*; nicht *Aishin Gioro* und seine fünf nächsten Nachfolger bis auf 祖世 *Schý-dsù* sind, sondern die sechs Söhne des Kaisers *Chīng-dsù dschỳ-chuâng-tý;* nämlich *Desiku*, *Liutschan*, *Soutschanga*, *Giotschangan* (der als Kaiser den Ehrennahmen *Kìng-dsù-ỳ-chuâng-tý* erhielt), *Boulanga* und *Bousi*.

Seite 99, *Columne 1*, *Zeile 6*, lies — *Kiv*. X, S. 18, statt : *Kiv*. X, S. 22.

S. 100, *Col. 1*, *Z. 11*, lies *Kiv*. XIII, S. 48, statt : *Kiv*. XIII, S. 46.

S. 101, *col. 2*, *Z. 12*, lies [illegible] statt : [illegible]
In der folgenden Zeile, [illegible] statt : [illegible]

S. 108. In dem *Alphabetischen Verzeichnisse der Unterabtheilungen* ist ausgelassen worden : — Atschuchian chaldaba, *Kiv*. XVII, S. 52.

S. 109, *Col. 2*, *Z. 16*, lies *Dshobolon* für *Dshoboloro*.

S. 111, *Col. 1*, *Z. 5*, von unten setze XXV, S. 3, statt : XXXV, S. 3.
In der folgenden Columne, *Zeile 31*, setze XVIII, S. 13, statt : XIII, S. 13.

S. 153. Zu der in der Note (1) gemachten Bemerkung über das von Herrn *R. Morrison* angeführte 鑑鋼 *Kāng-kiān*, muss ich noch hinzusetzen, dass, nachdem sie schon abgedruckt war, ich das Werk von dem die Rede ist selbst in Händen gehabt habe. Der Verfasser heisst nicht 洲鳳 *Fúng-dscheū*, sondern sein Familienname ist 王 *Wâng*, und sein Ehrentitel 生先洲鳳 *Fúng-dscheū-siān-sēng*, d. i. *der Doctor von der Phönixinsel*. Es ist wahrscheinlich derselbe von dem ich im Texte spreche.

IN DER

ABHANDLUNG ÜBER DIE UIGUREN.

S. 5, Z. *8*, lies : *d'Anville*, *in seiner Charte von Asien*.

S. 29, im ersten Schreiben, *Zeile 5*, lies *vier Stück* (3) *der Archumach genannten Pferde*, statt : *acht Stück*, u. s. w.

S. 33, *Z. 9*, lies : *wohnte das Volk der Uigur in der Ebne zwischen denselben*.
——— *13*, lies : *aber nur einer war ihr König und die anderen waren gar nicht angesehen*.

S. 34, Z. *16*, lies: *Fleisch essen*, *Kümis in der Reihe herum trinken*, *und bei schlechtem Wetter mit bedecktem Haupte herumgehen*.

S. 36, *Z. 2*, von unten, lies : تعرّض statt : تقرّض

S. 55, Z. *15*, lies : *Thă-thă-thùng-ō*.

ENDE · DER · DRUCKFEHLER.

SEINER EXCELLENZ

DEM FREIHERRN

STEIN VON ALTENSTEIN,

KÖNIGLICH PREUSSISCHEN STAATSMINISTER.

Indem ich die Ehre habe diesem Werke Ew. Excellenz *Namen vorzusetzen, erfülle ich die doppelte Pflicht der Dankbarkeit und der Hochachtung. Denn ohne* Ew. Excellenz *besonderen Befehl, würde mein Verzeichniss der Chinesischen Handschriften nie gedruckt worden sein; und der Schutz den Sie den Wissenschaften angedeihen lassen bezeugt, dass Sie dieselben nicht nur als Liebhaber schätzen, sondern auch in die verschiedensten Zweige des menschlichen Wissens Selbst eingeweiht sind. Schöne Litteratur und ernstere Studien beschäftigen Sie wechselsweise, und Alles was zur Erweiterung der Wissenschaft beitragen kann, ist Ihrer thätigen Unterstützung gewiss.*

Preussen *hat vorzüglich unter* Ew. Excellenz *Ministerio, nach dem Beispiele von England und Frankreich, bedeutende Summen auf Unternehmungen und Reisen verwendet, deren einziger Zweck die Vervoll-*

kommnung gelehrter Kenntniss ist. Ich besonders habe mich Ihres Wohlwollens zu erfreuen, und durch dasselbe ist die Gnade, welche S.[E] MAJESTÄT DER KÖNIG *meinen litterarischen Arbeiten huldreichst hat angedeihen lassen, erst in rechte Wirksamkeit gesetzt worden.*

Empfangen Sie daher diesen geringen Beweis der ausgezeichneten Hochachtung, mit der ich die Ehre habe zu verharren,

EW. EXCELLENZ,

gehorsamster Diener

J. KLAPROTH.

Paris, am 11. September 1822.

VORBERICHT.

DIE Chinesischen Bücher und Handschriften, welche sich in der Königlichen Bibliothek zu Berlin befinden, sind zu verschiedenen Zeiten an dieselbe gekommen. Den Grund dazu legten die Ankäufe, welche der Churfürst FRIEDRICH WILHELM DER GROSSE in den Besitzungen der Holländisch-Ostindischen Compagnie, und besonders in Batavia, durch *Georg Eberhard Rumpf* und *Andreas Cleyer* machen liess; und die zuerst *Andreas Müller,* und nach ihm besonders *Christian Menzel* besorgte. *Müller* liess ein Verzeichniss der anfänglich vorhandenen Bücher in Lateinischer Sprache auf einem Bogen in Folio drucken, das aber sehr selten geworden ist, und von dem selbst die Königliche Bibliothek kein Exemplar besitzt. Im Jahre 1683 gab er den *anderen Theil des Catalog's Sinesischer Bücher* heraus, der häufiger ist, und ein ausführliches aber fehlerhaftes Register über die beiden Exemplare der Chinesischen Jahrbücher enthält, die sich damals auf der Bibliothek befanden.

Menzel der des Chinesischen wegen einen ausgebreiteten Briefwechsel unterhielt, suchte noch auf anderen Wegen Bücher und Handschriften zu erhalten, und besonders stammen alle medizinischen und botanischen Werke von ihm her. Zu seiner Zeit erhielt auch die Bibliothek das Chinesisch-Spanische Wörterbuch des *P. Francisco Diaz*, wodurch *Menzeln* der Weg zur Erlernung der Chinesischen Sprache geöffnet ward. — Seit seinem Tode 1702 bis auf unsere Zeiten wurden die Chinesischen Sammlungen der Bibliothek nicht vermehrt. Erst im Jahre 1810 überschickte ich derselben einige Chinesische, Mandshuische und Mongolische Bücher, und im folgenden erhielt sie durch mich einen ansehnlichen Zuwachs an lexicographischen Werken, die ich von der Chinesisch-Russischen Gränze mitgebracht hatte. Auch vertauschte ich ihr damals meine übrigen Dubletten, gegen das eine der beiden Exemplare des 鑑通 *Thūng-kián*, oder der grossen Reichsannalen. Durch diese Vermehrungen befindet sich nun auf der Bibliothek, nicht nur ein sehr brauchbarer Apparat zum Studium der Chinesischen Sprache, sondern auch ein eben so vollständiger für die Mandshuische, wie ihn keine Europäische Bibliothek, mit Ausnahme der zu Paris, besitzt.

Da ich auf der Königlichen Bibliothek den Grund zu meiner Kenntniss des Chinesischen gelegt, so habe ich es für meine Pflicht gehalten, ihr durch die Anfertigung des gegenwärtigen Verzeichnisses nützlich zu werden.

JULIUS KLAPROTH.

Berlin, am 11 October 1812.

前　言

柏林皇家图书馆的中文书籍及手稿历经不同时期才汇集于此，其因在于大选（帝）侯腓特烈·威廉敕谕鲁姆夫（Georg Eberhard Rumpf）和克莱耶（Andreas Cleyer）在荷兰东印度公司辖区，尤其是在巴达维亚大量收罗书籍。米勒（Andreas Müller）及门采尔（Christian Menzel）先后负责图书购置的相关事宜。米勒曾命人对早期藏书做过拉丁语索引，然而此作甚稀，皇家图书馆亦无副本。1683年，他又编制另一“汉语书籍索引”，这一索引较易见到，内容为两册中国年鉴，收藏于图书馆中，详细但有讹误。

门采尔为学汉语而同耶稣会士频繁通信，并努力通过各种渠道收集书籍和手籍，馆藏所有中国医书和植物学书籍都由他收集而来。在他的时代，图书馆还收集到了弗朗西斯科·迪亚兹神父编写的汉西字典，这为门采尔学习汉语开辟了道路。门采尔1702去世之后，皇家图书馆再无新增汉籍。直到1810 年，我才开始给皇家图书馆寄送汉、满、蒙语书籍，图书馆的词典类馆藏量也因为笔者从中俄边境带回的图书而大增。此外，我凭手头闲余的副本换来两册《资治通鉴》（或称大帝国年鉴）中的一册。由于馆藏的不断丰富，如今皇家图书图书馆不仅是学习汉语的好去处，满文书籍馆藏同样也十分齐全，除巴黎图书馆外，其它的欧洲图书馆均无法与之匹敌。

皇家图书馆为我汉语学习之摇篮，因此，我自知以汉语编著书籍索引之责任。

柯恒儒
柏林，1812年10月11日

（邓二红译）

VERZEICHNISS

DER

CHINESISCHEN UND MANDSHUISCHEN BÜCHER UND HANDSCHRIFTEN.

ERSTE ABTHEILUNG.

Historische und Geographische Werke.

I. 資治通鑑

Dsū-dschŷ-thūng-kián.

Jahrbücher des Chinesischen Reichs.

(120 Hefte.)

Nachdem 司馬遷 *Szū-mà-ziān*, durch seine 史記 *Szù-kў*, oder historischen Memoires, welche die Geschichte des Chinesischen Reichs bis zur Regierung des fünften Kaisers aus der Dynastie 漢 *Chán*, oder bis gegen das Ende des zweiten Jahrhunderts vor Christi Geburt, enthalten, den Grund zu den Chinesischen Jahrbüchern gelegt hatte; so wurden dieselben nach und nach von verschiedenen Schriftstellern fortgesetzt, und die Geschichte jeder Dynastie erschien gewönlich wenn sie selbst ihre Endschaft erreicht hatte. Diese Sammlung führt jetzt den Titel 廿二史 *Nián-eúl-szù*, oder *die zwei und zwanzig Geschitschreiber;* nachdem im Jahre 1739 die Geschichte der Dynastie 明 *Mîng*, auf Befehl der letztverstorbenen Chinesischen Kaisers, hinzugefügt worden ist. Der Kaiser 英宗 *Yng-dsūng*,

A

aus der Dynastie 宋 *Súng*, dem diese Jahrbücher zu weitläuftig, und weil sie von verschiedenen Verfassern herrührten, nicht zusammenhängend genug schienen, beauftragte im vierten Monate des dritten der 治平 *Dschý-phîng* genannten Jahre, d. i. 1066 n. Chr. Geb., der Reichshistoriographen 司馬光 *Szū-mà-kuāng*, in Verbindung mit einigen anderen Gelehrten, einen vollständigen und zusammenhängenden Auszug aus den schon vorhandenen Geschichtsbüchern, und aus andern, ihnen zu Gebote stehenden Hülfsmitteln zu machen, and ihn 資治通鑑 *Dsū-dschý-thūng-kián*, d. i. aufrichtiger Spiegel zu Behufe der Regierung, zu betiteln.

Szú-mà-kuāng arbeitete neunzehn Jahre an diesem Werke, und beschrieb darin die Geschichte von China, vom 23.sten Regierungsjahre des 威烈王 *Gueȳ-liĕ-wâng*, aus der Dynastie 周 *Dscheū*, welches das Jahr 403 vor Chr. Geb. ist, bis zum Ende der Dynastie 後周 *Cheú-dscheū*, oder bis zum sechsten Jahre des Kaisers 世宗 *Schý-dsūng* aus derselben; das ist 959 nach Christi Geburt. Es enthält in 294 Büchern die Geschichte von 113 Herrschern, in einem Zeitraume von 1362 Jahren. Als er sein Werk vollendet hatte, überreichte er es dem Kaiser 神宗 *Schîn-dsūng*, dem Nachfolger dessen der es ihm aufgetragen hatte, mit einer Vorstellung (表 *Piaò*), vom fünfzehnten Tage des eilften Monats, im siebenten der 元豐 *Yuân-fūng* genannten Jahre, oder 1084 n. Christi Geburt.

Diese Geschichte von China fand bei ihrer Erscheinung allgemeinen Beifall, und obgleich der berühmte 朱熹 *Dschū-chȳ* im Jahre 1172 eine bessere und bequemere Bearbeitung derselben unter dem Namen 資治通鑑綱目 *Dsū-dschý-thūng-kián-kāng-mŭ* lieferte; so verlor doch jene, in den Augen der Chinesischen Gelehrten, nichts von ihrem alten Werthe.

Im Jahre 1243, unternahm es 胡三省 *Chû-sān-sìng*, das *Thūng-kián* des *Szû-mà-kūang* mit einem vollständigen Commentar zu versehen, und sowohl die Aussprache und Bedeutung der seltenen oder veralteten Charactere, anzumerken, als auch das, was im Texte nicht deutlich genug war, zu erklären. Er arbeitete ein und vierzig Jahre daran und vollendete ihn 1285 nach Christi Geburt, zur Zeit des ersten Kaisers aus der Mongolischen in China herrschenden Dynastie 元 *Yuân* (1).

Unter der Chinesischen Dynastie 明 *Mîng*, die den Mongolen in der Herrschaft folgte, fand man dass das *Thūng-kián*, welches wie gesagt mit dem Jahre 959 endigte, einer Fortsetzung bedürfe, und 薛應旂 *Siĕ-ŷng-khŷ*, ein Mitglied des 吏部 *Lý-pú* in beiden Hauptstädten des Reichs, verfasste dieselbe unter dem Titel 宋元通鑑 *Súng-yuân-thūng-kián*, d. i. aufrichtiger Spiegel der Dynastien *Súng* und *Yuân*. Er vollendete das Werk im Jahre 1566, und hat darin durchaus den Plan seiner Vorgänger befolgt. Diese Fortsetzung der Chinesischen Jahrbücher geht also vom Jahre 960 bis 1367, dem letzten des Kaisers 順帝 *Schûn-tý*, mit dem die Dynastie *Yuân* beschloss. Sie enthält 157 Bücher, hat aber keinen Commentar.

Die gegenwärtige Ausgabe des *Thūng-kián* mit dieser Fortsetzung ward von dem Reichshistoriographen 陳仁錫 *Tschîn-shîn-sý* besorgt, und erschien zwischen 1625 und 1626, oder im fünften und sechsten der 天啓 *Thiān-khỳ* genannten Jahre, des Kaisers 熹宗 *Chȳ-dsūng*, aus der Dynastie 明 *Mîng* (2).

---

(1) Demselben Verfasser verdanken wir auch ein anderes, auf das *Thūng-kián* Bezug habendes, Werk, unter dem Titel 通鑑釋文辯誤 *Thūng-kián-schŷ-wên-pián-ú*, oder Verbesserung der Fehler des *Thūng-kián*, das er 1287 in zwölf Büchern vollendete.

(2) Der Columnentitel ist durchgängig 通鑑 *Thūng-kián*, sowohl im Werke

A 2

Andreas Müller hat, in dem *anderen Theile seines Catalogs der Chinesischen Bücher*, eine tabellarische Inhaltsanzeige dieser Jahrbücher geliefert, in der er die Namen der Kaiser in Lateinischen Buchstaben und die Jahre ihrer Regierung, mit Hinweisung auf die Seite des Heftes, wo sie sich finden, angab. Da er aber die Ehrennamen der Regierungsjahre, oder 號年 *Niân-chaó*, nicht beigefügt, deren die Chinesen sich fast immer in historischen Angaben bedienen, so ist seine Tabelle von geringem Nutzen. Ich gebe also hier eine andere, die, wie man sehen wird, nicht nur die Fehler der von *des Hauterayes* (1) gelieferten verbessert, sondern auch die Chinesischen Schriftzeichen enthält, und um vieles vollständiger ist, indem sie die Dynastien 遼 *Liaô*, 金 *Kīn*, und 夏 *Hiá*, mit umfasst, die jener übergangen hat, und bis auf die neusten Zeiten fortgesetzt ist (2).

---

selbst als auch in der Fortsetzung, welche die Geschichte der Dynastien *Súng* und *Yuân* enthält.

(1) Histoire générale de la Chine, traduite par le P. Mailla, tom. XII, S. 4, u. f.

(2) Der Englische Missionair *Robert Morrison* hat im Jahre 1817 zu Macao ein kleines Werk unter dem Titel *View of China* drucken lassen, welches ebenfalls eine Tabelle der Chinesischen Kaiser und zum Theil die Ehrennamen ihrer Regierungsjahre enthält. Sie ist aber nicht nur höchst mangel- und fehlerhaft, sondern auch in der vergleichenden Chronologie mit der Europäischen Zeitrechnung GANZ UND GAR FALSCH, und nur von 1572 nach Christi Geb. bis auf unsere Zeiten richtig. Diese Arbeit ist also VÖLLIG UNBRAUCHBAR und kann nur dazu dienen den, der sich der Tabelle bedient, beständig in Verlegenheit und in Irrthum zu setzen.

號年

Niân-chaó,

ODER EHRENNAMEN, WELCHE DIE CHINESISCHEN KAISER IHREN REGIERUNGSJAHREN BEIGELEGT HABEN.

VOR CHRISTI GEBURT.

Dynastie 漢 *Hán.*

NAMEN DER KAISER.	JAHRESNAMEN.	DAUER.	ERSTES JAHR CYCL. ZEICHEN.	ERSTES JAHR CHRIST. ZEITR.
帝文孝 *Chiaó-wên-tý* (1)	1. 元後 *Cheú-yuân*	7 Jahre.	寅戊	163.
帝景孝 *Chiaó-king-tý*	2. 年元 *Yuân-niân*	7.	酉乙	156.
	3. 元中 *Dschūng-yuân*	6.	辰壬	149.
	4. 元後 *Cheû-yuân*	3.	戌戊	143.
帝武孝 *Chiaó-wù-tý*	5. 元建 *Kián-yuân*	6.	丑辛	140.
	6. 光元 *Yuân-kuāng*	6.	未丁	134.
	7. 朔元 *Yuân-sŏ*	6.	丑癸	128.
	8. 狩元 *Yuân-cheú*	6.	未己	122.
	9. 鼎元 *Yuân-tìng*	6.	丑乙	116.
	10. 封元 *Yuân-fúng*	6.	未辛	110.
	11. 初太 *Thaý-zū*	4.	丑丁	104.
	12. 漢天 *Thiān-chán*	4.	巳辛	100.
	13. 始太 *Thaý-schỳ*	4.	酉乙	96.

(1) Dieser Kaiser hatte schon 16 Jahre regiert.

NAMEN DER KAISER.	JAHRESNAMEN.	DAUER.	ERSTES JAHR	
			CYCL. ZEICHEN.	CHRIST. ZEITR.
	14. 和征 *Dschîng-chô*	4 Jahre.	丑己	92.
	15. 元後 *Cheú-yuân*	2.	巳癸	88.
帝昭孝 *Chiaó-dschaō-tý*	16. 元始 *Schỳ-yuân*	6.	未乙	86.
	17. 鳳元 *Yuân-fúng*	6.	丑辛	80.
	18. 平元 *Yuân-phîng*	1.	未丁	74.
帝宣孝 *Chiaó-siuān-tý*	19. 始本 *Pèn-schỳ*	4.	申戊	73.
	20. 節地 *Tý-dsiĕ*	4.	子壬	69.
	21. 康元 *Yuân-khāng*	4.	辰丙	65.
	22. 爵神 *Schîn-dsiŏ*	4.	申庚	61.
	23. 鳳五 *Ù-fúng*	4.	子甲	57.
	24. 露甘 *Kān-lú*	4.	辰戊	53.
	25. 龍黃 *Chuâng-lûng*	1.	申壬	49.
帝元孝 *Chiaó-yuân-tý*	26. 元初 *Zū-yuân*	5.	酉癸	48.
	27. 光永 *Yùng-kuāng*	5.	寅戊	43.
	28. 昭建 *Kián-dschaō*	5.	未癸	38.
	29. 寧竟 *Kíng-níng*	1.	子戊	33.
帝成孝 *Chiaó-tschîng-tý*	30. 始建 *Kián-schỳ*	4.	丑己	32.
	31. 平河 *Chô-phîng*	4.	巳癸	28.
	32. 朔陽 *Yâng-sŏ*	4.	酉丁	24.
	33. 嘉鴻 *Chûng-kiā*	4.	丑辛	20.
	34. 始永 *Yùng-schỳ*	4.	巳乙	16.

NAMEN DER KAISER.	JAHRESNAMEN.	DAUER.	ERSTES JAHR	
			CYCL. ZEICHEN.	CHRIST. ZEITR.
	35. 延元 *Yuân-yân*..........	4 Jahre.	酉己	12.
	36. 和綏 *Suŷ-chô*..........	2.	丑癸	8.
帝哀孝 *Chiaó-ngaÿ-tý*.......	37. 平建 *Kián-phîng*..........	4.	卯乙	6.
	38. 壽元 *Yuân-scheú*..........	2.	未己	2.
Nach Christi Geburt.				
帝平孝 *Chiaó-phîng-tý*.....	39. 始元 *Yuân-schỳ*..........	5.	酉辛	1.
嬰子孺 *Shú-dsü-ÿng*.......	40. 攝居 *Kiū-schĕ*..........	2.	寅丙	6.
	41. 始初 *Zū-schỳ*..........	1.	辰戊	8.
莽王 *Wáng-màng*.........	42. 國建始 *Schỳ-kián-kuĕ*....	5.	巳己	9.
	43. 鳳天 *Thiān-fúng*..........	6.	戌甲	14.
	44. 皇地 *Tý-chuâng*..........	3.	辰庚	20.
王陽淮 *Chuaŷ-yâng-wâng*....	45. 始更 *Kēng-schỳ*..........	2.	未癸	23.
帝武光 *Kuāng-wù-tý*........	46. 武建 *Kián-wù*..........	31.	酉乙	25.
	47. 元中 *Dschūng-yuán*.......	2.	辰丙	56.
帝明 *Mîng-tý*............	48. 平永 *Yùng-phîng*..........	18.	午戊	58.
帝章 *Dschāng-tý*..........	49. 初建 *Kián-zū*..........	8.	子丙	76.
	50. 和元 *Yuân-chô*..........	3.	申甲	84.
	51. 和章 *Dschāng-chô*........	2.	亥丁	87.
帝和 *Chô-tý*..............	52. 元永 *Yùng-yuán*..........	16.	丑己	89.
	53. 興元 *Yuân-chīng*........	1.	巳乙	105.
帝殤 *Schāng-tý*...........	54. 平延 *Yân-phîng*..........	1.	午丙	106.

NAMEN DER KAISER.	JAHRESNAMEN.	DAUER.	ERSTES JAHR CYCL. ZEICHEN.	ERSTES JAHR CHRIST. ZEITR.
帝安 *Ngān-tý*...........	55. 初永 *Yùng-zū*...........	7 Jahre.	未丁	107.
	56. 初元 *Yuân-zū*...........	6.	寅甲	114.
	57. 寧永 *Yùng-níng*..........	1.	申庚	120.
	58. 光建 *Kián-kuāng*..........	1.	酉辛	121.
	59. 光延 *Yân-kuāng*..........	4.	戌壬	122.
帝順 *Schún-tý*...........	60. 建永 *Yùng-kián*..........	6.	寅丙	126.
	61. 嘉陽 *Yâng-kiā*...........	4.	申壬	132.
	62. 和永 *Yùng-chô*...........	6.	子丙	136.
	63. 安漢 *Chán-ngān*..........	2.	午壬	142.
	64. 康建 *Kiân-khāng*.........	1.	申甲	144.
帝沖 *Tschūng-tý*..........	65. 嘉永 *Yùng-kiā*...........	1.	酉乙	145.
帝質 *Dschў-tý*...........	66. 初本 *Pùn-zū*............	1.	戌丙	146.
帝桓 *Chuân-tý*...........	67. 和建 *Kián-chô*...........	3.	亥丁	147.
	68. 平和 *Chô-phîng*..........	1.	寅庚	150.
	69. 嘉元 *Yuân-kiā*...........	2.	卯辛	151.
	70. 興永 *Yùng-chīng*..........	2.	巳癸	153.
	71. 壽永 *Yùng-schéu*.........	3.	未乙	155.
	72. 熹延 *Yán-chў*...........	9.	戌戊	158.
	73. 康永 *Yùng-khāng*.........	1.	未丁	167.
帝靈 *Lîng-tý*...........	74. 寧建 *Kián-níng*..........	4.	申戊	168.
	75. 平熹 *Chў-phîng*..........	6.	子壬	172.

NAMEN DER KAISER.	JAHRESNAMEN.	DAUER.	ERSTES JAHR CYCL. ZEICHEN.	ERSTES JAHR CHRIST. ZEITR.
	76. 和光 Kuāng-chô	6 Jahre.	午戊	178.
	77. 平中 Dschūng-phîng	6.	子甲	184.
帝獻 Chián-tý............	78. 平初 Zū-phîng............	4.	午庚	190.
	79. 平興 Chīng-phîng.........	2.	戌甲	194.
	80. 安建 Kián-ngān	25.	子丙	196.
Dynastie 漢蜀 Schŭ-chán.				
帝烈昭 Dschaō-liĕ-tý	81. 武章 Dschāng-wù	2.	子庚	221.
主後 Cheú-dschù..........	82. 興建 Kián-chīng	15.	卯癸	223.
	83. 熙延 Yân-chŷ	20.	午戊	238.
	84. 耀景 Kìng-yaò............	5.	寅戊	258.
	85. 興炎 Yân-chīng	1.	未癸	263.
Dynastie 魏 Gueý.				
帝文 Wên-tý.............	86. 初黃 Chuâng-zū	7.	子庚	220.
帝明 Mîng-tý............	87. 和太 Thaý-chô	6.	未丁	227.
	88. 龍青 Zing-lûng...........	4.	丑癸	233.
	89. 初景 Kìng-zū	2.	巳丁	237.
芳主 Dschù-fāng..........	90. 始正 Dschîng-schỳ	9.	申庚	240.
	91. 平嘉 Kiā-phîng...........	5.	巳己	249.
髦主 Dschù-maō..........	92. 元正 Dschîng-yuân........	2.	戌甲	254.
	93. 露甘 Kān-lú..............	4.	子丙	256.

NAMEN DER KAISER.	JAHRESNAMEN.	DAUER.	ERSTES JAHR CYCL. ZEICHEN.	ERSTES JAHR CHRIST. ZEITR.
元帝 *Yuán-tý*	94. 景元 *King-yuân*	4 Jahre.	庚辰	260.
	95. 咸熙 *Chiân-chŷ*	2.	甲申	264.
Dynastie 吳 *Ú.*				
大帝 *Tá-tý*	96. 黃武 *Chuâng-wù*	7.	壬寅	222.
	97. 黃龍 *Chuâng-lûng*	3.	己酉	229.
	98. 嘉禾 *Kiā-chô*	6.	壬子	232.
	99. 赤烏 *Tschŷ-ū*	13.	戊午	238.
	100. 太元 *Thaý-yuân*	1.	辛未	251.
主亮 *Dschù-liáng*	101. 建興 *Kián-chîng*	2.	壬申	252.
	102. 五鳳 *Ù-fúng*	2.	甲戌	254.
	103. 太平 *Thaý-phîng*	2.	丙子	256.
景帝 *Kìng-tý*	104. 永安 *Yùng-ngān*	7.	戊寅	258.
主皓 *Dschù-kaò*	105. 元興 *Yuân-chîng*	1.	甲申	264.
	106. 甘露 *Kān-lú*	1.	乙酉	265.
	107. 寶鼎 *Paò-tìng*	3.	丙戌	266.
	108. 建衡 *Kián-chêng*	3.	己丑	269.
	109. 鳳皇 *Fúng-chuâng*	3.	壬辰	272.
	110. 天册 *Thiān-zĕ*	1.	乙未	275.
	111. 天璽 *Thiān-sỳ*	1.	丙申	276.
	102. 天紀 *Thiān-kỳ*	3.	丁酉	277.

NAMEN DER KAISER.	JAHRESNAMEN.	DAUER.	ERSTES JAHR	
			CYCL. ZEICHEN.	CHRIST. ZEITR.
Dynastie 晉 Dsín.				
武帝 *Wù-tý*..........	113. 泰始 *Thaý-schỳ*..........	10 Jahre.	乙酉	265.
惠帝 *Chuý-tý*..........	114. 咸寧 *Chiân-níng*..........	5.	乙未	275.
	115. 太康 *Thaý-khāng*..........	10.	庚子	280.
	116. 永熙 *Yùng-chȳ*..........	1.	庚戌	290.
	117. 太平 *Yuân-phîng*..........	9.	辛亥	291.
	118. 永康 *Yùng-khāng*..........	1.	庚申	300.
	119. 永寧 *Yùng-níng*..........	1.	辛酉	301.
	120. 太安 *Thaý-ngān*..........	2.	壬戌	302.
	121. 永興 *Yùng-chīng*..........	2.	甲子	304.
	122. 光熙 *Kuāng-chȳ*..........	1.	丙寅	306.
懷帝 *Chuaý-tý*..........	123. 永嘉 *Yùng-kiā*..........	6.	丁卯	307.
愍帝 *Mín-tý*..........	124. 建興 *Kiá-chīng*..........	4.	癸酉	313.
	125. 建武 *Kián-wù*..........	1.	丁丑	317.
	126. 太興 *Thaý-chīng*..........	4.	戊寅	318.
	127. 永昌 *Yùng-tschāng*..........	1.	壬午	322.
明帝 *Míng-tý*..........	128. 太寧 *Thaý-níng*..........	3.	癸未	323.
成帝 *Tsching-tý*..........	129. 咸和 *Chiân-chô*..........	9.	丙戌	326.
	130. 咸康 *Chiân-khāng*..........	8.	乙未	335.
康帝 *Khāng-tý*..........	131. 建元 *Kián-yuân*..........	2.	癸卯	343.
穆帝 *Mū-tý*..........	132. 永和 *Yùng-chô*..........	19	乙巳	345

NAMEN DER KAISER.	JAHRESNAMEN.	DAUER.	ERSTES JAHR CYCL. ZEICHEN.	ERSTES JAHR CHRIST. ZEITR.
	133. 升平 Sching-phing	5 Jahre.	丁巳	357.
哀帝 Ngay-tý	134. 隆和 Lûng-chô	1.	壬戌	362.
	135. 興寧 Ching-ning	3.	癸亥	363.
海西公 Chay-sy-kùng	136. 太和 Thaý-chô	5.	丙寅	366.
簡文帝 Kiàn-wên-tý	137. 咸安 Chiân-ngān	2.	辛未	371.
孝武帝 Chiaó-wù-tý	138. 寧康 Ning-khāng..........	3.	癸酉	373.
	139. 太元 Thaý-yuân..........	21.	丙子	376.
安帝 Ngān-tý	140. 隆安 Lûng-ngān	5.	丁酉	397.
	141. 元興 Yuân-ching.........	3.	壬寅	402.
	142. 義熙 Ý-chŷ	14.	乙巳	405.
恭帝 Kùng-tý	143. 元熙 Yuân-chŷ	1.	己未	419.

NAMEN DER KAISER.	JAHRESNAMEN.	DAUER.	ERSTES JAHR	
			CYCL. ZEICHEN.	CHRIST. ZEITR.

南北朝

Nân-pě-dschaō.

Theilung des Reichs in das Südliche und Nördliche.

Dynastie 宋 *Súng.*

Namen der Kaiser	Jahresnamen	Dauer	Cycl. Zeichen	Christ. Zeitr.
武帝 *Wù-tý*	144. 永初 *Yùng-zū*	3 Jahre.	庚申	420.
營陽王 *Yûng-yâng-wâng*	145. 景平 *Kìng-phìng*	1.	癸亥	423.
文帝 *Wên-tý*	146. 元嘉 *Yuân-kiā*	30.	甲子	424.
孝武帝 *Chiaó-wù-tý*	147. 孝建 *Chiaó-kián*	3.	甲午	454.
	148. 大明 *Tá-mîng*	8.	丁酉	457.
廢帝 *Fý-tý*	149. 景和 *Kìng-chô*	1.	乙巳	465.
明帝 *Mîng-tý*	150. 泰始 *Thaý-schỳ*	7.	乙巳	465.
	151. 泰豫 *Thaý-yú*	1.	壬子	472.
蒼梧王 *Zāng-ú-wâng*	152. 元徽 *Yuân-chuȳ*	4.	癸丑	473.
順帝 *Schǔn-tý*	153. 昇明 *Schîng-mîng*	2.	丁巳	477.

II. Dynastie 齊 *Zŷ.*

Namen der Kaiser	Jahresnamen	Dauer	Cycl. Zeichen	Christ. Zeitr.
高帝 *Kaō-tý*	154. 建元 *Kián-yuân*	4.	己未	479.
武帝 *Wù-tý*	155. 永明 *Yùng-mîng*	11.	癸亥	483.
明帝 *Mîng-tý*	156. 建武 *Kián-wù*	4.	甲戌	494.
	157. 永泰 *Yùng-thaý*	1.	戊寅	498.

NAMEN DER KAISER.	JAHRESNAMEN.	DAUER.	ERSTES JAHR CYCL. ZEICHEN.	ERSTES JAHR CHRIST. ZEITR.
侯昏東 *Tūng-chūn-cheû*	158. 元 永 *Yùng-yuân*	2 Jahre.	卯 己	499.
帝和 *Chô-tý*	159. 興 中 *Dschūng-chîng*	1.	巳 辛	501.

III. Dynastie 梁 *Liâng.*

NAMEN DER KAISER.	JAHRESNAMEN.	DAUER.	ERSTES JAHR CYCL. ZEICHEN.	ERSTES JAHR CHRIST. ZEITR.
帝武 *Wù-tý*	160. 監 天 *Thiān-kián*	18.	午 壬	502.
	161. 通 普 *Phù-thūng*	7.	子 庚	520.
	162. 通 大 *Tá-thūng*	2.	未 丁	527.
	163. 通大中 *Dschūng-tá-thūng*	6.	酉 己	529.
	164. 同 大 *Tá-thûng*	11.	卯 乙	535.
	165. 同大中 *Dschūng-tá-thûng*	1.	寅 丙	546.
	166. 清 太 *Thaý-ʒing*	3.	卯 丁	547.
帝文簡 *Kiàn-wên-tý*	167. 寶 大 *Tá-paò*	2.	午 庚	550.
帝元 *Yuân-tý*	168. 聖 承 *Tschîng-schíng*	3.	申 壬	552.
帝敬 *King-tý*	169. 泰 紹 *Schaò-thaý*	1.	亥 乙	555.
	170. 平 太 *Thaý-phîng*	1.	子 丙	556.

IV. Dynastie 陳 *Tschîn.*

NAMEN DER KAISER.	JAHRESNAMEN.	DAUER.	ERSTES JAHR CYCL. ZEICHEN.	ERSTES JAHR CHRIST. ZEITR.
帝武 *Wù-tý*	171. 定 永 *Yùng-tíng*	3.	丑 丁	557.
帝文 *Wên-tý*	172. 嘉 天 *Thiān-kiā*	6.	辰 庚	560.
	173. 康 天 *Thiān-khāng*	1.	戌 丙	566.
王海臨 *Lîng-chaỳ-wâng*	174. 大 光 *Kuāng-tá*	2.	亥 丁	567.
帝宣 *Siuân-tý*	175. 建 太 *Thaý-kiân*	14.	丑 己	569.

NAMEN DER KAISER.	JAHRESNAMEN.	DAUER.	ERSTES JAHR — CYCL. ZEICHEN.	ERSTES JAHR — CHRIST. ZEITR.
公城長 *Tschâng-tschîng-kûng*	176. 德至 *Dschý-tĕ*	4 Jahre.	卯癸	583.
	177. 明禎 *Dschîng-mîng*	2.	未丁	587.
	V. Dynastie 魏 *Gueý.*			
帝武道 *Taó-wù-tý*	178. 國登 *Tēng-kuĕ*	10.	戌丙	386.
	179. 始皇 *Chuâng-schŷ*	2.	申丙	396.
	180. 興天 *Thiān-chîng*	6.	戌戊	398.
	181. 賜天 *Thiān-szû*	5.	辰甲	404.
帝元明 *Mîng-yuân-tý*	182. 興永 *Yùng-chîng*	5.	丙己	409.
	183. 瑞神 *Schîn-schuŷ*	2.	寅甲	414.
帝武太 *Thaý-wù-tý*	184. 常泰 *Thaý-tschâng*	8.	辰丙	416.
	185. 光始 *Schŷ-kuāng*	4.	子甲	424.
	186. 䴥神 *Schîn-kiā*	4.	辰戊	428.
	187. 和延 *Yân-chô*	3.	申壬	432.
	188. 延太 *Thaý-yân*	5.	亥乙	435.
	189. 君眞平太 *Thaý-phîng-dschīng-kiūn*	12.	辰庚	440.
帝成文 *Wên-tschîng-tý*	190. 平正 *Dschîng-phîng*	1.	卯辛	451.
	191. 安興 *Chîng-ngān*	2.	辰壬	452.
	192. 光興 *Chîng-kuāng*	1.	午甲	454.
	193. 安太 *Thaý-ngān*	5.	未乙	455.
	194. 平和 *Chô-phîng*	6.	子庚	460.

NAMEN DER KAISER.	JAHRESNAMEN.	DAUER.	ERSTES JAHR	
			CYCL. ZEICHEN.	CHRIST. ZEITR.
帝文獻 *Chián-wên-tý*	195. 安天 *Thiān-ngān*	1 Jahr.	午 丙	466.
	196. 興皇 *Chuāng-chīng*	4.	未 丁	467.
帝文孝 *Chiaó-wên-tý*	197. 興延 *Yân-chīng*	5.	亥 辛	471.
	198. 明承 *Tschîng-mîng*	1.	辰 丙	476.
	199. 和太 *Thaý-chô*	23.	巳 丁	477.
帝武宣 *Siuān-wù-tý*	200. 明景 *Kìng-mîng*	4.	辰 庚	500.
	201. 始正 *Dschíng-schỳ*	4.	申 甲	504.
	202. 平永 *Yùng-phîng*	4.	子 戊	508.
	203. 昌延 *Yân-tschāng*	4.	辰 壬	512.
帝明孝 *Chiaó-mîng-tý*	204. 平熙 *Chȳ-phîng*	2.	申 丙	516.
	205. 龜神 *Schin-kuỳ*	2.	戌 戊	518.
	206. 光正 *Dschíng-kuāng*	5.	子 庚	520.
	207. 昌孝 *Chiaó-tschāng*	4.	巳 乙	525.
帝莊孝 *Chiaó-dschuāng-tý*	208. 安永 *Yùng-ngān*	2.	申 戊	528.
曄主 *Dschû-yĕ*	209. 明建 *Kián-mîng*	1.	戌 庚	530.
朗主 *Dschù-làng*	210. 興中 *Dschūng-chîng*	1.	亥 辛	531.
帝武孝 *Chiaó-wù-tý*	211. 熙永 *Yùng-chȳ*	3.	子 壬	532.
帝文 *Wên-tý*	212. 統太 *Tá-thùng*	17.	卯 乙	535.
帝廢 *Fý tý*	213. 平元 *Yuân-phîng*	2.	申 壬	552.
帝恭 *Kùng-tý*	204. 帝恭 *Kùng-tý*	4.	戌 甲	554.

NAMEN DER KAISER.	JAHRESNAMEN.	DAUER.	ERSTES JAHR CYCL. ZEICHEN.	CHRIST. ZEITR.
魏東 *Tūng-gueý*, oder *der östlichen Gueý.*				
帝靜孝 *Chiaó-dsing-tý*	215. 平天 *Thiān-phîng*	4 Jahre.	寅甲	534.
	216. 象元 *Yuān-siáng*	1	午戊	538.
	217. 和與 *Chîng-chô*	4.	未己	539.
	218. 定武 *Wù-tíng*	8.	亥癸	543.
VI. Dynastie **齊北** *Pě-zŷ*, oder *der nördlichen Zŷ.*				
帝宣文 *Wên-siuān-tý*	219. 保天 *Thiān-paò*	10.	午庚	550.
殷主 *Dschŭ-ŷn*	220. 明乾 *Khiān-mîng*	1.	辰庚	560.
帝昭孝 *Chiaó-dschāo-tý*	221. 建皇 *Chuāng-kián*	2.	辰庚	560.
帝成武 *Wù-tschîng-tý*	222. 寧太 *Thaý-níng*	1.	巳辛	561.
	223. 清河 *Chô-zîng*	3.	午壬	562.
緯主後 *Heú-dschŭ-gueý*	224. 統天 *Thiān-thùng*	5.	酉乙	565.
	225. 平武 *Wù-phîng*	6.	寅庚	570.
	226. 化隆 *Lûng-chuá*	1.	申丙	576.
恒主幼 *Yeú-dschŭ-chêng*	227. 光承 *Tschîng-kuāng*	1.	酉丁	577.
VII. Dynastie **周** *Dscheū.*				
帝明 *Mîng-tý*	(Seine beiden ersten Regierungsjahre haben kein *Niān-chaó.*)	2.	丑丁	557.
	228. 成武 *Wù-tschîng*	2.	卯己	559.
帝武 *Wù-tý*	229. 定保 *Paò-tíng*	5.	巳辛	561.
	230. 和天 *Thiān-chô*	6.	虎丙	566.

NAMEN DER KAISER.	JAHRESNAMEN.	DAUER.	ERSTES JAHR CYCL. ZEICHEN.	ERSTES JAHR CHRIST. ZEITR.
	231. 德建 *Kián-tĕ*	6 Jahre.	辰壬	572.
帝宣 *Siuān-tý*	232. 政宣 *Siuān-dsching*	1.	戌戊	578.
帝靜 *Dsíng-tý*	233. 象大 *Tá-siáng*	3.	亥己	579.
Ende des *Nân-pĕ-dschaō.*				
Dynastie 隋 *Suŷ.*				
帝文 *Wĕn-tý*	234. 皇開 *Khaӯ-chuâng*	20.	丑辛	581.
	235. 壽仁 *Shîn-scheú*	4.	酉辛	601.
帝煬 *Yáng-tý*	236. 業大 *Tá-niĕ*	12.	丑乙	605.
帝恭 *Kùng-tý*	237. 寧義 *Ý-níng*	1.	丑丁	617.
	238. 元泰 *Thaý-yuân*	1.	寅戊	618.
Dynastie 唐 *Thâng.*				
祖高 *Kaō-dsù*	239. 德武 *Wù-tĕ*	9.	寅戊	618.
宗太 *Thaý-dsūng*	240. 觀貞 *Dschîng kuōn*	23.	亥丁	627.
宗高 *Kaō-dsūng*	241. 徽永 *Yùng-chuӯ*	6.	戌庚	650.
	242. 慶顯 *Chián-khíng*	5.	辰丙	656.
	243. 朔龍 *Lûng-sŏ*	3.	酉辛	661.
	244. 德麟 *Lîn-tĕ*	2.	子甲	664.
	245. 封乾 *Khiân-fúng*	2.	寅丙	666.
	246. 章總 *Dsùng-dschāng*	2.	辰戊	668.
	247. 亨咸 *Chiân-chēng*	4.	午庚	670.

NAMEN DER KAISER.	JAHRESNAMEN.	DAUER.	ERSTES JAHR	
			CYCL. ZEICHEN.	CHRIST. ZEITR.
	248. 元上 *Schâng-yuân*........	2 Jahre.	戌 甲	674.
	249. 鳳儀 *Ý-fúng*...........	3.	子 丙	676.
	250. 露調 *Thiaô-lú*...........	1.	卯 己	679.
	251. 隆永 *Yùng-lûng*.........	1.	辰 庚	680.
	252. 耀開 *Khaȳ-yaó*..........	1.	巳 辛	681.
	253. 淳永 *Yùng-schûn*........	1.	午 壬	682.
	254. 道弘 *Chûng-taó*.........	1.	未 癸	683.
宗中 *Dschūng-dsūng*......	255. 聖嗣 *Szû-schíng*.........	21 (1).	申 甲	684.
后天 *Thiān-cheù*.........	256. 宅光 *Kuāng-dsĕ*.........	1.	申 甲	684.
	257. 拱垂 *Tschuŷ-kùng*........	4.	酉 乙	685.
	258. 昌永 *Yùng-tschāng*.......	1.	丑 己	689.
	259. 授天 *Thiān-scheú*........	2.	寅 庚	690.
	260. 壽長 *Tschâng-scheú*......	2.	辰 壬	692.
	261. 載延 *Yân-dsaý*..........	1.	午 甲	694.
	262. 歲萬冊天 *Thiān-ʒĕ-wán-suý*......	1.	未 乙	695.
	263. 天通歲萬 *Wán-suý-thūng-thiān*......	1.	申 丙	696.
	264. 功神 *Schîn-kūng*.........	1.	酉 丁	697.
	265. 曆聖 *Schíng-lŷ*..........	2.	戌 戊	698.

(1) In den Annalen werden die einundzwanzig Regierungsjahre der Kaiserinn *Thiān-cheù* dem *Dschūng-dsūng* zugerechnet; folglich hat sein Niân-cháo *Szû-sching* einundzwanzig Jahre gedauert.

C 2

NAMEN DER KAISER.	JAHRESNAMEN.	DAUER.	ERSTES JAHR CYCL. ZEICHEN.	ERSTES JAHR CHRIST. ZEITR.
	266. 視久 *Kieù-schý*	1 Jahr.	子庚	700.
	267. 安長 *Tchâng-ngân*	4.	丑辛	701.
宗中 *Dschūng-dsūng*....... (wieder eingesetzt).	268. 龍神 *Schîn-lûng*	2.	巳乙	705.
	269. 龍景 *Kìng-lûng*...........	3.	未丁	707.
宗睿 *Shuý-dsūng*..........	270. 雲景 *Kìng-yǔn*	2.	戌庚	710.
	271. 極太 *Thaý-kў*............	1.	子壬	712.
宗玄 *Chiuân-dsūng*........	272. 天先 *Ssiān-thiān*..........	1.	丑癸	713.
	273. 元開 *Khaý-yuân*..........	29.	丑癸	713.
	274. 寶天 *Thiān-paò*..........	14.	午壬	742.
宗肅 *Ssū-dsūng*...........	275. 德至 *Dschý-tĕ*...........	2.	申丙	756.
	276. 元乾 *Khiân-yuân*.........	2.	戌戊	758.
	277. 太上 *Schâng-yuân*........	2.	子庚	760.
	278. 應寶 *Paò-ўng*............	1.	寅壬	762.
宗代 *Taý-dsūng*...........	279. 德廣 *Kuàng-tĕ*...........	2.	卯癸	763.
	280. 泰永 *Yùng-thaý*..........	1.	巳乙	765.
	281. 曆大 *Tá-lў*..............	14.	午丙	766.
宗德 *Tĕ-dsūng*............	282. 中建 *Kián-dschūng*........	4.	申庚	780.
	283. 元興 *Chīng-yuân*..........	1.	子甲	784.
	284. 元貞 *Dschīng-yuân*........	20.	丑乙	785.
宗順 *Schŭn-dsūng*.........	285. 貞永 *Yùng-dschīng*........	1.	酉乙	805.
宗憲 *Chián-dsūng*.........	286. 和元 *Yuân-chô*...........	15.	戌丙	806.

NAMEN DER KAISER.	JAHRESNAMEN.	DAUER.	ERSTES JAHR CYCL. ZEICHEN.	ERSTES JAHR CHRIST. ZEITR.
穆宗 *Mŭ-dsūng*	287. 長慶 *Tschâng-khíng*	4 Jahre.	辛丑	821.
敬宗 *Kíng-dsūng*	288. 寶曆 *Paò-lў*	2.	乙巳	825.
文宗 *Wên-dsūng*	289. 太和 *Thaý-chô*	9.	丁未	827.
	290. 開成 *Khaў-tchîng*	5.	丙辰	836.
武宗 *Wù-dsūng*	291. 會昌 *Chuý-tschāng*	6.	辛酉	841.
宣宗 *Siuān-dsūng*	292. 大中 *Tá-dschūng*	13.	丁卯	847.
懿宗 *Ý-dsūng*	293. 咸通 *Chiân-thūng*	14.	庚辰	860.
僖宗 *Chў-dsūng*	294. 乾符 *Khiân-fû*	6.	甲午	874.
	295. 廣明 *Kuàng-mîng*	1.	庚子	880.
	296. 中和 *Dschūng-chô*	4.	辛丑	881.
	297. 光啓 *Kuāng-khў*	3.	乙巳	885.
	298. 文德 *Wên-tĕ*	1.	戊申	888.
	299. 龍紀 *Lûng-kў*	1.	己酉	889.
昭宗 *Dschaò-dsūng*	300. 大順 *Tá-schún*	2.	庚戌	890.
	301. 景福 *Kìng-fŭ*	2.	壬子	892.
	302. 乾寧 *Khiân-níng*	4.	甲寅	894.
	303. 光化 *Kuāng-chuá*	3.	戊午	898.
	304. 天復 *Thiān-fŭ*	3.	辛酉	901.
昭宣帝 *Dschaò-siuān-tý*	305. 天祐 *Thiān-yeú*	4.	甲子	904.

NAMEN DER KAISER.	JAHRESNAMEN.	DAUER.	ERSTES JAHR. CYCL. ZEICHEN.	ERSTES JAHR. CHRIST. ZEITR.

後五代

Cheú-ù-taý,

ODER DIE FÜNF SPÄTEREN DYNASTIEN, DIE MIT FRÜHEREN EINERLEI NAMEN HABEN.

I. Dynastie 後梁 *Cheú-liâng.*

NAMEN DER KAISER.	JAHRESNAMEN.	DAUER.	CYCL. ZEICHEN.	CHRIST. ZEITR.
太祖 *Thaý-dsù*..........	306. 開平 *Khaȳ-phîng*.........	4 Jahre.	丁卯	907.
主瑱 *Dschù-thián*.........	307. 乾化 *Khiân-chuá*......... (Die beiden ersten Jahre dieses *Niân-chào* gehören zur Regierung des *Thaí-dsù*, und die beiden letzten zu der seines Nachfolgers.)	4.	辛未 / 癸酉	911. / 913.
	308. 貞明 *Dschīn-mîng*.........	6.	乙亥	915.
	309. 龍德 *Lûng-tĕ*.........	2.	辛巳	921.

II. Dynastie 後唐 *Cheú-thâng.*

NAMEN DER KAISER.	JAHRESNAMEN.	DAUER.	CYCL. ZEICHEN.	CHRIST. ZEITR.
莊宗 *Dschuāng-dsūng*.....	310. 同光 *Thûng-kuāng*.......	3.	癸未	924.
明宗 *Mîng-dsūng*.........	311. 天成 *Thiān-tschîng*........	4.	丙戌	926.
	312. 長興 *Tschâng-chìng*......	4.	庚寅	930.
閔帝 *Mìn-tý*...........	313. 應順 *Ȳng-schŭn*.........	1.	甲午	934.
潞王 *Lú-wâng*..........	314. 清泰 *Zing-thaý*..........	3.	甲午	934.

NAMEN DER KAISER.	JAHRESNAMEN.	DAUER.	ERSTES JAHR. CYCL. ZEICHEN.	ERSTES JAHR. CHRIST. ZEITR.
	III. Dynastie 晉後 *Cheú-dsin.*			
祖高 *Kaō-dsù*	315. 福天 *Thiān-fŭ*	8 Jahre.	申丙	936.
王齊 *Zȳ-wâng*	316. 運開 *Khaȳ-yŭn*	3.	辰甲	944.
	IV. Dynastie 漢後 *Cheú-chán.*			
祖高 *Kaō-dsù*	317. 福天 *Thiān-fŭ* (Wird als das 12 Jahr von N.° 315 gerechnet.)	1.	未丁	947.
帝隱 *Ŷn-tȳ*	318. 祐乾 *Khiân-yeú*	3.	申戊	948.
			酉己	949.
	V. Dynastie 周後 *Cheú-dscheū.*			
祖太 *Thaý-dsù*	319. 順廣 *Kuāng-schŭn*	3.	亥辛	951.
宗世 *Schȳ-dsūng*	320. 德顯 *Chián-tĕ*	6.	寅甲	954.
帝恭 *Kùng-tȳ*	321. 訓宗 *Dsūng-chiŭn*	1.	申庚	960.
	Dynastie 宋 *Súng.*			
祖太 *Thaý-dsù*	322. 隆建 *Kiân-lûng*	3.	申庚	960.
	323. 德乾 *Khiân-tĕ*	5.	亥癸	963.
	324. 寶開 *Khaȳ-paò*	9.	辰戊	968.
宗太 *Thaý-dsūng*	325. 國興平大 *Thaý-phîng-ching-kuĕ*	8.	子丙	976.
	326. 熙雍 *Yūng-chȳ*	4.	申甲	984.
	327. 拱端 *Tuōn-kūng*	2.	子戊	988.
	328. 化淳 *Schŭn-chuá*	5.	寅庚	990.

NAMEN DER KAISER.	JAHRESNAMEN.	DAUER.	ERSTES JAHR CYCL. ZEICHEN.	ERSTES JAHR CHRIST. ZEITR.
宗貞 *Dsching-dsūng*......	329. 道至 *Dschý-taó*..........	3 Jahre.	未乙	995.
	330. 平咸 *Chiân-phîng*........	6.	戌戊	998.
	331. 德景 *Kìng-tĕ*............	4.	辰甲	1004.
	332. 符祥中大 *Tá-dschūng-ziâng-fû*..................	9.	申戊	1008.
	333. 禧天 *Thiān-chȳ*..........	5.	巳丁	1017.
	334. 興乾 *Khiân-chîng*........	1.	戌壬	1022.
宗仁 *Shîn-dsūng*.........	335. 聖天 *Thiān-schîng*.......	9.	亥癸	1023.
	336. 道明 *Mîng-taó*...........	2.	申壬	1032.
	337. 祐景 *Kìng-yeú*...........	4.	戌甲	1034.
	338. 元寶 *Paò-yuân*...........	2.	寅戊	1038.
	339. 定康 *Khāng-tíng*.........	1.	辰庚	1040.
	340. 曆慶 *Khíng-lȳ*...........	8.	巳辛	1041.
	341. 祐皇 *Chuâng-yeú*.........	5.	丑己	1049.
	342. 和至 *Dschý-chô*..........	2.	午甲	1054.
	343. 祐嘉 *Kiā-yeú*............	8.	申丙	1056.
宗英 *Ȳng-dsūng*.........	344. 平治 *Dschý-phîng*........	4.	辰甲	1064.
宗神 *Schîn-dsūng*........	345. 寧熙 *Chȳ-nîng*...........	10.	申戊	1068.
	346. 豐元 *Yuân-fūng*..........	8.	午戊	1078.
宗哲 *Dschĕ-dsūng*........	347. 祐元 *Yuân-yeú*...........	8.	寅丙	1086.
	348. 聖紹 *Dschaō-schíng*.......	4.	戌甲	1094.

NAMEN DER KAISER.	JAHRESNAMEN.	DAUER.	ERSTES JAHR CYCL. ZEICHEN.	ERSTES JAHR CHRIST. ZEITR.
	349. 符元 *Yuân-fû*	3 Jahre.	寅戊	1098.
宗徽 *Chuŷ-dsūng*	350. 國靖中建 *Kián-dschūng-dsing-kuë*	1.	巳辛	1101.
	351. 寧崇 *Zûng-níng*	5.	午壬	1102.
	352. 觀大 *Tá-kuōn*	4.	亥丁	1107.
	353. 和政 *Dsching-chô*	7.	卯辛	1111.
	354. 和重 *Tschûng-chô*	1.	戌戊	1118.
	355. 和宣 *Siuân-chô*	7.	亥己	1119.
宗欽 *Khin-dsūng*	356. 康靖 *Dsîng-khāng*	1.	午丙	1126.
宗高 *Kaō-dsūng*	357. 炎建 *Kián-yân*	4.	未丁	1127.
	358. 興紹 *Dschaō-chîng*	32.	亥辛	1131.
宗孝 *Chiaó-dsūng*	359. 興隆 *Lûng-chîng*	2.	未癸	1163.
	360. 道乾 *Khiân-taó*	9.	酉乙	1165.
	361. 熙淳 *Schûn-chŷ*	16.	午甲	1174.
宗光 *Kuāng-dsūng*	362. 熙紹 *Dschaō-chŷ*	5.	戌庚	1190.
宗寧 *Níng-dsūng*	363. 元慶 *Khín-yuân*	5.	卯乙	1195.
	364. 泰嘉 *Kiā-thaŷ*	4.	酉辛	1201.
	365. 禧開 *Khaŷ-chŷ*	3.	丑乙	1205.
	366. 定嘉 *Kiā-tíng*	17.	辰戊	1208.
宗理 *Lŷ-dsūng*	367. 慶寶 *Paò-khíng*	3.	酉乙	1225.
	368. 定紹 *Dschaō-tíng*	6.	子戊	1228.

NAMEN DER KAISER.	JAHRESNAMEN.	DAUER.	ERSTES JAHR	
			CYCL. ZEICHEN.	CHRIST. ZEITR.
	369. 平 端 *Tuōn-phing*........	3 Jahre.	午 甲	1234.
	370. 熙 嘉 *Kiā-chȳ*...........	4.	酉 丁	1237.
	371. 祐 淳 *Schŭn-yeú*.........	12.	丑 辛	1241.
	372. 祐 寶 *Paò-yeú*...........	6.	丑 癸	1253.
	373. 慶 開 *Khaȳ-khing*........	1.	未 己	1259.
	374. 定 景 *King-ting*.........	5.	申 庚	1260.
宗度 *Tú-dsūng*..........	375. 淳 咸 *Chiàn-schŭn*........	10.	丑 乙	1265.
宗恭 *Kùng-dsūng*........	376. 祐 德 *Tĕ-yeú*...........	1.	亥 乙	1275.
宗端 *Tuōn-dsūng*........	377. 炎 景 *King-yân*..........	2.	子 丙	1276.
昺帝 *Tý-ping*...........	378. 興 祥 *Ziâng-ching*........	2.	寅 戊	1278.
	Dynastie 遼 *Liaô*.			
宗太 *Thaý-dsūng*........	379. 册 神 *Schîn-ʒĕ*..........	6.	子 丙	916.
	380. 贊 天 *Thiān-dsan*........	4.	午 壬	922.
	381. 顯 天 *Thiān-chián*.......	12.	戌 丙	926.
	382. 同 會 *Chuý-thûng*........	10.	戌 戊	938.
宗世 *Schý-dsūng*........	383. 祿 天 *Thiān-lú*..........	4.	未 丁	947.
宗穆 *Mŭ-dsūng*..........	384. 曆 應 *Ȳng-lȳ*............	18.	亥 辛	951.
宗景 *King-dsūng*........	385. 寧 保 *Paò-ning*..........	10.	巳 己	969.
	386. 亨 乾 *Khiân-chēng*.......	4.	卯 己	979.
宗聖 *Sching-dsūng*......	387. 和 統 *Thùng-chô*.........	29.	未 癸	983.
	388. 泰 開 *Khaȳ-thaý*.........	9.	子 壬	1012.

NAMEN DER KAISER.	JAHRESNAMEN.	DAUER.	ERSTES JAHR — CYCL. ZEICHEN.	ERSTES JAHR — CHRIST. ZEITR.
	389. 平太 *Thaý-phîng*	11 Jahre.	酉辛	1021.
宗興 *Chīng-dsūng*	390. 熙重 *Tschûng-chȳ*	24.	申壬	1032.
宗道 *Taó-dsūng*	391. 寧淸 *Zīng-níng*	9.	未乙	1055.
	392. 雍咸 *Chiân-yūng*	10.	巳乙	1065.
	393. 康大 *Tá-khāng*	10.	卯乙	1075.
	394. 安大 *Tá-ngān*	10.	丑乙	1085.
	395. 隆壽 *Scheú-lûng*	6.	亥乙	1095.
帝祚天 *Thiān-zú-tý*	396. 統乾 *Khiàn-thùng*	10.	巳辛	1101.
	397. 慶天 *Thiān-khíng*	10.	卯辛	1111.
	398. 大保 *Paò-tá*	5.	丑辛	1121.
Dynastie 遼西 *Sȳ-liaô, oder der westlichen Liaô.*				
宗德 *Tē-dsūng*	399. 慶延 *Yân-khìng*	11.	巳乙	1125.
宗仁 *Shìn-dsūng*	400. 淸咸 *Chiân-zing*	6.	辰丙	1136.
后太天承 *Tschìng-thiān-thaý-cheú* (Schwester des vorigen.)	401. 與紹 *Dschaō-chīng*	12.	戌壬	1142.
	402. 福崇 *Zūng-fū*	14.	戌甲	1154.
古魯直 *Dschȳ-lù-kù*	403. 禧天 *Thiān-chȳ*	34.	子戊	1168.
Dynastie 夏 *Chiá.*				
宗景 *Kìng-dsūng*	404. 運廣 *Kuàng-yǘn*	2.	戌甲	1034.
	405. 慶大 *Tá-khíng*	2.	子丙	1036.
	406. 祚延 *Yân-dsú*	11.	寅戊	1038.
宗英 *Ŷng-dsūng*	407. 國寧嗣延 *Yân-szǘ-níng-kuè*	1.	丑己	1049.

NAMEN DER KAISER.	JAHRESNAMEN.	DAUER.	ERSTES JAHR	
			CYCL. ZEICHEN.	CHRIST. ZEITR.
	408. 聖垂祐天 *Thiān-yeú-schuý-schíng*	3 Jahre.	寅 庚	1050.
	409. 道承聖福 *Fu-schíng-tschîng-taó*	4.	巳 癸	1053.
	410. 都奲 *Dschè-tū*	6.	酉 丁	1057.
	411. 化拱 *Kùng-chuá*	5.	卯 癸	1063.
宗惠 *Chuý-dsūng*	412. 道乾 *Khiân-taó*	2.	申 戊	1068.
	413. 慶國盛禮賜天 *Thiān-szǘ-lỳ-schíng-kuĕ-khíng*	6.	戌 庚	1070.
	414. 安大 *Tá-ngān*	10.	辰 丙	1076.
宗崇 *Zûng-dsūng*	415. 定禮安天 *Thiān-ngān-Lỳ-tíng*	1.	庚 丙	1086.
	416 平治儀天 *Thiān-ŷ-dschý-phîng*	4.	卯 丁	1087.
	417. 安民祐天 *Thiān-yeú-mîn-ngān*	8.	未 辛	1091.
	418. 安永 *Yùng-ngān*	3.	卯 己	1099.
	419. 觀貞 *Dschīng-kuōn*	13.	午 壬	1102.
	420. 寧雍 *Yūng-níng*	5.	未 乙	1115.
	421. 德元 *Yuân-tĕ*	7.	子 庚	1120.
	422. 德正 *Dschíng-tĕ*	8.	未 丁	1127.
	423. 德大 *Tá-tĕ*	5.	卯 乙	1135.
宗仁 *Shîn-dsūng*	424. 慶大 *Tá-khíng*	4.	申 庚	1140.
	425. 慶人 *Shîn-khíng*	5.	子 甲	1144.
	426. 盛天 *Thiān-schíng*	21.	巳 己	1149.
	427. 祐乾 *Khiân-yeú*	24.	寅 庚	1170.
宗桓 *Chuân-dsūng*	428. 慶天 *Thiān-khíng*	13.	寅 甲	1194.

NAMEN DER KAISER.	JAHRESNAMEN.	DAUER.	ERSTES JAHR CYCL. ZEICHEN.	ERSTES JAHR CHRIST. ZEITR.
宗襄 *Siāng-dsûng*	429. 天應 *Ýng-thiān*	4 Jahre.	卯丁	1207.
	430. 建皇 *Chuâng-kián*	2.	午庚	1210.
宗神 *Chîn-dsūn.g*	431. 定光 *Kuāng-tíng*	13.	未辛	1211.
宗獻 *Chiān-dsūng*	432. 定乾 *Khiân-tíng*	4.	未癸	1223.
睍帝 *Tý-chiàn*	(Hatte kein *Niân-chaó.*)	2.	戌丙	1227.
	Dynastie 金 *Kīn.*			
祖太 *Thaý-dsù*	433. 國收 *Scheū-kuĕ*	2.	未乙	1115.
	434. 輔天 *Thiān-fù*	7.	酉丁	1117.
宗太 *Thaý-dsūng*	435. 會天 *Tchián-chuý*	15.	卯癸	1123.
宗熙 *Chȳ-dsūng* (Die beyden letzten Jahre des vorigen Niân-chaó gehören zu seiner Regierung.)	436. 眷天 *Thiān-kiuán*	3.	午戊	1138.
	437. 統皇 *Chuâng-thùng*	9.	酉辛	1141.
亮帝 *Tý-liáng*	438. 德天 *Thiān-tĕ*	4.	巳己	1149.
	439. 元眞 *Dschīng-yuân*	3.	酉癸	1153.
	440. 隆正 *Dschíng-lûng*	6.	子酉	1156.
宗世 *Schý-dsūng*	441. 定大 *Tá-tíng*	29.	巳辛	1161.
宗章 *Dschāng-dsūng*	442. 昌明 *Míng-tschāng*	6.	戌庚	1190.
	443. 安承 *Tschîng-ngân*	5.	辰丙	1196.
	444. 和泰 *Thaý-chô*	8.	酉辛	1201.
濟永主 *Tý-yùng-dsȳ*	445. 安大 *Tá-ngān*	3.	巳己	1209.
	446. 慶崇 *Zūng-khíng*	1.	申壬	1212.
	447. 寧至 *Dschý-níng*	1.	酉癸	1213.

NAMEN DER KAISER.	JAHRESNAMEN.	DAUER.	ERSTES JAHR CYCL. ZEICHEN.	ERSTES JAHR CHRIST. ZEITR.
宗宣 *Siuān-dsūng*.........	448. 祐貞 *Dsching-yeú*.........	4 Jahre.	酉 癸	1213.
	449. 定興 *Ching-ting*.........	5.	丑 丁	1217.
	450. 光元 *Yuân-kuāng*.........	2.	午 壬	1222.
宗哀 *Ngaÿ-dsūng*.........	451. 大正 *Dsching-tá*.........	8.	申 甲	1224.
	452. 興天 *Thiān-chīng*.........	3.	辰 壬	1232.
Dynastie 元 *Yuân.*				
祖世 *Schý-dsù*............	453. 統中 *Dschūng-thùng*......	4.	申 庚	1260.
	454. 元至 *Dschý-yuân*.........	31.	子 甲	1264.
宗成 *Tschîng-dsūng*.......	455. 貞元 *Yuân-dschîng*.........	2.	未 乙	1295.
	456. 德大 *Tá-tě*...............	11.	酉 丁	1297.
宗武 *Wù-dsūng*...........	457. 大至 *Dschý-tá*............	4.	申 戊	1308.
宗仁 *Shîn-dsūng*..........	458. 慶皇 *Chuâng-khîng*.........	2.	子 壬	1312.
	459. 祐延 *Yân-yeú*.............	7.	寅 甲	1314.
宗英 *Yng-dsūng*...........	460. 治至 *Dschý-dschý*.........	3.	酉 辛	1321.
帝定泰 *Thaý-tíng-tý*.......	461. 定泰 *Thaý-tíng*...........	4.	子 甲	1324.
	462. 和致 *Dschí-chô*...........	1.	辰 戊	1328.
宗文 *Wên-dsūng*...........	463. 曆天 *Thiān-lý*............	2.	辰 戊	1328.
	464. 順至 *Dschý-schûn*.........	3.	午 庚	1330.
帝順 *Schûn-tý*............	465. 統元 *Yuân-thùng*..........	2.	酉 癸	1333.
	466. 元至 *Dschý-yuân*..........	6.	癸 乙	1335.
	467. 正至 *Dschý-dschíng*.......	28.	巳 辛	1341.

NAMEN DER KAISER.	JAHRESNAMEN.	DAUER.	ERSTES JAHR	
			CYCL. ZEICHEN.	CHRIST. ZEITR.
	Dynastie 明 *Mîng.*			
太祖 *Thaý-dsù*	468. 洪武 *Chûng-wù*	31 Jahre.	戊申	1368.
惠帝 *Chuý-tý*	469. 建文 *Kián-wên*	5.	己卯	1399.
成祖 *Tschìng-dsù*	470. 永樂 *Yùng-lŏ*	22.	癸未	1403.
仁宗 *Shìn-dsūng*	471. 洪熙 *Chûng-chȳ*	1.	乙巳	1425.
宣宗 *Siuān-dsūng*	472. 宣德 *Ssiuàn-tĕ*	10.	丙午	1426.
英宗 *Ȳng-dsūng*	473. 正統 *Dschíng-thùng*	14.	丙辰	1436.
景宗 *King-tý*	474. 景泰 *King-thaý*	7.	庚午	1450.
英宗 *Ȳng-dsūng*	475. 天順 *Thiān-schŭn*	8.	丁丑	1457.
憲宗 *Chián-dsūng*	476. 成化 *Tschìng-chuá*	23.	乙酉	1465.
孝宗 *Chiaó-dsūng*	477. 弘治 *Chûng-dschý*	18.	戊申	1488.
武宗 *Wù-dsūng*	478. 正德 *Dschíng-tĕ*	16.	丙寅	1506.
世宗 *Schý-dsūng*	479. 嘉靖 *Kiā-dsìng*	45.	壬午	1522.
穆宗 *Mŭ-dsūng*	480. 隆慶 *Lûng-khíng*	6.	丁卯	1567.
神宗 *Schìn-dsūng*	481. 萬曆 *Wán-lȳ*	47.	癸酉	1573.
光宗 *Kuāng-dsūng*	482. 泰昌 *Thaý-tschāng*	1.	庚申	1620.
熹宗 *Chȳ-dsūng*	483. 天啓 *Thiān-khỳ*	7.	辛酉	1621.
思宗 *Szŭ-dsūng*	484. 崇禎 *Zûng-dschíng*	17.	戊辰	1628.
福王 *Fŭ-wâng*	485. 弘光 *Chûng-kuāng*	1 ½.	甲申	1644.
	486. 紹武 *Dschaō-wù*	½.	丙戌	1646.

NAMEN DER KAISER.	JAHRESNAMEN.	DAUER.	ERSTES JAHR	
			CYCL. ZEICHEN.	CHRIST. ZEITR.
王唐 *Thâng-wâng*	487. 武 隆 *Lûng-wù*	1 Jahr.	戌 丙	1646.
王桂 *Kuey-wâng*	488. 曆 永 *Yùng-lỳ*	15.	亥 丁	1647.
Dynastie 清 *Zīng.*				
祖太 *Thaý-dsù*	489. 命 天 *Thiān-míng*	11.	辰 丙	1616.
宗太 *Thaý-dsūng*	490. 聰 天 *Thiān-zūng*	9.	卯 丁	1627.
	491. 德 崇 *Zūng-tĕ*	8.	子 丙	1636.
祖世 *Schý-dsù*	492. 治 順 *Schŭn-dschý*	18.	申 甲	1644.
祖聖 *Schíng-dsù*	493. 熙 康 *Khāng-chȳ*	61.	寅 壬	1662.
宗世 *Schý-dsūng*	494. 正 雍 *Yūng-dschíng*	13.	卯 癸	1723.
宗高 *Kaō-dsūng*	495. 隆 乾 *Khiân-lûng*	60.	辰 丙	1736.
JETZIGER KAISER (1)	496. 慶 嘉 *Kiā-khíng*	......	辰 丙	1796.

(1) Wenn man vom regierenden Kaiser spricht, so sagt man gewöhnlich 上皇 *Chuâng-schâng* [augustus supremus], oder 帝皇上今 *Kin-schâng-chuâng-tý* [hodiernus supremus et augustus imperator].

II. ᠠᡳᠰᡳᠨ ᡤᡠᡵᡠᠨ ᡳ ᠰᡠᡩᡠᡵᡳ

Aishin Gurun ni Suduri,

Geschichte des goldenen Reiches.

(9 Hefte.)

In den Gegenden zwischen dem Amurflusse und dem hohen Schneegebirge, welches Korea in Norden begränzt, wohnte in älteren Zeiten ein Volk, das zum Tungusischen Stamme gehörte, und bey den Chinesen 靺鞨 *Mŏ-chŏ* hiess. Nach und nach ward es mächtig und vereinigte seine verschiedenen Geschlechter unter dem Namen 直女 *Shù-dschў* oder 眞女 *Shù-dschīn* (1); kam jedoch bald unter die Bothmässigkeit der Dynastie 遼 *Liaô*, unter welcher es blieb, bis sich 1114 nach Chr. Geb. sein Oberhaupt *Aguda* gegen dieselbe auflehnte, ihre Heere zu mehreren malen schlug, und ihr grosse Landstrecken des eigenen Gebietes abnahm. Im folgenden Jahre 1115 liess sich *Aguda* zum Kaiser ausrufen, und gab seiner Dynastie den Namen der *goldenen*, Mandshuisch ᠠᡳᠰᡳᠨ *Aishin*, Mongolisch ᠠᠯᠲᠠᠨ *Altan*, und Chinesisch 金 *Kin*. Seine Nachfolger sind die التون خان *Altun-chan* der Mohammedanischen Geschichtschreiber, und hatten einen grossen Theil

(1) Gewöhnlich spricht man *Niù-dschў* und *Niù-dschīn* aus; denn die gebräuchliche Aussprache der Buchstaben 女 ist *Niù*. *Shù-dschў* stimmt aber mehr mit der Uigurischen Benennung *Tschurtschuk* überein, und mit der Persischen جورجى *Dschurdschi*, oder جورجه *Dschurdscheh*. Abulghasi sagt: جورجيت تيكان اولوغ شهر توروركندلارى كوب خطاى نينك تمور قازاق طرفنه بولور *Dschurdschit* wird ein grosses Land genannt, das viele Dörfer enthält und von Chathay in Norden liegt.

der Mongolei und des nördlichen China (خطای *Chathay*) inne. Ihre Dynastie dauerte von 1115 bis 1234 n. Chr. Geb. als sie von *Oktay-chan*, dem Nachfolger des *Tschingis-chan* gänzlich zerstöhrt ward. Die Ehrennamen der Jahre ihrer Kaiser finden sich in der vorstehenden chronologischen Tafel Seite 29.

Wahrscheinlich liegt bey dieser Mandshuischen Übersetzung die Chinesische *Geschichte des goldenen Reiches*, von 脫脫 *Thŏ-thŏ*, der unter den 元 *Yuân* lebte, zum Grunde; sie ward aber aus dreyhundert Bänden historischer Actenstücke erweitert. Zu Anfang der jezt in China herrschenden Mandshuischen Dynastie 清大 *Thaý-zing*, ward dieses Werk, so wie die Geschichte der 遼 *Liaô* und 元 *Yuân* verfasst. Im Jahre 1639 beauftragte nämlich ein kaiserlicher Befehl mehrere Gelehrte unter der Direction des Amban *Chife*, die Geschichte dieser drey Dynastien aus dem Chinesischen ins Mandshuische zu übertragen; mit welcher Arbeit sie auch 1644 dem ersten Regierungsjahre des Kaisers 祖世 *Schý-dsù* fertig wurden. Sie ward ihm mit einer Vorstellung, von dem Amban *Chife* und den drey *As'chan ni bitcheï da* (1) *Dschamba*, *Tschabuchai* und *Wang wen kuy* unterzeichnet, übergeben.

Der Styl dieser Übersetzung ist viel natürlicher, als der in den späterhin von den Mandshuischen Kaisern veranstalteten, nachdem die Sprache schon mehr verbildet worden. Aber der Druck steht dem neueren, in zierlicher Form der Buchstaben und künstlichem Schnitte derselben, nach.

Zur Probe mag hier der Anfang des Werkes Mandshuisch und Deutsch folgen.

---

(1) Chinesisch 士學 *Chiŏ-szû* heissen die Ministergehülfen des Staatsrathes oder des *Dorgi yamun*. Dem Range nach sind sie von der zweyten Abtheilung der zweyten Klasse.

[illegible]

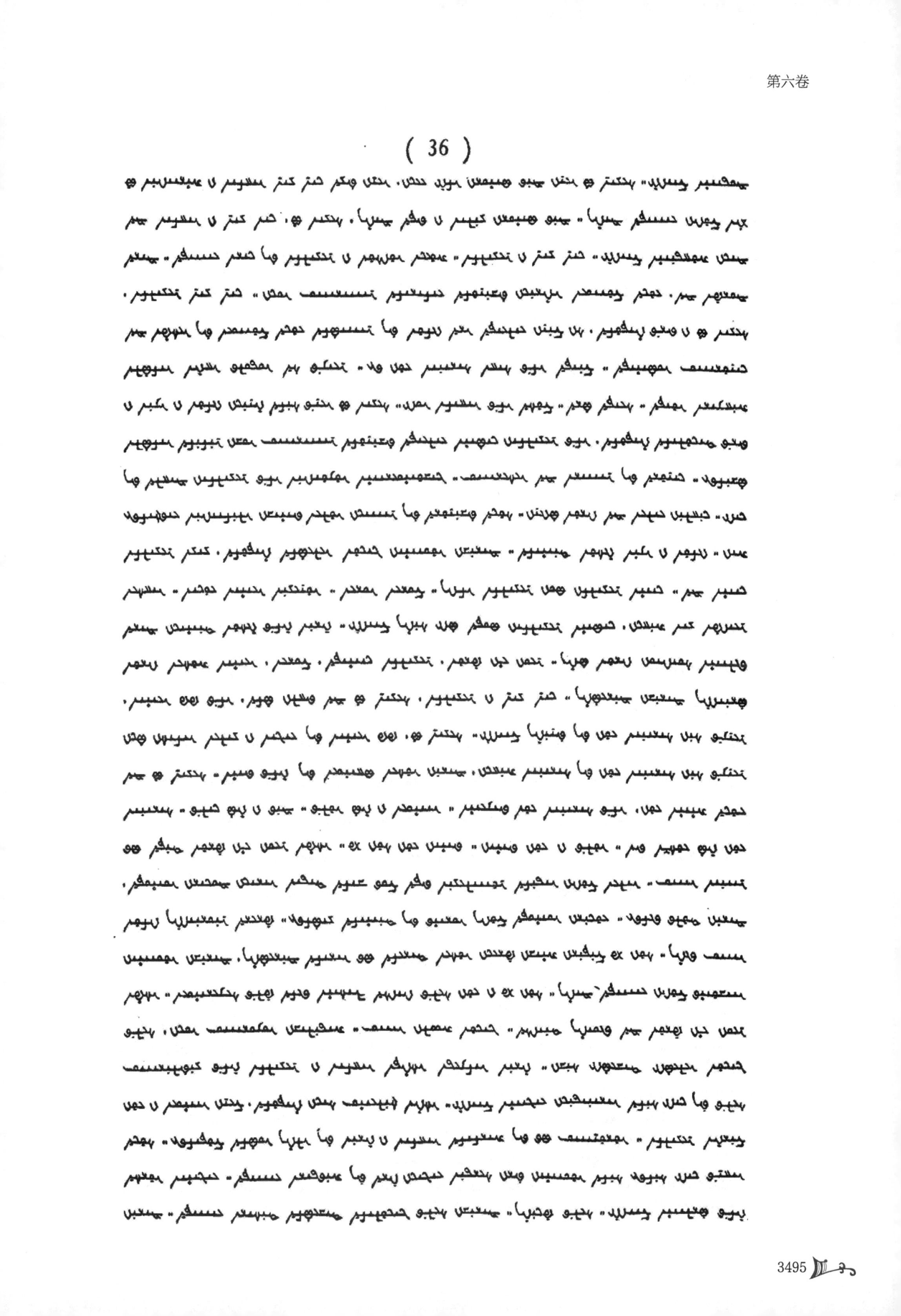

(36)

Der ursprüngliche Name des goldenen Reiches war *Niü-dschy*. Das Reich der *Niü-dschy* stammte von den *Mo-choo* ab; und der ehemalige Name der *Mo-choo* war *Udsi* [U-ki]. *Udsi* ist das alte Land der *Su-sin*. Zur Zeit der Kaiser der ersten Dynastie *Weï* bewohnten das Land *Udsi* die sieben Stämme *Su-mo*, *Bedsu*, *Antschegu*, *Funieï*, *Choosi*, *Chesuy* [Che-schuy] und *Besan* [Pe-schan].

Die ersten *Weï*, sind die Nachkommen des *Tho-pa-kuey* der die Dynastie *Weï* stiftete, und gegen das Ende der Dynastie *Dsin* mächtig wurden. Sie beherrschten ein unabhängiges Königreich, wie das der *Dailiao*.

Der Kaiser *Yang-ty* aus der Dynastie *Suy* ertheilte ihnen den Namen *Mo-choo* und vereinigte die sieben Stämme in ein Volk. Zur Zeit der *Thang* gab es nur *Chesuy*

Mo-choo (1) und *Su-mo Mo-choo*, von den übrigen fünf Stämmen hörte man nichts mehr. Die *Su-mo Mo-choo* waren anfänglich mit Korea verbunden und der Familienname (ihrer Herrscher) war *Ta-szü*. Nachdem aber *Li-ki*, ein Magnat der Dynastie *Thang*, Korea unterworfen hatte, so hielten sich die *Su-mo Mo-choo* im Gebirge *Tung-meu-schan*. Sie stifteten späterhin das Königreich *Phuchay*, welches länger als zehn Generationen hindurch dauerte. Sie hatten Schriften, Gebräuche, Musik, Mandarine, Tribunale und Gesetze; fünf Residenzstädte, fünfzehn Städte vom ersten Range, und zweyundsechzig vom zweiten. Die *Chesuy Mo-choo* wohnten östlich vom Lande *Su-sin* bis zum Meere. Gegen Mittag stiessen sie an Korea, welchem Reiche sie unterworfen waren. Sie schickten den Koreanern hundert und fünfzig tausend Mann Hülfstruppen, allein sie wurden (mit diesen) von dem Heere des Kaisers *Thaï-dsung* der *Thang*, bei *Ngan-szü* geschlagen. Zur Zeit des Kaisers *Chiuan-dsung*, aus derselben Dynastie, unterwarfen sie sich den Chinesen. Er stellte ihr Land unter die Aufsicht eines besonderen Tribunals, das den Namen *Chesuy-fu* führte, und erhob ihr Oberhaupt zum Mandarin mit dem Titel *Tutu-szüszü;* auch setzte er einen anderen Mandarin mit dem Titel *Dschang-szü* ein, und übertrug ihm die Aufsicht über die Horde *Chesuy*. Den Tutu nahm er in die Familie *Ly* (2) auf, und ertheilte ihm der Beinahmen *Chian-tsching*. Auch errichtete er ein Mandarinat *Dsing-liao-szü* für die Horde der *Chesuy*. Späterhin als die *Phuchay* angesehn und mächtig wurden, unterwarf sich ihnen diese Horde, und hörte auf den Thang Gehorsam zu leisten. Zur Zeit der fünf Dynastien (3) eroberten die Beherrscher der *Zi-tan* [Khi-tan] das Land der *Phuchay*, und die *Chesuy Mo-choo* kamen unter ihre Bothmässigkeit.

Die fünf Dynastien sind folgende *Liang*, *Thang*, *Dsin*, *Chan* und *Dscheu*.

Die den *Zi-tan* unterworfenen und südlicher wohnenden wurden *die gezähmten Nüü-dschy* genannt; die ihnen aber nicht unterworfenen und nördlich wohnenden hiessen *die wilden Nüü-dschy*. In den Wohnplätzen dieser letzteren befand sich der Strom *Chun-thung-kiang* [Sungari-ula] und das *lange weisse Gebirge*. Ein anderer Name jenes Flusses ist *Chelung-kiang* [Fluss der schwarzen Drachen]. Der Stifter der Regentenfamilie der wilden *Nüü-dschy* hiess *Sian-phu* (4). Er war ursprünglich aus Korea gekommen und hatte sein sechzigstes Jahr zurückgelegt. Sein älterer Bruder *Agunai* war der Religion des *Foe* zugethan, wollte Korea nicht verlassen, und sagte: « In den folgenden Zeitläuften » werden sich gewiss [meine] Kinder und Enkel [mit den deinigen] verbinden; ich aber » gehe nicht mit dir, sondern bleibe. » — *Sian-phu* machte sich also mit seinem jüngeren Bruder *Bochori* auf den Weg. Er sebst blieb bei der Horde *Wan-yan* am Flusse *Phu-kan*; und *Bochori* liess sich zu *Yelan* nieder. *Sian-phu* war bereits lange Zeit bei der Horde *Wan-yan* gewesen, als ein Mitglied derselben den Verwandten einer fremden Familie tödtete. Darüber geriethen beyde Stämme in Feindschaft, und das Kämpfen (5)

---

(1) *Che-suy* oder besser *Che-schuy Mo-choo* bedeutet Mo-choo des schwarzes Flusses, oder des Amur.

(2) 李 *Lỳ*, der Familienname der *Thang*. Er machte ihn also zum Mitglied der kaiserlichen Familie.

(3) Von 907 bis 960 n. Chr. Geb. — Siehe oben Seite 22 u. f.

(4) Im Chinesischen *Chiân-phù*. Die Mandshu verwechseln in fremden Namen häufig *si* mit *chi*.

(5) Im Original [illegible], die alte Form für [illegible].

und Streiten endigte nicht. Die Leute der Horde *Wan-yan* sagten darauf zum *Sian-phu :* Wenn du für uns diese Feindseeligkeiten beendigen, und das Morden (1) zwischen beiden Stämmen beilegen kannst ; so haben wir ein hübsches Frauenzimmer das sechzig (2) Jahre alt und noch nicht verheirathet ist ; die wollen wir dir (zur Frau) geben, und du wirst dann zu unserer Horde gehören. *Sian-phu* nahm diesen Vorschlag an, ging zum Oberhaupt der Feinde und sagte ermahnend zu ihm : « Für einen ein- » zigen Ermordeten hört der Streit nicht auf, und doch sind wohl schon viele darüber » umgekommen. Ist dieses nicht hinreichend um dem wechselseitigen Morden Einhalt » zu thun. Wenn ein unruhiger Kopf einen Menschen umbringt, so muss er für sein » Verbrechen Strafe geben. Ihr solltet daher den Streit beendigen und Güter dafür » annehmen, die euch besseren Vortheil brächten. » Das Oberhaupt der Feinde folgte seinem Vorschlage, und sogleich ward ein Gesetz des Inhaltes gegeben : bei jedem Morde soll die Familie des Mörders in Gemeinschaft zwanzig Pferde, zehn Stück Hornvieh und sechs Unzen Goldes, als Strafe entrichten, die der Familie der Ermordeten übergeben werden sollen. Alle leisteten diesem Befehle Gehorsam, und von der Zeit an entrichtete man Strafe (für Mord). Späterhin wurden im Lande der *Niü-dschy* für jeden Mord dreyssig Pferde oder Ochsen gegeben. Die *Wan-yan* ertheilten dem *Sian-phu* einen grauen Ochsen zur Belohnung, und führten ihm das Mädchen von sechzig Jahren zu. Er gab ihr den grauen Ochsen zur Brautgabe, nahm sie zum Weibe, und erhielt mit ihr Schätze und Ländereyen. *Sian-phu* zeugte zwei Söhne und eine Tochter. Der ältere hiesse *Ulu* und der jüngere *Walu,* die Tochter aber *Dschuszü-ban.* Der Sohn des *Ulu* war *Bachay;* dessen Sohn *Suy-kho.* Anfänglich kannten die *wilden Niü-dschy* weder Häuser noch Schlafstellen, sondern machten sich eine Art Hütten in Gruben am Fusse der Berge, oder an den Ufern der Flüsse, die sie mit Holz bedeckten, um darin den Winter über zuzubringen. Im Sommer aber gingen sie den Flüssen und den Weideplätzen nach. Sie zogen übrigens von einem Orte zum anderen, und waren nicht durch Gränzen beschränkt. *Suy-kho* zog an das Ufer des Meeres, trieb Ackerbau und erbaute sich das erste Haus ; er wohnte darauf am Flusse *Antschucho.* Sein Sohn *Silu* war entschlossen, aufrichtig und beständig. Die wilden *Niü-dschy* hatten damals weder Schriften und Register, noch Gesetze und Gebräuche ; und waren also ganz ohne Regierungsform. *Silu* wollte Gesetze bei ihnen einführen, aber die älteren und jüngeren Brüder seines Vaters und alle Mitglieder der Horde hassten (3) ihn darum, trachteten ihm nach dem Leben, und hatten ihn schon ergriffen. Als dieses *Scheliku,* ein jüngerer Bruder seines Vaters, sah sagte er zu ihnen : « Der Sohn meines älteres Bruders ist ein verständiger Mann, der

---

(1) [Manchu] fehlt in allen Wörterbüchern und bedeutet *sich unter einander tödten.* Es ist von [Manchu] *tödten,* abgeleitet.

(2) [Manchu] *Sechzig,* steht im Mandshuischen Texte. Vielleicht war im Chinesischen Original 十六 *sechzig* für 六十 *sechzehn,* durch blosse Versetzung der Zahlzeichen geschrieben ; denn im Mandshuischen kann kein Schreibfehler statt finden, weil *sechzehn* in dieser Sprache [Manchu] [Manchu] heisst. Eine sechzigjährige Schöne wäre wohl keine hinreichende Belohnung für einen Friedensvermittler unter den Tataren gewesen ; wenn gleich man in Europa Diplomaten mit einigen Ellen Seidenband beschwichtigt.—Vielleicht soll die Erzählung durch die Matrone wunderbarer werden, und dann muss sich freilich *Sian-phu,* statt der Helena, mit der Hekuba begüngen.

(3) [Manchu] bedeutet *feindlich seyn, hassen.* Der *P. Amiot* (Dictionnaire Tartare-Mantchou-Français, publié par M. *Langlès,* tom. II, p. 563), giebt folgende sonderbare Erklärung dieses Wortes : « C'est un proverbe qui » signifie qu'on ne voit pas volontiers quelqu'un. On dit aussi [Manchu] *yebecherakou.* »

» seine Familie und sein Vaterland liebt und alle Horden in Ruhe halten kann; warum » wollt ihr ihn umbringen? » Er nahm darauf seinen Bogen und einen spitzigen Pfeil um auf sie zu schiessen; so dass alle, die jenen ergriffen hatten, entflohen (1). *Silu* vergass diese Beleidigung, und fing an Gesetze zu geben und die Regierung einzurichten. Dadurch ward seine Horde nach und nach mächtig, und der König des Reichs *Dailiao* ernannte den *Silu*, Beherrscher der *Niü-dschy*, zum Mandarinen mit dem Titel *Thi-yn*. Dennoch befolgten nicht alle ihm unterworfenen Horden seine Gesetze und Lehren, so dass er sich genöthigt sah Truppen zusammen zu ziehen, und nach dem *grünen Bergrücken* und dem *weissen Gebirge* zu gehen. Diejenigen welche seinen Befehlen Folge leisteten behandelte er mit Güte, die Ungehorsamen aber bestrafte er. Er nahm die Orte *Su-pin* und *Ye-lan* ein, und unterwarf sich alle Gegenden in die er kam; worauf er wieder zurückkehrte. Als er über den Fluss *Phu-yan* gekommen, fürchtete er diesen Ort, und, obgleich sehr ermüdet, hielt er sich dennoch dort nicht auf, sondern ging weiter, bis er in der Ebne *Ku-ly* kam, wo er erkrankte, und in dem Dorfe *Bisedsi* verstarb.

Zur Zeit des *Silu* hatten die *wilden Niü-dschy* zwar einigermassen Gesetze erhalten, und das Volk richtete sich auch dar nach, allein sie waren noch ohne Schrift, und kannten weder die Jahre und Monate, noch das alte und neue und die Länge und Kürzes des Jahres (2).

Ugunai der Sohn des *Silu* ward im ersten der *Thay-phing* genannten Jahre, des Königes *Sching-dsung* der Dynastie *Dailiao*, gebohren, welches das Jahr des *weisslichen Huhns* (3) [1021 nach Christi Geburt], ist. Er stammte in der sechsten Generation von *Sian-phu*, dem Stifter der Familie, ab. *Ugunai* unterwarf sich alle Stämme seines Volkes, und herrschte über die Gegenden des *weissen Gebirges*, über *Ye-chuy*, *Thung-men*, *Yelan*, und *Thu-ku-lün*. Die Oberhäupter von fünf anderen Horden gehorcheten ebenfalls seinem Befehle. Damals kamen Flüchtlinge aus dem Reiche *Dailiao* zu ihm. Die *Dailiao* zogen ein Heer zusammen um die Völker von *Thie-le* und *U-she* zu versetzen. Diese aber sträubten sich heftig, weil sie sich nicht versetzen lassen wolten, und unterwarfen sich dem *Ugunai* im Reiche der *wilden Niü-dschy*. Der König der *Dailiao* gab seinen Grossen *Cholu* und *Yn-ya* eine Armee um die Flüchtlinge zurück zubringen. *Ugunai* besorgte, dass wenn die Armee der *Dailiao* tiefer in sein Land eindränge, sie die Lage der Gebirge und Flüsse kennen lernen und ihn dann angreifen würden. Er ging daher dem *Cholu* entgegen und sagte listiger Weise zu ihm: « Wenn euer Heer tiefer ins Land dringt » so werden alle Horden in der Bestürzung sich gegen euch auflehnen, man wird die » Zerstreuten nicht wieder zusammen bringen können, und ihr werdet eure Flücht- » linge unwiederbringlich verlieren. Dieses euer Verfahren ist nicht gut » *Cholu* fand dass er Recht hatte, und liess das Heer sogleich aus einander gehen. *Ugunai* begleitete ihn darauf um die Flüchtlinge aufzusuchen, die er ihm auch überlieferte (4).

---

(1) [illegible] *Entfliehen*, fehlt in allen Wörterbüchern.

(2) Die Chinesen haben nämlich Mondenjahre von zwölf Monaten, und Schaltjahre von dreizehn Monaten.

(3) Chinesisch 酉 辛 *Sin-yeu*, das achtundfünfzigste des sechzigjährigen Cyclus.

(4) *Ugunai* war der Grossvater des *Aguda*, der für den eigentlichen Stifter der Dynastie *Kin* gehalten wird.

III.

Chafu buleku bitche,

SPIEGEL DER GESCHICHTE.

(Ein starker Band in klein Folio.)

DAS Chinesische Original dieser Mandshuischen Übersetzung führt den Titel 鑑綱 *Kāng-kián.* Es ward von 黃袁 *Yuân-chuâng,* oder 凡了袁 *Yuân-liaò-fân* (1), der unter der Dynastie *Mîng* lebte, zu Ende der XVI Jahrhunderts verfasst, und enthält die ganze Chinesische Geschichte von *Fŭ-chȳ* an, bis zum Ende der Mongolischen Dynastie 元 *Yuân,* 1368 n. Chr. Geb. Da aber *Yuân-chuâng* alles das beibehalten hat, was von anderen guten Schriftstellern verworfen und als untergeschoben anerkannt worden, so ist sein Werk in China selbst nicht sehr geschätzt.

Hier sind eigentlich nur Fragmente der, auf Befehl des Kaisers *Khāng-chȳ* im Jahre 1665 herausgegebenen, Mandshuischen Übersetzung vorhanden, aus der ich folgende Probe mittheile.

---

(1) Er war aus dem Dorfe 田趙 *Tschaò-thiân,* im Gebiete der Stadt 縣喜嘉 *Kiā-schén-chián,* der Provinz 江浙 *Dschĕ-kiāng,* gebürtig, promovirte im Jahre 1586 als Doctor; erhielt bald mehrere Mandarinate und ward Mitglied des 部兵 *Pīng-pú,* oder Kriegscollegiums. Unter seinen Werken bemerkt man besonders eine Geschichte der Erfindungen, eine Bearbeitung der Geschichte der Dynastie *Chán,* Commentare zu den vier Büchern der Confucius und zu den fünf *Kīng,* und den gegenwärtigen Abriss den allgemeinen Geschichte von China.

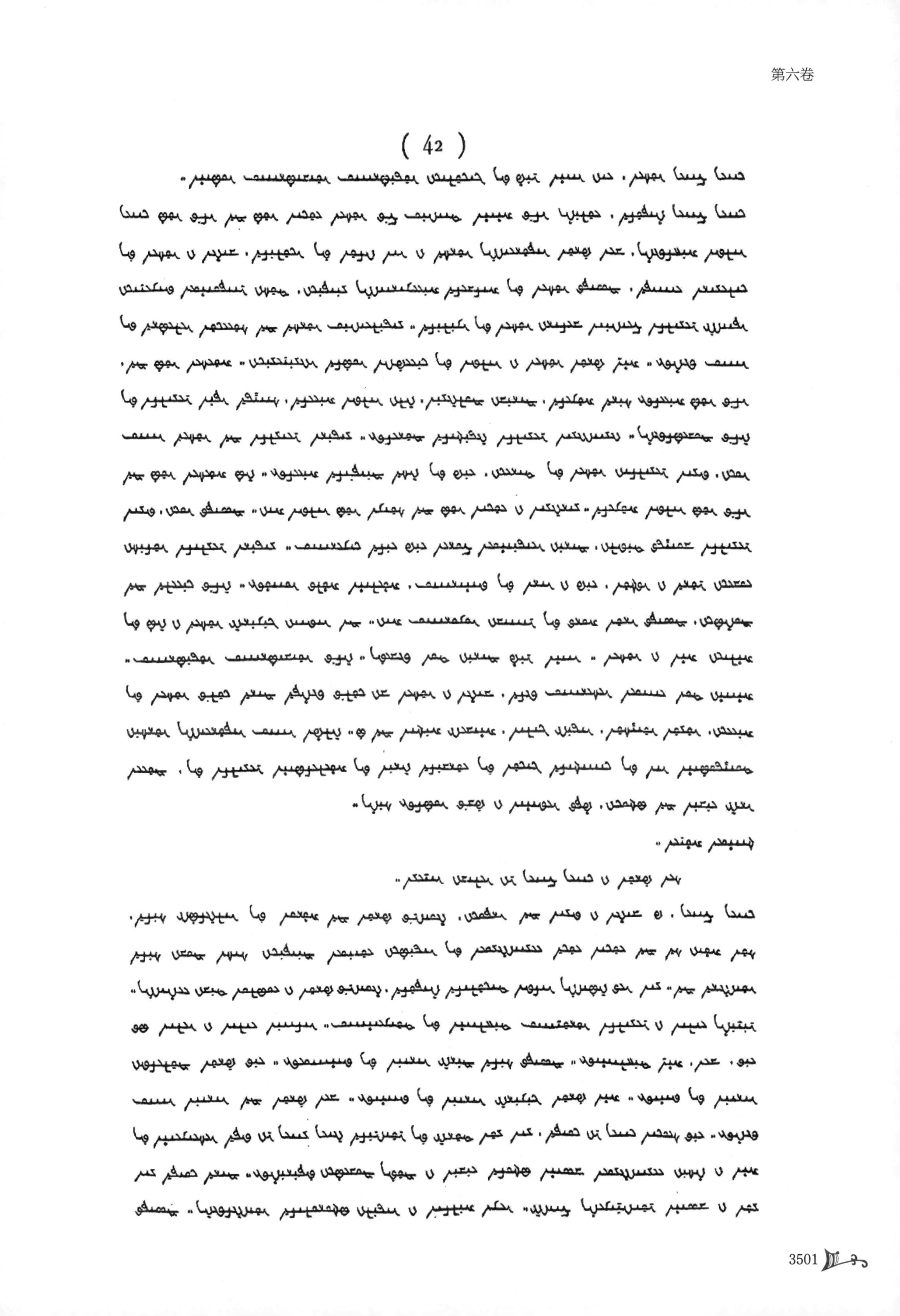

(42)

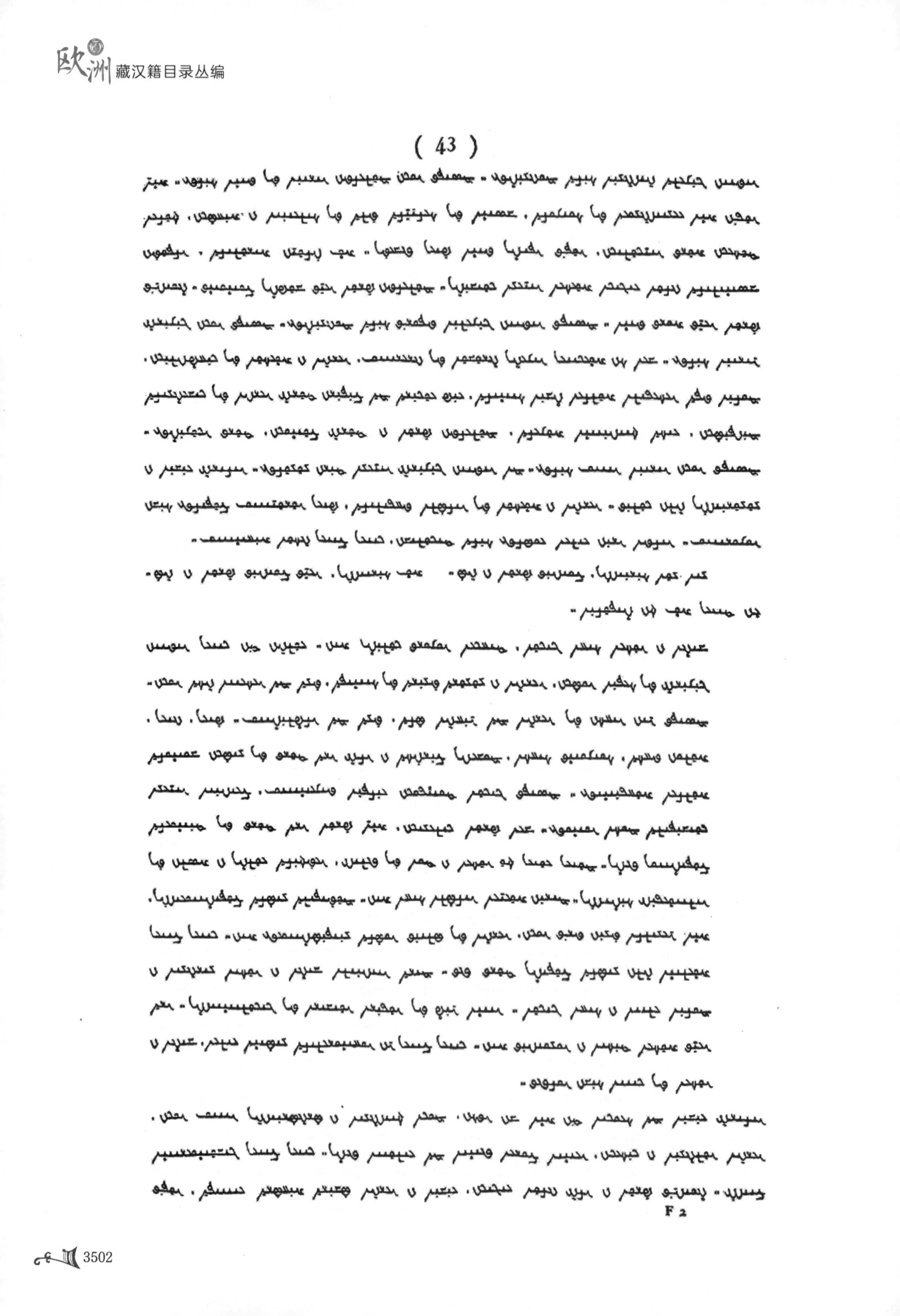

F 2

WANG-MANG gab ein Gesetz wodurch sowohl die Äcker als auch die Sclaven und Slavinnen unverkäuflich gemacht wurden.

Wang-mang sagte : Ehemals besass ein Mann hundert *Mu* Landes (360,000 Chinesische Quadratfuss), und davon ward der zehnte Theil des Gewinnstes der Regierung als Abgabe entrichtet. Die Dynastie der *Zin* vernichtete alle heiligen Gesetze und Gebräuche, und verwarf also also auch die Einrichtung nach welcher von je acht Personen ein Grundstück bebaut ward ([illegible]). Dadurch wurde auf eine ungesetzliche Art eine Menge Felder von einem Besitzer zusammengebracht; die Bedrückungen vermehrten sich, und die Mächtigen wurden Herrn von tausenden von Morgen ([illegible]), indessen die Schwachen nicht wussten wohin sie sich wenden sollten ([illegible], d. i. sie hatten keinen Platz um einen Pfriemen einzustecken). Unter der Dynastie *Chan* wollte man die Abgaben von den Feldern vermindern und dem Volke Erleichterung verschaffen. Von dreissig Theilen der Einkünfte ward nur ein Theil genommen. Aber die Alten und Schwachen waren von allen Abgaben befreit, und nur die rüstigen Männer wurden dazu angehalten. Die Armen welche keine Äcker besassen bearbeiteten die der Reichen, und von dem Ertrage erhielten sie nur die Hälfte. So ward dem Namen nach von dreissig Theilen nur einer genommen, in der That aber entrichteten sie fünf von zehn. Die Reichen wurden so übermüthig, dass sie Hunde und Pferde mit Getraide futterten; und die Armen aufs äusserste gedrückt, ergaben sich dem Trunke, vernachlässigten den Ackerbau und wurden Diebe und Betrüger. Alles verfiel in Laster, und Strafen und Unglück hatten kein Ende. — Jetzt ist der Name des Äcker des Reiches verändert und sie heissen *Äcker des Kaisers.* Die Zahl des Sclaven und Sclavinnen ist bestimmt, und man darf sie nicht verhandeln. Die Anzahl der Männer ist auf acht festgesetzt. Sollten aber die von achten zu bebauenden Felder zu gross sein, so wird der Überschuss davon abgenommen, und an die Verwandten des Besitzers, oder an die Nachbarn und nächsten Dörfer gegeben. Man wage es nicht die von allen heiligen und weisen Männern gemachten Einrichtungen zu verletzen; diejenigen welche die Gesetze übertreten und das Volk verblenden wollen, werden nach den vier Himmelsgegenden ausserhalb den Gränzen des Reichs verwiesen werden, denn sie sind als Gesellen der bösen Dämonen und muffigen Kobolde zu betrachten.

Das gelbliche Schaafjahr.

Das dritte des *Wang-mang* (1) aus der Dynastie *Sin* [11 nach Christi Geburt].

Wang-mang, im Vertrauen auf seine Schätze und Vorrathshäuser, wollte sich einen grossen Namen im Lande der *Chiungnu* machen (2). Er schickte deshalb den *Sun-chuy-se* mit zwölf anderen Heerführern über die Gränzen des Reichs und befahl ihnen (den *Chiungnu*) die Wege abzuschneiden. — *Yan-yu*, einer der Grossen des Reichs, sagte dar-

---

(1) *Wang-mang* war ein Usurpator, der seiner projectirten Dynastie den Namen 新 *Sin*, oder der neuen, beigelegt hatte. Sie endigte aber mit seinem Nachfolger im Jahre 24 nach Christi Geburt.

(2) Nach den Chinesischen Geschichtschreibern gehören die *Chiüng-nû* und die *Thû-khiü* zu demselben Völkerstamm, und redeten eine Sprache. Die *Thû-khiü* sind die Türken am *Ektag* oder Goldberge *[Altai]* der Byzantiner, die von Constantinopel aus Gesandschaften an sie schickten. Folgende Wörter aus der Sprache der *Thû-khiü*, welche uns die der *Chiüng-nû* giebt, beweisen dass sie Türkisch war.

Thû-khiü.		*Türkisch.*	*Thû-khiü.*		*Türkisch.*
Thû-khiü...	Helm......	تقيه *Tekieh.*	*Soka*........	Haar........	ساج *Ssadsh.*
Kan.......	Fürst......	خان *Chan.*	*Furin*.......	Wolf........	بوری *Buri.*
Koro......	Schwarz...	قرا oder قارا *Kara.*	*Ui*..........	Haus........	ای *Ui.*
Kori.......	Alt........	قاری *Kari.*	*Tängri*.....	Himmel.....	تکری Himmel.

Die Kinder und Brüder des Chans führten den Titel *Tere;* wahrscheinlich das Türkische Wort توره *Tura* das Richter und Oberhaupt bedeutet.

auf ermahnend : « Von jeher ist Unglück aus dem Lande der *Chiungnu* gekommen.
» In alten Zeiten hörte man nichts von der Nothwendigkeit sie zu bekriegen. Späterhin
» haben die drei Häuser *Dscheu*, *Zin* und *Chan* Kriege mit ihnen geführt; dennoch war
» deren Erfolg niemals bedeutend. Die *Dscheu* hatten mittelmässigen Erfolg, die *Chan* ge-
» ringen, und die *Zin* gar keinen. Zur Zeit des Kaisers *Siuan-wang* aus der Dynastie *Dscheu*
» fielen die *Yan-yün* (so hiessen damals die *Chiungnu*), in China ein, und kamen bis
» nach *King-yang*. Auf Befehl des Kaisers mussten also die Heerführer mit der Armee
» aufbrechen, um sie über die äussersten Gränzen zu treiben, worauf sie wieder zurük-
» kehrten. Die *Yan-yün*, welche vielen Schaden angerichtet hatten, wurden damals wie
» Bremsen und Mücken verscheucht, und China zeigte sich glänzend, deshalb kann man
» sagen es sey ein mittelmässiger Erfolg gewesen. — Der Kaiser *Uti* aus der Dynastie
» *Chan* erwählte Heerführer, musterte die Truppen, nahm aber zu wenig Lebensmittel
» mit sich. Es drang darauf tief (in das Land der *Chiungnu*) ein, verheerte es weit
» und breit, und weil er gesiegt hatte, so ward dieses als ein Verdienst angesehen. Aber
» die Barbaren, um sich zu sich zu rächen, führten über dreissig Jahr Kriege mit uns,
» und verübten Feindseeligkeiten. Das Reich der Mitte ward dadurch ermüdet und ent-
» kräftet, aber auch die *Chiungnu* schwächten sich. Obgleich sich China tapfer bewiesen
» hatte, so ist das doch nur als ein geringer Erfolg zu betrachten. *Zin-schy-chuang-ti* hat
» seinen Namen verächtlich gemacht, indem er der Kraft des Volkes spottend die *grosse*
» *Mauer* erbaute, und alle Bewohner des Reichs zur Zuführung von Lebensmitteln
» aufbot. Als er diese Gränzmauer vollendet hatte, war China innerlich entkräftet
» und die Sitten des Volks verwildert ; deshalb kann man seinen Unternehmungen
» gar keinen Erfolg beilegen. Jezt leidet das Reich alljährig grossen Mangel an Lebens-
» mitteln, den die nördlichen Gränzen noch mehr fühlen. Dabei werden die Kräfte des
» Volkes aufs äusserste angestrengt, und es ist durchaus kein Nutzen davon abzusehen. »

Diese Worte des Grossen machten indessen keinen Eindruck auf *Wang-mang*.

Yan-yün war der Name des (jetzigen) Landes der Mongolen, dessen Bewohner auch *Chu* genannt wurden.

Dschy-thang-chu-schy bemerket : Ist nicht die vortreffliche Einrichtung, nach welcher die Äcker von acht Familien gemeinschaftlich bewirthschaftet werden, einzig und allein auf den Frieden gegründet! Vor Alters waren die Kaiser und Könige die Vermitteler des Reiches ; und wenn sie erfuhren dass das Volk Mangel und Noth erlitt, so geriethen sie ganz ausser sich. Schleunig liessen sie Lebensmittel in hinlänglicher Menge dem Volke vertheilen, und opferten alles auf, was in ihren Kräften stand. Die Vohrnehmsten des Reichs, die neuen Klassen der Mandarine, Kreishauptleute und berühmte Weisen folgten gemeinschaftlich diesem Beispiele, dessen Nutzen sich lange erhielt und überall verbreitete. Die Gesetze waren deutlich und Unrecht gedieh nicht, so dass das Reich tausend Jahre hindurch glücklich war. Die Dynastie der *Zin* verwarf die alten Gesetze, und die der *Chan* vermochte es nicht sie in ihrer vorigen Reinheit wieder herzustellen.

Das *Tung-dschung-schu* sagt : Die Vertheilung der Felder war abgeändert worden, und nur langsam konnte man die alten darauf Bezug habenden Gesetze wieder in Gültigkeit setzen, obgleich der weise Entschluss dazu gefasst war. Aber die Kaiser der *Chan* waren nur Menschen, und wenn es ihnen nicht möglich war alles wieder in den alten Stand zu setzen, so suchten sie wenigstens das Volk durch recht handeln zu beglücken. *Wang-mang*, der wie ein Räuber die höchste Gewalt an sich gebracht hatte, konnte *der* Gesetze geben! Die Bewirthschaftung der

Äcker durch acht Familien war eine für alle Jahrhunderte nützliche und weise Einrichtung, die sich auf den Ankauf von männlichen und weiblichen Sclaven gründete. Leider aber konnte sie bei der elenden Regierung des *Wang-mang* nicht gänzlich wieder her gestellt werden.

Seit der Zeit des Kaisers *Siuan-ty* hatten die nördlichen Gegenden keine Furcht vor Feuer und Rauch [Kriegsgetümmel] gehabt, ihre Bewohner waren nach und nach begütert geworden, und Heerden von Pferden und Hornvieh füllten die Ebnen. Nach der Usurpation des *Wang-mang* gerieth dieser mit den *Chiungnu* in Krieg, die Bewohner der Gränzen wurden erschlagen, oder als Gefangene weggeführt; und in Jahresfrist waren jene Gegenden wüst und leer, und die Ebnen mit Leichnamen bedeckt.

Wang-mang schickte einen Abgerordneten mit einem Schreiben und Petschaft an den *Kung-scheng* und lud ihn zu sich ein. Da aber *Kung-scheng* sich mit Krankheit entschuldigte, so liess der Gesandte das Petschaft ihm sogleich übergeben. Er schlug es aber aus, und sagte zu *Kao-chuy* und seinen übrigen Schülern: « Ich habe von der » Dynastie *Chan* grosse Wohlthaten genossen, und bin nicht dankbar dafür gewesen. » Jezt bin ich alt; schickt es sich wohl für eine Person zwei Namen anzunehmen? » — Darauf ass und trank er nicht mehr und starb am vierzehnten Tage. »

Damals lebten die erleuchteten Weisen *Ky-dsiün*, *Siueï-fang*, *Siün-yueï*, *Siün-siang*, *Thang-lin* und *Thang-dsun*, die alle in den Sinn der *King* [Werke der Alterthums] eingedrungen waren. Ihre Handlungsweise war musterhaft und ihr Ruhm wird noch Jahrhunderte hindurch dauern. *Ky-dsiün*, *Thang-lin* und *Thang-dsun* waren Beamten des *Wang-mang*, und *Siün-siang* war einer der vier Begleiter seines ältesten Sohnes. Als *Wang-mang* einstmals seinen königlichen Wagen schickte um den *Siüeï-fang* abzuholen, sagte dieser von Dankgefühl durchdrungen: « Zur Zeit der Kaiser *Yao* und *Schün* dienten » ihnen *Tschao-fu* und *Siu-yeu*; unter der Regierung Ew. Majestät kommen die Tu- » genden des *Thang* und *Yü* wieder auf. Dero geringer Diener wünscht sich der Aufsicht » über das Gebiet von *Khy-schan*. » *Wang-mang* lobte diese Reden, und liess ihn nicht mehr einladen.

Pan-ku bemerkt hierbei: Die Statthalter und Minister aller Reiche, von denen das *Tschün-ziu* spricht, so wie auch die Feldherrn, Minister und Magnaten, die unter der Dynastie Chan nach Belohnungen strebten und nach Gnadenzeichen trachteten, haben sie nicht gegen das Recht gehandelt! Um desto schätzungswürdiger sind edle und uneigennützige Weise. Wer sich selbst beherrscht, den können Menschen nicht beherrschen. Die Tugend des *Wang-tschi* und *Kung-yü* wird von der eines *Kung-scheng* und *Pao-siuan* übertroffen; denn *Kung-scheng* bewahrte seine moralischen Grundsätze bis an den Tod. *Siüeï-fang*, um seinen Zweck zu erreichen war nicht strenge im Untersuchung des Guten und Bösen. *Ku-khin* und *Dsiang-chiü* vermieden das Böse und liessen sich nicht hinreissen, darum stehen sie auch über *Ky-dsiün*, *Thang-lin* und *Thang-dsun*.

IV. 史明

Mîng-szǜ,

Geschichte der Dynastie *Ming.*

(Dreissig Bände in klein folio.)

Nachdem China neun und achtzig Jahre unter der Herrschaft der Mongolen gestanden hatte, gelang es 1368 einem Bonzen aus der Familie 朱 *Dschū*, Namens 璋元 *Yuân-dschāng*, diese Fremdlinge gänzlich zu vertreiben, und sie zu nöthigen in ihr altes Vaterland, nördlich von der steinigen Sandwüste *Gobi*, zurück zu kehren; wo sie unglaublich schnell die in China angenommene Cultur vergassen, und ihr ehemaliges Nomadenleben wieder anfingen. Nach glücklicher Vollendung seines Unternehmens ward *Yuân-dschāng* zum Kaiser ausgerufen, und stiftete eine neue Regentenfamilie, welcher er den Namen 明 *Mîng*, oder der *glänzenden* und *reinen*, gab. Sie besass den Chinesischen Thron zweihundert und sieben und siebenzig Jahre hindurch, bis sie 1644 von Rebellen bedrängt, mit dem Tode des letzten Kaisers 宗懷 *Chuay-dsūng* endigte, und die Mandschuischen Regenten ihren Platz einnahmen.

In China ist es, wie ich schon bemerkt habe, gewöhnlich dass die offizielle Geschichte jeder Dynastie erst nach ihrem Untergange herausgegeben wird; obgleich es Privatgeschichtschreibern frei steht historische Werke über das regierende Haus zu publiziren. So befindet sich, zum Beispiel, in der Bibliothek der kaiserlichen Academie der Wissenschaften zu Sanct-Petersburg eine Ausgabe der abgekürzten Annalen, unter dem Titel

通鑑直解 *Thūng-kián-dschў-kiaý*, von 1631, der ein 皇明記 *Chuâng-mîng-ký*, oder *Geschichte der erhabenen Dynastie Mîng*, in acht Heften, angehängt ist. Auch kenne ich noch zwei andere Geschichten der *Mîng*, nämlich das 皇明資治通記 *Chuâng-mîng-dsū-dschý-thūng-ký*, in zwölf Heften, verfasst von 岳元聲 *Yŏ-yuân-schīng*, und das 皇明史概 *Chuâng-mîng-szù-kaý*, fünf und dreissig starke Hefte, die gewöhnlich in fünf pappenen Umschlägen befindlich sind. Dieses Werk ward 1690 von 朱文肅公 *Dschū-wên-sū-kūng*, einem der ersten Gelehrten der Academie *Chán-lîn* herausgegeben, zerfällt in fünf Hauptabtheilungen, und geht nur bis auf das zwei und vierzigste Jahr des Kaisers 世宗 *Schý-dsūng*, oder 1563. Ausser diesen beiden giebt es noch mehrere kurze Geschichten der 明 *Mîng*, die anderen historischen Werken als Forsetzung dienen.

Die gegenwärtige geographisch-historische Beschreibung des Chinesischen Reiches unter der Regierung der *Mîng*, unterscheidet sich von den genannten Werken nicht nur durch ihre Vollständigkeit und Ausführlichkeit, sondern sie ist auch als die erste offizielle Geschichte dieser Dynastie anzusehen. Sie ward auf Befehl des Kaisers 高宗純皇帝 *Kaō-dsūng-schûn-chuâng-tý*, von einer besonders dazu ernannten gelehrten Gesellschaft verfasst, und 1742 unter der Aufsicht des Staatsministers und Fürsten 張廷玉 *Dschāng-thîng-yū* herausgegeben; wodurch die grosse geschichtliche Sammlung vervollständiget ward, welche seitdem den Titel 廿二史 *Nián-éul-szù*, oder *die zwei und zwanzig Geschichtswerke* führt. Kein Volk auf Erden hat einen ähnlichen Schatz historischer Hülfsmittel aufzuweisen; denn bei den Europäern, bei den Aegyptern und den Nationen, die sich jetzt zum Islam bekennen, haben stets Cultur und Barbarei abgewechselt; und die Hindu scheinen niemals die Geschichte ihrer Aufmerksamkeit würdig geachtet zu haben, weil sie das menschliche Leben überhaupt nur als eine kurze Stuffe der geistigen Existenz ansehen, und bei ihnen Religion alle übrige Wissenschaft verschlungen zu haben scheint, und so jeden Angriff auf sich selbst unmöglich gemacht hat.

Die Werke welche diese grosse Sammlung bilden, sind folgende:

I. Den Grund dazu legte am Ende des zweiten Jahrhunderts 遷馬司 *Szū-mà-ziān*, durch seine 記史 *Szù-ký*, oder *Historische Denkwürdigkeiten.* Sie enthalten in 130 Abschnitten die Geschichte, von der Zeit des Kaisers 帝黃 *Chuâng-tý* (2697 v. Chr. Geb.) bis auf die des Verfassers. Gewöhnlich 14 Hefte in drei pappenen Umschlägen.

II. 書漢前 *Dsián-chán-schū*, Geschichte der ersten Linie der Dynastie *Chán*, bis auf das Jahr 24 nach Christi Geburt. Verfasst von 固班 *Pān-kú.* Gewöhnlich 22 Hefte in zwei Umschlägen.

III. 書漢後 *Cheú-chán-schū*, Geschichte der anderen Linie der Dynastie *Chán*, bis 220 n. Chr. G. Verfasst von 曄范 *Fán-ў*. Gewöhnlich 18 Hefte in zwei Umschlägen.

IV. 志國三 *Sān-kuĕ-dschý*, Geschichte der drei Reiche 魏 *Goeў*, 吳 *Ú*, und 蜀 *Schŭ*, bis 280 nach Chr. Geb. Verfasst von 壽陳 *Tchîn-scheù.* Gewöhnlich 10 Hefte in einem Umschlage.

V. 書晉 *Dsín-schū*, Geschichte der Dynastie *Dsín*, bis 420 n. Chr. Geb. Verfasst vom Kaiser 宗太

Thaý-dsūng, aus der Dynastie 唐 *Thâng*. Gewöhnlich 26 Hefte in vier Umschlägen.

VI. 書宋 *Súng-schū*, Geschichte der Dynastie *Súng*, bis 479 n. Chr. Geb. Verfasst von 約沉 *Tchîn-yŏ*. Gewöhnlich 20 Hefte in zwei Umschlägen.

VII. 書魏 *Goeȳ-schū*, Geschichte der Dynastie *Goeȳ*, von 386 bis 550 n. Chr. Geb. Verfasst von 收魏 *Goeȳ-scheū*. Gewöhnlich 20 Hefte in zwei Umschlägen.

VIII. 書齊南 *Nân-zý-schū*, Geschichte der südlichen *Zý*, bis 502 n. Chr. Geb. Verfasst von 顯子蕭 *Siaō-dsú-chiàn*. Gewöhnlich 8 Hefte in einem Umschlage.

IX. 書齊北 *Pĕ-zý-schū*, Geschichte der nördlichen *Zý*, bis 577 n. Chr. Geb. Verfasst von 藥百李 *Lý-pĕ-yŏ*. Gewöhnlich 8 Hefte in einem Umschlage.

X. 書梁 *Liâng-schū*, Geschichte der Dynastie *Liâng*, von 501 bis 587 nach Christi Geburt. Verfasst von 廉思姚 *Thaô-szù-liàn*. Gewöhnlich 7 Hefte in einem Umschlage.

XI. 書陳 *Tschîn-schū*, Geschichte der Dynastie *Tschín*, von 556 bis 589 n. Chr. Geb. Von demselben Verfasser. Gewöhnlich 6 Hefte in einem Umschlage.

XII. 書周 *Dscheū-schū*, Geschichte der Dynastie *Dscheū*, die vom Jahre 556 bis 581 im nördlichen China regierte. Verfasst von 棻德狐令 *Lîng-chû-tĕ-fēn*. Gewöhnlich 8 Hefte in einem Umschlage.

XIII. 史北 *Pĕ-szù*, Geschichte des nördlichen China

während des 朝北南 *Nân-pĕ-dschaō*, oder *der Theilung des Reiches* (Siehe oben S. 13 bis 18), von 420 bis 580 n. Chr. Geb. Verfasst von 壽廷李 *Lỳ-thîng-scheû*. Gewöhnlich 26 Hefte in drei Umschlägen.

XIV. 史南 *Nân-szù*, Geschichte des südlichen China, während der eben erwähnten Theilung des Reiches Von demselben Verfasser. Gewöhnlich 15 Hefte in zwei Umschlägen.

XV. 書隋 *Suỳ-schū*, Geschichte der Dynastie *Suỳ*, von 580 bis 619 n. Chr. Geb. Verfasst von 徵魏 *Goeỳ-tschīng*. Gewöhnlich 16 Hefte in zwei Umschlägen.

XVI. 書唐 *Thâng-schū*, Geschichte der grossen Dynastie *Thâng*, von 617 bis 907 nach Chr. Geb. Verfasst von 修陽歐 *Ngeū-yâng-sieū*, und 祁宋 *Súng-khỳ*. Gewöhnlich 43 Hefte in vier Umschlägen.

XVII. 史代五 *Ù-taỳ-szù*, Geschichte der fünf kleinen Dynastien, die nach den *Thâng* bis 960 n. Chr. Geb. China unter sich getheilt hatten. (Siehe oben Seite 22 und 23). Verfasst von *Ngeū-yâng-sieū*. Gewöhnlich 7 Hefte in einem Umschlage.

XVIII. 史宋 *Súng-szù*, Geschichte der Dynastie *Súng* bis 1279 nach Christi Geb. Verfasst von 脫脫 *Thŏ-thŏ*. Gewöhnlich viele Hefte in zehn Umschlägen.

XIX. 史遼 *Liaó-szù*, Geschichte Dynastie *Liaó* im nördlichen China, von 916 bis 1121 nach Chr. Geb.

Von demselben Verfasser. Gewöhnlich 6 Hefte in einem Umschlage.

XX. 史金 *Kin-sẑù*, Geschichte der Dynastie *Kin*, von 1115 bis 1232 nach Chr. Geb. Von demselben Verfasser. Gewöhnlich 16 Hefte in zwei Umschlägen.

XXI. 史元 *Yuân-sẑù*, Geschichte der Mongolischen Dynastie in China, von 1278 bis 1368 nach Chr. Geb. Verfasst von 濂宋 *Súng-liân*, und 禕王 *Wâng-ŷ*. Gewöhnlich viele Hefte in fünf Umschlägen.

XXII. 史明 *Mîng-sẑù*, Geschichte der Dynastie *Mîng*, bis 1644. Dasselbe Werk von dem ich hier handle. Gewöhnlich 100 Hefte in zehn Umschlägen.

Diese unschätzbare Sammlung, welche sich leider auf keiner Europäischen Bibliothek *vollständig* findet, umfasst also die ganze Chinesische Geschichte, Erdbeschreibung, Staatsverfassung und Biographie vom Jahre 2697 vor bis 1644 nach Christi Geb., und besteht gewöhnlich aus *vierhundert und sechzehn Heften*, die in *ein und sechzig pappene Umschläge* von der Stärke einer Hand vertheilt sind.

Die hier folgende Inhaltsanzeige der *Geschichte der Mîng*, kann einen Begriff von der Einrichtung der übrigen ein und zwanzig Werke geben, aus denen jene Sammlung besteht. Die Geschichte der *Mîng* zerfällt nämlich in vier Hauptabtheilungen:

I. 記本 *Pèn-ký*, oder Geschichte der Kaiser. 24 卷 *Kiúan*, oder Bücher.

II. 志 *Dschý*, Beschreibungen. 75 Bücher.

III. 表 *Piaò*, Geschlechtstafeln. 13 Bücher.

IV. 傳列 *Liĕ-tschuân*, Biographien und besondere Geschichte. 220 Bücher.

Die erste Hauptabtheilung enthält die Geschichte der sechzehn Kaiser der *Mîng*, und ist ziemlich ausführlich, obgleich im Chronickenstyl und ohne erklärende Anmerkungen abgefasst.

Die zweite Hauptabtheilung, umfasst folgende Unterabtheilungen. I. Beschreibung des Himmels, Buch 1 bis 3. II. Die fünf Elemente, Buch 4 bis 6. III. Zeitrechnung und Calenderwesen, Buch 7 bis 14. IV. Erdbeschreibung, Buch 15 bis 22. V. Ceremonien und Gebräuche, Buch 23 bis 36. VI. Musik, Buch 37 bis 39. VII. Hofstaat, Buch 40. VIII. Staatswagen und Hofkleidung, Buch 41 bis 44. IX. Offentliche Prüfung und Erhöhung der Beamten, Buch 45 bis 47. X. Stände und Würden, Beamte, u. s. w., Buch 48 bis 52. XI. Producte und Handel, Buch 53 bis 58. XII. Schifffarth und Canäle, Buch 59 bis 64. XIII. Kriegsheer, Buch 65 bis 68. XIV. Strafgesetze, Buch 69 bis 71. XV. Litteratur, Buch 72 bis 75.

Die dritte Hauptabtheilung, chronologische Geschlechtstafeln, enthält : I. Prinzen vom Geblüte, Buch 1 bis 5. II. Verdiente Vasallen, Buch 6 bis 8. III. Verwandte der Kaiserlichen Familie durch Heirath, Buch 9. IV. Verdiente Staatsminister, Buch 10 und 11. V. Andere grosse Staatsbeamte, Buch 12 bis 13.

Die vierte Hauptabtheilung enthält : I. Biographien der Kaiserinnen, Buch 1 bis 3. II. Biographien der Prinzen vom Geblüte, Buch 4 bis 8. III. Biographien Kaiserlicher Prinzessinen, Buch 9. IV. Biographien berühmter und berüchtigter Männer, tugendhafter Frauen, Rebellen, Räuber, u. s. w., Buch 10 bis 197. V. Geschichte der kleinen Bergfürsten in den Provinzen *Chû-kuàng*, *Szû-tschuān*, *Yûn-nân*, *Kueý-dschеū* und *Kuàng-sȳ*, und der Regierungsinspectionen unter welchen sie stehen, Buch 198 bis 207. VI. Beschreibung und Geschichte fremder Reiche, die mit China während der Dynastie *Mîng* in Verbindung standen ; wie Korea, Tunkin, Japan, Lieu-khieu, Manilla, Cochinchina, Cambodia, Siam, Malacca, Java, Sumatra, die Franken, Holländer, Bengalen, Italien, u. s. w. Ferner die Geschichte der

Mongolen, die damals wieder den Namen 韃靼 *Thă-tă* oder *Tataren* führten, so wie auch die der weiter westlich wohnenden Ölöten, Buch 208 bis 216. VII. Beschreibung und Geschichte der westlichen Länder; dazu gehören, Chamul, Turfan, Tangut, Sifan, Tübet, Nepal, Hindustan, die Bucharei, Charism, Persien, Syrien, Aegypten, Arabien und *Rumi*, oder das Türkische Reich, Buch 217 bis 220.

Dieses ist kürzlich der Inhalt des merkwürdigen und höchst wichtigen Werkes, welches durch die aufgeklärte Fürsorge Sr. Durchlaucht des FÜRSTEN VON HARDENBERG eine Zierde der Königlichen Bibliothek geworden ist. Ich habe in Paris die hundert Hefte desselben zu mehrerer Bequemlichkeit in *dreissig* Bände binden, und auf dem Rücken eines jeden seinen besonderen Inhalt bezeichnen lassen (1).

(1) Auf dem Rücken der Bände sind die darin enthaltenen Bücher, nach der Totalsumme aller in den vier Hauptabtheilungen, angegeben. Um nach dieser Angabe ein *bestimmtes* Buch in den dreissig Bänden des Werkes zu finden, bleibt bei der *ersten Abtheilung* die Zahl der Bücher dieselbe. In der zweiten Abtheilung muss man 24 hinzufügen; in der *dritten* 99, und in der vierten 112. — Zum Beispiel: Abtheilung IV, Buch 23 (+ 112) = 135 in der Totalsumme, die auf dem Rücken der Bände bemerkt ist.

V. 廣輿圖記

Kuàng-yû-thû-ký,

GEOGRAPHISCHE BESCHREIBUNG MIT KARTEN.

(Sechs Hefte in einem Bande.)

ALLGEMEINE geographische Beschreibung von China mit Landkarten, verfasst unter der Regierung des Kaisers 成祖 *Tchîng-dsù*, aus der Dynastie 明 *Mîng*, von 陸應陽 *Lŭ-ўng-yâng*, in 24 Büchern. Die ersten 22 enthalten die Beschreibung der funfzehn Chinesischen Provinzen in folgender Ordnung.

I.tes Buch. 北直隸 *Pĕ-dschў-lý*, oder die Provinz von Peking.

II.tes und III.tes Buch. 南直隸 *Nân-dschў-lý*, oder die Provinz von Nanking.

IV.tes Buch. Die Provinz 山西 *Schān-sў*.

V.tes Buch. Die Provinz 山東 *Schān-tūng*.

VI.tes und VII.tes Buch. Die Provinz 河南 *Chô-nân*.

VIII.tes und IX.tes Buch. Die Provinz 陝西 *Schèn-sў*.

X.tes und XI.tes Buch. Die Provinz 浙江 *Dchĕ-kiāng*.

XII.tes und XIII.tes Buch. Die Provinz 江西 *Kiang-sў*.

XIV.tes und XV.tes Buch. Die Provinz 湖廣 *Chû-kuàng*.

XVI.tes und XVII.tes Buch. Die Provinz 四川 *Szū-tchuān*.

XVIII.[tes] Buch. Die Provinz 建福 *Fŭ-kián.*

XIX.[tes] Buch. Die Provinz 東廣 *Kuàng-tūng.*

XX.[tes] Buch. Die Provinz 西廣 *Kuàng-sȳ.*

XXI.[tes] Buch. Die Provinz 南雲 *Yûn-nân.*

XXII.[tes] Buch. Die Provinz 州貴 *Kueý-dscheū.*

XXIII.[tes] Buch. 邊九 *Kieù-piān*, d. i. die Gränzen des Reichs. Ihre Beschreibung fängt in Nordosten bei 東遼 *Liaô-tūng* an, folgt der grossen Mauer bis nach 關峪嘉 *Kiā-yŭ-kuān*, der letzten Pforte und Festung in derselben, an der äussersten Spitze des westlichen Theiles der Provinz *Schèn-sȳ*, welcher 肅甘 *Kān-sŭ* genannt wird, und endiget mit 衞寧西 *Sȳ-níng-ueý*, einer Stadt und Festung in dieser Provinz, die etwas südlicher liegt, und über die der Weg aus China nach Tübät geht.

XXIV.[tes] Buch. 夷外 *Waý-ȳ*, d. i. Ausländische Barbaren. Es enthält die Beschreibung von Korea, dem Lande der Niü-dsche, Japan, Lieu-khieu, Si-fan oder Tangut, dem Lande der Mongolen, Chamul, Turfan, Samarkand, Tonkin, Cochinchina, Siam, u. s. w.

Der Druck dieser Ausgabe ist äusserst schlecht und undeutlich, und die zu Anfange des Werks sich findenden sechzehn Karten, sind nichts als eine Anhäufung von Ortsnamen, und durchaus unbrauchbar.

H

VI.

Dergi Chese dschakun gusade weshimbuchange,

ERHABENE BEFEHLE AN DIE ACHT FAHNEN ERLASSEN.

(Fünf Hefte in einem Bande.)

DIESE Befehle sind vom zweiten und dritten Jahre des Mandshuisch-Chinesischen Kaiser 帝皇獻宗世 *Schý-dsūng-chián-chuâng-tý.* (1724 und 1725), oder wie man ihn in Europa gewöhnlich nach dem Ehrennamen seiner Regierungsjahre nennt 正雍 *Yūng-dschíng,* Mandshuisch *Chua-liasun-tob.* Sie sind in Mandshuischer Sprache verfasst, und werden für ein Muster des Styls gehalten. Die ganze Nation der Mandshu ist in acht *Gusa,* Chinesisch 旗 *Khý,* oder Fahnen (Divisionen) getheilt, doch werden auch die Mongolen und Chinesen dazu gerechnet, welche sich den ersten Mandshuischen Kaisern freiwillig unterwarfen; so dass in jeder Fahne eine Mandshuische, eine Mongolische und eine Chinesische Abtheilung ist, die also zusammen vier und zwanzig besondere Fahnen ausmachen, von denen jede unter einem *Gusa-i-amban,* *Meiren-ni-dschangin,* und einem *Dschalan-ni-dschangin* stehet. Die acht Fahnen unterscheiden sich durch ihre Farbe und den verschiedenen Saum folgendermassen. 1. Die verbrämte gelbe. 2. Die ganz gelbe. 3. Die ganz weisse. 4. Die ganz rothe. 5. Die verbrämte weisse. 6. Die verbrämte rothe. 7. Die ganz blaue. 8. Die verbrämte blaue.

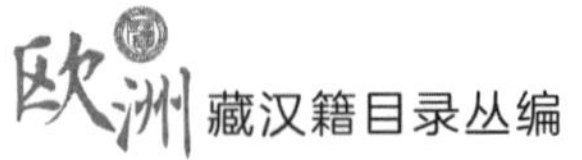

VII. *COPIE*

Eines Mandshuischen Diploms für den Vater Adam Schall,

vom Jahre 1651.

(Eine Rolle auf Europäischem Papiere.)

Der Vater *Johann Adam Schall,* oder wie er mit seinem Chinesischen Namen heisst 望若湯 *Thāng-shŏ-wáng,* ein Deutscher aus Cölln am Rhein, kam im Jahre 1622 nach China, und ward an den kaiserlichen Hof berufen, um das Kalenderwesen zu verbessern, das in grosser Unordnung war. Unter der den 明 *Mîng* folgenden Mandshuischen Dynastie erhielt er abermals den Auftrag, den Kalender nach den Grundsätzen der Europäischen Astronomie zu entwerfen, und ward zum Presidenten des mathematischen Tribunals ernannt. Trotz seiner Bescheidenheit ward er mit Ehrenstellen überhäuft; der Kaiser selbst besuchte ihn in seiner Wohnung, und besah öfters die neue Kirche die er in Peking auf Europäische Art bauen liess. Späterhin aber ward *Schall* des Hochverraths angeklagt, und sollte das Leben verlieren. Man setzte ihn indessen bald wieder in Freiheit und er starb unter *Khāng-chȳ* am 15.ten August 1665. Im Jahre 1669 liess ihn den Kaiser von neuem prächtig begraben, und verwendete dazu 524 Unzen Silbers.

VIII. 圖子甲鑑綱

Kāng-kián-kiă-dsù-thû,

HISTORISCHE TABELLE NACH DEN CYCLEN.

(Eine auf Leinwand geklebte Tafel.)

DIE Chinesen haben einen sechzigjährigen Cyclus der nach dem Namen des ersten seiner Jahre 子甲 *Kiă-dsù* genannt wird. Das jetzige 1821.ste Jahr ist das 18.te des LXXV.stes Cyclus. Das erste des ersten fällt also 2637 vor Christi Geburt. Ich mache diese Bemerkung weil *Deguignes der ältere* in seiner schätzbaren Geschichte der Hunnen, Türken und Mongolen einen Cyclus zu viel angenommen hat; indem er das erste Jahr der erstes auf 2697 vor Christi Geb. setzt, was leicht zu Missverständnissen Anlass geben kann.

In gegenwärtiger chronologischen Tafel befinden sich die sechzig Jahre des Cyclus, mit ihren Namen, in der mittleren senkrechten Colonne, und ihnen zur Seite die *Niân-chaó* (Siehe oben S. 4 u. f.). — Sie beginnt mit dem ersten Jahre des *Gueў-liĕ-wâng* aus der Dynastie *Dscheū*, 425 vor Chr. Geburt, und endigt mit dem eilften der *Yūng-dschíng* genannten Jahre d. i. 1733 nach Christi Geburt.

ZWEITE ABTHEILUNG.

Lexicographische und Grammaticalische Werke.

I. 御製增訂清文鑑

Yû-dschý-dsēng-tíng-zīng-wên-kián,

Auf Kaiserlichen Befehl verfasster und vermehrter Spiegel der Mandshusprache.

(Acht und vierzig Hefte.)

Die Mandshu (Chinesisch 滿洲 *Mân-dscheū*), deren Kaiser jezt China und den grössten Theil des inneren Asiens beherrschen, sind ein Volk welches zum Tungusischen Stamme gehört, und dessen verschiedene Horden sich erst, etwa vor dreihundert Jahren, zur Nation gebildet haben. Ihr Vaterland ist die Gegend des von ihnen *Golmin schanyan alin*, genannten Gebirges; welches Chinesisch 長白山 *Tschâng-pĕ-schān* heisst, und dessen Name in beiden Sprachen *das lange weisse Gebirge* bedeutet. Es liegt unter dem 42° N. Breite und dem 126° O. Länge von Paris. Um das Jahr 1583 fingen die Mandshu an ihre Macht zu begründen, und seit der Zeit haben sie ganz China, die Mongolei, Tübät, die kleine Bucharei und das Land der Dsungaren unterworfen; so dass sich jetzt ihre Herrschaft vom östlichen Oceane bis zu den Quellen des *Oxus*, und über *Badachschan* und *Taschkent* erstreckt.

Da die Mandshuische Nation noch vor zwei Jahrhunderten keine eigene Schrift hatte, so ist auch der Ursprung ihrer jetzigen, obgleich nicht alten, Herrscherfamilie in Fabelsagen gehüllt, und wird folgendermassen erzählt.

« Unsere Voráltern stammen vom langen weissen Ge-
» birge her, dessen Höhe zweihundert und dessen Umfang auf
» tausend Chinesische *Lŷ* 里 (250 auf einen Grad) beträgt.
» Diese herrliche Gegend ist durch Anhäufung wunderbarer
» Düfte höchst strahlend und höchst beglückt. Auf der Höhe
» jenes Gebirges liegt der See *Tamun* [illegible], der achtzig
» *Lŷ* im Umkreise hat, und dem die drey Ströme *Yalu-*
» *kiang* [illegible], *Chuntung* [illegible] und *Aichu* [illegible]
» entfliessen (1). Der *Yalu-kiang* kommt von der Südseite
» des Gebirges, und läuft gegen Westen, wo er in das Meer
» von 東遼 *Liaô-tūng* fällt. Der *Chuntung* fliesst von der
» Nordseite, und geht nach Mitternacht bis zu seinem Ein-
» falle in das nördliche Meer. Der *Aichu* endlich kommt von
» der Ostseite des Gebirges und fällt in das östliche Meer.
» An diesen drey Strömen weilet beständig glückbringender
» Hauch, welcher köstliche und wunderbare Dinge erzeugt,
» wie den Samen grosser Perlen, der so hellglänzende und vor-
» treffliche hervorbringt, dass sie für das Kostbarste in der Welt
» gehalten werden. Auf dem Gebirge herrschen befruchtende
» Winde und erfrischende Lüfte, die herrliche Bäume und
» wunderthätige Arzeneipflanzen nach den Jahreszeiten im
» Überflusse wachsen machen. In Osten von diesem Gebirge
» liegt ein anderes das den Namen *Bukuri* führt, an dessen Fusse
» man den See *Bulchuri* [illegible] findet, von dem sich folgende

---

(1) Dieses findet in der Natur nicht statt. Zwar giebt es zwischen den fünf Gipfeln des Schneegebirges einen See von 30 bis 40 *Lŷ* im Umkreise, der aber nicht als die Quelle jener Ströme angesehen werden kann. Der *Chuntung* ist der *Sungari-ula*, der *Aichu* heisst gewöhnlich *Tumen-ula*, und der *Yalu-kiang* ist nur unter diesem Namen bekannt.

» alte Sage aufbehalten hat. Vor Alters wohnte an diesem See » eine heilige Jungfrau, die jüngere Schwester des Himmels. » Als sie sich einstmals in demselben gebadet hatte, nahte sich » ihr im Fluge eine heilige Elster [[illegible]], die » eine rothe Frucht aus dem Schnabel auf ihr Gewand fallen liess. » Die Jungfrau ass von der Frucht, ward schwanger und ge- » bahr einen heiligen Sohn, der aus himmlischem Geschlechte » stammte, von schöner Gestalt, und mit durchdringendem Ver- » stande und Beredsamkeit begabt war. Eine Stimme sagte zu » ihm: Der Himmel hat dich erzeuget damit du Frieden unter » den unruhigen Stämmen stiften mögest. — Als er herange- » wachsen war bestieg er einen Nachen und schiffte den Fluss » hinab, landete an einer Stelle des Ufers um sich daselbst » niederzulassen, gerade da wo die benachbarten Anwohner » ihr Wasser aus dem Flusse holten. Es lebten dort aber *drei* » *Geschlechter* [[illegible] *ilan chala*], von denen jedes die » beiden anderen beherrschen wollte, und die deshalb in be- » ständigen Feindseeligkeiten verwickelt waren, bei welchen » es aber nie zu einer bestimmten Entscheidung kam. Damals » ging ein Mann aus einem dieser drei Geschlechter an das Ufer » des Flusses um Wasser zu schöpfen, und erblickte dort jenen » Jüngling, den er nicht ohne Bewunderung anschauen konnte. » Sogleich eilte er nach Hause und sagte zu den Seinigen: Be- » endiget Freunde den Streit der uns bisher entzweite, denn » wisset dass sich an dem Orte wo wir Wasser zu holen ge- » wohnt sind ein wundervoller Mann befindet, der angeboh- » rene und grosse Geistesgaben besitzet; und ich glaube dass dieses » geseegnete Wesen uns nicht umsonst vom Himmel gesendet » ist. — Als seine Genossen diese Rede vernommen, gingen » sie an den Fluss, zu dem wundervollen Jüngling und be- » fragten ihn um seinen Geschlechts- und Eigennamen, worauf » er ihnen antwortete: Ich bin von einer heiligen Jungfrau ge- » bohren, und bestimmt das himmlische Geschlecht in der Welt

» fortzupflanzen. Mein Familienname ist *Aishin* » *Gioro*, und mein Name *Bulchuri Yongschon.* » Ich bin vom Himmel gesendet um die unter euch herrschenden » Zwistigkeiten zu beendigen. — Alle hörten diese Rede mit » grosser Bewunderung an und sagten untereinander : Dieser » Mann ist ohne Zweifel vom Himmel erzeuget ! — Darauf » nahmen sie ihn bei der Hand und führten ihn in ihre Wohn- » stätte. Die drei Familien berathschlagten mit einander, und » kamen darin überein ihn zu ihrem Beherrscher zu ernennen, » um auf diese Art Frieden unter sich zu stiften. Sie gaben ihm » eine ihrer Töchter zur Gemahlin und riefen ihn zu ihrem » Oberhaupte, oder *Gurun ni beile,* aus. Er liess sich » darauf in dem Flecken *Odoli* nieder, welcher in der » Ebne *Omochoi,* in Osten vom langen weissen Ge- » birge, belegen ist, und nannte seine neuen Unterthanen » *Mandshu* (1). »

Aishin Gioro führt jetzt Chinesisch den Titel 祖 遠 *Yuàn-dsù,* Mandshuisch *Gorokinga Mafa,* d. i. der *entfernteste Vorfahr.* Seine Nachkommen herrschten einige Zeit über die Mandshu, wurden aber bei einem Aufruhre bis auf einen gewissen 僅察范 *Fán-tschă-kín* ausgerottet, der in eine wüste Gegend entfloh, und von einer Elster gerettet ward, die sich auf sein Haupt niederliess, so dass ihn seine Verfolger für einen verdorrten Baumstamm ansahen. So ward der gänzliche Untergang der Familie verhindert. Seit dieser Zeit hegen die Mandshu eine besondere Ehrfurcht für die Elstern, und es ist bei ihnen verboten diesen Vogel zu tödten. Noch jetzt wird

---

(1) Der Name *Mandshu* lässt sich aus der Mandshuischen Sprache nicht erklären, und scheint Chinesisch zu sein, denn *Màn-dscheū* 洲滿 bedeutet eine *stark bevölkerte Gegend.*

jährlich an dem Orte wo die Elster den *Fán-tschă-kín* errettete, eine Fest gefeiert.

Ein Sohn oder Nachkomme des *Fán-tschă-kín*, rächte seine Familie, unterwarf sich die Nation von neuem und herrschte wieder in *Odoli*, wo er den Familiennamen *Gioro* annahm, der eine Abkürzung von *Aishin-Gioro* ist. Er selbst führt den Titel 六祖 *Lŭ-dsù*, d. i. der sechste Vorfahr und sein 廟號 *Miaó-haô*, oder Ehrenname im Saale der Vorfahren ist 肇祖元皇帝 *Dschaó-dsù-yuân-chuâng-tý*, Mandsh. *Deribuche mafa da chuangdi*, d. i. der stiftende Vorfahr der ursprüngliche erhabene Kaiser. Er war von Natur mit hellem Verstande und Scharfsinn begabt und unterwarf sich das ganze Land auf 1500 Ly in Westen von *Odoli*, mit den Städten *Chulan-chada*, am Flusse *Suksuchu*, und *Chetu-ala*. Seine Nation verbreitete sich bald darauf in diesen Gegenden. Ihm folgte sein Sohn, der fünfte Vorfahr 五祖 *Ù-dsù*, der den Ehrennamen 興祖直皇帝 *Chīng-dsù-dschỹ-chuâng-tý*, Mandshuisch *Yendembuche Mafa tonto chuangdi*, führt; d. i. der steigende Vorfahr der wahrhaftige erhabene Kaiser. Dieser hatte sechs Söhne, die sich an sechs verschiedenen Orten jeder eine Stadt erbauten. Der älteste Namens *Desiku*, erbaute die seinige in der *Giurtscha* genannten Gegend. Der zweyte *Liutschan* erbaute *Acha cholo*. Der dritte *Soutschanga*, liess sich zu *Cholo gaschan* nieder. Der vierte war der vierte Vorfahr 四祖 *Szú-dsù* und Kaiser; sein Ehrenname im Saale der Vorfahren ist 景祖義皇帝 *Kìng-dsù-ý-chuâng-tý*, Mandshuisch *Mukdembuche Mafa goshinga chuangdi*, das heisst: der erhöhende

Vorfahr der gnadenvolle erhabene Kaiser. Dieser hatte seinen Wohnsitz in der Stadt *Chetu ala*, die er von seinem Vater ererbet. Der fünfte Sohn hiess *Boulanga* und siedelte sich zu *Nimala* an. Der sechste endlich war *Bousi*, der zu *Dschanga* wohnte. Diese sechs Brüder wurden *Ningudaï Bëile*, d. i. die sechs Oberhäupter genannt, und haben den Ruhm ihres Namens bis auf den höchsten Gipfel gebracht. Von den eben erwähnten Städten, die sie anlegten, war die nächste fünf, und die entlegenste nur zwanzig *Lỳ* von der Hauptstadt *Chetu ala* entfernt, welche jezt *Yenden*, und Chinesisch 京興 *Chīng kīng* genannt wird.

Der Nachfolger des vierten Vorfahren ist der dritte Vorfahr 祖三 *Sān-dsù*, und sein Ehrenname im Saale der Vorfahren ist 帝皇宣祖顯 *Hiàn-dsù-siuān-chuâng-dý*, Mandshuisch *Iletuleche Mafa chafumbucha chuangdi*, d. i. der ausgezeichnete Vorfahr der ausbreitende erhabene Kaiser. Er hielt sich ebenfalls zu *Chetu-ala* auf.

Der zweyte Vorfahr 祖二 *Eúl-dsù* führt den Ehrennamen 帝皇高祖太 *Thaý-dsù-kaō-chuâng-dý*, Mandschuisch *Taidsu dergi chuangdi*, d. i. der grosse Vorfahr der hohe erhabene Kaiser. Er ist es der den Grund zu der Macht der Mandschuischen Nation gelegt hat, und wir kennen seine Geschichte etwas besser als die seiner Vorgänger. Im Jahre 1583 gab er dem Reiche eine neue Verfassung, versammelte seine Truppen und kriegte gegen den *Nikan Wailan*, oder Chinesischen Gränzbefehlshaber, dem er die Stadt *Tulun-tsching* ab nahm. Doch stand er noch immer unter Chinesischer Landeshoheit.

Um's Jahre 1601 unterwarfen sich ihm mehrere Mandshuische

Stammälteste und Fürsten, wodurch seine Macht sehr vergrössert ward. Er theilte darauf sein Volk in *Niuru's*, oder Compagnien, von denen jede dreihundert Mann stark war, und unter einem *Edschen*, oder Häuptling stand. Diese *Niuru* benutzte er nicht nur im Kriege, sondern auch zu grossen Triebjagden, die bei den Mongolen und Mandshu sehr gewöhnlich waren, und noch jezt von den Kaisern der in China regierenden Dynastie häufig angestellet werden. Jeder Vornehme hatte damals seine *Niuru*; und über zehn Mann war immer ein Aufseher gesetzt, der darauf halten musste, dass alles zum Kriege oder zur Jagd nöthige in gutem Stande sei. Diese Aufseher wurden *Niuruï edschen* genannt.

Die Stämme welche sich diesem Mandshuischen Beherrscher unterworfen hatten, als er zu *Yenden* sein Hoflager hielt, waren *Suksuchu Aiman*, *Sargu*, *Giamuchu*, *Dschan*, *Wangia*, *Elmin*, *Dschakumu*, *Sakda*, *Suan*, *Dongo*, *Yarchu*, *Andarki Aiman*, *Wedsi Aiman*, *Churcha*, *Warka*, *Fiu*, *Sachaltscha*, und andere. Durch diese siebzehn Stämme verstärkt ward er ihm leicht bald nachher noch folgende andere unter seinen Gehorsam zu bringen, nämlich: *Dschoogia*, *Mardun*, *Ongolo*, *Antu Gualgia*, *Chuneche Aiman*, *Dschetschen ni Aiman*, *Tomocho*, *Dschangia*, *Barde*, *Dschaifian*, *Dungia*, *Olchon*, *Dung*, *Dschuscheri*, *Neien*, *Fodocho*, *Sibe*, *Antschulaku*, *Chada*, *Dschang*, *Akiran*, *Chesiche*, *Omocho Soro*, *Feneche*, *Chuifa*, *Chuye*, *Namdulu*, *Suifun Ninguda*, *Nimatscha*, *Urgutschen*, *Muren*, *Dschakuta*, *Ula*,

Ussui, *Yaran*, *Sirin*, *Eche Kuren*, *Gunaka Kuren*, *Sachalian ni Aiman*, das Gebiet wo man Hunde hält, *Noro*, *Sirachin*, *Yeche*, *Gualtscha*, *Usuri*, *Chingan*, *Chuntschun*, *Kuala* und andere.

Die Vereinigung aller dieser Stämme bildete die Mandshuische Nation. *Taidsu* sagte sich endlich 1616 von der Chinesischen Landeshoheit los, und nahm selbst den Kaisertitel an, in dem er seinen Regierungsjahren den Ehrennamen 命天 *Thiān-míng*, Mandshuisch *Abkai fulinga*, d. i. vom Himmel begünstigte, beilegte. Anfänglich hatte er seinen Sitz zu *Yenden* gehabt und herrschte über die Städte *Yeche*, *Chuifa*, *Ula* und *Ninguta*. Im Jahre 1618 befestigte er *Chuifa* mit einer Mauer; 1620 ging er nach *Sarchu* und im folgenden nach *Mukden*, Chinesisch 陽盛 *Schíng-yâng* jezt 府天奉 *Fùng-thiān-fù*. Er hatte auch den Chinesen die Stadt 陽遼 *Liaô-yâng* abgenommen, wo er 1622 die Festung *Dergi king*, d. i. die östliche Residenz, anlegte; aber 1625 machte er Mukden zur Hauptstadt des Reiches, schlug dort seinen Sitz auf, und starb im Jahre 1626.

Ihm folgte sein Sohn 帝皇文宗太 *Thaý-dsūng-wên-chuâng-dý*, Mandshuisch *Taidsung gengien chuangdi*, d. i. der grosse Stifter der geschmückte erhabene Kaiser. Er nannte seine Regierungsjahre von 1627 bis 1635 聰天 *Thiān-tsūng*, Mandshuisch *Sure chan*, d. i. der vorsichtige oder aufmerksame Kaiser. Im folgenden Jahre 1636 liess er sich förmlich zum Kaiser erklären; gab seiner Dynastie den Namen 清大 *Thaý-ʒing*, d. i. die erhabene und reine, und seine Regierungsjahre nannte er 德崇

Zûng-tĕ, Mandshuisch *Weshichun erdemunge,* köstlich tugendhafte. Er starb jedoch bald darauf und liess das Reich ohne Regenten, an dessen Stelle eine Art ständischer Verfassung eintrat, während der man den Ehrennamen seiner Regierungsjahre bis 1644 beibehielt. So wie sein Vorgänger hatte er häufig Kriege mit den Chinesen geführt und war bis auf zwanzig *Lý* vor Peking gekommen. Er hatte sich auch verschiedene Mongolische Stämme unterworfen, so wie auch ganz *Liaô-tūng* und das Königreich *Korea,* Chinesisch 鮮朝 *Dschaō-siān* und Mandshuisch *Sólcho Gurun.*

Nach seinem Tode würden die Mandshu vielleicht nicht mehr an die Eroberung von China gedacht haben, wenn nicht die Chinesen selbst sie gegen einen Rebellen der Peking belagerte zu Hülfe gerufen hätten. Der letzte Kaiser der Dynastie 明 *Mîng* entleibte sich bei der Einnahme dieser Residenz durch die Aufrührer; und als die bald darauf ankommenden Mandshu den Thron von China erlediget fanden, so setzten sie am 26 May 1644 den Neffen der *Thaý-dsūng* in einem Alter von acht Jahren zum Kaiser ein, dessen Regierungsjahre den Ehrennamen 治順 *Schûn-dschý* von 1644 bis 1661 führten, und den sie als den ersten Vorfahren 祖一 *Ŷ-dsù,* ihrer Dynastie, ansehen. Er war der Begründer der Mandshuisch-Chinesischen Regentenfamilie, die noch jezt den Chinesischen Thron mit Ruhm inne hat, und sein Ehrenname im Saale der Vorfahren ist: 帝皇章祖世 *Schý-dsù-dschāng-chuâng-dý,* Mandshuisch *Schidsu eldembuche chuangdi,* der Vorfahr der Generation der strahlende erhabene Kaiser. Dieses ist kürzlich der Abriss der Mandschuishen Geschichte vor der Eroberung von China.

Die Mandshu sind, wie ich schon oben bemerkt habe, ein *Tungusisches* Volk. Dem Flächenraume nach ist der *Tungusische*

Stamm einer der ausgebreitesten im nordöstlichen Asien, von wo er sich weit ins Chinesische Gebiet hinein erstreckt. Die westlichsten Tungusen trifft man unter dem 113° der Länge, an beiden Ufern der *oberen Tunguska* oder *Angarà*, von da an wo sie ihren nördlichen Lauf in einen westlichen verändert, bis zum Einflusse des Irkyn in ihre Linke. Ferner bewohnen sie, etwa unter eben dieser Länge die Flüsse *Podkamenaya Tunguska* und die *untere Tunguska*. Diese Tungusen heissen *Orontong-Tungusen*. Am *Wilui* und an den westlichen Ufern der *Lena* wohnen sie mit *Yakuten* vermischt, bis zu den Küsten des Eismeeres. Südlich erstrecken sie sich von der *Angarà* über die Nordspitze des *Baikalsees*, und über die *obere Angarà* nach *Bargusin* und der Ostseite des Flusses *Nonni*, bis zum grossen Schneegebirge *Golmin schanyan alin*, in Norden von Korea, dessen Nordseite sie bis zum See *Chinga* und dem Flusse *Usuri* bewohnen. Am *Amur* gehen ihre Wohnplätze nur bis zum Einflusse des *Usuri* in denselben; worauf sie von den *Kurilen den festen Landes* vom Meere getrennt werden, das sie nur nördlicher am Flusse *Uda* erreichen, und dann in Nordosten die Flüsse und Küsten des Ochotzkischen Meeres bewohnen, bis zum Penshinskischen Meerbusen, worauf mehr nördlich *Yakuten* und *Yukagiren* sie vom Eismeere sondern.

Die Tungusen haben keinen allgemeinen Nationalnamen, doch nennen sich die mehrsten in Sibirien wohnenden *Boye, boya* oder *bye* d. i. Menschen [Mandsh. [Mandschu-Schrift] *beye*, Körper, selbst]. Einige geben sich den Namen *Donki* [Leute], woraus des Name *Tunguse* entstanden ist; denn die oftmals und selbst von *Pallas* vorgebrachte Ableitung vom Tatarischen (nicht wie er glaubte Mongolischen) Worte تونكوز *Tungus*, Schwein oder Eber, wird wohl niemanden mehr behagen. Der allgemeine Name den die Mandshu den übrigen Tungusen geben ist [Mandschu-Schrift] *Orotschon*, d. i. Rennthierhalter. Bei den Mongolen heissen sie *Cham noyòn*. Diejenigen Tungusen, welche die Seeküste von *Ochozk* nördlich bis zum Penshinskischen Meerbusen inne haben, nennen sich *Lamut*, von *Lama* Meer, und die in Norden und Osten der Baikalsees *Oewön* oder *Oewönki*. Die Mongolen heissen bei den letzteren *Mongòl*, die Russen *Lotscha*, *Lutsche* (1) oder *Lota*, der Fluss Argun *Ergone*, die Ingoda *Oeginda*, die Schilka *Schilkir*, der obere Jenisei *Kima*, und die obere Tunguska *Yoándessi* (2). Alle unter China stehenden Tungusen führen, wie ich schon bemerkt haben den gemeinschaftlichen Namen *Mandshu*, und das hier folgende vergleichende Wörterverzeichniss beweiset die genaue Verwandschaft der Mandshuischen Sprache mit den Dialecten der Tungusen bei *Jeniseisk*, *Mangaseja*, *Nertschinsk*, *Bargusin*, an der oberen *Angarà*, bei *Jakuzk* und *Ochozk* und den *Lamuten*. — Die cursiv gedruckten Mandshuischen Wörter bieten Ahnlichkeiten mit Tungusischen dar.

---

(1) Als im Winter des Jahres 1805 die Russische Gesandschaft an der Chinesischen Gränze war, beklagten sich die Chinesen dass Russische Unterthanen von der Nation *Lutsche*, ohne Erlaubniss zur See nach Canton gekommen wären. Sie sprachen nämlich vom Capitain *Krusenstern*. Kein Diplomat bei der Gesandschaft hatte je etwas von den *Lutsche* gehört; und die Chinesen waren sehr verwundert, dass die Russen ihre eigenen Unterthanen nicht kannten.

(2) Davon stammt der Name des *Jeniseï* her, welcher Strom eigentlich nur der Abfluss des Baikalsees durch die *Angarà* oder *obere Tunguska* ist. Der obere Jenisei, der als der Ursprung jenes grossen Stromes angesehen wird, ist in der That nur ein Nebenfluss, der sich in die Angarà ergiesst.

WÖRTERVERZEICHNISS DER

MIT DER SPRACHE DER

DEUTSCH.	JENISEISK.	MANGASEJA.	NERTSCHINSK.	BARGUSIN.
Himmel.......	njängnja.......	njángnja.......	njängna.......	njangnjá.......
Wolke........	túgschu.......	túkschu.......	tóksche.......	túksu........
Wind.........	öddün........	öddin.........	ödin..........	edün.........
Sturm........	híggin........	hégin.........	ólda..........	suugí.........
Regen........	úddün........	úddün........	odún.........	tükdó.........
Schnee........	schíggilgen.....	mimánda......	emánda.......	iniánna........
Hagel.........	bóna.........	bóna.........	bóna.........	bóona.........
Donner........	addi..........	ákdi..........	ákdi..........	agdú..........
Blitz..........	tálingu........	lürgi..........	góloron.......	talínuran......
Sonne.........	schíggun.......	deljädsja......	schiwun.......	dülatscha......
Mond.........	bjéga.........	béga..........	bíga..........	béega.........
Stern.........	óschikta.......	óschikta.......	óschikta.......	utamikta....... óschikta.......
Tag..........	ínnengi........	tirgáni........	inenggi........	tergáni........
Nacht.........	dólboni.......	dólboni.......	dolbóni.......	dólboni........
Früh (Morgens).	timmani.......	temâtna.......	támátschin.....	unáker-tümátna..
Mittag........	tírgani........	tirgakakin......	inénggi-dólin....	tergani-dulinin..
Abend........	dolbóltanani....	dólbolténo.....	schiksche......	tjúngurni......
Mitternacht....	dolbón-dulin....	dolbóni-dulen...	dolbòn-dolìn....	dólboni-dulínin..
Woche (1).....	....	nadálda.......	....	....
Monat........	bjéga.........	béga......... digin-nadálda... (d. i. vier Wochen).	bíga..........	....
Jahr..........	angani........	anjáni.........	ángani........	anganí........
Feuer.........	toggo.........	togó..........	tógo..........	togó..........
Rauch........	schangnjan.....	schángnjän.....	sangnjä........	sangnjan....... luni..........

(1) Die Mandshu kennen die Woche nicht, also übersetze ich sie wie bei anderen Tungusen durch *sieben Tage*.

TUNGUSISCHEN DIALECTE

MANDSHU VERGLICHEN.

OBERE ANGARA.	JAKUZK.	OCHOZK.	LAMUTEN.	MANDSHU.
n'jangnja.......	njángnja.......	njan..........	njánja........	abka.
....	túhu..........	tógossen.......	tohasien.......	*tugi.*
....	eddyn.........	edyn..........	ödyn.........	*edun.*
ssugi..........	ssúgi..........	tit...........	úï...........	ayan-edun.
tygda.........	odún.........	odén..........	odán.........	*agha.*
imanna........	emánda.......	emánda.......	emándra.......	*nimangi.*
ushukutygda....	bóna.........	bott..........	beotá.........	*bono.*
agdy..........	ágdy..........	ágdy..........	ágdu..........	*akdshan.*
bugani-utula....	ohylta........	tschilí.........	silín..........	*talkian.*
duljadsha......	ssigúnj........	núltan........	njultán........	*schün.*
bjéga.........	béga..........	beg...........	bech..........	*bia.*
....	haúlen........	ótschakat......	ótschikat......	*ushicha.*
tyrgá.........	inángi........	iníng.........	iníng.........	*inengi.*
dolboní........	dolbóni.......	dolbó.........	dólba.........	*dobori.*
tymanta.......	témi..........	badschikár.....	botscháchar....	*erde.*
....	targakáken.....	kaltakinyng.... tergen.........	targajachan....	inengis'chûn. *inengi-dulin.*
lugur.........	acheltána......	tschischéschin...	tschitschatschin..	yamdsi.
....	dolbóni-dolénen.	dólbone-kaltakan.	dólbo-kákan....	*dobori-dulin.*
....	nadálda.......	nadán-ingngín.. (d. i. sieben Tage).	nadán-iníng.... (d. i. sieben Tage).	*nadan-inengi* (d. i. sieben Tage).
....	hogdárpe......	beg...........	béch..........	*bia* (d. i. Mond).
anganí........	angáni........	ángyn.........	ángan.........	*ánia.*
togo..........	togó..........	tog...........	toh...........	*tua.*
....	schángnjang....	tschánen.......	tscháanjan.....	*schangian.*

DEUTSCH.	JENISEISK.	MANGASEJA.	NERTSCHINSK.	BARGUSIN.
Gluth	elda	êlda	ílda	ökuschi-ella
Wasser	mu	mu	mu	mu
Meer	lámu	....	lámu	lámu
See	ámutsch	ámatsch	amundshi	ámutt
Fluss	birrjá	berá	birá	birá
Bach	birrjá-kätschján	berákatschan	birakán	biranatschán
Quell	jukta	guiúdseren	bulák	juukto
Brunnen	....	....	choduk	bulák
Erde	dunda	tukata	turu	dúnne
Berg	úrrä	ürö	gókda	urjö
Hügel	úrrakötschon	hülukún-uró	gokdakán	urjö-akatschàn
Ebne	....	....	köwör	káwar
Weg	hoktorön	hókta	hókto tergöw	hoktó
Wald	mol (Plur.)	mosha	urö siggi	moosá
Baum	mo (Sing.)	mo	mo	mó
Holz	mo	mo	mo	mó
Sand	külleptan schirrugi	külüptan	serúgi	tokalá
Koth	tschawida	tsawída	tokála	buló
Stein	dischóllo	dsjöllo	dscháło	ínja, dscholo
Gold	....	mungimo	áltan	altán
Silber	mongón	móngun	möngun	mágun
Kupfer Messing	tschütschünma géginma	tschetschínma	dschíkta	tsirokta

OBERE ANGARA.	JAKUZK.	OCHOZK.	LAMUTEN.	MANDSHU.
njama........ oku..........	élda..........	elda-togolkán...	ouchtschin-ölla..	*elden* (Glanz des Feuers).
mu, muja.....	mù..........	mu..........	mu..........	*muke.*
lamú.........	lamú.........	nam..........	lam..........	mederi, *namu.*
....	ámutsi........	tongór........	tóngar........	*omo.*
birja.........	berjá.........	ámar.........	okát..........	*bira.*
....	ulágir.........	berjaktschán....	berachtschán....	*biragan.*
....	júren.........	njáuta.........	dschi.........	*scheri.*
....	....	....	....	*châzin.*
tukalágda......	dúndra.........	tor..........	túor..........	na, boichon.
uro..........	jáng..........	amken........ (ein Felsen).	urjaktschán.....	alin.
dawan........	urjá..........	emkír.........	urjaktschachán..	tscholchon.
....	pitéma........	atmola........ naúngau.......	dót..........	bikan.
oktorón.......	údscha........	ot...........	óot..........	dschugun.
mol..........	mó...........	ischig........	sigí..........	wedsi, budshan.
mo...........	mó...........	mo...........	mo...........	*moo.*
....	....	mo...........	....	*moo.*
tukala........	tokalá.........	ónjang........	ónjong........	*yungan.*
....	tói..........	bula..........	bulá..........	lifacha.
inga.........	dschólo.......	dschol........	dscholá........	weche.
....	holarín........	....	uláty-myngun... (d. i. rothes Silber).	aishin.
mâun........	mánguni.......	myngín.......	myngún.......	*mengun.*
....	tschutscheni.... gegeni........	alátyi-tschirit... tschuscher-mitschirit.	tschírit........ tschutscharmi...	giuan. *teischun.*

DEUTSCH.	JENISEISK.	MANGASEJA.	NERTSCHINSK.	BARGUSIN.
Bley	túdja	túdsïa	tódsche	tudschá
Zinn	....		kongnorin-todsche	
Eisen	schelle	schöllö	schéle	sölö
Mensch	bóia	bóio	bóie	bajó
Vater	ámi	ammi	ámin	ami
Mutter	önni	önni	önni	ani
Sohn	hútta	hüttau	omólgi	gutó
Tochter	aschatkan-hutta	hüttek	ashadschikan-uttö	unádschi-gutó
Älterer Bruder	....	ácki	akin	ekdaú-akínni
Jüngerer Bruder	....	nókum		niduú-nokunmi
Ältere Schwester	öckim	húnnâlz	ashadschikanakín	ekdáu-akínni
Jüngere Schwester	nöckum	aschátkun		
Ehemann	öddiú	öddi	ödi	edüw
Ehefrau	ádschïu	ássi	aschi	aschiw
Kind	kúngkakan	kúng-akan	kúnga	kuakakán
Knabe	húkokon	hürkan		kuákan
Mädchen	aschatkán	aschátkan		asátkan
Herr	húnniu	njunga	nojon	turunbajó
Knecht	dschándingu	....	bol	dschaánan
Magd	dschandingu	....	bol	dschaánatkan
Kopf	dil	dil	déli	dül
Haar	njúrikta	njúrikta	njúrikta	njúriktu
Haar am Körper	ínjakta	ingnákta	ingnatka	....
Bart	gúrgakta	gurgákta	górgakta	gurgákta
Auge	óscha	éscha	ísal	esja
Ohr	schen	schen	ssin	sséen
Nase	nigscha	ongókto	ongókta	óokto
Mund	ámga	ámga	ámga	ámga
Lippe	hödschün	hömmun	hömun	ámun

OBERE ANGARA.	JAKUZK.	OCHOZK.	LAMUTEN.	MANDSHU.
tudschá........	tódscha........	tudsch........	tudscha.......	*tocholon.*
		bygdyscha-tudsch	....	tartschan.
schele........	schele.........	tschil.........	sellö..........	*sele.*
bojé..........	báje..........	byi..........	byé..........	*beje* (der Körper selbst). nialma (Mensch).
amí..........	amí..........	ammú.........	amá..........	*ama.*
oní..........	aní..........	enmú.........	anjá..........	*eme, enié.*
uté..........	húta..........	utú..........	utú..........	dsüi.
aschadka......	honátsch.......	unádschu......	unádschuch....	sarkan-dsüi.
akí..........	omólge........	akmú.........	akí..........	*age, achûn.*
nokúm........	kongakán......	noúgu........	núu..........	deu.
aki-aschádka....	akín..........	ekmú.........	okmú.........	*eyun.*
nokun-aschadka.	nokúns........	nóugu........	núu..........	*non.*
edé..........	adí..........	adjwú........	edín..........	*eigen.*
aschí........	aschí........	aschíwu.......	atschiú........	sarkan.
uljukún-uté....	aljúkan........	ulí..........	koakán........	buya-dsüi.
....	hurkan........	kungakán......	urká..........	
uljukún-aschadka	aschatkán......	aschatkán.....	atschatkán.....	sarkan-dsüi.
....	bagín..........	ongni.........	ungiú.........	edshen.
....	bohokán.......	bol...........	bol..........	acha.
....	bohokán.......	kélma........	otakán........	nechû.
dyl..........	dyll..........	dell..........	del..........	udshu.
ingakta........	njurítta........	núrit.........	njurit.........	*funieche* (*chunieche*).
ingákta........	ingnjákta......	íngat.........		
gurgatka.......	gorgákta.......	gorgát........	górgat, gergat...	salu.
éscha........	éha..........	éscha.........	ésel..........	*yasa.*
sseen........	ssén..........	ssen..........	korat, korot....	*schan.*
ookto........	ongókto.......	ongót.........	ongatá, ogot....	*oforo* (*ochoro*).
amgá........	hamún........	ámga.........	ámga.........	*anga.*
....	amgá.........	emgín.........	ömün.........	*femen* (*chemen*).

DEUTSCH.	JENISEISK.	MANGASEJA.	NERTSCHINSK.	BARGUSIN.
Zunge........	íngi..........	ingni, ingngi...	íngni.........	ínni..........
Wange........	antschan....... changal........	antsjän........	ántschan.......	ántschan.......
Kinn.........	deschög.......	dseg..........	dschögi........	dschuch.......
Arm..........	ngäla.........	ngála.........	ngála.........	miíra.........
Hand.........	hanga.........		dschálan.......	gâála.........
Finger........	umúkketschor...	unnakatschan...	únakan........	umukatschán...
Brust.........	hikkom.......	tíngan........	tíngen.........	ikon..........
Herz.........	mewam.......	schelémo......	miwan........	meewan, schelama
Bauch........	ur.......... chukito.......	ur........... chukito.......	gudigé........	ur..........
Eingeweide.....	scheluktal......	schelúkta......	sélukta........	seljúkta.......
Blase.........	adschik........	adsík.........	údschiki.......	gútuga........
Penis.........	tschistchi......	kirritschitsch....	opóko.........	tschizi.......
Cunnus.......	páppa.........	páppa.........	motoko........	appá.........
Rücken........	schókdondo....	schokdöndo....	nuru, nörú.....	sokdonnó......
Fuss..........	hálgar.........	halgan........	bökdíl........	álgan........
Kleid.........	tetiga.........	kummu....... (im Sommer).	tötti..........	súun.........
Pelz..........	schun.........	schun.........	schûn........	....
Mütze........	áwun.........	áun..........	áwún.........	aúu..........
Hosen........	hörki.........	hörki.........	hörtki.........	erkí.........
Strümpfe......	kupurí........	únta..........	dókton........	dókton........
Stiefel........	úntal.........		únta..........	untá.........
Filzzelt........	gúlá.........	disjul.........	moma-dschuk...	gúla.........

OBERE ANGARA.	JAKUZK.	OCHOZK.	LAMUTEN.	MANDSHU.
inni	ingni	ilngi	ílga enga	*ilengu.*
antschan	ántschan	yldykìn	ántschyn	schakschacha.
dschugh	dschág	kywa	dschalgamat	*sentscheche.*
...	mírja	mir	mir	*mayan.*
nála	ngála	ngal	ngal	*gala.*
unakatschan	unjakatschán	bútkan	ónjakan	simchun.
...	tyngan	tyngan	tyngyn	*tungen*, tschetschen.
mewan	mewan	méwan	méwon	mudsilen.
ur	ur	ukyt	ukút ur	chefeli.
...	schelókta	tschelty	syltá	...
...	udschík	udík	udshik	sifulu, siche-fulchû.
tschítscha	kaká	tschiká	tschiká	*tschotscho.*
apá	papá	kaká	babá	*fefe (cheche).*
...	schogdóndo	nerí	nirí	fisa.
chalgán	hálgan	búdal	bódöl	*bet'che.*
schun	targáha kúnga	teti ...	teti ...	*etuku.* dsiptscha.
áwun	áun	áwun	kurátli ávun	machala, *oyo.*
chorkí	hárki	yrkì	érku	fakuri, chakuri.
untálwi	púlpak	dótan	dóotan	...
...	bahárgass	burpáki	únta	gulcha.
...	gúlja	...	dschu	boo (Haus).

DEUTSCH.	JENISEISK.	MANGASEJA.	NERTSCHINSK.	BARGUSIN.
Thür	urtka	úrka; úrko	urke	úrko
Bett; Lager	schöktaon	kjirkowun	sécktau	sóktoum
Kessel	íka	okállan	íkö	kalan
Messer	günganki; kótto; párta	húrta	útsch	kótto
Löffel	únkan	únkan	unnjukan	tschinakà
Gabel	kaútschinga	káütsch	kaitschi	kaizi
Axt	túkka	schúko	ssukö	súko
Ring	unnekáptan	unnecháptün	unnekáptan	unekáktun
Bogen	bör	bör	böri	byr
Pfeil	njur	njur	nörú; úndschira	njur; lukí
Schlitten	natár	tolgóki	tólgoki	tolgokí
Nachen	deschau	dsau	móngo	ongotscho
Schnur; Strick	ónnokto	úschi	ússi	usi
Zaun	murin-úschin		kadál	kadamár
Pferd	múrin	múrin	morín	murín
Stute	njámi		gök	wjóog
Hengst	múrin-schiru		adirgi	murín
Wallach	áktaki		morín	adschirga
Füllen	murin-tschikan		nöngokon	unukan
Ochs	itrio	itrio	örgöl	tschar
Kuh	nökdil; nogdyl	matschála	hokör; kukur	kukúr
Kalb	nökdilitkon		tukutschán	tugutschán
Schaaf	oktscha		chonin	konín; kotscha

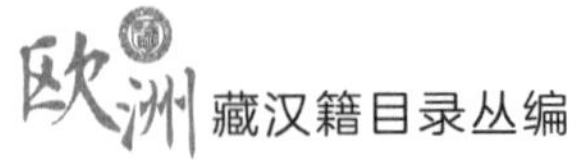

OBERE ANGARA.	JAKUZK.	OCHOZK.	LAMUTEN.	MANDSHU.
úrka..........	úrka..........	urkí..........	úrkypura......	*utsche*, tugha.
....	schaktáun......	tádan.........	tádan.........	*sektefun*, sis'che.
kalán.........	íka...........	íka...........	íka...........	mutschen.
púrta.........	kóto..........	tscherkan......	tscherchan.....	*chueshi*.
....	onkán.........	onkán.........	ónkan.........	*saifi*, kuili.
kaítschi.......	képtyi........	keptí.........	kiptí.........	schakari, scholon.
ssuké.........	ssjúka.........	....	....	*suke*.
....	unjakáptun.....	....	onkápun.......	guifun.
byr...........	bani..........	nongá, byr.....	lungá.........	*beri*.
njur..........	ljuki.........	njur......... njukí.........	dscherán......	sirdan, *niru*.
tolgoki........	tolgóki.......	....	turki.........	scherche (von Hunden gezogen).
dschaf........ (von Birkenrinde).	dschaw........	mómi........ (von Holz).	mómi.........	*dschachódai*, *dschacha*.
....	....	....	úsi...........	futa, *ulzin*.
kadamár.......	chadschár......	njoúo........ (was sie dem Rennthiere statt der Zaumes anlegen.)	....	*chadala*.
múril.........	múrin.........	morón........	marín.........	*morin*.
gök..........	njámi.........	njamí.........	njamí.........	*geu-morin*.
adsargá........	ssirjú.........	kórba.........	murín.........	*adsirgan*.
múril.........	múrin.........	moron........	kórba.........	*akta*.
....	schonga.......	....	onkán.........	*unachan*.
ukutschul......	molánke.......	....	géldak........	ichan (Stier).
ukur..........	húkur.........	....	chjukun.......	unien-ichan (Kuh).
....	tórboss.......	....	....	*tukschan*.
....	....	....	....	*chonin*.

DEUTSCH.	JENISEISK.	MANGASEJA.	NERTSCHINSK.	BARGUSIN.
Widder........	oktscha-schira...	....	chonin........	kotschá.......
Lamm........	oktschátkan....	....	kurikán.......	kurkán........
Haase.........	tauschákki.....	mundukan.....	tóksjaki.......	toukschakí.....
Eichhorn......	ulúkki........	körémun.......	olökki........	uljukí.........
Wolf.........	tschipkáku.....	gúschko.......	gussiká.......	guskó........
Bär..........	könnóptu, ámikan..	kúti..........	njónjoko.......	kuutí.........
Hirsch........	kúmaka.......	....	bogú.........	kumaká.......
Wildes Rennthier	schodscho......	óron..........	sókdsche......	sokdsio........
Zahmes Rennthier	óron..........	schókdscho.....		orón.........
Elenthier......	tóoki.........	tóki..........	tóki..........	tóoki.........
Kamel........	....	....	tämügén.......	tümagán.......
Zobel........	dínkjä........	dínka.........	ségeb.........	sagán........
Hermelin......	....	dsölöki........	....	....
Hund.........	ninakin........	nénakin.......	nénaki........	katschikán.....
Maus.........	kitrikon.......	tépirkan.......	adschi-kitschen..	anikatschán.....
Fisch.........	ólda..........	óldo..........	áldo, óldo.....	olló..........
Kaviar........	....	tirúkscha......	terúsche.......	tyrukschö......
Vogel........	tschipkar......	tschipkán......	doghi.........	....
Gans.........	njungknjáki....	njungkjäki.....	njungnjak......	njungnjaki.....
Ente.........	....	níki..........	nüki..........	niki..........
Taube........	tútu..........	....	tútu..........	tútu..........
Eule.........	ínktilgun......	....	úmili.........	gáara.........
Fledermans.....	kútschidu......	schingereldiún..	ölökbden......	mokolóotschi...
Ey...........	umúkta.......	umúkta........	umúkta.......	umutká.......
Milch.........	ukúnmi.......	ukúnmi.......	okön.........	ukulmí........
Fleisch.......	uldä..........	úldra.........	úldä..........	ulljó..........
Salz..........	túruka........	turúka........	dawussún......	dawusún, turukó.
Mehl.........	talgána........	burduk........	kíltere........ talgún........	kiltjuro........ talgána, tohupá..
Korn.........	....	....	dschékta......	....

OBERE ANGARA.	JAKUZK.	OCHOZK.	LAMUTEN.	MANDSHU.
....	....	....	....	*kôtscha.*
....	....	....	....	....
tukschaki......	tuháki........	uschkán.......	monduchán	gôlmachun.
ulukí.........	uljúki........	uljukí........	oljukí........	*ulchu.*
guschko.......	guschká.......	....	gáljuki.......	nioche.
kúti..........	kúti..........	kéki, utschikán..	káaki, nachít...	lefu, *kutka.*
....	kumaká.......	kumaká.......	komka........	*buchu.*
oról..........	irjunj........	irúm, byjún....	byjún.........	*iren.*
		oron..........	orón..........	*oron.*
tóki..........	tóki..........	toki..........	tookí, ładachá...	*tocho,* kandachan
....	....	....	....	*temen.*
schegéff.......	schágau.......	tschilúp.......	schyp.........	*seke.*
....	....	....	....	*soloki.*
nínakin........	nínakin.......	ngin..........	nénakyn.......	*indachun.*
petrikatschán...	schingerikán....	tschingyrkan....	tschingyrikán ..	*singeri.*
			tschamaktschan..	*singerikan.*
óllo..........	óldo..........	óldo..........	óldo..........	nimacha.
....	tíha..........	akú..........	achú-koláli.....	*tschergue.*
....	....	....	döi...........	gascha.
njugnaki.......	kass, njungnjáki.	árbass........	örbat.........	*niongniacha.*
nüki..........	nüki..........	néki..........	níki..........	*nieche.*
....	....	....	....	*dudu* (wilde Taube).
....	....	gar...........	....	chuschaku.
....	....	öldukí........	eldukí........	fereche-singeri (d. i. fliegende Maus).
imúkta........	omókta.......	omtá..........	úmta.........	*umchan.*
ukúnmija......	ukúnmi.......	okín..........	ukún.........	schun.
úlla..........	úlda..........	uldí..........	ulrí..........	*yali.*
turúka........	turúka........	tak...........	tak...........	*dabsun.*
kittere........	....	....	....	efen.
talkana........	burduk........	burdúk........	burdúk........	ufa.
....	....	....	....	*dscheku.*

DEUTSCH.	JENISEISK.	MANGASEJA.	NERTSCHINSK.	BARGUSIN.
Zwiebel.......	ungúkta.......	....	mangítu.......	tschúka.......
Knoblauch.....	....	....	gokohon.......	....
Birke.........	tschalban......	dschálban......	tschalbán......	tschaalbán.....
Tanne........	aschíkta.......	ashikta........	....	aschiktá.......
Fichte........	dschákda......	dsjákda.......	dsákda........	dschágda......
Lärichenbaum...	irjókta........	irókta.........	irjäkta........	tschinahum, irjokto.
Zeder.........	táktikan.......	táktikan.......	....	taktykán.......
Blatt.........	abdánda.......	awdénda.......	náptschi.......	awdanná.......
Wurzel........	níngta........	erökta........	níngta........	nyngto........
Gras.........	rokta.........	tsjúka.........	okoktó........	owokto.......
Brandtwein.....	hakupdin......	....	araki.........	arakí.........
Hungrig.......	dschamúschim..	omítschem.....	dschamunam....	omíkin........
Durstig........	umúschin......	ummúschem....	umúnam.......	umudscharán...
Satt..........	aijewum.......	úwüm........	ugílga.........	uwíkin........
Betrunken.....	guwíllim.......	schoktom...... schoktórem.....	soktou........	soktó.........
Essen.........	dschebschékel...	dsjépdau.......	dschébdau.....	bischín........
Trinken.......	úmdal........	umdau........	imidáu........	undaú........
Schreiben......	onjóschikel.....	dorüdseren.....	bitschiren......	dokukál.......
Schlafen.......	adschikel......	adschikta......	áschinen.......	ádsakal........
Sprechen......	turókel........	turatsikta......	gúken........	turátkel.......
Schweig!......	schimúlakal....	ötökel........	schagaré.......	schimulákal....
Gehen........	schurukel......	girkukta.......	genigár........	jawkán-yanakál..
Ich stehe......	bi-ilítschem....	bi-ilítschem....	bi-ilitscherem...	bi-ilitscham....
Du stehest.....	schi-ilitschende..	njugen-ilitscheren	schi-ilitschende..	schi-ilitschanni..
Er stehet......	lariso-ilitscheren.	ilitin-ilitscheren.	nongan-ilitscheren..	nugán-ilitschan..
Wir stehen.....	mid-ilítschereb..	met-ilitschereb..	bu-ilitscheran.....	müt-ilitscharan..
Ihr stehet......	schu-ilitschesch..	bu-ilitschereb...	schu-ilitscheren....	schú-ilitschas...
Sie stehen.....	tárwol-ilitschere.	njungartin-ili- tschere......	konkto-ilitscheren	tarül-ilitscham..

OBERE ANGARA.	JAKUZK.	OCHOZK.	LAMUTEN.	MANDSHU.
....	....	ongut........	ungút........	*engula.*
....	....	....	ungút........	suanda.
....	tschálban......	duwít........	dyhút........	fia, *tolchon.*
....	ahétta.........	ngángtyn......	gángtu........	fandacha.
....	dschágda......	dschágda......	dschágda......	*dschakdan.*
....	irjákta........	iss...........	irjat, isích.....	*ishi.*
....	....	bolgítt........	bolgita........	*sakshin.*
....	abdánda.......	abdínda.......	abdanrá.......	*afacha.*
....	nínjta.........	ngíntyn.......	ningt.........	fuleche.
orokta........	orókto........	orótt.........	orát..........	*orcho.*
....	araki.........	....	....	*arki.*
dschomúscham..	tshulbínam.....	urjungnán......	dschálgarram... dschémsmin....	*omin,* yuyun.
....	umúhem.......	bilgó-olgán.....	chólda........	kangara.
uwyn.........	ajúum........	óddam........	ótdam........	*ebiche.*
soktó.........	schoktóm......	tschótan.......	sóatar.........	*sokscho.*
dschebdáwi....	dschebdáu.....	dschebli.......	dschebdáku....	*dschembi.*
undáwi.......	úmdau........	kolymtscham...	choldáku......	*omimbi.*
duduwkákal....	dokíwun.......	dókli.........	doklé.........	arambi.
adschingaff....	adschingát.....	ukláli.........	uklédaku......	amghambi.
gúkal.........	turukal........	góli..........	turalf.........	gisurembi, chendumbi.
ekél-turata....	ahíla.........	tschára.......	tschára........	zipse.
....	schurugott.....	gyndákun......	sérrup, néndüp..	*genembi.*
bi-ilitschelim...	bi-ilgimákta....	bi-ilattam......	éllam-bi.......	*bi-ilimbi.*
schi-ilitschelim..	schi-ilgimákal...	schi-ilattí......	si-ellandschándi.	*si-ilimbi.*
....	....	nóngan-ilatli....	núgan-elaltá....	i-*ilimbi.*
....	....	bu-ilatlú......	bu-eláltan......	*be-ilimbi.*
....	....	tschuda-ilassess.	sju-elitschís....	*so-ilimbi.*
....	....	nongattan-ilatta..	nugartán-elalta..	tsche-*ilimbi.*

DEUTSCH.	JENISEISK.	MANGASEJA.	NERTSCHINSK.	BARGUSIN.
Ich schlafe.....	adschim.......	biadschikta.....	áschinap.......	áadschan ......
Ich sehe.......	itschetschim....	bi-itschétschem..	itschétschip.....	itschótschjom...
Ich schlafe nicht.	oschim-adschire..	....	aschím-aschina..	odshíma-adschart
Ich sehe.......	oschim-itschétte..	ótschiawe-tschittäl	aschím-itschere..	odshim-itschotschjon
Ich lache......	injóktem.......	bi-inéktedem....	inékteb........	injóktodschom..
Ich weine......	schongódschem..	schóngodschem..	schongom......	sóngodsjom....
Weiss.........	bákdarin.......	bágdarin.......	bagdarín.......	bagdari.......
Schwarz.......	kóngnorin......	kóngnorin......	kongnorín......	kongnorín ....
Roth.........	góorin........	kulárin........	cholarín.......	ularín.........
Grün......... Blau..........	tschuurin......	tschúrin.......	kóko.........	nogon......... kukú.........
Gelb.........	schíngarin......	tschúrin.......	schingarín.....	schingari.......
Gross........	hökdinga......	hokdinga......	hadynga.......	okdì..........
Klein........	nitschíkon.....	....	nítschukun.....	nitkukán......
Hoch.........	gukda.........	....	gogda.........	okdymió......
Niedrig.......	nájemkun......	....	njaktákun......	utulikún.......
Hell..........	nórischin......	nórischin......	ngárin........	yóri.........
Dunkel.......	hakterjákde.....	hahterásin.....	haktyrjágdy....	aktára........
Warm........	nemjákde......	njemáschin.....	njamágdy......	japúschin.....
Kalt.........	inginíkde......	inginíschin.....	inginigdy......	yüllíschin.....
Nass.........	ulápkun.......	ulápkun.......	ulápkun.......	ulápkun......
Trocken.......	illeng.........	olgotschó......	olgókun.......	olgókun......
Lebendig......	ínen.........	inschem.......	ünikin........	indschiórin....
Todt.........	buddan........ ödderen.......	bútscha.......	butschè.......	butschjó......
Spät.........	dólborol.......	deldáum.......	schiókscha.....	orói........
Früh.........	unákir.......	unókir.......	báldschi......	unakír.......
Heute........	öschünang.....	tirga.........	aschi-inengí....	öschí........
Morgen.......	töggemi-inengi..	tögómi........	temi-inengí.....	tümi.........

OBERE ANGARA.	JAKUZK.	OCHOZK.	LAMUTEN.	MANDSHU.
bi-adscharim....	bi-adschingát ...	uklárym	ukljarém.......	*bi-amghambi.*
jogitscherim	itschetschím....	kojérym	kúerem........	tuambi, sabumbi.
omnín-adschara,.	atamára	etám-uklar.....	etschí-ukljarém..	amghambi-aku.
omnin-jegitschara	atám-itschélta...	etám-kojer.....	etschí-kuérem...	tuambi.
....	injaktakál......	íntschim.......	ínsim	*indschembi.*
schongóm......	schongóron.....	tschongorom....	sóntrom	*songombi.*
bagdarín.......	bagdarín.......	giltáldi........	geltáldin.......	schangiän.
kongnorín......	kongnorín......	tschakarín.....	sachrín........	*sachalin.*
....	cholarín.......	ulàty	ulátyn	fulachun, *fulgian (chulgian).*
....	tschurin.......	tschórolty......	....	*niuangian, niochun.* yazin.
....	....	tschóschimry....		
....	....	tschóschomry...	....	*suayan.*
choydí........	hagdínga......	egdschán	ögdschón......	amba.
ulikun	nítkun	njuktschukán ...	niuktschugukán..	adsighe.
....	gógda.........	gudán.........	gúudan........	*dan.*
....	njaktákun.....	nétkutschan	nytkutsán......	fedschile, fedschergi.
....	ngarríldyn.....	ngárike........	ngárin	gengien.
....	hakteráldan	átra	atra-dolbá.....	bochokon.
njama.........	njamáldan	njamoké.......	njamlán.......	chalchun.
ingin	inginíhin	ingynjá.......	igynlán.......	serguen, beichuen.
ulapkún......	ulápkun.......	olokscha.......	uláktscha.....	*usichin.*
....	olgóken	ilíng..........	ólgoryn	*olchon.*
....	inníkin.......	índyn.........	índyn.........	weichun, ergen.
butschó	butschá........	kokán........	buden........ kokórin	*butscheche.*
....	ahi...........	njadudí.......	njádurop	goaidafi.
....	inéren,.......	batss	ujén	erdé.
ossítyrga......	inagtuman	teg	tykít	*enenghi.*
tími..........	témi..........	tymina........	temgná........	*zimari, zimacha.*

DEUTSCH.	JENISEISK.	MANGASEJA.	NERTSCHINSK.	BARGUSIN.
Übermorgen....	toggemi-tschauudùn.	tschaúudu......	temi-tscháugudu.	tümi-tschaugudun
Gestern.......	tíniwa.........	tíniwa........	tíniwa.........	tíniwa........
Vorgestern.....	tiniwa-tschauundùn..	illitin-tirgeni....	temí-tschaugudu.	tyniwa-tschagudun.. tart-schàglon......
Vorwärts......	dschüllalla.....	djülladu.......	dschuláschiki...	dschuláaschki...
Rückwärts.....	amárilla.......	amardu........	amáschiki......	amáschki......
Ein..........	úmmukon......	ómmukon......	omón.........	umukón.......
Zwey.........	dsjur.........	djur, dsjur.....	dschur........	dschjúr........
Drei..........	illün..........	íllen..........	ilán..........	ilán..........
Vier..........	díggin.........	díggin.........	dygín.........	dygín.........
Fünf..........	túngja........	tönngjá........	tóngna........	tongá.........
Sechs.........	njúngun.......	njungun.......	njungún.......	njugún........
Sieben........	nádan.........	náddan........	nádan.........	nádan.........
Acht.........	dsjápkun......	dschápkun.....	dschápkun.....	dschapkún.....
Neun.........	iégin.........	iöggin.........	jágyn.........	jögin.........
Zehn.........	dsjan.........	dschan........	dschán........	dschaán.......
Eilf..........	dsjan-úmmukon.	ommukòn-dschihollika.	dschán-omón....	dschaan-umukón.
Zwölf........	dsjan-dsjur.....	dsjur-dschihöllika	dschân-dschur...	dschaán-dschur..
Dreizehn......	....	....	....	....
Neunzehn......	....	....	....	....
Zwanzig.......	dsjur-dsjar.....	dsjur-dschar....	orín..........	orin..........
Dreissig.......	illän-dsjar......	illen-dschar.....	gotín.........	elandschar.....
Vierzig.......	diggin-dsjar, &c.	diggin-dschar...	dygíngni.......	dygindschár....
Funfzig.......	....	töngnja-dschar..	tóngnangni.....	tongadschár....
Sechzig.......	....	njungun-dschar..	njungúngni.....	njugundschár...
Siebzig.......	....	naddan-dschar..	nadángni......	nadandschár....
Achtzig.......	....	dschapkun-dschar	dschapkúngni...	dschapkundschár.
Neunzig.......	....	iöggin-dschar...	jagíngni.......	jögindschar.....
Hundert.......	....	nemádschi.....	njamâdschi.....	njamaádschin...
Tausend.......	....	dschan-nemadschi..	mínga.........	mingán........

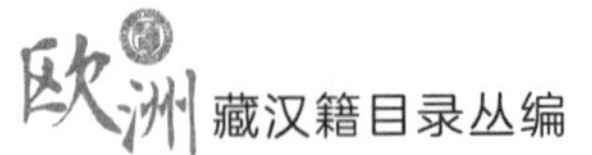

OBERE ANGARA.	JAKUZK.	OCHOZK.	LAMUTEN.	MANDSHU.
tími tschagudu . .	tschagudu	tschágondum . . .	tschaúndun	tschoro.
tíniwo	tiníwa.	tínau	tínuu	sikse.
tyniwo-tschagudu.	tschagudu	géla-inyngna	tschanwaldun . . .	*tchananghi.*
. . . .	anakál	djulátki	dschulátschki . . .	*dschuleshi.*
. . . .	tákal	ámatki	amáschki	*amashi, amargi.*
umukón	umukón	umín	omín	*emu.*
dschur	dschur	dschur	dschjúr	*dschuo.*
iljan	elán	ilán	elán	*ilan.*
digín	dygín	dygín	dügün	*duin.*
tungá	tónga	tongán	tongán	*sundscha.*
njugún	njúngun	njungún	njungün	*ningun.*
nadán	nádan	nadán	nadán	*nadan.*
dschapkún	dschápkun	dschapkun	dschapkán	*dschakûn.*
jugín	yagín	ujún	ujún	*uyun.*
dschan	dschan	men	men, dschaán . . .	*dschuan.*
. . . .	umukón-dchulaká	omyn-dschuluk . .	omyn-dschulúk . .	*dschuan-emu.*
. . . .	dschur-dschulaká.	dschur-dschulúk.	dschur-dschulúk.	*dschuan-dschuo.*
. . . .	. . . .	ilan-dschulúk . . .	elân-dschulúk . . .	*dschuan-ilan.*
. . . .	. . . .	ujun-dschulúk . . .	ujoin-dschulúk . .	*dschuan-uyun.*
. . . .	dschúr-dschar . . .	dschur-mer	dschjúr-men	*orin.*
. . . .	elan-dschar	ilak-mer	elán-men	*gushin.*
. . . .	dygin-dschar	dygyn-mer	dügün-men	*dechi.*
. . . .	tonga-dschar	tongan-mer	tongan-men	*sousai.*
. . . .	njúngun-dschar . .	njungun-mer	njungún-men . . .	*nindschu.*
. . . .	nadan-dschar . . .	nadan-mer	nadán-men	*nadandschu.*
. . . .	dschápkun-dschar	dschapkun-mer . .	dschaphán-men . .	*dschakûndschu.*
. . . .	yagin-dschar	ujún-mer	ujún-men	*uyundschu.*
. . . .	njamá	njamál	njamá	tangu.
. . . .	dschan-njamá . . .	men-djamál	dschaán-njamá . .	*mingan.*

Die Mandshu hatten, wie ich schon oben bemerkt habe, keine eigene Schrift, vor dem Ende des XVI.ten Jahrhunderts, sondern bedienten sich um ihre Sprache zu schreiben der Mongolischen Buchstaben, die von den Uigurischen abstammen. Diese Schrift war für das Mandshuische nicht hinreichend, weshalb der Kaiser *Taidsu* die beiden Gelehrten ᡩᠠᡥᠠᡳ ᠪᠠᡴᠰᡳ *Dachai-Bakshi*, und ᡝᡵᡩᡝᠨᡳ ᠪᠠᡴᠰᡳ *Erdeni Bakshi* beauftragte ein neues Alphabet für seine Nation anzufertigen. Die Geschichte dieser Schrifteinführung findet sich am ausführlichsten in der *Beschreibung von der Entstehung und dem Fortgange der acht Divisionen des Mandshuischen Volkes* (1), aus der ich sie hier im Auszuge folgen lasse.

« Was unsere Mandshuische Schrift anbetrifft, so ward sie » zu Anfang der Regierung des Kaisers *Taidsu-dergi-chuangti* » erfunden, als er verschiedene Werke in Mandshuischer Sprache » verfassen und zusammen drucken lassen wollte.

» Hierbei muss bemerkt werden, dass dem erhabenen » Kaiser *Taidsu* bei der Verfassung und Verbesserung der Mandshuischen Schrift, und bei der Einrichtung der ganzen Reichsverfassung, die beiden Gelehrten *Dachai-Bakshi* und *Erdeni-Bakshi* (2), und andere grosse Hülfe geleistet, und sich » auch nachher durch die Übersetzung der Chinesischen Bücher » verdient gemacht haben. Sie übertrugen die Geschichte der

---

(1) [illegible] Abschnitt 236.

(2) Herr *Langlès* macht in der dritten Ausgabe seines Alphabet Mantchou, page 55, aus diesem *Mandshu* zwei Tübätische Gelehrte, *Erteni* und *Paksi*. Das letzte Wort *Bakshi* (*Baksi* geschrieben) ist aber Mongolischen Ursprungs, und der allgemeine Name, den man den Gelehrten giebt. In dem Dictionnaire Tatare-Mantchou des *P. Amiot* (tome I.er, page 522), welches Herr *L. Langlès* herausgegeben hat, wird es folgendermassen erklärt : « ᠪᠠᡴᠰᡳ *Pakché*, nom qu'on donne aux lettrés, aux sages; c'est le » nom d'une secte appelée (en chinois) *Jou-kiao*, ou la secte des lettrés. » — *Erdeni* ist ebenfalls Mongolisch und bedeutet *Kleinod, Kostbarkeit*, also *Erdeni-Bakshi* ist der *köstliche* oder *schätzbare Gelehrte*.

» Dynastien *Liaò, Aishin* und *Yuân*, und die der *drei* Reiche (1), » und haben ausserdem noch mehrere Werke selbst verfasst.

» *Erdeni-Bakshi* war aus der ganz gelben Mandshuischen » Fahne und stammte aus dem Geschlechte *Naran.* Er hatte » vielen natürlichen Scharfsinn und verstand die Mongolische » und Chinesische Sprache vollkommen, weshalb er auch » zu Anfang der Regierung des Kaisers *Taidsu*, diesem als » Schreiber und als mündlicher und schriftlicher Dollmetscher » diente. Weil er diese Ämter mit besonderem Eifer und Treue » verwaltete, so erhielt er später den Rang als *Fugiän* (2).

» Unter der Regierung des *Taidsu*, im gelben Schweins- » jahre (1599), wünschte dieser seinem Volke eine eigne Schrift » zu geben, und trug deshalb dem *Erdeni-Bakshi* und dem » *Gagai-Dsharguzi* auf, sie nach der Mongolischen zu verfertigen. » Allein sie wagten es nicht dieses Geschäft zu unternehmen, » und stellten dem Kaiser vor, dass sie zwar die Mongolische » Schrift vollkommen verständen, aber doch nicht glaubten, » dass man aus derselben eine für die *Mandshu* passende machen » könne, weil unmöglich ein Alphabet, das seit alten Zeiten auf » festen und unverändlichen Regeln bestanden habe, abgeändert » werden könne. — Auf diese Vorstellung antwortete der » Kaiser : Da wir sehen, dass die Chinesen und Mongolen für » ihre Sprache eine eigene Schrift haben, warum sollen wir, » die wir noch keine besitzen, nicht auch eine erhalten, damit » wir uns schriftlich verständlich machen können, und durch » deren Hülfe unsere unwissenden Landsleute, ihre eigene

---

(1) Dies sind die *Sān-kuĕ*, oder die drei Reiche *Schŭ, Guey* und *Û*, unter welche China, im zweiten Jahrhunderte unserer Zeitrechnung, nach dem Untergange der Dynastie *Chán*, vertheilt war. Die Übersetzung aller dieser Werke wurde im Jahre 1639 angefangen, und 1646 unter der Regierung des Kaisers *Schý-dsù-dshāng-chuâng-tý* herausgegeben. Ich besitze vollständige Exemplare von allen vieren, die ich mit aus China gebracht habe.

(2) Die dritten Anführer in der grünen Fahne. Dem Range nach gehören sie zur zweiten Abtheilung der zweiten Klasse.

» Sprache besser kennen lehren? — Ist es denn so schwer, für » unsere Muttersprache eine Schreibart zu erdenken? — Wenn » wir uns immer im Schreiben des Mongolischen bedienen, so » werden die, welche diese Sprache nicht verstehen, niemals » aufgeklärt werden. — Hierauf erwiederten beide : Wirklich, » grosser Kaiser, würde es sehr gut seyn, wenn wir unsere » Sprache mit einer eigenen Schrift schreiben könnten, aber wir » sehen nicht ein, wie wir die Mongolische dazu anwenden sol- » len. — Darüber belehrte sie der Kaiser sogleich : Schreibt den » Buchstaben *a* ᠠ und hängt an denselben ein *ma* ᠮᠠ so wird » daraus das Wort *ama* ᠠᠮᠠ [Vater], schreibt den Buchstaben » *e* ᡝ und hängt *me* ᠮᡝ daran, so habt ihr *eme* ᡝᠮᡝ [Mutter]. — » Ich habe bereits alles überlegt, schreibt ihr nur und führt » es im Ganzen aus.

» So machten sie nun, nach der eigenen Anleitung des Kaisers, » aus der Mongolischen, durch Veränderung und Zusammen- » setzung die *Mandshuische* Schrift ; und von der Zeit fängt » unsere Litteratur an, denn es entstanden die jetzt gebräuch- » lichen Buchstaben und Sylben, durch deren verschiedenen » Zusammensetzung und Verdoppelung, alle Wörter geschrie- » ben werden können.

» Der Kaiser *Taidsu* befahl sogleich, diese neue Schrift im » ganzen Reiche bekannt zu machen, damit ins künftige die » Befehle, Vorstellung und Bittschriften, nicht mehr in Mon- » golischer Sprache und Schrift, sondern Mandshuisch, und mit » den neuen Buchstaben, verfasst würden.

» *Dachai-Bakshi* war aus der ganz blauen Fahne. Er wurde » in dem Orte *Giurtscha* geboren. Sein Grossvater hiess *Boro* » und erklärte sich zu Anfange unseres Kaiserthums zum Vasallen » des Reichs. Der Vater des *Dachai* hiess *Amitschan* und war » zuletzt *Sula-dorgi-Amban* (1); er hatte drei Söhne. Der älteste

(1) ᠰᡠᠯᠠ ᡩᠣᡵᡤᡳ ᠠᠮᠪᠠᠨ Grosse des Reichs die keine bestimmte Anstellung bei einer Behörde haben. Dem Range nach gehören sie zur zweiten Abtheilung der zweiten Klasse.

» *Dantan* diente als *Ucherida* (1), der mittlere *Dambu* war » Richter beim *Fakshi-Dshurgan* (2), und wurde in dem Feld- » zuge am *Da-linn-cho* (3) vom Feinde getödtet; der jüngste » endlich hiess *Dachai*. Er war von Natur sehr scharfsinning und » geistreich, und konnte schon in seinem neunten Jahre voll- » kommen lesen und schreiben.

» Zu Anfange seines Dienstes war er immer um den Kaiser » *Taidsu*, und besorgte die Kanzleigeschäfte. Ihm wurden die » grössten Geheimnisse anvertraut, und von seiner Hand waren » alle Schreiben an die Beherrscher der *Mîng*, der *Mongolen* » und von *Tschaosiän* (Korea), denn er verstand die Kunst, » die Gedanken des Kaisers auf das genaueste und würdigste » darzustellen. Auch wenn von irgend einer Schrift eine Chine- » sische Übersetzung gemacht werden sollte, so musste er die » Durchsicht derselben besorgen.

» Die Buchstaben und die Schrift der *Mandshu* waren unter » der Anleitung des Kaisers *Taidsu*, von *Erdeni-Bakshi* und » *Gagai-Dsharguzi*, nach den Mongolischen gebildet worden, » allein bis auf *Dachai-Bakshi* hatten sie noch nicht ihre » gänzliche Ausbildung erhalten, weil noch manche Buchsta- » ben zur Zusammensetzung der Wörter und ihrer richtigen » Aussprache fehlten. Deshalb ward er (1641) durch einen » allerhöchsten Befehl beauftragt, die Mandshuische Schrift zu » verbessern und zur Vollkommenheit zu bringen. Er half auch » wirklich allen Mängeln der bisherigen Buchstaben ab, und

---

(1) Aufseher über verschiedene Behörden, ausser der Mauer; sie sind entweder von der ersten Abtheilung der dritten Klasse, oder von der ersten der vierten. In *Amiot*, Dictionnaire Tatare-Mantchou (tom. I.er, pag. 245), wird dieses Wort durch « Gouverneur des neuf portes, » übersetzt.

(2) *Fakshi-Dshurgan*, ist eine Anstalt, zu der alle für den Hof arbeitenden Künstler und Handwerker gehören. Sie steht unter der Aufsicht des Tribunals *Dorgi baita be ucheri kadalara yamun*.

(3) *Da-linn-cho* ein Fluss in der Provinz *Liaó-tūng*, im Gebiete der Stadt *Kīn-dscheū-fù*, unter dem 41° 50′ N. Breite, und 4° östlich von Peking. An diesem Flusse liegt eine Stadt gleiches Namens.

» ergänzte das Fehlende, indem er ihnen Häkchen und Punkte » beifügte und die Sylben nach der Verschiedenheit der Endi- » gung ordnete. Zur richtigen Bezeichnung der Chinesischen » Buchstaben vermehrte er die zwölf Klassen des Mandshuischen » Syllabars, und fügte ihnen die zweisylbigen Laute bei, die » ebenfalls zur richtigen Bezeichnung der Chinesischen Aus- » sprache nöthig sind; so dass eigentlich er es ist, der die Man- » dshuische Schrift vollkommen machte (1). »

Taidsung der Nachfolger des *Taidsu* that noch mehr zur Ausbreitung der Litteratur unter seinem Volke. Er liess viele Chinesische Werke ins Mandshuische übersetzen, und Wörterbücher zum Gebrauch beider Nationen anfertigen. Aber die grösten Verdienste und die Mandshusprache hat sich sein Sohn der Kaiser 帝皇仁祖聖 *Schîng-dsù-jîn-chuâng-tý* erworben; besonders durch die Herausgabe der ersten Ausgabe des hier vorhandenen *Sprachspiegels,* die von einer dazu bestellten Gesellschaft Gelehrter verfast und im Jahre 1708 vollendet ward. Er ist nach den Materien in Capitel getheilt, und mit einer Vorrede des Kaisers selbst versehen. Aber so nützlich dieses Werk auch war, so fehlte es ihm doch an Vollständigkeit, und sehr häufig fand man in demselben für Dinge, welche die Mandshu erst in China kennen gelernt hatten, die Chinesischen Namen beibehalten, und nur in Mandshuische Buchstaben umschrieben.

---

(1) Das Mandshuische Alphabet besteht also jetzt aus sechs Vocalen und zwei und dreissig Consonantzeichen, die aber eigentlich nur zwei und zwanzig Consonanten vorstellen, nämlich :

n k g ch b p s sch t d l m tsch dsh j r ʃ w ds z sh sz

Die Sylben endigen sich : I. Auf einen Vocal; II. Auf einen Diphtong, der mit *i* schliesst; III. Auf *r*; IV. Auf *n*; V. Auf *ng*; VI. Auf *k*; VII. Auf *s*; VIII. Auf *t*; IX. Auf *b*; X. Auf einen Diphtong, der mit *o* schliesst; XI. Auf *l*; XII. Auf *m*. — So entsteht ein Syllabar, das nach diesen Endigungen im *zwölf Klassen* getheilt ist, in dem aber alle Sylben, die nicht in Mandshuischen Wörtern vorkommen, weggelassen sind. Es führt den Namen *Dschuan dschue udschu.*

Der Kaiser 帝皇純宗高 *Kaō-dsūng-schûn-chuâng-tý*, Enkel des *Khāng-chȳ*, in Europa unter dem Namen 隆乾 *Khiân-lûng* bekannt, fand dass dieses Wörterbuch nicht vollständig genug sei, und vorzüglich schienen darin noch zuviel Chinesische Ausdrücke für die Gegenstände beibehalten zu sein, die seiner Nation früher unbekannt gewesen waren. Er hielt es daher für angemessen, dafür Mandshuische Wörter einzuführen, und befahl überhaupt einer besonders dazu ernannten Comität, eine vollständige und vermehrte Ausgabe des Wörterspiegels zu besorgen. Nachdem lange daran gearbeitet worden, ward sie endlich im Jahre 1771 mit einer Vorrede des Kaisers gedruckt, nach welcher sie durch mehr als 5000 neue Wörter bereichert worden sein soll. Der grösste Theil dieser Wörter fand sich vorher nicht in der Sprache, sondern ward entweder der Analogie nach aus schon vorhandenen Wurzeln gebildet, und war dann wohl brauchbar, theils aber auf eine lächerliche Art von Chinesischen Wörtern abgeleitet, z. B. ein Grad am Himmel heisst im Chinesischen 度 *Tú*, daraus ward Mandschuish ᡩᡠᠯᡝᡶᡠᠨ *Dulefun* gemacht. Man nahm also nur den Anfang des Chinesischen Wortes, dem man eine Mandshuische Endigung anhängte. Diese Art, neue Wörter zu schaffen hat indessen nicht vielen Beifall gefunden, und ist auch nur bei Kunstwörtern angewendet worden.

In der neuen Bearbeitung des Mandshuischen Wörterspiegels, ward nicht nur dem Mandshuischen das Chinesische beigesetzt, nebst seiner Aussprache in Mandshuischen Characteren, sondern auch die Aussprache des Mandshuischen in Chinesischen Buchstaben, die man verschiedentlich gruppierte, um dem Laute so nahe als möglich zu kommen. Die Wörter welche man aufsucht sind gross gedruckt, die Mandshuische Erklärung kleiner, und die letztere ist mehrstentheils sehr kurz, aber viel bestimmter als in dem *Dictionnaire Tatare-Mantchou*, welches der *P. Amiot* aus dem Chinesischen übersetzt und Herr *L.*

Langlès zu Paris herausgegeben hat. Dasselbe Wort kommt, seiner verschiedenen Bedeutung nach, in den verschiedenen Abschnitten des Werkes vor.

Das ganze Werk zerfällt in drei grosse Abtheilungen, welchen drei Hefte vorangehen, von denen das erste die Vorrede des Kaisers *Khiân-lûng*, das andere die des Kaisers *Khāng-chȳ* zur ersten Ausgabe, und das dritte das Mandshuische Syllabar mit Chinesischer Aussprache enthält.

I. Die erste Abtheilung, welche der eigentliche Wörterspiegel ist, führt den oben angeführten Chinesisch-Mandshuischen Titel, und besteht aus 32 Heften. Sie hat 36 Hauptabtheilungen oder 部 *Pú,* Mandshuisch ᡧᠣᡧᠣᡥᠣᠨ *schoschochon*, die in 292 Unterabtheilungen, Chinesisch 類 *Luý,* Mandshuisch ᡥᠠᠴᡳᠨ *Chaʒin,* zerfallen, und deren beiderseitiges Verzeichniss hier folgt.

Vorher mag ein Beispiel die Ökonomie dieser ersten Abtheilung zeigen:

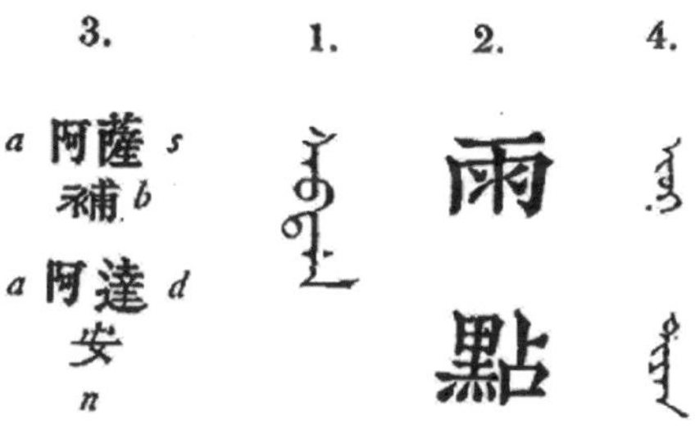

5.

Agha emke emken ni tuchendsirenge be Sabdan sembi.

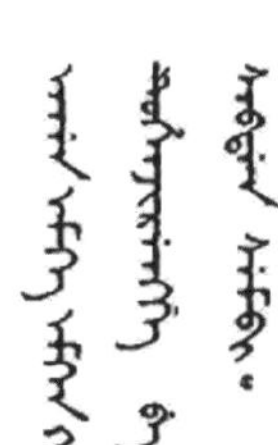

Regen der einzeln tröpfelt wird *Sabdan* (Regentropfen), genannt.

1. Mandshuisches Wort. 2. Chinesisches Wort. 3. Aussprache des Mandshuischen in Chinesischen Buchstaben. 4. Aussprache des Chinesischen in Mandshuischen Buchstaben. 5. Erklärung des Mandshuischen Wortes in Mandshuischer Sprache.

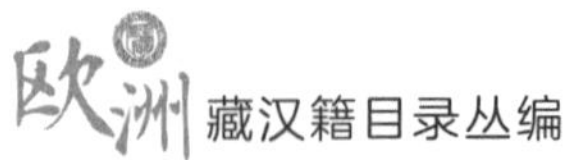

INHALTSVERZEICHNISS

DES

MANDSHUISCH-CHINESISCHEN SPRACHSPIEGELS.

N

Vom Ziehen auf die Wache. *Kiv.* V, S. 33.
Von Streiten und Prüglen. *Kiv.* V, S. 36.
Vom Verklagen. *Kiv.* V, S. 42.
Von verdienten Strafen. *Kiv.* V, S. 48.
Von körperlichen Züchtigungen. *Kiv.* V, S. 54.
Vom Verzeihen und Vergeben. *Kiv.* V, S. 57.
Vom Versöhnen und Beruhigen. *Kiv.* V, S. 59.

Ceremonien.

Von Ceremonien. *Kiv.* VI, S. 2.
Von Dingen die man bei den Ceremonien gebraucht. *Kiv.* VI, S. 6.
Von Vorstellungen bei Hofe. *Kiv.* VI, S. 22.
Vom ehrfurchtsvollen Niederfallen. *Kiv.* VI, S. 24.
Von Gastmalen und Festschmausen. *Kiv.* VI, S. 26.
Von Opfern. *Kiv.* VI, S. 30.
Von Dingen die man beim Opfer braucht. *Kiv.* VI, S. 36.
Von Trauer und Trauerkleidern. *Kiv.* VI, S. 42.
Vom Sprengen und Reinigen. *Kiv.* VI, S. 47.

Musik.

Von der Musik. *Kiv.* VII, S. 3.
Von musikalischen Instrumenten. *Kiv.* VII, S. 10.

Gelehrsamkeit.

Vom Schreiben. *Kiv.* VII, S. 19.
Vom Lernen. *Kiv.* VII, S. 37.
Vom Lehren und Unterweisen. *Kiv.* VII, S. 40.
Von Dingen die beim Unterricht gebraucht werden. *Kiv.* VII, S. 43.
Von mathematischen und astronomischen Instrumenten. *Kiv.* VII, S. 51.
Von den Zahlen. *Kiv.* VII, S. 58.

Armee und Militairverdienst.

Von der Armee. *Kiv.* VIII, S. 3.
Von Musterung und Aufstellung der Truppen. *Kiv.* VIII, S. 7.
Vom Fechten und Verfolgen. *Kiv.* VIII, S. 10.
Vom Schiessen. *Kiv.* VIII, S. 31.
Vom Schiessen zu Pferde. *Kiv.* VIII, S. 37.
Vom Wettreiten. *Kiv.* VIII, S. 40.
Vom Ringen. *Kiv.* VIII, S. 44.
Von der Jagd. *Kiv.* IX, S. 2.
Vom Spiele mit Falken und Hunden. *Kiv.* IX, S. 12.
Von Waffen. *Kiv.* IX, S. 15.
Von Verfertigung der Waffen. *Kiv.* IX, S. 36.

Vom Köcher und Bogenfutteral. *Kiv.* IX, S. 46.
Vom Sattel und Zaume. *Kiv.* IX, S. 51.

Abtheilung vom Menschen.

Vom Menschen. *Kiv.* X, S. 2.
Von Blutsverwandschaft. *Kiv.* X, S. 13.
Von Verwandschaft durch Heirath. *Kiv.* X, S. 22.
Von Freundschaft und Kamradschaft. *Kiv.* X, S. 21.
Von alt und jung. *Kiv.* X, S. 22.
Vom menschlichen Körper. *Kiv.* X, S. 26.
Vom Naturel und der äusseren Gestalt. *Kiv.* XI, S. 3.
Von Fähigkeiten und vom Verstande. *Kiv.* XI, S. 18.
Vom Glück und Wohlergehen. *Kiv.* XI, S. 23.
Von Reichthum. *Kiv.* XI, S. 26.
Von Ehrfurcht und Dankbarkeit gegen die Eltern. *Kiv.* XI, S. 29.
Von Ehrfurcht der jüngeren Brüder gegen die älteren. *Kiv.* XI, S. 32.
Von Mitleiden und Gerechtigkeit. *Kiv.* XI, S. 35.
Von Wahrheit und Untadelhaftigkeit. *Kiv.* XI, S. 38.
Von umfassendem Geiste und Weisheit. *Kiv.* XI, S. 41.
Von Tugend und innerer Kraft. *Kiv.* XI, S. 43.
Von Überlegung und Leichtsinn. *Kiv.* XI, S. 47.
Von Höflichkeit und Aufmerksamkeit. *Kiv.* XI, S. 51.
Von Eintracht und Einigkeit. *Kiv.* XI, S. 53.
Von Mässigkeit und Sparsamkeit. *Kiv.* XI, S. 56.
Von Fleiss und Anstrengung. *Kiv.* XII, S. 4.
Von Tapferkeit, Stärke und Geschicklichkeit. *Kiv.* XII, S. 7.
Von Namen und Ruf. *Kiv.* XII, S. 10.
Vom Loben und Preisen. *Kiv.* XII, S. 11.
Vom Fragen und Antworten. *Kiv.* XII, S. 15.
Vom Sehen und Besehen. *Kiv.* XII, S. 19.
Vom Hören und Vernehmen. *Kiv.* XII, S. 24.
Vom Rufen und Winken. *Kiv.* XII, S. 26.
Vom genau Untersuchen. *Kiv.* XII, S. 28.
Vom Antreiben und Beeilen. *Kiv.* XII, S. 30.
Vom Aufschieben. *Kiv.* XII, S. 32.
Vom Glauben und Vertrauen. *Kiv.* XII, S. 35.
Vom Geben und Nehmen. *Kiv.* XII, S. 37.
Vom Helfen und Unterstützen. *Kiv.* XII, S. 39.
Vom Gleich-vertheilen und Gleich-machen. *Kiv.* XII, S. 42.
Vom Theilen. *Kiv.* XII, S. 45.
Vom Begleiten und Abholen. *Kiv.* XII, S. 48.
Vom Entziehen und Vorenthalten. *Kiv.* XII, S. 51.
Vom Bitten und Hoffen. *Kiv.* XIII, S. 4.
Vom Gebohren werden und Heranwachsen. *Kiv.* XIII, S. 7.
Vom Gebähren. *Kiv.* XIII, S. 9.
Von Freude und Vergnügen. *Kiv.* XIII, S. 14.

N 2

Von Unruhe und Unbeständigkeit. *Kiv.* XVII, S. 16.
Von Gewalt und Unterdrückung. *Kiv.* XVII, S. 20.
Von Einfalt und Schwäche. *Kiv.* XVII, S. 23.
Von Thorheit und Narrheit. *Kiv.* XVII, S. 29.
Vom Sündigen und Fehlen. *Kiv.* XVII, S. 32.
Von Scham und Schande. *Kiv.* XVII, S. 34.
Von Trotz und Grausamkeit. *Kiv.* XVII, S. 37.
Von Faulheit. *Kiv.* XVII, S. 40.
Von Trägheit und Nachlässigkeit. *Kiv.* XVII, S. 43.
Von Lügen und Betrügen. *Kiv.* XVII, S. 46.
Von Unruhestiften und Hinterlist. *Kiv.* XVII, S. 49.
Von Verläumdung und Schmeichelei. *Kiv.* XVII, S. 52.
Vom Bösen und Übel. *Kiv.* XVIII, S. 3.
Von Bedrückung und Habsucht. *Kiv.* XVIII, S. 9.
Von Schmutz und Unreinlichkeit. *Kiv.* XVIII, S. 11.
Von Sonderlingen und Boshaften. *Kiv.* XVIII, S. 13.
Von Kleinmuth und Unbedeutenheit. *Kiv.* XVIII, S. 15.
Von Schwerfälligkeit und Eigensinn. *Kiv.* XVIII, S. 17.
Vom Waschen und Auswaschen. *Kiv.* XVIII, S. 20.
Vom Trocknen und Dörren. *Kiv.* XVIII, S. 22.
Von Nass machen und Befeuchten. *Kiv.* XVIII, S. 24.
Vom Falten und Ausbreiten. *Kiv.* XVIII, S. 26.
Von Vollständigkeit und Vollendung. *Kiv.* XVIII, S. 29.
Von ich und du. *Kiv.* XVIII, S. 32.
Von ausfüllenden Wörtern, Particlen, u. s. w. (Nach dem Alphabet.) *Kiv.* XVIII, S. 36.

Religion des *Foe* und der *Taoszü*.

Vom *Foe*. *Kiv.* XIX, S. 3.
Von den Geistern. *Kiv.* XIX, S. 9.

Wunderbares und Ausserordentliches.

Von Teufeln und Kobolden. *Kiv.* XIX, S. 11.

Medizin und Zauberei.

Von Heilung der Krankheiten. *Kiv.* XIX, S. 14.

Kunst und Geschiklichkeit.

Vom Spielen. *Kiv.* XIX, S. 20.
Von Dingen die zum Spielen und Vergnügen dienen. *Kiv.* XIX, S. 24.

Wohnen und Bleiben.

Von Städten und Mauern. *Kiv.* XIX, S. 30.
Von Strassen und Wegen. *Kiv.* XIX, S. 34.
Von Pallästen und Sälen. *Kiv.* XX, S. 2.
Von Altären und Tempeln. *Kiv.* XX, S. 5.

Gefässe und Gestelle.

Von Meubeln und Hausgeräth. *Kiv.* XXV, S. 3.
Von voll und leer. *Kiv.* XXV, S. 27.
Vom Paar und Einfach. *Kiv.* XXV, S. 29.
Von viel und wenig. *Kiv.* XXV, S. 32.
Vom Vermehren und Verringeren. *Kiv.* XXV, S. 37.
Vom Gleichmachen und Ausmessen. *Kiv.* XXV, S. 39.
Von alt und neu. *Kiv.* XXV, S. 41.
Von gleich und verschieden. *Kiv.* XXV, S. 44.
Von gross und klein. *Kiv.* XXV, S. 46.
Vom Zerreissen. *Kiv.* XXV, S. 48.
Vom Zerbrechen. *Kiv.* XXV, S. 52.
Vom Absondern und Auseinandergehen der Dinge. *Kiv.* XXV, S. 53.
Vom Löcher-machen und Spalten. *Kiv.* XXV, S. 55.
Von der Gestalt der Dinge. *Kiv.* XXV, S. 58.

Machen und Arbeiten.

Vom Machen und Arbeiten. *Kiv.* XXVI, S. 4.
Vom Verstopfen und Aushölen *Kiv.* XXVI, S. 7.
Vom Schmieden und Keilen. *Kiv.* XXVI, S. 10.
Vom Theilen und Abschneiden. *Kiv.* XXVI, S. 12.
Vom Gewinnen und Verliehren im Handel und Wandel. *Kiv.* XXVI, S. 15.
Vom Drechseln und Bohren. *Kiv.* XXVI, S. 17.
Vom Graviren und Auschneiden. *Kiv.* XXVI, S. 19.
Vom Kleben und Leimen. *Kiv.* XXVI, S. 21.
Vom Schärfen und Spitzen. *Kiv.* XXVI, S. 23.
Vom Bauen und Dachdecken. *Kiv.* XXVI, S. 25.
Vom Absondern durch Wände und umzäunen. *Kiv.* XXVI, S. 29.
Vom Binden und Knoten. *Kiv.* XXVI, S. 32.
Vom Malen und Firnissen. *Kiv.* XXVI, S. 35.
Vom Schählen und Auswickeln. *Kiv.* XXVI, S. 37.
Vom Verderben, Reissen und Platzen. *Kiv.* XXVI, S. 40.
Vom Zustande-bringen und Beendigen. *K.* XXVI, S. 42.

Schiff.

Von Schiffen. *Kiv.* XXVI, S. 45.

Fuhrwerk und Tragsessel.

Von Fuhrwerken und Tragsesselen. *Kiv.* XXVI, S. 55.

Nahrungsmittel.

Von Speise und Fleisch. *Kiv.* XXVII, S. 2.
Von Gemüsen und Gartengewächs. *Kiv.* XXVII, S. 13.
Vom Weine und Thee. *Kiv.* XXVII, S. 26.
Vom Backwerk. *Kiv.* XXVII, S. 29.

Vom Essen und Trinken. *Kiv.* XXVII, S. 38.
Von roh und gar. *Kiv.* XXVIII, S. 3.
Vom Kochen und Sieden. *Kiv.* XXVIII, S. 7.
Vom Braten und Rösten. *Kiv.* XXVIII, S. 10.
Vom Schaben und Hacken der Speisen. *Kiv.* XXVIII, S. 13.
Vom Geschmack und Geruch. *Kiv.* XXVIII, S. 18.
Von locker und fest. *Kiv.* XXVIII, S. 21.
Vom Löffeln und Zugreifen beim Essen. *Kiv.* XXVIII, S. 24.
Vom Giessen und Durchseihen. *Kiv.* XXVIII, S. 26.

Getraide.

Vom Reis und Korne. *Kiv.* XXVIII, S. 29.

Früchte.

Von Früchten. *Kiv.* XXVIII, S. 34.

Kräuter.

Von Kräutern. *Kiv.* XXIX, S. 2.

Bäume.

Von Bäumen. *Kiv.* XXIX, S. 16.

Blumen.

Von Blumen. *Kiv.* XXIX, S. 35.

Vögel.

Von grossen Vögeln. *Kiv.* XXX, S. 2.
Von kleinen Vögeln. *Kiv.* XXX, S. 24.
Von den Gliedern der geflügelten Wesen. *Kiv.* XXX, S. 38.
Von den Bewegungen und Handlungen der Vögel. *Kiv.* XXX, S. 42.

Vierfüssige Thiere.

Von vierfüssigen Thieren. *Kiv.* XXXI, S. 3.
Von den Gliedern der Thiere, *Kiv.* XXXI, S. 18.
Von den Bewegungen und Handlungen der Thiere. *Kiv.* XXXI, S. 20.

Hausthiere.

Von den Hausthieren. *Kiv.* XXXI, S. 23.
Vom Aufziehen der Hausthiere. *Kiv.* XXXI, S. 27.
Von Pferden und Lastthieren. *Kiv.* XXXI, S. 29.
Von der Farbe der Pferde und Lastthiere. *Kiv.* XXXI, S. 35.

Von den Gliedern der Pferde und Lastthiere. *Kiv.* XXXI, S. 38.

Vom Gange der Pferde und Lastthiere. *Kiv.* XXXI, S. 42.

Von den Handlungen der Pferde und Lastthiere. *Kiv.* XXXI, S. 46.

Vom Satteln und Zäumen der Pferde und Lastthiere. *Kiv.* XXXI, S. 51.

Vom Reiten und Bepacken. *Kiv.* XXXII, S. 3.

Vom Weiden und Futtern. *Kiv.* XXXII, S. 7.

Von den Krankheiten und Gebrechen der Pferde und Lastthiere. *Kiv.* XXXII, S. 10.

Vom Ochsen. *Kiv.* XXXII, S. 14.

Von den Dingen die bei Pferden und Lastthieren nöthig sind. *Kiv.* XXXII, S. 17.

Schuppige und gepanzerte Wesen.

Von Drachen und Schlangen. *Kiv.* XXXII, S. 22.

Von Flussfischen. *Kiv.* XXXII, S. 25.

Von Seefischen. *Kiv.* XXXII, S. 35.

Von den Gliedern der schuppigen und gepanzerten Wesen. *Kiv.* XXXII, S. 42.

Würmer.

Von Würmern. *Kiv.* XXXII, S. 45.

Von den Handlungen der Würmer. *Kiv.* XXXII, S. 57.

II. Die zweite Abtheilung führt den Mandshuisch-Chinesischen Titel :

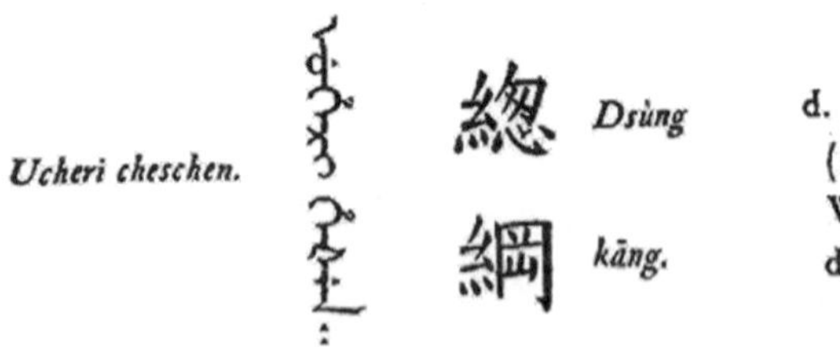

d. i. allgemeines Netz (in dem gleichsam die Wörter gefangen werden).

Sie bestehet aus acht Heften, und ist ein Verzeichniss aller in diesem Werke vorkommenden Mandshuischen Wörter, die hier nach den zwölf Klassen des Syllabar's (Siehe oben S. 94, in der Note), geordnet sind, mit Hinweisung auf die Unterabtheilungen in welchen sie sich finden, z. B.

o

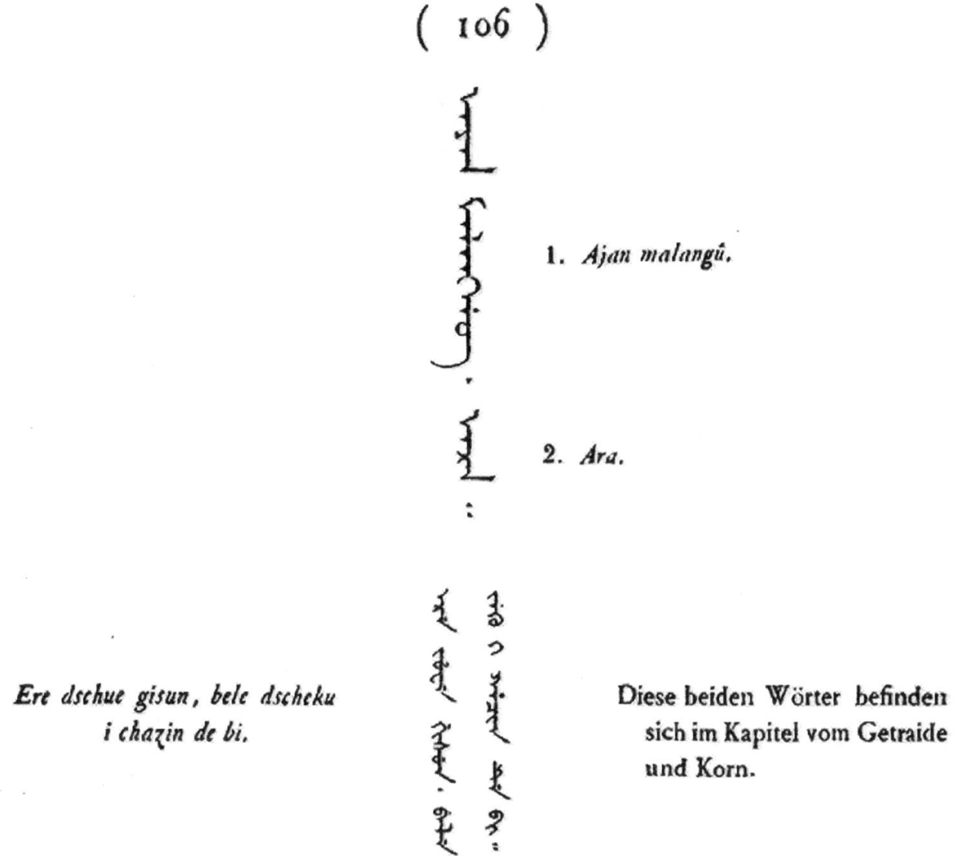

1. *Ajan malangû.*
2. *Ara.*
Ere dschue gisun, bele dscheku i chazin de bi.
Diese beiden Wörter befinden sich im Kapitel vom Getraide und Korn.

Dieser Index würde sehr nützlich sein, wenn demselben ein alphabetisch geordnetes Verzeichniss aller Kapitel des Wörterspiegels beigefügt wäre, mit Hinweisung auf das Heft desselben, in dem sich jedes findet; denn es ist unmöglich ihre Folge auswendig zu behalten. Um diesem Mangel abzuhelfen lasse ich ein solches von mir verfasstes alphabetisches Verzeichniss am Ende dieses Abschnittes folgen. Die Nummern zeigen das Heft und die Seite an.

Durch dieses Register, in dem auch die Kapitel des Supplementbandes aufgenommen worden sind, ist nun der Gebrauch des Mandshuischen Index so erweitert worden, dass er ohne besondere Schwierigkeit als ein Mandshuisch-alphabetisches und Mandshuisch-Chinesisches Wörterbuch gebraucht werden kann. Für den Deutschen Gelehrten gebe ich noch ein alphabetisches Verzeichniss des Inhalts aller Kapitel mit Hinweisung auf das Werk und dessen Supplement.

III. Die dritte Abtheilung besteht aus fünf Heften und führt den Mandshuisch-Chinesischen Titel :

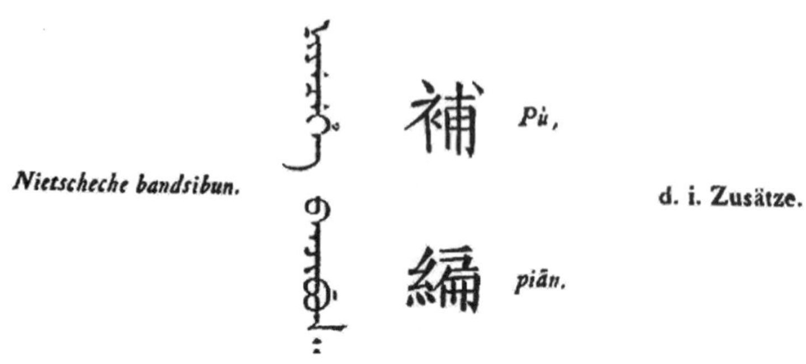

Sie enthält nur die Wörter deren man sich in den letzten Zeiten zur Übersetzung Chinesischer Bücher bedient hat, und die grösstentheils neu geschaffen, oder vom Kaiser *Khiân-lûng* selbst erfunden worden sind. Wie das Hauptwerk so ist auch dieser Anhang nach den Materien geordnet, und enthält unten folgende sechs und zwanzig Abschnitte. Das fünfte Heft bildet wieder einen Index der Mandshuischen Wörter, nach dem Syllabar geordnet, mit Hinweisung auf den Abschnitt, in welchen sie vorkommen.

Dieser Anhang ist vorzüglich nöthig, wenn man die Mandshuischen Übersetzungen Chinesischer Werke lesen will, welche nach Erscheinung der zweiten Ausgabe des Wörterspiegels gemacht worden sind ; denn in denselben hat man die neuen Wörter zuerst angewendet ; die auch in der letzten Hälfte der Regierung des *Khiân-lûng* in allen öffentlichen Schriften gebraucht wurden, jetzt aber zum Theil wieder in Vergessenheit gerathen sein sollen.

Vom Himmel. *Kiv.* I, S. 3.
Von der Zeit. *Kiv.* I, S. 4.
Von der Erde. *Kiv.* I, S. 8.
Von Grossen und Beamten im Alterthume. *Kiv.* I, S. 13.
Von Opfergefässen im Alterthume. *Kiv.* I, S. 16.
Von Hauptbedeckungen und Mützen im Alterthume. *Kiv.* I, S. 17.
Von Strafen im Alterthume. *Kiv.* I, S. 26.
Vom Steigen im Range. *Kiv.* I, S. 27.
Von der Musik. *Kiv.* I, S. 38.
Von Schrift und Büchern. *Kiv.* I, S. 31.

O 2

ALPHABETISCHES VERZEICHNISS

ALLER UNTERABTHEILUNGEN

DES

MANDSHUISCH-CHINESISCHEN SPRACHSPIEGELS.

A

B

CH

D

E

F

G

I

K

L

M

N

ALPHABETISCHES VERZEICHNISS

DES INHALTS ALLER UNTERABTHEILUNGEN

DES

MANDSHUISCH-CHINESISCHEN WÖRTERSPIEGELS.

A

B

C

D

E

F

G

N

O

P

R

S

T

U

V

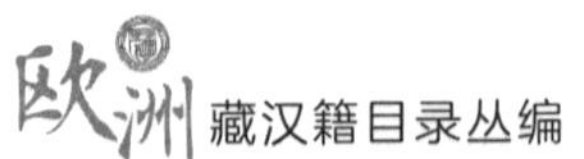

W

Z

II. 鑑文清漢音

Ŷn-chán-ʐīng-wên-kián,

[illegible]

Spiegel der Mandshu-Sprache mit Chinesischer Übersetzung.

(Vier Hefte in einem Bande.)

Ein Handwörterbuch für die Chinesische und Mandshuische Sprache, nach der ersten Ausgabe des eben beschriebenen Sprachspiegels entworfen, mit Weglassung der Mandshuischen Erklärung, für welche der Herausgeber *Mingdo* die Chinesische Übersetzung beigefügt hat. Das Werk hat 280. Abschnitte, fängt mit dem Himmel an und endiget mit den Gewürmen. Hier folgt die kurze Vorrede des Herausgebers.

[illegible]

Ehrfurchtsvoll denke ich, dass das Buch welches *Spiegel der Mandshu-Sprache* benannt ist, der vollständige Inbegriff der Sprache des Reiches sei; dass es für immer das Vertrauen aller Generationen verdiene; weil Genauigkeit und Scharfsinn darin weit und tief, und die Erklärungen und Auseinandersetzungen fein und dem wahren Sinne angemessen sind. Seitdem es auf kaiserlichen Befehl zur allgemeinen Belehrung herausgegeben worden, wird es innerhalb und ausserhalb [der Gränzen] zur Richtschnur genommen, und so wie die Sonne und der Mond den Himmel durchkreisen und Ströme und Flüsse die Erde durchfliessen, so ist durch ihn der Sinn der sechs klassischen Bücher einleuchtend geworden. *Mingdo* hat es stets vom Morgen bis zum Abend mit Ehrfurcht gelesen, das Dunkle aufgeklärt und das weniger Deutliche entfaltet. Unaufhörlich war sein Geist mit dieser Arbeit beschäftigt, so dass er selbst in den Stunden der Musse seines Dienstes im Pallaste mit Eifer darüber studierte, und seine Freude bestand darin sich ausschliesslich damit zu beschäftigen. Um das Werk ins Chinesische zu übertragen las er mit vieler Aufmerksamkeit die klassischen und historischen Werke, suchte das was es sah und hörte richtig aufzufassen, und benutzte und bestimmte das Aufgefundene. Viele Jahre gingen vorüber ehe er seine Unternehmung zu Stande bringen konnte; und da sie von der Art war, als wenn jemand irgend etwas dem Meere, oder den hohen *Yo* genannten Gebirgen hinzufügen wollte, so wagte er es nicht dabei nach seiner eigenen Einsicht zu handeln, sondern versammelte seine gelehrten Freunde; die jedoch einstimmig erklärten das Buch verdiene herausgegeben zu werden.

Im dreizehnten der *Chualiasun tob* genannten Jahre, des grünlichen Hasen [1734], im Frühlinge, von *Mingdo* aus der Familie *Tungia* ehrerbietig geschrieben.

Bei manchen Wörtern hat der Herausgeber Chinesische Anmerkungen hinzugesetzt, wovon die zum Worte *Drache* als Probe dienen mag.

Es giebt 360 Arten geschuppter Thiere, und Haupt derselben ist der Drache. Er wird aus einem Ey gebohren. Bei der Frühlings-Sonnenwende steigt er gen Himmel und zur Herbst-Sonnenwende taucht er in den Abgrund. Wenn er geschuppt ist heisst er *Kiaō-lûng*; geflügelt ist er *Ýng-lûng*; mit Hörnern heisst er *Khieū-lûng* und ohne Hörner *Tschȳ-lûng*. Der Drache welcher nicht zum Himmel emporsteigt wird *Fân-lûng* genannt. Während seiner ganzen Lebenszeit erzeugt der Drache neun Junge, die aber nicht vollkommene Drachen sind. Jedes derselben hat eine andere Neigung. Das erste heisst *Pý-chý*, gleicht einer Schildkröte und liebt alles Doppelte. Jetzt dient es als Postament der Steinplatten mit Inschriften. Das zweite *Tschȳ-wèn*, hat die Gestalt eines vierfüssigen Thieres und liebt seiner Natur nach wartend umher zu schauen. Jetzt bringt man seinen Kopf an den Dächern der Häuser an. Das dritte *Phû-laô*, gleicht einem Drachen, ist aber kleiner; es liebt das Brüllen der Thiere, und man stellt es jetzt auf den Glockenknöpfen vor. Das vierte *Phỳ-ngán*, gleicht einem Wolfe und ist von ausserordentlicher Stärke, weshalb es an den Thüren der Gefängnisse aufgestellt wird. Das fünfte *Thaō thiĕ*, liebt zu essen und zu trinken, weshalb es auf Gefässen und Schüsseln abgebilde wird. Das sechste *Kūng-chiâ*, liebt das Wasser und wird deshalb an Brückenpfeilern vorgestellt. Das siebente *Yaý-dsǘ*, liebt das Tödten, weshalbes auf Waffen und Schwerdtern abgebildet wird. Das achte *Kīn-nŷ*, gleicht einem Löwen und liebt Rauch und Feuer, und darum bildet man es auf Rauchfässern ab. Das neunte *Dsiaō-thû*, hat die Gestalt einer Muschel und liebt das Verschliessen, weshalb es auf Thürriegeln und Schlössern angebracht wird. Ferner giebt es noch den Drachen *Kīn-û*, der einen schönen menschlichen Körper, aber Kopf und Schwanz eines Fisches und zwei Flügel hat, und daher als Zeichen des Verbots dient.

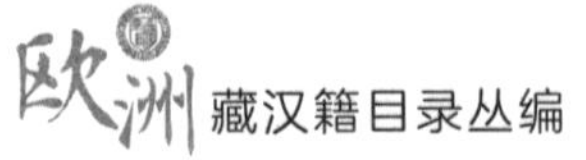

III. 清文啓蒙

Zing-wên-khỳ-mêng,

ANFANGSGRÜNDE DER MANDSHUISCHEN SPRACHE.

(4 Hefte in einem Bande.)

DIE beste Mandshuische Grammatik verfasst von 舞格 *Wù-kĕ,* und herausgegeben im Jahre 1733, von einem gewissen 程明遠 *Tschîng-mîng-yuàn.* Da mein gelehrter Freund Herr *Abel-Rémusat,* im ersten Bande seines vortrefflichen Werkes, das den Titel *Recherches sur les Langues Tartares* führt, eine ausführliche Analyse dieser Grammatik gegeben hat, so halte ich es für unnöthig das von ihm Gesagte zu wiederholen. Doch will ich hier den Inhalt der vier Hefte des Werkes in Allgemeinen angeben.

Das erste enthält die zwölf Klassen des Mandshuischen Syllabars, und eine Anleitung zum Schreiben, Lesen und Aussprechen der Wörter.

Das zweite nehmen Mandshuisch-Chinesische Gespräche ein.

Das dritte ist die eigentliche Grammatik, deren Regeln von vielen Beispielen begleitet sind.

Das vierte endlich giebt ein vergleichendes Verzeichniss solcher Wörter, die dem Laute nach ähnlich, der Bedeutung nach aber verschieden sind; und nachher ein anderes von Wörtern die bei ähnlicher Bedeutung dennoch verschiedene Modificationen des gemeinschaftlichen Begriffes ausdrücken.

IV. 彙字

Dsú-gueý,

BUCHSTABENSAMMLUNG.

(14 Hefte.)

VON allen nach den Grundcharacteren geordneten Wörterbüchern ist dieses das in China gebräuchlichste. Es ward gegen das Ende der Dynastie 明 *Mîng,* von 祚膺梅 *Meý-ýng-zū* zusammengetragen, und erschien zum ersten male im Jahre 1615.

Wir verdanken dem Verfasser desselben die Festsetzung der jetzt gebräuchlichen 214 部 *Pú,* oder Grundcharactere; denn vor ihm nahm jeder Lexicograph mehr oder weniger derselben an, die oft sehr unzweckmässig gewählt waren, und zu vielen Verwirrungen Anlass gaben. Auch ist sein System so bewährt gefunden worden, dass es sowohl vom Verfasser des 通字正 *Dschíng-dsú-thūng,* als auch vom Kaiser *Khāng-chȳ* in seinem 典字 *Dsú-tiàn* beibehalten ward. Dieses Wörterbuch erklärt 33,179 verschiedene Schriftzeichen.

Das erste Heft enthält nach der Vorrede den Plan des ganzen Werkes, worauf die Inhaltsanzeige folgt. Nach derselben kommt die erste Abtheilung die den Titel 卷首 *Scheù-kiuán,* d. i. Kopfheft führt. Sie enthält folgende Stücke :

1. 筆運 *Yún-pȳ,* eine Anweisung, die Buchstaben richtig und nach der Regel zu schreiben.

2. 古从 *Zûng-kù.* Ein Verzeichniss von 179 Schriftzeichen, mit den Varianten derselben, deren man sich im gemeinen Leben bedient.

3. 時遵 *Dsūn-schỳ.* Ein Verzeichniss von 110 Buchstaben, mit den nicht mehr gebräuchlichen alten Formen derselben.

4. 用通今古 *Kù-kīn-thūng-yúng.* Ein Verzeichniss von 135 Buchstaben, mit ihren alten Formen, die noch jetzt im Gebrauche sind.

5. 字檢 *Kián-dsú.* Verzeichniss derjenigen Charactere in welchen zwei oder mehrere Grundzeichen vorkommen, und die überhaupt schwer im Wörterbuche auf zu finden sind. Sie sind nach der Zahl aller ihrer Striche, 畫 *Choĕ,* in 33 Abschnitte gebracht.

Das zweite Heft bis zum dreizehnten enthält das Wörterbuch selbst. Diese zwölf Hefte sind nach den zwölf cyclischen Zeichen benannt.

Das vierzehnte Heft endlich führt den Titel 末卷 *Kiuán-vý,* d. i. Endheft und enthält folgende Tractate:

1. 似辨 *Pián-szú.* Ein Verzeichniss von ähnlichen, aber in Aussprache und Bedeutung verschiedenen Characteren.

2. 誤醒 *Sìng-ú.* Ein Verzeichniss von fehlerhaften, oder mit andern ähnlichen verwechselten, Characteren, mit der Berichtigung, Aussprache und Bedeutung beider.

3. 圖直法韻 *Yún-fă-dschỳ-thû.* Eine Tafel aller Chinesischen Sylben, nach den zwei und dreissig

Q 2

Consonanten, den vier und vierzig Vocalen oder Assonanzen und den vier Accenten geordnet.

4. 圖横法韻 *Yŭn-fă-chŭng-thû.* Eine ähnliche Tafel aber nach einer etwas anderen Einrichtung, verfasst von 紹嘉李 *Lỳ-kiā-schaò.*

Die Königliche Bibliothek besitzt ein Exemplar derselben Ausgabe des 彙字 *Dsú-gueý*, an der aber das fünfte Heft fehlt.

Ferner ein Exemplar dieses Wörterbuches 彙字 *Dsú-gueý*, welches *Christian Menzel* reihenweise zerschnitten und auf weisses Papier geklebt hat, so dass zwischen jeder Reihe ein zwei Finger breiter Raum geblieben, um die Übersetzung dabei zu schreiben. Er hat damit angefangen, die Aussprache aller grossen Charactere, wie sie im Werke selbst durch andere Buchstaben angegeben ist, beizusetzen; und darauf die Bedeutungen, aus *Fr. Diaz, Vocabulario de Letra China*, Lateinisch eingetragen. Aber bei dieser letzten Arbeit beging er den grossen Fehler, die Chinesischen Worte der von *Diaz* erklärten Phrasen wegzulassen; und deren Bedeutung ins Lateinische übersetzt, als Bedeutung des darin vorkommenden Hauptcharacters, anzugeben. Dadurch ist sein Werk für den Gebrauch ganz unnütz geworden, indem man sich auf keine einzige Charactererklärung verlassen kann.

Das Ganze besteht aus neun grossen Foliobänden und führt den zu stolzen Titel: « *Chinensium Lexici charasteristici in-*
» *scripti* 字彙 Çu-guey, *hoc est de litterarum generibus et spe-*
» *ciebus, sub litteris radicalibus et earum compositis primò charac-*
» *teristicè, Sinicè et Latinè verbotenus explicati et novis Lexici*
» Chim-çu-tum *et aliis necessariis litteris plurimis aucti et correcti,*
» *volumen primum (secundum, &c.) manu factum et scriptum à*
» Christiano Menzelio, *D. — A. D.* 1698. »

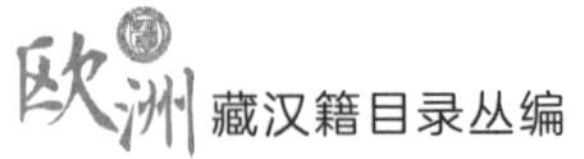

V. 典字熙康

Khāng-chŷ-dsǘ-tiàn,

BUCHSTABENLEHRE.

(40 Hefte.)

VERFASST in den *Khāng-chŷ* genannten Jahren, oder mit anderen Worten, auf Befehl des Kaisers 帝皇仁祖聖 *Schîng-dsù-shîn-chuâng-tý*, aus der jetzigen Mandshuischen Dynastie 清太 *Thaý-zīng*, dessen Regierungsjahre den Ehrennamen *Khāng-chŷ*, d. i. ausgebreite Ruhe, führten.

Dieses Wörterbuch wird in China für das vollständigste angesehen, und steht in so grossem Ansehn, dass alle öffentliche Schriften, die dem Kaiser vorgelegt werden, nach der Schreibart desselben abgefasst sein müssen.

Khāng-chŷ übertrug die Ausarbeitung desselben, durch folgenden Befehl, einer Gesellschaft, die grösstentheils aus Mitgliedern der Akademie 院林翰 *Chán-lîn-yuán* bestand, und späterhin unter den Vorsitz der beiden Praesidenten des 部吏 *Lý-pú*, Namens 書玉張 *Dschāng-yǚ-schū*, und 敬廷陳 *Tchhîn-thîng-kíng* fortarbeitete.

IM neun und vierzigsten der KHĀNG-CHŶ genannten Jahre [1710], *am neuten Tage des dritten Monats hoher Befehl.*

Erlassen an *Tchhîng-thîng-kíng*, ersten Minister und Director der südlichen Bibliothek, und an seine Genossen:

ICH DER KAISER habe beschlossen von nun an alljährig grosse und mit besonderer Genauigkeit ausgearbeitete Werke und Sammlungen herausgeben zu lassen, wie die Werke des *Dschū-dsù* (1), das Wörterbuch *Pheý-wên-yǔn-fù* (2), die Encyclopädie *Yuān-kián-luý-chân* (3), die grosse historische Sammlung *Kuàng-khiûn-fâng-phù* (4), und andere. Alle diese Bücher sind nach einem gleichförmigen und durchdachten Plane vortrefflich ausgearbeitet worden. Es fehlt nur noch ein vollständiges Werk über die Buchstabenlehre, und ich will also dass ein solches verfasst werde, in dem man die Fehler des *Dsú-goeý* (5) verbessere, und das was im *Dschíng-dsú-thūng* (6) zu weitläuftig ist abkürze. Es müssen ferner in demselben die Abweichungen, welche von der Verschiedenheit des Ortes und der Sitten herrühren, so wie auch die der südlichen und nördlichen Aussprache, angegeben werden. Was die Grundzeichen (7) anbetrifft, die *Szú-mà-kuāng* (8) in seinem *Luý-phiān* (9) angenommen hat, so ist ihr System nicht klar genug; und die Accente und die Aussprache sind darin ebenfalls so verworren angegeben, dass die folgenden Generationen sich seines Werkes nicht ohne Nachtheil bedienen konnten. Das Wörterbuch *Dsching-yǔn* (10), welches in den Jahren *Chûng-wù* (11) erschien, untersucht viel, endigt aber auch oft damit die Aussprache nicht genau zu bestimmen. Ich habe mich stets bemüht diesen Punkt ins Klare zu bringen, und alles gelesen was darüber geschrieben worden ist, und finde dass die Mongolen, die westlichen Völkerschaften, und alle jenseits des Ozeans gelegenen Reiche das Buchstabensystem angenommen haben. Obgleich die Aussprache nach den verschiedenen Ländern Veränderungen erleidet, die es schwer ist mit Genauigkeit aufzufassen, so scheinen doch die Urtöne des Himmels und der Erde auf die Sprache des Menschen zu wirken, und diese wird durch die Puncte und Striche der Schrift dargestellt. Jezt will ich dass mit der grössten Genauigkeit ein vollständiger Auszug von dem gemacht werde, was bisher über diesen Gegenstand gesagt worden; dass man die Lücken der *Dsú-goeý* ausfülle, und alles das was im *Dschíng-dsú-thūng* überflüssig ist ausmerze, um ein vollständiges Werk der Nachwelt zu hinterlassen. Macht euch daher aus Werk, sammlet, schlägt nach, bestimmt und setzet Alles in Bereitschaft.

Das Werk selbst ward von sieben und zwanzig Personen zusammengetragen und im Jahre 1716 dem Kaiser, der es schon früher nach und nach durchgesehen hatte, übergeben und von ihm genehmigt. Nach der Vorrede folgt der Plan des Ganzen, und dann ein Verzeichniss der zwei hundert und vierzehn

---

(1) 子朱 (2) 府韻文佩 (3) 函類鑑淵
(4) 譜芳群廣 (5) 彙字 (6) 通字正 (7) 部
(8) 光馬司 (9) 篇類 (10) 韻正 (11) 武洪

Grundzeichen welche nach dem *Dsú-goeý* und *Dsching-dsú-thūng* beibehalten worden sind, nur mit der Veränderung, dass 玄 *Yuân*, welches in jenen Werken in der Ordnung nach 玉 *Yǔ* folgte, hier diesem vorgeht, weil es der Buchstabe ist mit dem der Name des Kaisers geschrieben ward. Ferner enthält das erste Heft den Tractat 字檢 *Kián-dsú*, wie das *Dsú-goeý*, aber sehr vermehrt und verbessert. Dann folgt der Tractat 似辨 *Pián-szú*; ebenfalls viel vollständiger.

Das zweite Heft, welches den Titel 韻等 *Tèng-yún* führt, handelt von den Accenten, Consonanten, Vocalen, Assonanzen und Sylben der Chinesischen Sprache, und ihrer verschiedenen Aussprache und Verwechselung. Die darin befindliche Tabelle 圖韻等聲四顯明 *Mîng-chiàn-szú-schīng-tèng-yún-thû*, liefert ein Verzeichniss aller Sylben und ihrer Veränderung durch die vier Accente, nebst den Characteren, deren man sich zu ihrer Bezeichnung im gegenwärtigen Werke bedient hat.

Darauf folgt das Wörterbuch selbst in zwölf Abtheilungen, die wie im *Dsú-goeý* und *Dsching-dsú-thūng* nach den zwölf cyclischen Zeichen benannt sind, und deren jede wieder in drei Theile zerfällt, die 上 *Scháng* oberer, 中 *Dschūng* mittlerer, und 下 *Chiá* unterer, heissen. Es liefert unter jeder Strichabtheilung (畫 *Choĕ*) die Buchstaben des *Dsú-goeý* und *Dschíng-dsú-thūng* fast in derselben Ordnung, und nachher ein 增 *Dsēng*, oder Supplement der in diesen Wörterbüchern fehlenden Charactere.

Die beiden letzten Hefte enthalten noch zwei Supplemente, von denen das erste 遺補 *Pù-ý* heisst, und diejenigen

Buchstaben giebt, deren Aussprache und Bedeutung zwar bekannt ist, die aber nicht klassisch sind. Das andere 考備 *Pў-khaò* enthält diejenigen, deren Bedeutungen entweder sehr unsicher sind, oder von denen man weder Aussprache noch Bedeutung kennt.

Obgleich dieses Wörterbuch eins der vollständigsten ist, welches die Chinesen besitzen, so enthält es doch beiweitem nicht den ganzen Schatz ihrer Sprache, denn es fehlen in demselben eine Menge zusammengesetzter Wörter, ohne deren Erklärung es unmöglich ist einen Text zu verstehen. Ich glaube auch nicht dass es irgend ein von Chinesen verfasstes Lexicon giebt, das nur einiger Massen vollständig ist. Es scheint überhaupt dass sich bei dieser Nation der Begriff eines Wörterbuches nur auf die Erklärung der Buchstaben beschränkt, und die der Wörter weniger in Betracht kommt. Die Lexicographen verlassen sich hier auf die natürliche Sprachkenntniss eines jeden; die nach der Maxime der Türkischen Gelehrten, قرن ده در *qärn dah dür,* im Bauche steckt. Dagegen haben die katholischen Missionaire in ihren Wörterbüchern viele zusammengesetzte Wörter aufgenommen, die man in denen der Chinesen vermisst, und Herr *R. Morrison* sucht sein grosses Chinesisch-Englisches Lexicon, soviel als möglich zu vervollständigen.

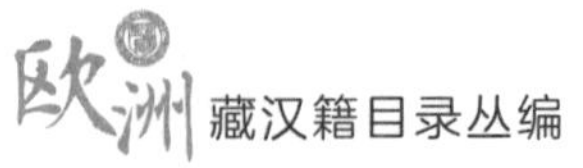

VI. *VOCABULARIO*

DE LETRA CHINA

CON LA EXPLICACION CASTELLANA, HECHO CON GRAN PROPRIEDAD Y ABUNDANCIA DE PALABRAS, POR EL PADRE *F. FRANCISCO DIAZ*, DE LA ORDEN DE PREDICADORES, MINISTRO INCASABLE IN ESTO REYNO DE CHINA.

(Ein Folioband auf Europäischem Papiere, 598 Seiten.)

FRANCISCO DIAZ ein Spanischer Dominicaner ging im Jahre 1642 von den Philippinischen Inseln nach Formosa, um von dort aus nach China überzuschiffen, wohin ihn der P. *Francisco Fernandez de Capillas* mit sich nahm. *Diaz* wandte trotz allen Christenverfolgungen seinen ganzen Eifer auf die Erlernung der Chinesischen Sprache, und auf die Bekehrung der Ungläubigen, bis er 1648 durch einen Steinwurf an die Brust getödtet ward. Seinen sechsjährigen Aufenthalt in China hat er zur Anfertigung eines Wörterbuches angewendet, das nach dem Alphabete geordnet ist, indem es mit des Sylbe *ça* anfängt und mit *xun* endiget. Die vorliegende Abschrift desselben enthält, nach einer auf dem letzten Blatte befindlichen Nachricht von der Hand des Abschreibers, 7169 erklärte Buchstaben. Auf einer Seite finden sich gewöhnlich zwölf derselben in drei Colonnen vertheilt. Bei jedem Artikel steht zuerst die Aussprache, dann der Character, und darauf folgt die Erklärung mit den Phrasen, in welchen derselbe vorkömmt; doch fehlen bei den letzteren die Chinesischen Schriftzeichen, wie in allen Wörterbüchern der Missionaire. Die Aussprache, nach der Portugisischen Schreibart, ist ziemlich genau angegeben, und dabei die Ordnung der fünf Accente befolgt. Die aspirirten Sylben stehen nach den unaspirirten z. B.

R

Tō tò tó tŏ — Tỏ tō̉ tò̉ tó̉ tŏ̉

Die Chinesischen Charactere sind nicht überall gleich gut geschrieben, und selbst an manchen Stellen flüchtig. Dagegen ist die Hand des Spanischen Abschreibers sehr schön, und seine Buchstaben sind so gleichförmig, als wären sie abgezirkelt. Leider aber scheint er die Sprache die er copierte nicht verstanden zu haben, denn oft theilt er lange Wörter in zwei oder drei, oder zieht zwei und mehrere kurze in eins zusammen, was den Gebrauch des Werkes sehr erschwert.

Das Wörterbuch des P. *Francisco Diaz* ist späterhin von einem anderen Missionaire, dem P. *Antonio Diaz*, umgearbeitet worden. Die Originalhandschrift dieser Umarbeitung befindet sich in der Königlichen Bibliothek zu Paris, und ich lasse hier einige Artikel daraus, nebst der über die Aussprache des Chinesischen lehrreichen Vorrede, folgen.

	Berliner Handschrift.	Pariser Handschrift.
通	*Tŭm.* Conuersar, penetrar, participar, traspasar, pasar sin dificultad, communicar &c. ^ *kūm.* Ut buenas obras uno a otro conuersar, tratar, contrar, cosa comun, como doctrina, habla, camino comun.	*Thūng.* Penetrar. entender. comunicarse. totus, a, m. Comun ut doctrina. ^ *kūng*, comunicarse las buenas obras.
鑑	*Kién.* Espeio, historia, monarchia, mirar cuidadosamente, atender.	*Kién.* Espejo. historia. monarquia. mirar con cuidado. atender. *kāng* ^ anales.
本	*Puèn.* Natiuo, natural, propria cosa. Lo tocante, lo perteneciente. La obligacion. Proprio, origen. El caudal, el principal.	*Puèn.* Proprio. natural. origen. numeral de tomos de libros. ^ *sìng*, proprio, natural. ^ *sú*, abelidad. ^ *fuén*, propria obligacion. ^ *thsiên*, el principal del trato, el caudal. *xĕ* ^, perder el principal.
得	*Tĕ.* Alcançar, topar, dar con la cosa. V. g. ^ *ý*, acertar con el intento. — Adquirir, poser, consequir, et vide in arte. ^ *çuí*, pecar.	*Tĕ.* Alcançar. conseguir. topar. dar con la cosa. ^ *í*, conseguir el intento. ^ *xĕ*, auer y no auer. ganar y perder.

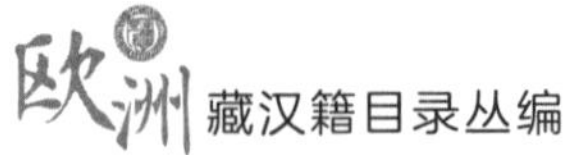

DICCIONARIO DE LENGVA MANDARINA,

Cuyo primer Author fue el R. P. Fr. Francisco Diaz, *Religioso Dominico, añadido despues por los RR. PP. desta Mission de Sancto Domingo;*

Trasladado, emendadas algunas Tonadas conforme a los Diccionarios Chinicos, puestas algunas Letras en las Tonadas de otras conforme a los Diccionarios dichos, y añadidas mas Tonadas y Letras, todo segun los Diccionarios Chinicos,

por

Fr. Antonio DIAZ (1).

Preludio.

Los primeros en qualquiera arte son dignos de eterna memoria, estimacion y alabança grande, pues solo el dar principio o començar la obra, es hacer la mitad o la mayor parte de ella. En la materia presente, començar la obra es casi el todo de ella. Al primer author de este Diccionario y à los que an ido añadiendo somos deudores, y debemos tener en la memoria los que les succedemos, pues goçamos del bien que sudó su desvelo. Desuerte que podemos andar en un dia, lo que à ellos a costado muchos. Es bueno este Diccionario, aunque necessitaba y a de alguna emienda, la qual está hecha en lo que toca à las tonadas conforme al Diccionario *Jiâi-xīng-phìn-tsú-tsiēn*, y conforme à otros Diccionarios Chinicos (2). No es mi intento oponerme a los antiguos [aquienes reconosco superiores] sino auisar con esta emienda [la qual pueden hacer todos mexor que yo] a los venideros, no les suceda, lo que ami, que no me persuadia necesitase de tanta. Algunas letras dexo en la tonada que no tienen en los Diccionarios Chinicos por pronunciarse asi en esta Prou.ª de *Fŭ-kién*, las quales llevan al lado izquierdo esta *F*, que quiere decir *Fŭ-kién*. De proposito no dexo claros o campo para escriuir mas letras porque lleue orden, y si se pusieren o escrivieren mas, sera al lado derecho de las letras, para que a otro traslado se pongan en sus lugares, y por aver añadido bastantes. La letra que lleva arriba esta *o* significa alcuña o linage. Esta virgulilla ^ en medio de renglon denota la letra que se va explicando. El modo de escriuir que lleva es distinto del antiguo, el qual nome suena a Castellano, doi raçon del modo de escriuir que lleva, explicando la diferencia o diuision de las tonadas de la lengua, antes de la qual diferencia, sera conueniente explicar las cinco tonadas desta lengua a las quales se reducen todas.

(1) Die Pariser Handschrift (N.° 7 des von Herrn *Langlès* angefertigen Verzeichnisses der Chinesisch-Europäischen Wörterbücher der Kaiserlichen Bibliothek), ist ein kleiner Quartband von 198 Blättern (396 Seiten). Am Ende liesst man : « *Finis. — Tiene este Diccionario 1340 tonadas, letras 6700 y mas.* » Zu bemerken ist dass der P. *Antonio Diaz* das *y* braucht um das Französische *j* oder Russische ж auszudrücken, und das Spanische *j* für das Deutsche *ch* oder Griechische χ.

(2) 字彙。正字通。諧聲品字箋

R 2

Explicacion de las cinco Tonadas o Voces de Lengva Mandarina.

Todas las tonadas o voces de la lengua Mandarina se reducen a cinco, que el Chino llama *phîng, xàng, khíu, y̆* (1). *Phîng* se diuide en *xáng-phîng* y *jiá-phîng* (2), a las dos primeras tonadas da el Chino otros dos nombres, que son *thsīng-phîng-xīng* (3), *chŏ-phîng-xīng*. Expliquemos los nombres que el Chino da a sus voces, y quedarán explicadas (4). *Xáng phîng* quiere decir tonada alta llana o ygual, y esta es la primera tonada. *Jiá phîng* quiere decir tonada vaja llana o ygual. *Xàng* quiere decir tonada alta y está su alto en el modo, que es pronunciarla con impetu como quando decimos enojados *no*. *Khíu* quiere decir que va o corre, es al principio vaja y a lo ultimo sube. *Y̆* quiere decir que se entra, sube no tanto como la antecedente o quarta y al fin se entra. Los dos nombres *thsīng phîng xīng* y *chŏ phîng xīng* explican tambien lo que son las dos primeras tonadas; *thsīng phîng xīng* quiere decir voz o tonada limpia y llana, *chŏ phîng xīng* quiere decir voz o tonada turbia y llana; la primera tiene mas limpieça o polidez que la segunda, y la segunda es algo turbia o menos pulida que la primera. Apuntarse con las rayas o virgulillas siguientes:

1.ª tonada, -	2.ª tonada, ^	3.ª tonada, \	4.ª tonada, /	5.ª tonada, ᵕ
Xáng phîng.	*Jiá phîng.*	*Xàng.*	*Khíu.*	*Y̆.*

Diuision o Diferencia de las Tonadas.

Antes de explicar la diuision o diferencia de las tonadas se an de suponer dos cosas. La primera que quantas tonadas o voces ay en esta lengua son monosilabas, aunque tengan dos o tres vocales nuestras. La segunda que el diuerso modo de escriuir esta lengua que se halla en los Europeos nace del diuerso modo que en Europa se pronuncian las letras Europeas, no en el modo de pronunciar esta lengua, en el qual todos convenimos. Yo atendiendo al modo como el Castellano y Latino pronunció las letras Europeas e dexado en algo el modo como antes se escriuieron, y como oy los nuestros escriuen. Lleuese esto aduertido.

En las tonadas o voces de la lengua Mandarina ay unas simples que se pronuncian simplemente sin afeccion. Ay otras [que podemos llamar dobles] aspiradas, que se pronuncian con aspiracion. Otras con siluidillo y bastas. Otras con siluidillo y afiladas. Otras con siluidillo solamente. Otras con siluidillo y aspiracion solamente. Otras afiladas solamente. Otras afiladas y aspiradas.

Tonadas simples.

Chā chà chá chă, — *Fān fân fàn fà*, y todas las escritas sin dos *hh* despues de *g* sin *h*, despues de *k p t* sin *h* in medio de diccion, sin *s* al principio de diccion y un

(1) 入去上平 (2) 平下.平上 (3) 聲平清

(4) 聲平濁

puntillo sobre la diccion, sin *s* in medio de diccion, sin *y* Griega al principio, sin *x* al principio, sin *l* a lo ultimo, y las que se hallan con un puntillo solamente, fuera de las exceptuadas; todas las demas se pronuncian simplemente dando la tonada con nuestra pronunciacion.

Tonadas aspiradas solamente.

Son todas aquellas que despues de *c* se escriuen con dos *hh* [excepto *Chhū chhû chhù chhú chhŭ*, que son aspiradas y afiladas], y las que despues de *k p t* se escriuen con una *h*, como *Chhā chhâ chhà chhá chhă*,—*Khiā khiâ khià khiá khiă*,—*Phā phâ phà phá*, —*Thā thă*, et similes.

Estas se pronuncian, no en la garganta, sino en el cielo de la boca las primeras y segundas, y las que comiençan con *p*, se pronuncian entre los labios; y las que comiençan con *t*, se pronuncian dando la *t* en los dientes. Despues de *t* como el Griego pronuncia *theos*, hiriendo la *t* en *h*, y como pronunciamos *ath-leta*, no *at-leta* ni *atleta*. Con esto se dexan entender bastantemente estas tonadas escritas con *h* despues de *t*. Y lo mismo se deue hacer con las tonadas escritas con *h* despues de *p*, pronunciando la *p* y hiriendo la *h*. *Phā* no *fā*, *phū* no *fū*, de suerte que la *p* y *h* no se pronuncian *f*. Aunque falte al Latino el pronunciar la *h* despues de *p*, y despues de otras consonantes, fuera de *ath-leta*, basta que el Griego la pronuncia para traerle por exemplo para mi intento. Aunque sino me engaño, en esta voz *ophni*, ay lo que me basta, pues ay en ella la pronunciacion de *p* y *h*. Aduiertase que la *h* no es letra sino nota de aspiracion, y cesaran argumentos. Las tonadas que se escriuen con una *h* despues de *c* son simples, dada la tonada con nuestra pronunciacion no es menester mas, pero las que escriuo con dos *hh chha* et similes, dobla la aspiracion, por lo qual an menester escriuirse con dos *hh*: puede conocerse esto algo si apartaramos una *h* de la otra asi, *ch-ha*; esta similitud lo da algo a entender, y se da raçon de que estan bien escritas con dos *hh*. Las tonadas que lleuan *h* despues de *k*, pronunciando la *k* y hiriendo en la *h* quedan aspiradas. Las tonadas sobre dichas escriuen comunmente con una ˘ arriba *chă kăi pă tă*, &c.

Ŷn ỳn ýn y̆, y todas las que escriuo con *y* Griega al principio de diccion son o se reducen a las aspiradas, consiste su pronunciacion en doblar la *y* dandola algun genero de aspiracion y no a menester mas. Y las tonadas escriuen los nuestros con *j* la qual dexé y puse en su lugar la *y* Griega para distinguirlas de las que escriuo con *i* Latina, por no tener la *j* en nuestro Castellano tal pronunciacion, y porque la *j* sirue para escriuir las tonadas que antes estaban, y aun estan escritas con *h* dandole a la *h* pronunciacion de *j* contra el pronunciar y modo de escriuir de la corte Española.

Xī xî xì xí xĭ, y todas las que se escriuen con *x* al principio de diccion, se da a la *x* alguna aspiracion pronunciandola con fuerça o doble. Tambien estas son o se reducen a las aspiradas.

Ûl ùl úl escriuen los PP.ˢ de la Compañia *lh^ lh\ lh'* . Bien me suena este modo de escrivirlos, porque llevan *l* y aspiracion. Otros las escriuen con dos *ll*, que es tambien buen modo de escriuir. Pudieranse escriuir asi *u u u* (con *l* encima), porque no son otra cosa ami vez que una *l* metida o confundida en una *u*. El primer modo de escriuir estas tonadas es mas facil y basta. Tambien estas son o se reducen a las aspiradas.

TONADAS CON SILUIDILLO Y BASTAS.

Tsū tsù tsú tsŭ piden que la *u* se pronuncie algo basto dando la lengua en los dientes sin abrir mucho los labios [el dar la lengua en los dientes se hace en todas las tonadas que comiençan con *t*]. Y porque tienen un genero de siluidillo o semejança con la *s*, las escriuo con ella, y tambien tienen en su principio mas semejança con la *t* que con otra letra de nuestro Abecedario, por lo qual los escriuo con *t*, de suerte que la *t* hiera en *su*. Estas tonadas escriuian y escriuen los nuestros *çhū çhù çhú*, y la ultima *çhŏ*, de la ultima en quanto a escriuirse con *o* y puntillo arriba dire despues; en quanto a escriuirse estas tonadas con *çh* tiene alguna similitud con su pronunciacion, pero mayor la tiene la *ts*. Otros escriuen *çū çù çú*, y algunos las pronuncian asi, que es impropriedad, estando al legitimo *Kuōn joá*, o lengua Mandarina.

TONADAS CON SILUIDILLO Y AFILADAS.

Tsū̇ tsù̇ tsú̇ hiere la *t* en *su*; el puntillo arriba indica que su pronunciacion a de ser afilada. Estas, las antecedentes, y todas las siguientes escritas con *t* al principio, se conocera que se deben escriuir con *t* por las que immediate se siguien. — *Sū̇ sù̇ sú̇* son tambien con siluidillo y afiladas por el siluidillo lleuan *s*, y por afiladas el puntillo: los nuestros escriuen *çū̇ çù̇ çú̇* con cedilla, y pudieran escriuirse con *ʒ*, y pudieran escriuirse con *cs* : *csū̇ csù̇ csú̇*; pero la *s* no es menos propria abreuia y conduce para ponerla despues de *t*.

TONADAS CON SILUIDILLO Y ASPIRACION BASTAS.

Thsū thsû thsù thsú thsŭ, estas son un conjunto o inclusion de siluidillo y aspiracion pronunciando la *u* bastamente hiriendo la *t* en *hs*. Por el siluidillo las escriuo con *s*, y por tener aspiracion escriuo la *h*.

TONADAS CON SILUIDILLO Y ASPIRACION AFILADAS.

Thsū̇ thsû̇ thsù̇ thsú̇, estas son un conjunto o inclusion de siluidillo y aspiracion, pronunciando la *u* afilada hiriendo la *t* en *hs*. Por el siluidillo las escriuo con *s*, y por tener aspiracion, escriuo la *h*, y porque son afiladas pongo el puntillo sobre la *u*.

TONADAS CON SILUIDILLO SOLAMENTE.

Tsān tsàn tsán tsă, y todas las que se escriuen con *s* despues de *t* [excepto las que acabamos de decir desde el *tsū*], hiere la *t* en la *s*, y quedan asi pronunciadas con siluidillo solamente, porque tienen siluidillo escriuo la *s*. Estas, y todas las que yo escriuo con *ts*, escriuen los nuestros *çh* : *çhān*, &c.; y otros con cedilla *çān*, y algunos las pronuncian asi, que es impropiedad estando al legitimo *Kuān joá*.

TONADAS CON SILUIDILLO Y ASPIRACION SOLAMENTE.

Thsān thsân thsàn thsán thsă, y todas las que escriuo con *hs* [excepto las dichas arriba], son un conjunto o inclusion de siluidillo y aspiracion solamente, de suerte que la *t* hiera en *hs*. Por el siluidillo las escriuo con *s*, y por que tienen aspiracion, las escriuo con *h*. Otros las escriuen *çh* y una ˘ arriba, *chăn*, y otros *çăn*, &c.

Tonadas afiladas solamente.

Chū chù chú, y todas las que tienen un puntillo sobre la *u* [excepto las arriba dichas], estas no tienen mas dificultad que afilar la *u*. Las que tienen *i* antes de la *u* y al principio una consonante, hiere la consonante en *iu* a un tiempo y se afila la *u*, y no es menester mas. Lo que decimos de herir la consonante en *iu* se a de guardar generalmente en todas las partes que se hallan.

Tonadas aspiradas y afiladas.

Chhū chhû chhù chhú chhŭ. Estas son un conjunto o inclusion de aspiracion y *u* afilada solamente, no tienen dificuldad especial.

Gēn gĕ, y todas las que lleuan *e* despues de *g*.

Se pronuncian como si tubieran *u* en el medio, a se hecho asi por lleuar orden, y no poner en la letra *g* las tonadas que estaban en la letra *h* segun algunos, y en la *j* segun el modo que yo escriuo.

Jên jèn jén jĕ jī jî jì jí jĭ, y todas las que lleuan *e* o *i* despues de *j*.

Escriuen otros *hên* &c. dexé la *h* y puse la *j* por ser propria segun nuestro Castellano, escriuiendo *jân jàn ján jên jèn jén jĕ*, &c. dando su pronunciacion à la *j*, y aunque las que lleuan *e* o *i* despues de *j* se escriuieran mexor con *g*, *gēn*, &c., que este es nuestro modo de escriuir, pero el orden obligó a escriuir las en la *j*, como obligó a escriuir la *k* y dexar la *q*.

Fāng fâng fàng fáng, y todas las que se acaban en *g*.

Escriuen los PP.[s] de la Compañia *fām*, &c. no se como el Portugues pronuncia la *m* en fin de diccion, como el Castellano pronuncia, piden escriuirse con *g*.

Û ù ú ŭ, y todas las que comiençan con *u*.

Escriuen otros a algunas de ellas con dos *u'* es, una consonante y otra vocal, a otros con una consonante no mas, que era una confusion, pues no ay en ellas tal distincion. Con una *v* consonante se escriuieran bien, o con dos *u'* es, una consonante y otra vocal; excepto *ûl ùl úl ūng ûng*, y no con la confusion que estaban. Pero basta la *u* vocal y lleuan mexor orden. De las tres *ûl ùl úl*, ya se dicho, *ūng úng* se pronuncian del modo que estan escritas, à las demas se a de dar à la *u* fuerça de consonante.

Ĭ ỹ, y todas las acabadas en *i* de quinta tonada.

Escriuen otros con *e* y un puntillo arriba *iĕ tiĕ chĕ*, &c., que es una confusion para un Nueuo Castellano, y maior si le dicen ser medio *e* y medio *i* las dichas tonadas, pues non e asi. No necesita el Castellano mas que pronunciar la *i* y dar la tonada.

Ŭ, y todas las acabadas en *u* de quinta tonada.

Escriuen otros con *o* y puntillo arriba, que es tambien otra confusion para el Nueuo Castellano, y maior si le dicen ser medio *o* y medio *u*. No es menester mas que pronunciar la *u*, dar la tonada, y coneso queda a lo ultimo con dexo de *o*, como estas : *tsū tsù tsú thsū thsû thsù thsú*, pronunciadas bastamente quedan con algun dexo de *o*, y no las an escrito con *o* y puntillo.

Fuă muă puæ,

He hallado estas tonadas de diptongo de *æ*. Mas abrá. —

Bueno sera poner aqui el modo que el Chino tiene en ingerir sus voces para que el Nueuo no tropiece en lo que le es mui facil.

Regla que el Chino tiene para ingerir las Voces de su Letras.

Para enseñar o dar a entender que tona o tonadas tiene cada letra, ponen los Diccionarios Chinicos dos letras, de las quales se ingiere la tonada, que quieren mostrar, de suerte que la tonada ingerta tiene al principio de la primera letra, y el final y tonada de la segunda. Y esta regla es general aunque a veces la yerran. Y para dar lo mexor a entender, comun o regularmente señalan la tonada que quieren ingerir, aunque no señalan la diferencia de prima y segunda tonada, a las quales nombran con la letra *phîng*. Pongamos exemplo.

入	去	上	平	
竹	宁	主	柴	渣
之六切 音祝	直吕切 音柱	腫與切 諸上聲	牀皆切 音豺	莊加切 音樝

Los dos exemplos de la primera y segunda tonada estan claros. El exemplo de la tercera aunque puso la letra *chū* es prima tonada, quando dice *xàng xīng*, quita la equiuocacion diciendo es tercera. En el quarto exemplo aunque la segunda letra es *liù* tercera quando dice *o* en decir *tsiĕ īn chù* quita la equiuocacion diciendo, qui a de ser quarta tonada. El exemplo de la quinta es claro.

Tambien me a parecido poner el *kiă tsù*, que son las vente y dos letras con que cuentan años, meses y horas. Bueno es que el nueuo tenga con facilidad noticia. Llaman a las primeras *xĭ kān*, y a las segundas *xĭ úl xî*, y a todas *kiă tsù*.

Xĭ kān.

癸壬辛庚己戊丁丙乙甲

Con las diez de arriba y las doce de avajo cuentan años, meses y horas, començando desde las dos primeras *kiă tsù* tras cumplir el numero de sesenta, el qual cumplido bueluen a començar por las dos primeras *kiă tsù*.

Xī úl xî.

亥戌酉申未午巳辰卯寅丑子

DRITTE ABTHEILUNG.

Philosophische und Moralische Werke.

I. 文正本魁

Khueȳ-pèn-dschìng-wên,

Wahre Schrift des geistigen Ursprungs.

oder mit einem anderen Titel:

經易刻新

Sīn-khĕ-ȳ-kīng,

Neue Edition des Buches der Verwandlungen.

(Gedruckt im Jahre 1666. Text ohne Commentar.)

Das *Ỳ-kīng* ist das erste und vielleicht dem Texte nach das älteste der fünf 經 *Kīng* oder klassischen Werke der Chinesen. 羲伏 *Fŭ-chȳ,* einer der ersten Kaiser erfand, nach der gewöhnlich angenommen Tradition, die Schrift, und bildete die acht 卦 *Kuá,* welche symbolische Zeichen der acht Elemente der Welt sein sollen. Sie bestehen aus drei Linien, die entweder ganz oder gebrochen sind; und das Volkommene und Unvollkommene vorstellen. Nämlich:

4.	3.	2.	1.
☳	☲	☱	☰
震	離	兌	乾
Dschīn, Donner.	*Lŷ*, Feuer.	*Tuý*, Bergwasser.	*Khiân*, Himmel.

8.	7.	6.	5.
☷	☶	☵	☴
坤	艮	坎	巽
Khuēn, Erde.	*Kén*, Berge.	*Khàn*, Wasser.	*Sǘn*, Wind.

Diese acht *Kuá* werden wieder mit sich selbst vervielfältiget, und bilden so vier und sechzig sechslinige Zeichen, die den Text des *Ỹ-kīng* ausmachen. 王文 *Wên-wâng*, der Vater des Stifters der Dynastie 周 *Dscheū*, verfasste eine Erklärung derselben, die sein Sohn 公周 *Dscheū-kūng* wiederum mit einem Commentare versah. *Confucius*, der beide Auslegungen sehr schätzte, fand sie jedoch zu dunkel und begleitete sie mit einer neuen; so dass die vier und sechzig *Kuá* mit den drei Commentaren den Text des jetzigen *Ỹ-kīng* bilden. Allein *Confucius* war auch nicht deutlicher als seine Vorgänger, und dieses Buch ist noch jetzt ein Räthsel für die Chinesen; die seit der Dynastie 漢 *Chán*, das ist seit zweitausend Jahren, so viel Unsinniges darüber geschrieben haben, dass man ganze Bibliotheken damit anfüllen könnte. Wer begierig ist eine Probe des *Ỹ-kīng* zu lesen, findet sie in *Deguignes* Ausgabe von *Gaubil's* Übersetzung des *Schū-kīng*. (Paris, 1770, 4.°, Seite 419 u. f.)

II. 四書

Szú-schū,

DIE VIER BÜCHER.

UNTER diesem Titel versteht man in China folgende Werke.

1. Das 大學 *Tá-chiŏ*, oder die grosse Lehre (1), verfasst von 曾子 *Zēng-dsù*, einem Schüler des *Confucius*. Da es aus mehreren Übersetzungen in Europäische Sprachen bekannt ist, so halte ich es für unnöthig hier mehr darüber zu sagen.

2. Das 中庸 *Dschūng-yûng*, oder die unveränderliche Mitte, von demselben Verfasser; ist von Herrn *Abel-Rémusat* Chinesisch, Mandshuisch, Latein un Französisch herausgegeben worden, und in den Händen aller Kenner und Liebhaber der Chinesischen Litteratur.

3. Das 論語 *Lûn-yú*, oder die Unterredungen, enthält Aussprüche des *Confucius*, die von seinen Schülern gesammelt worden sind. Es ist von den Jesuiten zweimal ins Lateinische übersetzt worden.

4. Die Werke des Philosophen 孟子 *Méng-dsù* (in Europa unter dem Namen *Memcius* bekannter), der kurz nach *Confucius* lebte. Wir besitzen davon die schlechte

(1) Die Missionaire übersetzen diesen Titel durch *Adultorum schola*, aber in der, auf Kaiserlichen Befehl veranstalteten, Mandshuischen Übertragung der vier Bücher wird er durch ᠠᠮᠪᠠ ᡨᠠᠴᡳᠨ ᡳ ᠪᡳᡨᡥᡝ *Amba tazin ni bitche*, Buch der grossen Lehre, gegeben.

S 2

Lateinische Paraphrase des *P. Noel.* Hier ist nur der Text, ohne Commentar, vorhanden.

Seit zweihundert Jahren hat man so viel über die Weisheit des *Confucius* und seiner Schüler gesprochen und sie so hoch gepriesen; aber ihre Werke erheben sich, in Hinsicht des Genius der Verfasser und ihrer Tendenz, nicht über die kümmerlichste Mittelmässigkeit.

Die Königliche Bibliothek besitzt noch eine andere Ausgabe des Textes des *Lûn-yú,* des dritten der eben genannten vier Bücher. Sie ist sehr sauber gedruckt, und ohne Angabe der Jahreszahl.

III. 學小。經孝

Chiaó-kīng und *Siaò-chiŏ.*

Die Mandshuische Übersetzung des *Chiaó-kīng* und *Siaò-chiŏ,* zweier Werke, die von den Pflichten der Kinder gegen die Eltern handeln. Gedruckt im Jahre 1727.

1. *Chan-ni aracha Chiao-king bitche,* d. i. auf Befehl des Kaisers verfasste Übersetzung des Buches von der Ehrfurcht gegen die Eltern. Das Chinesische Original ward nach den Aussprüchen des *Confucius,* von seinem Schüler *Zêng-dsù* (S. S. 139), abgefasst.

2. *Chan-ni aracha adsige taẓiku bitche.* Auf Befehl des Kaisers verfasste Übersetzung des Buchs von der Lehre der Kinder. Dieses Werk ward unter der Dynastie *Súng,* im Jahre 1176, von dem berühmten 熹朱 *Dshū-chȳ,* verfasst. — Beide Bücher

sind mit Commentaren versehen, und in Europa aus der Lateinischen Übersetzung der *P. Noel*, und der Französischen der *P. Cibot* zur Genüge bekannt. Sie stehen in des ersten *Sinensis Imperii Libri classici sex.* (Pragæ, 1711, 4.°) Das erste führt dort den Titel *Filialis observantiæ Liber;* das andere *Doctrina seu Schola parvulorum.* In beiden hat er seiner Gewohnheit nach die Commentare mit in den Text gezogen; so das diese Übersetzung eigentlich eine breitläufige und unlesbare Paraphrase ist, die keinen deutlichen Begriff der Originale giebt. — Die Französische Übersetzung des *P. Cibot* ist getreuer und steht im vierten Bande des *Mémoires concernant les Chinois.*

IV. 滿漢經文成語

Màn-chán-kīng-wên-tsching-yú.

Eine Auswahl der vorzüglichsten Stellen aus dem 書經 *Schū-king* und 詩經 *Schȳ-king*, in Chinesischer und Mandshuischer Sprache, gedruckt im Jahre 1737. Die Ausgabe ist nicht besonders schön, und das Mandshuische, welches die obere Hälfte der Seiten einnimmt, wimmelt von Druckfehlern.

V. 古文典義解

Kù-wên-tiàn-ý-kiaý.

SAMMLUNG ausgesuchter Stücke aus dem Alterthum, oder im Style desselben abgefasst, mit Commentaren. Sechs Bücher gesammelt von 章禹功 *Dschāng-yù-kūng*, und von ihm selbst im Jahre 1687 herausgegeben.

Die beiden ersten Bücher enthalten Stücke aus den Zeiten der Dynastie 周 *Dscheū.*

Das dritte Stücke aus den Zeiten den 秦 *Zîn.*

Das vierte Stücke aus den Zeiten der Dynastie 漢 *Chán.*

Das fünfte Stücke aus den Zeiten der 晉 *Dsín*, und 唐 *Thâng.*

Das sechste endlich enthält Stücke aus den Zeiten der Dynastien 宋 *Súng*, und 明 *Mîng.*

Jedem Stücke geht eine Einleitung in kleinerer Schrift voran, und zu Ende desselben finden sich Betrachtungen des Herausgebers. Ähnliche Sammlungen sind in neueren Zeiten häufig in China veranstaltet worden.

VI. 規遺俗訓

Chiún-sŭ-ȳ-kueȳ,

REGELN ZUR SITTLICHKEIT.

(Vier Hefte.)

ABHANDLUNGEN verschiedener Verfasser, die von 謀弘陳 *Tschîn-chûng-meû* aus 林桂 *Kueý-lîn* gesammelt, und mit Anmerkungen versehen worden sind. Die gegenwärtige zweite Ausgabe erschien im Jahre 1766. — Jedes Stück dieser Sammlung ist von einer besonderen Einleitung des Herausgebers begleitet. Das letzte Heft enthält am Ende Lebensregeln für alle Stände, in kurzen Sätzen.

VII. 要節子朱

Dschū-dsù-dsiē-yaō.

VIERZEHN philosophisch-moralische Abhandlungen des berühmten Philosophen 熹朱 *Dschū-chȳ* der im XII.ten Jahrhunderte unter der Dynastie *Súng* lebte. Sie wurden unter den *Mîng* von 龍攀高 *Kaō-pān-lûng* gesammelt und im Jahre 1602 herausgegeben. Die hier vorhandene, mit dem Chinesischen Texte interlinear gedruckte, Mandshuische Übersetzung hat einen gewissen 之朱 *Dschū-dschȳ* zum Verfasser, und erschien unter *Khāng-chȳ*, 1676, in fünf Heften.

VIII. ᡝᠨᡩᡠᡵᡳᠩᡤᡝ ᡨᠠᠴᡳᡥᡳᠶᠠᠨ ᠪᡝ ᠨᡝᡳᠯᡝᠮᡝ ᠪᠠᡩᠠᡵᠠᠮᠪᡠᡥᠠ ᠪᡳᡨᡥᡝ᠉

Enduringe tazichian be neileme badarambucha bitche,

訓廣諭聖

Schíng-yú-kuàng-chiún.

Allgemeine Anweisung zur Verbreitung der heiligen Lehre, in Chinesischer und Mandshuischer Sprache, verfasst vom Kaiser 帝皇獻宗世 *Schý-dsūng-chiàn-chuâng-tý,* oder *Yūng-dschíng,* dem Ältervater des jetzt regierenden. Es enthält Ermahnungen an das Volk und besteht aus sechzehn Abschnitten. Unter andern vergleicht der Kaiser darin die Christlich-katholische Religion mit dem aus Indien gekommenen Glauben des *Buddah* oder *Foě,* und warnt seine Unterthanen dafür. Das Chinesische ist hier mit dem Mandshuischen interlinear gedruckt (1).

(1) Dieses Werk ist von Herrn *William Milne,* Protestantischem Missionaire zu Malacca, ins Englische übersetzt worden, und erschien 1817 zu London, *in-8.°*, unter dem Titel *The Sacred Edict, containing sixteen maxims of the Emperor* Kang-hee, *amplified by his son, the Emperor* Yoong-ching; *together with a paraphrase on the whole by a Mandarin.* — Auch der vehrerungswerthe *George Thomas Staunton* hat dasselbe theilweise ins Englische übertragen, und diese Ubertragung in seinen *Miscellaneous Notices relating to China* (second edition, London, 1822, *8.°*), abdrucken lassen.—Die erste Übersetzung dieses Buches in eine Europäische Sprache, ist die Russische vom *Leontiew* die im Jahre 1778 zu S.-Petersburg, *in-8.°*, erschien und den Titel führt : Китайскія поученія изданныя отъ Хана *Юнджена* для воиновъ и простаго народа, во 2 году царствованія его (въ 1724). Перевелъ съ Китайскаго на Россійской языкъ Секретарь Леонтіевъ. — Es fehlen aber in dieser Übersetzung die Artikel 7, 12, 13, 14, 15 und 16 des Originals.

IX. 事古記日

Shў-kў-kù-szú,

TÄGLICHE ERINNERUNGEN AN ALTE THATEN.

EINE sehr bekannte Sammlung kurzer moralischer Erzählungen für Kinder; mit Bildern geschmückt und in fünf Abschnitte gebracht. Neue Auflage von 1688, die besonders für diejenigen von Nutzen ist, die sich im Lesen solcher Bücher üben wollen, in welchen viele gewöhnliche und abgekürzte Buchstaben vorkommen. Die Hauptgegenstände des Textes sind mit grösseren Buchstaben gedruckt, das minder Wichtige aber mit kleineren. — Herr *Robert Morrison* hat die vier und zwanzig ersten Erzählungen, welche Beispiele von kindlicher Liebe enthalten und zum Theil fabelhaft sind, ins Englische übersetzt, und im ersten Bande seines grossen Chinesischen Wörterbuches (S. 724 u. f.) abdrucken lassen.

X. 文賢時昔

Sў-schў-chiân-wên,

WEISE AUSSPRÜCHE AUS ALTER ZEIT.

EINE kleine Sammlung von Sentenzen und Sprüchwörtern. Angehängt sind die 姓家百 *Pĕ-kiā-sing*, oder das Verzeichniss aller Chinesischen Familiennamen, mit Angabe des Ortes aus dem die Familien stammen.

XI. 經字三

Sān-dsǘ-kīng,

DAS BUCH VON DREI BUCHSTABEN.

So genannt weil jeder Satz darin nur aus drei Characteren besteht. Es enthält die Anfangsgründe des Wissens für Kinder. Angehängt sind : 聯對 *Tuý-liân*, oder Gegensätze.

Herr *R. Morrison* hat eine Englische Übersetzung des *Sān-dsǘ-kīng* herausgegeben (1), die als sein erster Versuch in der Chinesischen Litteratur natürlich manche Mängel haben musste. Den ersten Satz des Werkes

善本性初之人 *Shîn-dschȳ-ʒū, síng-pèn-schén*,

giebt er zwar richtig durch « *In the beginning of man, his nature* » *is good;* » aber denn Sinn des folgenden

遠相習近相性 *Síng-siáng-kín, sȳ-siáng-yuàn*,

hat er gänzlich verfehlt, indem er ihn übersetzt « *The operation* » *of nature is immediate; of costum, remote.* » Er bedeutet « *Der* » *Geburt nach sind Alle nahe, des Wissens nach aber enfernter.* »

(1) Die erste in Europa bekannt gewordene Übersetzung dieses Werkes ist die Russische von *Alexei Leontiew*, sie führt den Titel Сань дзы гинъ, то есть книга троесловная und steht in seinen Букварь Китайской. Въ Санктпетербургѣ, 1779 года, *8.°* — Später ist Herrn *Morrison's* Englische erschienen. Sie findet sich in seinen *Horæ Sinicæ* (London, 1818, *8.°*), von denen Herr Dr. *Montucci* eine neue Ausgabe veranstaltet hat, die der *Parallel drawn between the two intended Chinese Dictionaries.* London *(Berlin)*, 1817, *4.°*, angehängt ist, und den Chinesischen Text des *Sān-dsǘ-kīng* enthält, welcher ein genaues *Fac simile* der hier vorhandenen Edition darstellt.

(Mandshuisch [illegible] .)

Der Commentar führt Folgendes zur Erklärung dieser Stelle an. « Alle werden gleich gebohren. Dem Ursprunge nach sind sich » alle ohne Unterschied ähnlich ; aber nachdem sie durch Wissen » aufgeklärt worden, entwickelt sich der Geist eines jeden auf » eine verschiedene Art. Die Leichtigkeit desselben, welche durch » Belehrung hervorgebracht wird, heisst Verstand; die Dunkel- » heit der Begriffe ist die Dummheit, die Befolgung der rechten » Lehre aber die Weisheit, und die Befriedigung der Begierden » wird Unenthaltsamkeit genannt (1). »

Gleich darauf übersetzt Herr *Morrison.*

方義有山燕竇 *Teú-yān-schān-yeù-ý-fāng,*

durch « Tao, *who liwed at* Yen-shan, *adopted wise plans.* » Aber des erste Buchstab wird nicht *Tao* sondern *Teú* ausgesprochen, und *Teú-yān-schān* ist der Name des Mannes von dem gesprochen wird ; er hat also nicht in seinem eigenen Namen gewohnt. Sein Familienname war *Teú*, und demselben wird, wie es in China gebräuchlich ist, den Ehrenname nachgesetzt, der hier *Yān-schān* (Berg von *Yān*) ist ; den er darum erhalten, weil es aus der Stadt 州幽 *Yeū-dscheū* gebürtig war, die zum Königreich *Yān* gehörte.

Einige Zeilen weiter liest man im Texte

器成不琢不玉 *Yŭ-pŭ-dschŏ, pŭ-tschîng-khý,*

was nach den Worten bedeutet « *Wenn man die Jade nicht » bearbeitet, so wird kein Gefäss daraus.* » (Im Mandshuischen

---

(1) [illegible]

[illegible]) — Herr *Morrison* aber übersetzt « *As a rough diamond, not cut, never assumes » the form of any jewel.* » — Es ist hier aber weder von *Diamanten* noch von *Juwelen* die Rede.

Ein Fehler ist er ferner wenn Herr *Morrison* (S. 8) den *Hasen* unter die *sechs Hausthiere* der Chinesen aufzählet. Im Texte steht nicht 兔 *Thú*, Hase, sondern 鷄 *Ký*, Huhn. Auch würde der *Hase* ein sonderbares *Hausthier* abgeben.

Auf derselben Seite übersetzt er auch den Buchstaben 匏 *Phaô* durch *Bamboo*, obgleich er *Kürbiss* bedeutet. — Solcherlei Fehler finden, sich mehrere in der Englischen Übersetzung, und es ist zu bewundern, dass Herr *Montucci*, der sie neu herausgegeben, nicht diese Verstösse in Anmerkungen verbessert hat.

Dass Seite 6 in Herrn *Morrison's* Englischer Übersetzung 梨 *Lý*, durch *pearl* [Perl] gegeben worden ist, da es doch *pear* [Birne] bedeutet, scheint nur ein Schreibfehler zu sein ; den jedoch Herr *Montucci* zu verbessern im Stande gewesen wäre ; wenn ihn nicht, wie zu vermuthen, der *Respect for the mighty Lion* davon abgehalten hätte.

VIERTE ABTHEILUNG.

ROMANE.

I. 三國誌

Sān-kuĕ-dschý,

GESCHICHTE DER DREI REICHE.

DIESES berühmte Werk ward unter der Dynastie 晉 *Dsín* von 陳壽 *Tschîn-scheú* verfasst, und enthält die Geschichte der drei Reiche 蜀 *Schŭ*, 魏 *Gueý*, und 吳 *Ú*, unter welche China getheilt ward, als im Jahre 220 die Dynastie der östlichen *Chán* mit dem Kaiser *Chián-tý* endigte. Diese drei Reiche führten beständige Kriege mit einander, bis endlich der Stifter der Dynastie *Dsín* 280 nach Chr. Geb. das ganze Reich unter seinem Scepter vereinigte. Zur Zeit der Mongolischen Dynastie 元 *Yuân* arbeitete 羅貫中 *Lô-kuón-dschūng*, das historische Werk des *Tschîn-scheū* um, setzte es in einen blühenden Styl, fügte manche romantische Episoden hinzu, und gab es unter dem Titel 演義三國誌 *Yàn-ý-sān-kuĕ-dschý* heraus. Seine Bearbeitung ist einer der gelesensten historischen Romane und wird allgemein sehr hoch geschätzt. Die hier vorhandene Ausgabe ward von 李卓 *Lý-dschŏ* besorgt, und erschien neu gedruckt 1684. Sie enthält zwanzig Bücher.

II. 傳滸水

Shuỳ-chù-tschuân,

Geschichte der Küsten.

Ebenfalls ein halb historischer Roman, in fünf und zwanzig Büchern, der in seiner jetzigen Gestalt, unter der Dynastie *Yuân*, von 中貫羅 *Lô-kuón-dschūng* verfasst ward. Er enthält die Geschichte der Räuber und Aufrührer, welche China unter der Dynastie *Súng* vom Jahre 1058 an beunruhigten. Der Held der Geschichte ist 江宋 *Sūng-kiāng*, ein kaiserlicher Feldherr, der am mehrsten zu ihrer Dämpfung beitrug. Er ward am Ende seiner ruhmvollen Laufbahn durch vergifteten Wein aus dem Wege geräumt. Die Ausgabe dieses berühmten Romans ist, so wie die des vorigen, oben auf jeder Seite mit Bildern verziert, und erschien von demselben Herausgeber besorgt 1686.

Die Geschichte der drei Reiche ist in China ein Lesebuch für ältere und gesetzte Leute, und die berühmten Räuber scheinen mehr die Jugend zu ergötzen. Wenigstens hat man das Chinesische Sprichwort :

國三念不小。滸水念不老

Laò pŭ nián Schuỳ-chù, Siaò pŭ nián Sān-kuĕ,

« Alte lesen nicht das *Schuỳ-chù*, Junge lesen nicht die *Sān-kuĕ.* »

Ausser dieser besitzt die Bibliothek noch eine andere Ausgabe desselben Romans.

III. 誌國列

Liĕ-kuĕ-dschý.

GESCHICHTE der verschiedenen Königreiche, in welche China zur Zeit der Dynastie 周 *Dscheū* getheilt war, und deren Fürsten, zwar Lehnsträger des Kaisers, aber oft mächtig genug waren sich seinen Befehlen zu widersetzen. Diese Geschichte ist hier romantisch bearbeitet, fängt mit dem Jahr 1148 vor Chr. Geburt unter 紂 *Dscheú*, dem letzten Kaiser der Dynastie 商 *Schāng* an, und endigt 258 vor Christi Geburt, mit dem Anfang der Dynastie 秦 *Zîng.* — Acht Bücher.

IV. 團蒲肉

Sheŭ-phû-tuôn,

DER BINSENTEPPICH DES FLEISCHES.

EIN aus dem Chinesischen ins Mandshuische übersetzter ziemlich schmutziger Roman, welcher die Geschichte eines den weltlichen Vergnügungen ergebenen Mannes enthält, der zuletzt Einsiedler geworden. — Diese Handschrift ist sehr flüchtig jedoch leserlich geschrieben.

FÜNFTE ABTHEILUNG.

Naturhistorische und Medizinische Werke.

I. 本草綱目

Pèn-zaò-kāng-mŭ,

ALLGEMEINE ÜBERSICHT DER NATURGESCHICHTE.

DER Verfasser dieses berühmten Werkes ist 李時珍 *Lỳ-schỳ-dschīn* aus 蘄陽 *K'ỳ-yâng*. Der Tod verhinderte ihn es herauszugeben. Sein Sohn 李建元 *Lỳ-kián-yuân* machte deshalb im Jahre 1593 eine Vorstellung an den Kaiser 神宗 *Schîng-dsūng*, und dieser gab den Befehl, das Werk des *Lỳ-schỳ-dschīn*, zum Besten seiner Familie, drucken zu lassen. So erschien es im Jahre 1596 mit einer Vorrede des 王世貞 *Wâng-schỳ-dschīn* aus 鳳洲 *Fúng-dscheū* (1), der ein Freund des Verfassers war.

---

(1) Herr *R. Morrison* führt in seinem *View of China* (Macao, 1817, 4.° S. 2 und 6) eine Ausgabe der 綱鑑 *Kāng-kián*, genannten Jahrbücher an, die von einem Gelehrten von der Insel *Fúng-dscheū*, bearbeitet worden, und deshalb den Namen 鳳洲綱鑑 *Fúng-dscheū-kāng-kián* führt, so wie man in Europa sagt, die *Pariser Polyglotte*, um sie von der *Englischen* zu unterscheiden. Durch einen besonderen Missgriff aber hat Herr Morrison *Fúng-dscheū* [Phönixinsel] für den Namen des Verfassers gehalten und sagt: *Kāng-kián in 34 volumes, by Fung-chow*. Überhaupt ist dieses *View of China* Herrn *Morrison*'s flüchtigste und fehlerhafteste Arbeit.

V

Das *Pèn-zaò-kāng-mū* enthält nicht nur die Beschreibungen der den Chinesen bekannten Pflanzen und Bäume, sondern ist wirklich eine allgemeine Naturgeschichte. Die Worte *Pèn-zaò,* welche *Fourmont* (*Grammat. Sinica,* pag. 487) fälschlich durch *Proprietas herbarum* übersetzt, bedeuten zusammengenommen *Naturgeschichte,* und beziehen sich nicht nur auf das Pflanzenreich, wie man aus dem Wörte 草 *Zaò,* Kraut, schliessen könnte. Die Absicht des Verfassers war vorzüglich den medizinischen Gebrauch der Naturkörper kennen zu lehren, und darum giebt er ihn weitläuftig von allen an. Folgende Übersicht wird das von ihm befolgte System, welches weniger wissenchaftlich als natürlich zu sein scheint, am besten erläutern.

Section 1 und 2. 例序 *Siú-lý,* oder Einleitung. In derselben handelt der Verfasser von allen früheren Naturgeschichten, von der dem Kaiser 農神 *Schîn-nûng* beigelegten bis zu seiner eigenen. Darauf folgt ein Verzeichniss aller von ihm angeführten Werke. Er giebt ferner Auszüge aus älteren naturhistorischen Werken und ein Inhaltsverzeichniss des 草本 *Pèn-zaò* des *Schîn-nûng.* Endlich mehrere andere, auf Arzeneikunde Bezug habende, Abhandlungen.

Sect. 3 und 4... 藥治主病百 *Pĕ-píng-dschù-dschý-yŏ.* Verzeichniss der in allen Krankheiten gebräuchlichen Arzeneimittel.

I. 部水 *Schuỳ-pú.* Abschnitt vom Wasser.

Sect. 5........ 水天 *Thiān-schuỳ,* vom Wasser des Himmels, 13 Arten.— 水地 *Tý-schuỳ,* vom Wasser der Erde, 30 Arten.

II. 部火 *Hò-pú.* Abschnitt vom Feuer.

Section 6......Von eilf Arten des Feuers.

III. 部土 *Thù-pú.* Abschnitt von der Erde.

Sect. 7........Von sechzehn Arten der Erde.

IV. 部石金 *Kīn-schỹ-pú.* Abschnitt von den Metallen und Steinen.

Sect. 8........金 *Kin,* von 28 Arten Metalle.— 玉 *Yŭ,* von 14 Arten kostbarer Steine.

Sect. 9 und 10..石 *Schỹ,* von 71 Arten von Steinen.

Sect. 11........石 *Schỹ,* von 20 anderen Arten von Steinen, mit einem Anhange von 27 Arten.

V. 部草 *Zaò-pú.* Abschnitt von den Pflanzen.

Sect. 12 und 13..草山 *Schān-zaò,* von den Pflanzen, die auf Bergen wachsen, 70 Arten.

Sect. 14.......草芳 *Fāng-zaò,* von wohlriechenden Pflanzen, 26 Arten.

Sect. 15 und 16..草隰 *Sỹ-zaò,* von den Pflanzen, die in ebnen Niederungen wachsen, 126 Arten.

Sect. 17........草毒 *Tŭ-zaò,* von den Giftpflanzen, 47 Arten.

Sect. 18........草蔓 *Muôn-zaò,* von rankenden Pflanzen, 73 Arten. Mit einem Anhange von 19 Arten.

Sect. 19........草水 *Schuỳ-zaò,* von den Wasserpflanzen, 22 Arten.

Section 20 . . . . . 草石 *Schў-ẓaò*, von den Pflanzen, die auf Steinen wachsen, 19 Arten.

Sect. 21. . . . . . . 苔 *Thaў*, von Moosen, 16 Arten.

草雜 *Dsă-thsaò*, von verschiedenen anderen Pflanzen, 9 Arten. — 用未名有 *Yeù-mîng-wў-yúng*, von Pflanzen, die zwar einen Namen haben, aber nicht gebraucht werden, 153 Arten.

VI. 部穀 *Kŭ-pú*. Abschnitt von den Getraidearten und Sämereien die zur Nahrung dienen.

Sect. 22. . . . . . . 稻麥麻 *Mâ-mĕ-taò*, von den Getraidearten, 12 Arten.

Sect. 23. . . . . . . 粟稷 *Dsў-sŭ*, von Reis- und Hirsearten, 18 Arten.

Sect. 24. . . . . . . 豆菽 *Schŭ-teú*, von Erbsen- und Bohnentragenden Pflanzen, 14 Arten.

Sect. 25. . . . . . . 釀造 *Dsaó-niáng*, von den Getraidearten, aus denen man Brantwein und andere gegohrene Getränke bereitet, 29 Arten.

VII. 部菜 *Thsaý-pú*. Abschnitt von den Gartengewächsen.

Sect. 26. . . . . . . 辛葷 *Chiŭn-sīn*, von denen, die einen beissenden und gewürzhaften Geruch und Geschmack haben, wie Zwiebeln, Knoblauch, Retligen u. s. w., 32 Arten.

Sect. 27. . . . . . . 滑柔 *Sheû-chuă*, von den geniessbaren Pflanzen und Gemüsen, 42 Arten.

Sect. 28. . . . . . . 菜蓏 *Lò-thsaý*, von den kürbissartigen Pflanzen, 11 Arten. — 菜水 *Schuỳ-thsaý*, von im Wasser wachsenden Gemüsen, 6 Arten. — 栭芝 *Dschȳ-eûl*, von Baumschwämmen und Pilzen, 15 Arten.

VIII. 部果 *Kò-pú.* Abschnitt von fruchttragenden Bäumen und Sträuchen.

Section 29. . . . . 果五 *Ù-kò*, von den gewöhnlichen Gartenfrüchten, wie Pflaumen, Aprikosen, Mandeln, Pfirsichen, Kastanien, u. s. w., 11 Arten.

Sect. 30. . . . . . . 果山 *Schān-kò*, von auf Bergen wachsenden Früchten, 34 Arten.

Sect. 31. . . . . . . 果夷 *Ŷ-kò*, von den Früchten, die ursprünglich nicht in China einheimisch sind, 32 Arten (1).

Sect. 32. . . . . . . 味 *Wý*, von den gewürzhaften Früchten, 13 Arten.

Sect. 33. . . . . . . 蓏 *Lò*, von den Bäumen, die Melonenartige Früchte tragen, 9 Arten. — 果水 *Schuỳ-kò*, von den Wasserfrüchten, 6 Arten. Mit einem Anhange von 23 Arten.

IX. 部木 *Mŭ-pú.* Abschnitt von Bäumen.

Sect. 34. . . . . . . 木香 *Chiāng-mŭ*, von wohlriechenden Holzarten, 35 Arten.

---

(1) Das Wort *Ŷ-kò* bedeutet *ausländische Früchte*. Es scheint aber dass dazu alle die gerechnet werden, welche selbst im mittäglichen China einheimisch sind. Denn der ganze Landstrich, südlich von der Gebirgskette *Nân-lìng*, die in Norden der Provinzen *Kuàng-sȳ* und *Kuàng-tūng* bis nach *Fŭ-kián* hin streicht, ist erst ziemlich spät von den nördlichen Chinesen unterworfen worden, und ward in früheren Zeiten von Barbaren bewohnt, welche der Buchstab *Ŷ* bezeichnet.

Section 35 . . . . . 木喬 *Khiaô-mŭ*, von hochstämmigen Bäumen, 62 Arten.

Sect. 36. . . . . . . 木灌 *Kuón-mŭ*, von dickbelaubten Bäumen, 50 Arten.

Sect. 37. . . . . . . 木寓 *Yú-mŭ*, von sehr dickstämmigen Bäumen, 12 Arten. — 木苞 *Phaô-mŭ*, von hoch wie Bäume wachsendem Rohre, wie Bambus, Rotang, u. s. w., 4 Arten. — 木雜 *Dsă-mŭ*, von Hölzern die verschiedene Veränderungen erlitten, 19 Arten. — Anhang, 19 Arten.

IX. 部器服 *Fŭ-khý-pú.* Abschnitt von Kleidern und Geräthschaften, die in der Medizin gebraucht werden.

Sect. 38. . . . . . . 帛服 *Fŭ-pĕ*, von Kleidungstücken, 25 Arten. — 物器 *Khý-wĕ*, von Geräthschaften, 54 Arten.

X. 部蟲 *Tschûng-pú.* Abschnitt von den Insekten.

Sect. 39 und 40. 生卵 *Luòn-sēng*, von den Insekten die aus Eiern entstehen, 33 Arten.

Sect. 41. . . . . . . 生化 *Chuá-sēng*, von denen die durch Fäulniss entstehen, 31 Arten.

Sect. 42. . . . . . . 生溼 *Schў-sēng*, von denen die durch Feuchtigkeit entstehen, 23 Arten.

XI. 部鱗 *Lîn-pú.* Abschnitt von den geschuppten Thieren.

Sect. 43. . . . . . . 龍 *Lûng*, von Drachen und Krokodillen, 9 Arten. — 蛇 *Schê*, von Schlangen, 17 Arten.

Sect. 44. . . . . . . 魚 *Yû*, von Fischen, 28 Arten. — 魚鱗無

Wû-lîn-yû, von Fischen ohne Schuppen, 31 Arten. — Anhang zu diesem Abschnitte, 9 Arten.

XII. 部介 *Kiaý-pú.* Abschnitt von Schaalthieren.

Section 45..... 鼈龜 *Kueÿ-pië,* von Schildkröten und Krebsen, 17 Arten.

Sect. 46....... 蛤蚌 *Páng-kŏ,* von Muscheln und Austern, 29 Arten.

XIII. 部禽 *Khîn-pú.* Abschnitt von den Vögeln.

Sect. 47....... 禽水 *Schuỳ-khîn,* von den Wasservögeln, 13 Arten.

Sect. 48....... 禽原 *Yuân-khîn,* von dem Hausgeflügel, 22 Arten.

Sect. 49....... 禽林 *Lîn-khîn,* von den Waldvögeln, 17 Arten. — 禽山 *Schān-khîn,* von den Bergvögeln, 13 Arten. — Anhang zu diesem Abschnitt, eine Art.

XIV. 部獸 *Scheú-pú.* Abschnitt von den vierfüssigen Thieren.

Sect. 50....... 畜 *Tschŭ,* von Hausthieren, 28 Arten.

Sect. 51....... 獸 *Scheú,* von wilden Thieren, 38 Arten. — 鼠 *Schù,* von Mäusen und Nagethieren, 12 Arten. — 怪寓 *Yú-kuaý,* von wunderbaren und verständigen Thieren, wie Affen, u. s. w. 8 Arten.

XV. 部人 *Shîn-pú.* Abschnitt vom Menschen.

Section 52. . . . . 人 *Shîn,* der Mensch. — 35 Arten von menschlichen Dingen, die in der Medizin gebraucht werden.

Bei der Abhandlung über jeden Gegenstand werden folgende Hauptpunkte angegeben.

名釋 *Schÿ-mîng,* die verschiedenen Namen desselben.

解集 *Dsÿ-kiaỳ,* die Beschreibung seiner Gestalt und seiner Entstehung.

治修 *Sieū-dshý,* die Zubereitung.

味氣 *Khý-wý,* sein Geruch und Geschmack, so wie seine inneren Eigenschaften.

明發 *Fă-mîng,* genaue Erläuterungen darüber.

治主 *Dshù-dschý,* seine medizinischen Eigenschaften.

方附 *Fù-fāng,* sein Gebrauch in der Medizin durch Recepte verdeutlicht.

Zu diesem Werke gehören viele schlechte Abildungen der beschriebenen Dinge, die von 中建李 *Lỳ-kián-dschūng,* dem Sohne des Verfassers, herrühren.

Diese sehr schöne Edition erschien zu Jedo, der Hauptstadt von Japan, in dem 14.ten der 永寛 *Khuōn-yùng* genannten Jahre, oder 1637. Sie ist nach der zweiten Chinesischen Ausgabe von 1603, besorgt von 思鼎張 *Dschāng-tìng-szū,* die in der Provinz 西江 *Kiāng-sў* erschien, veranstalltet, und führt deshalb, auf denen einzelnen Heften und über dem Titelblatte, die beiden Buchstaben *Kiāng-sў.* Bei vielen Namen von Natur-produkten steht das Japanische Wort, in der *Kata Kanna* genannten Sylbenschrift, und da wo der Sinn im Texte schwierig ist, erleichtern ihn Japanische Partikeln, die zur Vervollständigung der Construction dienen.

Bei dieser Edition befindet sich der zur zweiten Ausgabe gehörige Anhang, welcher das 36.ste Heft einnimmt. Er enthält.

1. 學脉 *Mĕ-chiŏ*, oder die Pulslehre, und 訣脈 *Mĕ-kiuĕ*, einen anderen Tractat vom Pulse. Zusammen 37 Blätter.
2. 攷經奇 *Khý-kīng-khaò*, 39 Blätter.

Die naturhistorischen Abbildungen finden sich hier vor dem Hefte, zu dem sie gehören. In den Chinesischen Ausgaben nehmen sie ein besonderes Heft ein.

II. 製炮草本

Pèn-zaò-phaô-dschý,

VON DER ZUBEREITUNG DER ARZENEIMITTEL.

EINE kurze Naturgeschichte, die aus sechs Büchern besteht, von denen hier aber nur drei vorhanden sind, nämlich das erste, zweite und dritte, welches letztere die zweite Hauptabtheilung des 部草 *Zaò-pú*, oder von den Pflanzen, beschliesst. Die Abbildungen verschiedener Gegenstände finden sich bei ihrer Beschreibung. Das Buch hat keine Vorrede, auch ist das Jahr des Drucks, so wie der Name des Verfassers nicht angegeben.

X

III. 本草綱目

Pèn-zaò-kāng-mū,

DIE ERSTE AUSGABE.

ZWANZIG Hefte, in drei Umschlägen, in Europa nach Chinesischer Art in dünne braune Pappe geheftet. Die auf jedem Bande aufgeklebten Chinesischen Titel hat *Menzel* in Holz schneiden lassen. Er hat sich aber dabei geirrt, indem er dieselben nach denen der zweiten Ausgabe stechen liess, welche oben die Worte 江西 *Kiāng-sȳ* haben, weil diese Ausgabe in der so genannten Provinz erschien.

Das erste Heft enthält die Vorrede von 王世貞 *Wâng-schý-dschīng,* vom Jahre 1590. Sie endet mit den Worten:

萬曆歲庚寅春上元日弇州山人鳳洲王世貞拜撰

In den *Wán-lў* genannten Jahren, im Jahre *Kēng-ўn* (dem 22.ste des LXXI.sten 60-jährigen Cyclus) im Frühlinge am Tage *Schâng-yuân,* verfasst *Wâng-schý-dschīng,* vom Berge *Yàn-dscheū-schān* (1) gebürtig aus *Fúng-dscheū.* — Darauf folgt ein Blatt Verzeichniss derjenigen Personen, die an der Herausgabe dieses Werkes Antheil genommen haben. Es befinden sich dar-

(1) Dieser fabelhafte Berg soll in Westen des grossen Wüste liegen, und wird auch Berg der Mutter des westlichen Königes genannt. Die Chinesischen Mythologen sagen, dass sich die Sonner dort zur Ruhe begäbe.

unter vier Söhne des Verfassers und fünf seiner Enkel. — Die Abschrift in 書楷 *Khiaў-schū*, oder vollkommenen Buchstaben, nach der die Druckplatten verfertigt worden, rührt von seinem Enkel 本樹李 *Lỳ-schŭ-pèn* her, und die Durchsicht des Ganzen lag einem gewissen 龍承胡 *Chû-tschîng-lûng* ob. Das erste Heft beschliessen 105 Platten mit 1023 naturhistorischen Abbildungen.

Das 2.te Heft enthält Section 1 und 2.

3 . . . . 3.
4 . . . . 4.
5 . . . . 5, 6, 7, 8.
6 . . . . 9, 10, 11.
7 . . . . 12, 13.
8 . . . . 14, 15.
9 . . . . 16, 17.
10 . . . . 18, 19, 20, 21.
11 . . . . 22, 23, 24, 25.
12 . . . . 26, 27, 28.
13 . . . . 29, 30, 31, 32, 33.
14 . . . . 34, 35.
15 . . . . 36, 37.
16 . . . . 38, 39, 40, 41, 42.
17 . . . . 43, 44, 45, 46.
18 . . . . 47, 48, 49.
19 . . . . 50, 51.
20 . . . . 52.

Die Königliche Bibliothek besitzt noch ein unvollständiges Exemplar einer anderen Ausgabe dieses Werkes, in dem die ersten zehn Hefte fehlen.

X 2

IV. 書全目綱草本觀大

Tá-kuōn-pèn-ȥaò-kāng-mŭ-ȥiuân-schū,

ODER GEWÖHNLICH ABGEKÜRZT,

草本觀大

Tá - kuōn - pèn - ȥaò,

NATURGESCHICHTE DER JAHRE *TA-KUON.*

Der Herausgeber dieses berühmten Werkes ist 微愼唐 *Thāng-schín-wý,* der es in den 和政 *Dschíng-chô* genannten Jahren, also um 1114 nach Christi Geburt vollendete, und dem Kaiser 宗仁 *Shîn-dsūng* aus der Dynastie 宋 *Súng* überreichte. Er hatte dabei alle früheren naturhistorischen Werke und besonders den, in den Jahren 寶開 *Khaȳ-paò* (von 968-976), auf Befehl des Kaisers 祖太 *Thaý-dsù,* verfassten *Pèn-ȥaò* benutzt, nach dessen Vorbild er den seinigen einrichtete. — Dieses Sammlung ist eine Erweiterung eines älteren Werkes, betitelt 草本類證 *Dschíng-luý-pèn-ȥaò,* und da sie in den Jahren 觀大 *Tá - kuōn* (von 1107-1110), beendigt worden, so erhielt sie den Namen *Tá-kuōn-pèn-ȥaò.* Die hier vorhandene Ausgabe dieses Buches erschien im Jahre 1469 mit einer Vorrede von 商安淳 *Schûn-ngān-tiè.*

Nach derselben folgt auf vier Blättern ein Verzeichniss von

247 Werken, aus welchen der Verfasser seine Naturgeschichte zusammengetragen hat. Darauf enthalten 53 das Inhaltsverzeichniss des ganzen Werkes, das aus 30 卷 *Kiuán*, oder Büchern besteht. Da in denselben ein anderes Natursystem befolgt ist als das von 珍時李 *Lý-schý-dschīn*, so mag eine Übersicht davon, mit der Inhaltsanzeige der verschiedenen Abtheilungen hier folgen.

Section 1 und 2 ...... Einleitung und Plan des Werkes, und Übersicht der früher erschienen Naturgeschichten.

Sect. 3, 4, 5. .... 部石玉 *Yŭ-schý-pú*, erste Hauptabtheilung von den Edelsteinen und Steinen.

Sect. 6, 7, 8, 9, 10, 11. 部草 *Zaò-pú*, zweite Hauptabtheilung, von den Pflanzen.

Sect. 12, 13, 14....... 部木 *Mŭ-pú*, dritte Hauptabtheilung, von den Bäumen.

Sect. 15............. 部人 *Shîn-pú*, vierte Hauptabtheilung, vom Menschen.

Sect. 16, 17, 18....... 部獸 *Scheú-pú*, fünfte Hauptabtheilung, von den vierfüssigen Thieren.

Sect. 19............. 部禽 *Khîn-pú*, sechste Hauptabtheilung, von den Vögeln.

Sect. 20............. 品上部魚蟲 *Tschûng-yû-pú-schám-phìn*, siebente Hauptabtheilung, von der Insekten und Fischen. — Erste Ordnung: Fische und Schildkröten.

Sect. 21............. 品中部魚蟲 *Tschûng-yû-pú-dschūng-phìn*, siebente Hauptabtheilung, von den Insekten und Fischen. — Mittlere Ordnung: Schlangen, Frösche, Landinsekten, u. s. w.

Section 22 .... 品下部蟲 *Tschûng-pú-chiá-phìn*, siebente Hauptabtheilung, von den Insekten. — Letzte Ordnung: Muscheln, Krebse und Schnecken.

Sect. 23 .... 部果 *Kò-pú*, achte Hauptabtheilung, von den Früchten.

Sect. 24, 25, 26 ..... 部果米 *Mỳ-kò-pú*, neunte Hauptabtheilung, von Getraidearten, Sämereien und erbsenartigen Früchten.

Sect. 27, 28, 29 ..... 部菜 *Thsaý-pú*, zehnte Hauptabtheilung, von den Gemüsen.

Sect. 30 .... Enthält Auszüge aus dem 經圖草本 *Pèn-zaò-thû-kīng*, der auf Befehl des Kaisers 宗仁 *Shîn-dsūng* aus der Dynastie 宋 *Súng*, verfasst wurde.

Zu diesem Werke gehören über 600 Abbildungen naturhistorischer Gegenstände, von denen jede an dem Orte steht, wohin sie gehört.

Zu Ende des letzten Heftes liest man folgende Worte, aus denen man sieht, dass die hier vorhandene Ausgabe im Jahre 1579 erschienen ist

梓新春先楊日春卯己曆萬飛龍

V. 指南入十一難經

Dschỳ-nân-pă-schy̆-y̆-nân-kīng,

MAGNETNADEL DER EIN UND ACHTZIG SCHWIERIGEN PUNKTE.

VERFASST unter der Dynastie 秦 *Zîn* von 秦扁鵲 *Zîn-piàn-ziŏ,* der den Beinahmen 越人 *Yüĕ-shîn* führte, mit dem Commentar des 熊宗立 *Chiûng-dsūng-ly̆.* Dieses Werk, welches, wie schon der Titel zeigt, die Auflösung von ein und achtzig schwierigen Punkten des Pulslehre und des anatomische Systemes der Chinesen enthält, besteht eigentlich nur aus drei Büchern, denen aber noch ein viertes viertes vorangeschickt ist, welches die Lehre des Verfassers durch Tafeln verdeutlicht, die von 張世賢 *Dschāng-schý-chiân,* herrühren. Im ersten Buche fehlte das 13.te Blatt. Die hier vorhandene Edition ist vom Jahre 1573.

VI. 經難。訣脈

Mĕ-kiuē Nân-kīng.

NACH diesem Titelblatte sollen die beiden Bücher *Mĕ-kiuē* und *Nân-kīng* (Siehe oben N.r 1 und 5) in dieser Ausgabe zusammengedruckt sein, allein da sie unvollständig ist, so findet sich hier nur das erste, nämlich das 訣脈 *Mĕ-kiuĕ.* Dieses Werk wird gewöhnlich, aber mit Unrecht, dem berühmten Arzte 和叔王 *Wâng-schŭ-chô,* der unter der Dynastie 晉西 *Sȳ-dsín,* also im IV Jahrhunderte nach Christi Geburt lebte, beigelegt. Es besteht aus vier Abtheilungen, handelt von der Bewegung der verschiedenen Pulse, und ward von *Andreas Cleyer* zu Batavia Auszugsweise ins Lateinische übersetzt und steht in seinem *Specimen Medicinæ Sinicæ, sive Opuscula medica ad mentem Sinensium.* (Francofurti, 1682, *in*-4.°, von Seite 1 bis 48.)

Die gegenwärtige Ausgabe ist nach der Bearbeitung des Arztes 朋一周 *Dscheū-ȳ-phûng* veranstaltet, die er laut der Vorrede 1565 beendigte; doch ist darin des Commentar des 立宗熊 *Chiûng-dsūng-lȳ* beibehalten. Der Druck ist vom Jahre 1578 und seht sauber.

VII. 考方醫

Ÿ-fāng-khaò,

Recepte und medizinische Untersuchungen.

Verfasst von 崐吳 *Û-kuēn,* nach seiner Vorrede im Jahre 1584. Dieses Werk besteht aus acht Abtheilungen und ward von 厚處方 *Fāng-tschù-cheú* neu bearbeitet.

Die I.ste Abtheilung handelt von den Lebensgeistern, der Kälte, Hitze, der Feuchtigkeit, u. s. w.

Die II.te, vom innerlichen Feuer, von Ausschlägen, ansteckenden und pestartigen Krankheiten, vom verdorbenen Speichel, vom Asthma u. s. w.

Die III.te, von den Krankheiten der fünf Öffnungen des menschlichen Körpers, von den Lebensgeistern, vom Bluttflusse, u. s. w.

Die IV.te, von den innerlichen Krankheiten.

Die V.te, von örtlichen Krankheiten, wie Fussschmerzen, Gicht, Augenschmerzen, Ohrenzwang, Nasenkrankheiten, Mund- Zungen- und Zahnkrankheiten.

Die VI.te Abtheilung, von den Würmern, von innerlichen Geschwüren, von den Krankheiten den Frauen u. s. w.

Die VII.te und VIII.te Abtheilung enthalten die Lehre von den Pulsen. — Hierbei muss ich bemerken, dass der Inhalt der beiden letzten auf dem Titelblatte durch vier rothe, mit einem Rande eingeschlossene Charactere angegeben ist, nämlich: 語脉增内 *Nuý-dsēng-mĕ-yù*, d. i. Beigefügt einer Abhandlung von den Pulsen. *Mentzel*, der nicht wusste, was er aus diesen rothen Buchstaben machen sollte, hat dabei geschrieben: *« Sigillum typographi vel authoris » !!!* — Gegenwärtige Ausgabe erschien im Jahre 1615.

VIII. 脈素太

Tháy-sú-mĕ,

THAI-SU VON DEN PULSEN.

MENTZEL, der nicht bemerkte, dass *Thaý-sú* der Name des Verfassers sei, hat diesen Titel fälschlich durch *magna continuatio pulsuum* übersetzt. *Thaý-sú* aber, und mit seinem Familiennamen 素太張 *Dschāng-thaý-sú* ist der Name eines Artztes vom Berge 山城青 *Zīng-tschîng-schān* gebürtig, der in diesem Buche seine metaphysische Lehre von den Pulsen auseinandersetzt. Sein Werk besteht aus zwei 卷 *Kiuán* oder Büchern und ward von 詳伯劉 *Lieû-pĕ-ziâng* commentirt. Die gegewärtige Ausgabe ist von 賢廷龔 *Kūng-thîng-chiân* veranstaltet und mit einer Vorrede versehen, in der aber die Jahreszahl nicht angegeben ist.

IX. 鑑醫今古補訂

Tíng-pù-kù-kīn-ȳ-kián,

VERBESSERTER UND VERMEHRTER SPIEGEL DER ALTEN UND NEUEN ARZENEIWISSENSCHAFT.

VERFASST von 信龔 *Kūng-sín* aus 谿金 *Kīn-kȳ*, und von seinem Sohne 賢廷 *Thîng-chiân* zuerst herausgegeben im Jahre 1589. Die gegenwärtige Ausgabe ist von 堂肯王 *Wâng-khèng-thâng* vermehrt und verbessert worden und erschien später. Das ganze Werk zerfällt in sechzehn Abtheilungen.

In der I.sten handelt der Verfasser von den Pulslehre, auf der die ganze Arzeneiwissenschaft der Chinesen gegründet ist, und von den verborgenen Ursachen des kranken Zustandes.

In der II.ten von den Lebensgeistern.

In der III.ten von der natürlichen Kälte und Hitze.

In den übrigen Abschnitten geht er die verschiedenen Krankheiten durch, und schliesst im sechzehnten mit den Geschwüren, den Eingeweidewürmern, Vergiftungen, und Knochenkrankheiten. Zuletzt giebt er einen Abriss der Chinesischen *Materia medica*. Bei jeder Krankheit finden sich Recepte zu ihrer Heilung, und da, wo es nöthig schien, sind dem Texte Abbildungen beigefügt.

X. 春回病萬

Wán-píng-chuŷ-tschūn,

ZURÜCKKEHRENDER FRÜHLING [HEILUNG] ALLER KRANKHEITEN.

DIESES berühmte Werk ward vom Doctor 賢廷龔 *Kūng-thîng-chiân* aus dem Dorfe 林雲 *Yûn-lîn,* im Districte 谿金 *Kīn-kŷ* verfasst; der zu seiner Zeit einer der ersten Mitglieder der medizinischen Akademie 院醫太 *Thaý-ŷ-yuán* war. Es besteht aus acht Büchern.

Die Entheilung des Ganzen und die Ordnung der Krankheiten, ist fast ganz dieselbe wie in dem 鑑醫今古 *Kù-kīn-ŷ-kián,* der vom Vater des Verfassers herrührt. Die Vorrede ist vom Jahre 1589, und die gegenwärtige Ausgabe, welche die sechste ist, oder zu der man vielmehr die Platten der fünften ausgebessert hat, erschien im Jahre 1641.

Das erste Heft enthält den ersten Abschnitt.
Das 2 und 3 . . . . zweiten.
Das 4 und 5 . . . . dritten.
Das 6 und 7 . . . . vierten.
Das 8 und 9 . . . . fünften.
Das 10 . . . . sechsten.
Das 11 . . . . siebenten.
Das 12 . . . . achten.

Auf dem äusseren braunen Umschlage eines jeden Heftes ist der Inhalt desselben handschriftlich angegeben.

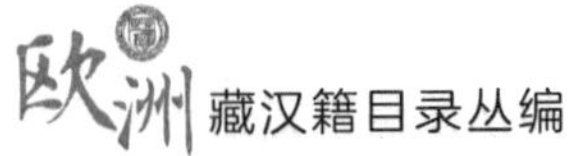

XI. 脈正統醫

Ỳ-thùng-dschíng-mĕ,

HAUPTADERN DES REICH'S DER MEDIZIN.

EINE weitläuftige Sammlung von alten und neuen medizinischen Werken, die von dem berühmten Arzte und Schrifsteller 堂肯王 *Wâng-khèng-thâng*, oder wie er mit seinem Ehrennamen heisst 生先泰宇王 *Wâng-yù-tháy-siān-sēng*, verbessert und vermehrt worden ist. — Sie ward auf Befehl des Kaisers 宗神 *Schîn-dsūng* aus der Dynastie *Mîng*, von 學勉吳 *Û-miàn-chiŏ* aus 安新 *Sīn-ngān* zum Drucke besorgt, und im Jahre 1601 herausgegeben.

Diese Sammlung zerfällt in sieben grosse Abtheilungen, von denen jede, die dritte ausgenommen, einen besonderen Titel hat.

I.ste Abtheilung. 經六學醫

Ỳ-chiŏ-lŭ-kīng,

DIE SECHS KLASSISCHEN WERKE DER ARZENEIWISSENSCHAFT.

1. Das 經内 *Nuý-kīng*, welches dem alten Kaiser 帝黃 *Chuâng-tý* beigelegt wird. Es zerfällt in 24 Abschnitte, und handelt nicht sowohl von des Heilungsart der Krankheiten, sondern mehr von dem philosophischen Systeme der Chinesen, in sofern es auf die Medizin an-

gewendet wird; von den Lebensgeistern, vom Vollkommenen und Unvollkommenen im Menschen u. s. w. Die hier vorhandene Bearbeitung mit dem Commentare, ward im Jahre 762 unter der Dynastie 唐 *Thâng* von 兆孫 *Sūn-dschaó* verfasst, und unter den 宋 *Súng* von den berühmten Ärzten 衡保高 *Kaō-paò-chêng*, 奇孫 *Sūn-kў* und 億林 *Lîn-ў*, zuerst herausgegeben. Diese Ausgabe wurde 1550 von 德從顧 *Kú-ʒūng-tĕ* durchgesehen, und mit einer neuen Vorrede begleitet. Das *Nuý-kīng* nimmt die Hefte 1-5 dieser Sammlung ein.

2. 樞靈 *Lîng-tschū*, d. i. die Axe der Vernunft, ein medizinisch-chirurgisches Werk, das ebenfalls dem alten Kaiser *Chuâng-tý* (1) beigelegt wird. Es hat hier keinen Commentar und besteht aus zwölf Abschnitten (2). — Heft 6 und 7 der Sammlung.

3. 經乙甲 *Kiă-ў-kīng*, ein medizinisch-chirurgisches Werk, das unter der Dynastie 晉 *Dsín* von dem Gelehrten 謐甫皇 *Chuâng-fù-mў* zusammengetragen ward. Es ist eine Erklärung des *Nuý-kīng* und besteht aus den Fragen des Kaisers *Chuâng-tý* und den Antworten

(1) Der Beiname dieses Kaisers, unter dem er häufig in medizinischen Werken angeführt wird, ist 轅軒 *Chiān-yuân.*

(2) Bei diesen beiden Werken muss ich einen von *Fourmont* begangenen groben Fehler bemerken. Er fand in der Königlicher Bibliothek zu Paris eine Ausgabe derselben, unter dem Titel 樞靈經內帝黃 *Chuâng-tý-nuý-kīng-lîng-tschū*, hielt ihn aber für den Titel eines einzigen Werkes und übersetzte ihn : *Excavatio spiritualis in nuý-kīm ab hoâm-tí de Medicina compositum.* Diese Worte bedeuten aber, das *Nuý-kīng* und *Lîng-tschū* des Kaisers *Chuâng-tý!!!* — Vid. *Grammat. Sinic.* p. 481.

seines Ministers und Arztes 公雷 *Luŷ-kūng.* Dieses Werk zerfällt in zwölf Abtheilungen, und ist von eben den drei Gelehrten bearbeitet, die das *Nuý-kīng* unter der Dynastie *Súng* commentirt haben. — Heft 8, 9 und 10 der Sammlung.

4. 經脉 *Mĕ-kīng,* d. i. klassisches Werk von den Pulsen, verfasst unter der Dynastie 晉 *Dsín* von dem berühmten Arzte 和叔王 *Wâng-schŭ-chô.* Es muss nicht mit dem 脉訣 *Mĕ-kiuĕ* verwechselt werden, welches demselben Gelehrten fälschlich zu geschrieben wird. Die gegenwärtige Bearbeitung ist von den schon erwähnten drei Ärzten unter der Dynastie *Súng* besorgt worden. Zehn Abschnitte ohne Commentar. — Heft 11 und 12 der Sammlung.

5. 經難 *Nân-kīng,* d. i. das klassische Werk von den Schwierigkeiten. Es ward zur Zeit der Dynastie 秦 *Zîn,* von 鵲扁 *Piàn-ʒiŏ* mit dem Beinamen 人越 *Yüĕ-shîn* verfasst, und besteht aus 81 Büchern, in denen eben so viele schwierige Punkte aus der Arzeneiwissenschaft gelöset werden. Die gegenwärtige Bearbeitung führt den Titel 義本經難 *Nân-kīng-pèn-ý,* oder das *Nân-kīng* auf seinen ursprünglichen Sinn zurückgeführt, und hat den 仁伯壽 *Scheú-pĕ-shîn* zum Verfasser. Der Text ist um einen Buchstaben höher gerückt, und die Erklärung folgt etwas niedriger. Vorangehen einige Tafeln zur besseren Verständniss des Ganzen. Die Vorrede von 仁劉 *Lieû-shîn* ist von 1361. — Heft 13 der Sammlung.

6. 經藏中 *Dschūng-ẓâng-kīng*. Ein Werk über das innere Leben in den verschiedenen Theilen des menschlichen Körpers, und von der Heilung der Krankheiten. Es ist von einem Gelehrten, dessen Familienname 華 *Chuâ* war, verfasst, man weiss aber nicht mit Gewissheit wann er gelebt hat; er scheint jedoch nicht der berühmte Arzt 陀華 *Chuâ-thô* der Dynastie 魏 *Weí* zu sein. — Acht Abschnitte. — Heft 14 der Sammlung.

II.te Abtheilung, mit dem besonderen Titel :

書全寒傷景冲

Tschūng-kìng-schāng-chân-ẓiuân-schū,

TSCHUNG-KING'S WERK VON DEN ERKÄLTUNGSFIEBERN.

DER Verfasser heisst mit seinem ganzen Namen 景冲張 *Dschāng-tschūng-kìng*, oder 機張 *Dschāng-kȳ*. Er war aus 陽南 *Nân-yâng* gebürtig, und Arzt in der kaiserlichen Residenz unter der Dynastie *Chán*. Unter den vier berühmten Ärzten, welche die Chinesen 家大四 *Sẓú-tá-kiā* nennen, nimmt er den ersten Platz ein. In dieser Sammlung sind folgende vier Werke desselben enthalten, die von 和叔王 *Wâng-schŭ-chô*, und 巳無成 *Tschîng-wû-sẓú* revidirt und verbessert wurden.

1. 論寒傷 *Schāng-chân-lûn*, Abhandlung von den Erkältungsfiebern mit Recepten, in zehn Abschnitten. Nach jedem derselben folgt eine Erklärung der schweren

oder ungewöhnlichen Buchstaben. — Heft 15 und 16 der Sammlung.

2. 論理明 *Mîng-lŷ-lûn*, deutliche Lehre von der Heilung der Krankheiten. Vier Abschnitte. — Das 17 Heft der Sammlung.

3. 畧要匱金 *Kīn-khueý-yaó-liŏ*, d. i. nöthwendiger Auszug aus der goldenen Schachtel. Fragen und Antworten über die Heilungsart verschiedener Krankheiten; mit Recepten. Drei Abschnitte. — Heft 18 u. 19 der Sammlung.

4. 書人活 *Chuŏ-shîn-schū*, Buch vom Lebensprincip im Menschen; in ein und zwanzig Abschnitten. Nach der Vorrede dieser Bearbeitung vom Jahre 1111 unserer Zeitrechnung, folgt die Inhaltsanzeige des ganzen Werkes, dann ein Verzeichniss von Arzeneimitteln. Darauf ein Register der schwierigen Charactere mit ihrer Erklärung, dann Verbesserung einiger vorkommenden Fehler, und endlich das Werk selbst. — Heft 20, 21 und 22 dieser Sammlung.

III.te Abtheilung, ohne besonden Titel,

方論明宣

Siuān-mîng-lûn-fāng,

FRAGEN UND ANTWORTEN ÜBER DIE ARZENEIKUNDE MIT RECEPTEN.

DER Verfasser ist 眞守劉 *Lieû-scheù-dschīn*, aus 間河 *Chô-kián*, der zweite unter den vier berühmten Ärzten. Es lebte zur Zeit der Dynastie 鑑 *Kīn*. Das gegenwärtige Werk besteht aus funfzehn Abschnitten. — Heft 23 und 24 der ganzen Sammlung.

IV.te Abtheilung. 書六寒傷間河

Chô-kián-schāng-chân-lŭ-schū,

DIE SECHS BÜCHER AUS *CHO-KIAN*, VON DEN ERKÄLTUNGSFIEBERN.

VOM Verfasser des vorigen Werkes. Sie sind folgende:

1. 式病原 *Yuân-píng-schȳ,* Regeln der einfachen Krankheiten. Das 25 Heft der Sammlung.

2. 康命保 *Paò-mîng-dsȳ.* Nach der Vorrede des Verfassers, der im Reiche 遼 *Liaô* lebte, vom Jahre 1186. Drei Bücher.—Das 26 und 27 Heft der Sammlung.

3. 本標 *Piaō-pèn,* von den Symptomen der Krankheiten. — Zwei Abtheilungen.

4. 鑑醫 *Ȳ-kián,* Arzneispiegel, von 素宗馬 *Mà-dsūng-sú.*

5. 要心 *Sīn-yaó.* Vom Herzen. — Diese drei nehmen das 28 Heft der Sammlung ein.

6. 格直 *Dschȳ-kĕ,* d. i. die wahre Verfahrungsart. Drei Abtheilungen. — Das 29 Heft der Sammlung.

V.te Abtheilung, mit dem Titel:

親事門儒

Shû-mên-szú-zīn,

UNTERSUCHUNGEN DER GELEHRTEN ÜBER DIE ARZENEIWISSENSCHAFT.

VERFASST von 和子張 *Dschāng-dsù-chô,* und zuerst herausgegeben im Jahre 1541. Funfzehn Bücher. — Heft 30-34 der Sammlung.

VI.^te Abtheilung.

東垣十書

Tūng-yuân-schy̆-schū,

DIE ZEHN BÜCHER DES *TUNG-YUAN.*

DIESEN Titel führt die Sammlung, weil sie den 李明之 *Lỳ-mîng-dschy̆* zum Verfasser hat, dessen Ehrenname 東垣 *Tūng-yuân* war. Er wird als der dritte der vier berühmten Arzte angesehen, und lebte unter der Mongolischen Dynastie 元 *Yuân.* Obgleich auf den Titel zehn Bücher angegeben werden, so sind dennoch hier zwölf medizinische und chirurgische Tractate vorhanden, deren Namen auf dem Hauptitel genannt sind, doch folgen sie in einer etwas verschiedenen Ordnung auf einander. Unter denselben befindet sich eine kurze Lehre vom Pulse ein Versen, ein Kräuterbuch, oder vielmehr eine *Materia medica* unter dem Titel 湯液本草 *Thāng-y̆-pèn-ʒaò,* in drei Büchern. Den Beschluss dieser Abtheilung macht eine Anleitung zur Chirurgie ein zwei Büchern unter dem Titel 外科精義 *Way-khō-dsīng-ý,* verfasst unter den *Yuân* von 齊德之 *Zý-tĕ-dschy̆.* — Heft 35 bis 45 der ganzen Sammlung.

VII.^te Abtheilung.

丹溪心法

Tān-khy̆-sīn-fă,

TAN-KHY'S LEHRE VOM HERZEN.

DIESER Titel gebührt nur den vier ersten Werken dieser Sammlung, die im Jahre 1483 erschienen und den gelehrten 朱震亨 *Dschū-dschín-chēng,* den letzten der vier berühm-

Z 2

ten Ärzte (1), welcher den Ehrennahmen 溪丹 *Tān-khȳ* führte, zum Verfasser haben. Die übrigen drei rühren von seinen Schülern her. — Heft 46 bis 58 der Sammlung.

XII. Ein Folioband, der Chinesische anatomische Tafeln, vom Jahre 1597 enthält. Auf der ersten derselben ist folgende Lateinische Anmerkung aufgeklebt:

Rudis delineatio singularum partium humani corporis seu musculorum quos inter aut cauterium ad breve tempus adhibent, aut cum acu aurea candefacta partem affectam perforant.

Hierauf folgt ein handschriftliches Verzeichniss Chinesischer Arzeneimittel, auf rothem Papiere geschrieben, mit *Andreas Cleyer's* kurzer Lateinischen Beschreibung, die auch in seiner *Medicina Sinica* abgedrückt ist.

XIII. Ein kleiner Folioband enthaltend 方附訣脉 *Mĕ-kiuĕ-fù-fāng*, oder die zum Buche *Mĕ-kiuĕ*, das dem *Wâng-schŭ-chô* beigelegt wird, gehörigen Recepte; auf rothem Papiere geschrieben.

---

(1) Der erste dieser vier berühmten Ärzte, *Dschāng-tschūng-kìng*, der in seinem Werken nichts von seinen Vorgängern entlehntes aufgenommen hat, gab unglaublich starke Dosen von Arzeneien; oft eine Unze, wo der zehnte Theil derselben hingereicht hätte.

Der zweite *Lieû-scheù-dschīn*, gab zu viel bittere und kühlende Medicamente.

Der dritte *Lỳ-toūng-yuân*, bediente sich zu häufig der Reizmittel.

Der vierte endlich *Dschū-tān-khȳ*, stimmte die Kräfte zu sehr durch schwächende Mittel herab.

SIEBENTE ABTHEILUNG.

Von den Jesuiten in China herausgegebene Werke.

I. 表數

Sú-piaò,

Zahlen-Tafeln.

Eine Sammlung von Logarithmen der Sinus und Tangenten, von *eins* bis 100,000, auf Befehl des Kaisers *Khāng-chŷ* von den Jesuiten Chinesisch herausgegeben. Diese Tafeln sind darum merkwürdig, weil sich die Verfasser in denselben zwar der Chinesischen Chiffren bedient, sie aber dem Europäischen Systeme nach neben einander gestellt, und den Gebrauch der Null eingeführt haben. So zum Beispiel, schreibt man gewöhnlich 100,000 Chinesisch 萬十 *Schŷ-wàn*, d. i. zehn-zehntausend, hier aber steht nach unserer Art 一○○○○○ &c. Ich bemerke bei dieser Gelegenheit folgende mathematische Ausdrücke im Chinesischen.

度 *Tú, Gradus.*

分 *Fēn, Minuta prima.*

秒 *Miaò, Secunda.*

弦正 *Dschíng-chiân, Sinus rectus.*

弦餘 *Yû-chiân, Complementum sinus.*

線切 *Ziĕ-sián, Linea tangens.*

線切餘 *Yû-ziĕ-sián, Complementum tangentis.*

Übrigens hat dieses Werk weder Titel, noch Vorrede, Jahreszahl und Anzeige des Herausgebers; es ist aber sehr schön gedruckt.

II. 法水西泰

Thaý-sȳ-schuỳ-fă,

EUROPÄISCHE LEHRE VON DER HYDRAULIK.

VERFASST vom P. *Sabbathinus de Ursis,* einem Italiäner, oder wie er mit seinem Chinesischen Namen heisst 拔三熊 *Chiûng-sān-phă,* durchgesehen von dem Chinesischen Gelehrten 啓光徐 *Siü-kuàng-khỳ.* Der Verfasser hielt sich von 1606 bis 1620 in China auf. Von seinem Werke ist hier nur das letzte Heft vorhandenen, das den 4 bis 6.ten Abschnitt enthält.

III. 說圖憲通蓋渾

Chûn-kaý-thūng-chián-thû-schuĕ,

KURZE ANLEITUNG ZUR BERECHNUNG DER SONNENFINSTERNISSE.

VERFASST von P. *Johannes Terentius,* der von 1621 bis 1635 zu Peking lebte. Sein Werk ist von dem Chinesischen Gelehrten 藻之李 *Lỳ-dschȳ-dsaò* herausgegeben worden, der auch den Styl verbessert hat. Hier ist nur das zweite und letzte Hefte vorhanden.

IV. 赤道南北兩總星圖

Tschў-taó-nân-pĕ-liàng-dsùng-sīng-thû,

EINE Himmelsplanisphäre nach der Ekliptik, auf vier grossen Blättern, herausgegeben von 湯若望 *Thāng-shŏ-wáng*, oder dem *P. Adam Schall.*

V. 天主聖像略說

Thiān-dschù-schíng-siáng-liŏ-schuĕ,

KURZE ERKLÄRUNG VOM HEILIGEN BILDE DES ERLÖSERS.

VERFASST im Jahre 1619 von dem Portugiesischen Jesuiten *Juan da Rocha*, oder wie er im Chinesischen heisst 羅儒望 *Lô-shû-wáng.*

VI. 天主降生出像經解

Thiān-dschù-kiáng-sēng-tschŭ-siáng-kīng-kiaỳ,

VITA ET PASSIO SALVATORIS ICONIBUS EXPRESSA; JUXTA P. *HIERONYMUM NATALEM.*

VERFASST vom Italiänischen Jesuiten *Julio Aleni*, Chinesisch 艾儒畧 *Ý-shû-liŏ* genannt, der von 1613 bis 1649 das Evangelium in China predigte, und durch viele Schriften berühmt ist.

Dieses Werk enthält die Lebensgeschichte Jesu Christi in Bildern, denen unten eine kurze Erklärung beigesetzt ist. Es ward von *P. Emanuel Diaz*, Chinesisch 諾瑪陽 *Yâng-mà-nŏ*, durchgesehen, und zum Druck befördert.

VII. DAS siebente und letzte Heft der Geschichte der Heiligen betitelt 實行人聖教聖主天 *Thiān-dschù-schíng-kiaō-schíng-chíng-schў*, welche vom Piemontesischen Jesuiten *Alphonsus Vagnoni*, der von 1605 bis 1640 den Glauben in China verbreitete, in Chinesischer Sprache verfasst worden ist. Dieses Heft enthält die Lebensbeschreibungen folgender heilig gesprochener Frauen:

1. *Felicitas.*
2. *Brigitta.*
3. *Isabel.*
4. *Octavia.*
5. *Melania.*
6. *Paola.*
7. *Basilissa.*
8. *Kunigunde.*
9. *Francisca.*
10. *Maria Magdalena.*
11. *Katherina.*

ACHTE ABTHEILUNG.

Vermischte Werke und Fragmente.

I. 三才圖會

Sān-zay̆-thû-chuý,

Bildliche Vorstellung des Weltalls.

Der Verfasser dieser berühmten Encyclopädie ist 王圻 *Wâng-kȳ,* aus dem Orte 雲間 *Yûn-kián* gebürtig. Er vollendete sie im Jahre 1607. Die gegenwärtige Ausgabe ist von 1609 und ward von 黃成東 *Chuâng-tschîng-tũng* besorgt. Nach der Meinung der Chinesen bestehen in der Welt drei schaffende Potenzen, 三才 *Sān-zay̆* genannt, nämlich der Himmel, die Erde und der Mensch. Daher wird der Ausdruck *Sān-zay̆* für das Weltall gebraucht, in welcher Bedeutung er sich auch auf dem Titel dieses Werkes befindet. Jeder darin beschriebene Gegenstand ist, wenn es möglich war, abgebildet; und das Ganze zerfällt in folgende vierzehn Hauptabtheilungen:

1. 天文 *Thiān-wân.* — Vom Himmel oder der Astronomie. — 4 Bücher.
2. 地理 *Tý-lȳ.* — Erdbeschreibung. — 16 Bücher.
3. 人物 *Shîn-wĕ.* — Geschichte des Menschen. — 14 B.

4. 時令 *Schŷ-lîng.* —Von der Zeit und Zeitrechnung. — 4 Bücher.

5. 宮室 *Kŭng-schŷ.* — Von Pallästen und Häusern.— 4 Bücher.

6. 器用 *Khý-yùng.* — Von Geräthschaften und Hausrath. — 12 Bücher.

7. 身體 *Schīn-thỳ.* — Vom menschlichen Körper. — 7 Bücher.

8. 衣服 *Ý-fŭ.* — Von der Kleidung. — 3 Bücher.

9. 人事 *Shîn-szû.*—Von menschlichen Beschäftigungen, Künsten, u. s. w. — 10 Bücher.

10. 儀制 *Ý-dschý.*—Von Ceremonien und Gebräuchen. — 8 Bücher.

11. 珍寶 *Dschīn-paò.* —Von kostbaren Dingen. — 2 B.

12. 文史 *Wên-szù.* — Von der Litteratur. — 4 Bücher.

13. 鳥獸 *Niaò-scheú.* — Von Vögeln und Thieren. — 6 Bücher.

14. 草木 *Zaò-mŭ.* — Von Pflanzen und Bäumen. — 12 Bücher.

Die Königliche Bibliothek besitzt durch mich die beiden ersten Abtheilungen dieses wichtigen Werkes, welche die Astronomie und Geographie enthalten.

II. 法懺場道悲慈

Zû-poeȳ-taó-tschâng-tsán-fă,

GEBETE UND LITANEIEN DER *FOE-RELIGION.*

VERFASST unter der Dynastie 宋 *Súng*, von den beiden Nonnen oder Bonzinnen 氏周妻貞 *Dschīng-ʒȳ-dscheū-schý*, und 氏果妻望 *Wáng-ʒȳ-kò-schý*, neu gedruckt im Jahre 1619. — Zu Ende einer jeden Section finden sich die 釋音 *Ȳn-schȳ*, oder die Aussprache und die Erklärung der schwierigen Charactere, d. i. solcher die von den Anhängern der Secte 佛 des *Foĕ* neu eingeführt worden sind.

III. EIN Heft mit talismanischen Characteren.

IV. ZWEI einzelne Hefte des unter N.° 10 der medizinischen Werken beschriebenen Buches *Wàn-píng-chuȳ-tschŭn*, enthaltend die vierte Section desselben.

V. FRAGMENTE eben dieses Werkes, ungebunden in einzelnen Blättern.

VI. EIN Heft des unter N.° 5 der medizinischen Werken angezeigten Buches *Nân-kīng*, enthaltend die dritte und vierte Section desselben.

VII. Ein Heft der oben beschriebenen Naturgeschichte *Tá-kuōn-pèn-zaò*, enthaltend die dreizehnte Section.

VIII. Mehrere kleine Hefte und Fragmente vermischten Inhalts; unter denen sich auch eine Sammlung von hundert verschiedenen Arten den Buchstaben *Glück* zu schreiben befindet. Ferner ein Blatt mit Nachbildungen alter Pettschafte, in verschiedenen alten Schriftarten, mit Übertragung der Inschriften in neue Charactere.

ENDE.

ABHANDLUNG

ÜBER

DIE SPRACHE UND SCHRIFT

DER

UIGUREN.

EINE der merkwürdigsten Völkerschaften des Türkisch-Tatarischen Stammes sind die ايغور *Ighur* oder richtiger اويغور *Uighur*, die sich selbst *Uigur* nennen, und im inneren Asien die Gegenden von *Chamul* (Chinesisch 密哈 *Chă-mў*) und *Turufan* oder *Turfan*, bewohnten, die sie bisjetzt noch nicht verlassen haben.

Durch eine scheinbare Ähnlichkeit der Namen verleitet, haben die Geschichtsforscher bisher die *Türkischen Uiguren* mit den *Uguren* der Byzantiner und den *Jugoren* und *Jugritschen* der Russischen Chronicken verwechselt, da diese doch zu einem ganz anderen Sprach- und Völkerstamme gehören. *Ugorien* oder *Jugorien*, ward immer fälschlich zwischen den Flüssen *Petschora* und *Oby*, südlich von der Strasse Waigatz, gesucht. Diesen Irrthum kann man aber nicht begehen, wenn man die Russischen Chronicken mit Aufmerksamkeit lieset. Denn nach dem übereinstimmenden Zeugnisse derselben, kommt der Name *Jugra* oder *Jugorien* dem Lande zwischen dem *Uralischen Gebirge*, dem *Oby* und der *Synja* zu; das ihn vielleicht von dem *Ostiakischen* Wurzelworte *ogor* oder *ugor*, erhalten hat, welches *hoch* bedeutet. *Ugorien* wäre dann *Hochland.* Es wird von den *Wogulen* und *Ass-jach* (d. i. Obyvolk, den Obyschen Ostiaken) bewohnt, die man aus Bequemlichkeit, nebst mehreren anderen Sibirischen Nationen, zum *Finnischen Völkerstamme* zählet, da doch ihre Sprache von der

Finnischen fast ganz verschieden ist, und ebenfalls keine Ähnlichkeit mit dem *Türkisch-Tatarischen* darbietet; wie man aus der hier folgenden vergleichenden Wörtertafel ersehen kann. Man wird also aufhören müssen, diesen Sibirischen Stamm mit den mittelasiatischen (Türkischen) *Uiguren* zu verwechseln, wie dieses noch häufig von schätzbaren Gelehrten geschieht. Dann wird man auch nicht mehr die *Hunnen* für *Uiguren* oder *Türken* halten, sondern ihr Vaterland und ihre Verwandte im westlichen Sibirien und am Uralischen Gebirge suchen und finden.

UGORISCHE MUNDARTEN

MIT DEM FINNISCHEN UND TÜRKISCH-TATARISCHEN

VERGLICHEN.

DEUTSCH.	UGORISCH		FINNISCH.	TÜRKISCH-TATARISCH.	
	WOGULISCH.	ASS-JACH.			
Himmel....	Tarom, numma.	Torom, num...	Taiwas........	كوك	kük,
				قوياش	kujasch.
Sonne......	Chotal, kotal...	Chat, sinna, chald, talku....	Peiwa........	كن	kun.
Mond......	Jangup, jungup.	Tylesch.......	Kun..........	آى	ai.
Stern.......	Konzä, sowi....	Chus, kos.....	Täghti........	يلدوز	yuldus.
Wolke......	Tul..........	Tinol.........	Piliwi.........	بولوط	buluth.
Regen......	Rag..........	Jert..........	Wih'ma.......	يمغور	jamghur,
				يغمور	jaghmur.
Hagel......	Polschem......	Poissem.......	Ragy.........	دلو	dolú.
Schnee.....	Toït..........	Tschogot......	Lumi.........	قار	kar.
Eis........	Jank.........	Jenk, junk.....	Jäa..........	بوز	bus,
				موز	mus.
Donner.....	Tschol, auy....	Tschuge, pai...	Ukonjuru......	كوكرت	kügürt,
				يلدريم	ildrim.
Blitz.......	Sal..........	Sol..........	Tuûz.........	ياشين	yaschin.
Feuer......	Taut, tat......	Tut, tugut.....	Tuli..........	اود	ud, od.

DEUTSCH.	UGORISCH		FINNISCH.	TÜRKISCH-TATARISCH.
	WOGULISCH.	ASS-JACH.		
Wasser.....	Wit, uit......	Jing.........	Wesi........	صو szu.
Erde.......	Ma, mag.....	Mych.........	Ma..........	يـر ir.
Berg.......	Ur, aach......	Rep, pelle.....	Mätschi, magi..	تـاغ tagh.
Stein.......	Ku, kow......	Koch.........	Küwi, tschiwi...	تاش tasch.
Sand.......	Jem, sy, sey....	Se...........	Lïiwa.........	قم kum.
Meer.......	Utä, tchariss...	Tscharres......	Meri.........	تنكيز tingis.
See........	Tuur, tur.....	Tuu.........	....	كول kul.
Fluss.......	Geï, jä........	Jugan, jäga....	Juga.........	چاى tschay, دريا daria.
Kopf.......	Pank.........	Uch, ugol.....	Peja.........	باش basch.
Ohr........	Pel, bal.......	Pel, jul.......	Korwa........	قولاق kulak.
Auge.......	Schem........	Sem..........	Silme.........	كوز küs.
Nase.......	Nel, nol.......	Niel..........	Näna.........	بورون burun.
Mund......	Tosh, schör....	Lul..........	Su...........	اغز aghis.
Zunge......	Nilm.........	Nälem........	Tschieli.......	تيل til.
Zahn.......	Pankt........	Penk.........	Hamas........	تيش tisch.
Hand.......	Kat..........	Ket..........	Kjassi........	قول kul.
Fuss........	Lal, lyl.......	Kür..........	Jarga, jalka....	اياق ajak.

Ruysbroeck, den man gewöhnlich *Rubruquis* nennt, ein Minorit aus Brabant, ward ums Jahr 1253 von dem Französischen Könige *Ludwig IX* an den Hof des Mongolischen Grosschans *Mangu* geschickt. Er fand auf seiner Reise *Juguren* in der Nachbarschaft von *Karakorum*, dem damaligen Hoflager der Mongolischen Chane, und berichtet *dass ihre Sprache der Ursprung und die Wurzel der Türkischen und Komanischen sey* (1). Dasselbe

(1) « Among the Jugures is the original and roote of the *Turkish* and *Comanian* » languages. » Rubruquis, bey Purchas. Pilgrims, Vol. III, S. 22. — Parmi les Jugures est la source et l'origine du langage *Turc* et Coman. — Bei Bergeron, cap. XXVIII, S. 58.

beweisen auch die Namen der Thiere der zwölf cyclischen Zeichen ihres Calenders, welche alle Türkisch-Tatarisch sind, und die man in folgender Stelle des *Ulug-Beg* (1) findet; wobei noch zu bemerken ist, dass er selbst die Sprache der Uiguren تركى *Türki*, Türkisch, nennt: ومنجمان خطاى وايغور شبانروزرا يكبار بدوازده قسم كنند وهر يكرا چاغ كويند وهر چاغى را ناميست بدين ترتيب *Aber die Astronomen von* Chatai *und* Ighur *theilen Tag und Nacht zusammengenommen in zwölf Theile, von denen ein jeder* Tschagh *genannt wird. Jeder* Tschagh *hat nach folgender Ordnung seinen Namen.*

اسامى چاغها NAMEN DER TSCHAGH.

DEUTSCH.	بتركى TÜRKISCH.		بخطاى CATHAISCH.		CHINESISCH.
Maus.......	كسكو	keskou......	ژه	she.........	子 *dsù* (2).
Ochse......	اوط	uth........	چيو	tschiu......	丑 *tscheù.*
Leopard.....	بارس	bars........	يم	yem........	寅 *ŷn.*
Haase......	طوشقان	thawschkan..	ماو	ṃâu........	卯 *maò.*
Drache......	لوى	lui.........	چن	tschen......	辰 *schîn.*
Schlange....	ييلان	jilân.......	صز	ses.........	巳 *szú.*
Pferd.......	يوند	junad.......	وو	wu.........	午 *ù.*
Schaaf......	قوى	kui........	وى	wy.........	未 *vŷ.*
Affe........	پيچين	pitschin.....	شن	schen.......	申 *schīn.*
Huhn.......	داقوق	dakuk......	يو	yôu........	酉 *yeù.*
Hund.......	ايت	it..........	سو	su.........	戌 *siŏ.*
Schwein.....	طنغوز	thongus.....	خاى	chay........	亥 *chaỳ.*

(1) Epochæ celebriores Chataiorum ect. ex traditione Ulug-Beigi, ed. Joh. Gravius. Londini, 1650, 4.°, pag. 6.

(2) Diese Colonne mit den Chinesischen Buchstaben und Worten setze *ich* hinzu; sie findet sich nicht bei *Ulug-Beg.*

Bei demselben Schriftsteller findet man auch die Namen der *Uigurischen Monate*, in welchen die Zahlen ebenfalls rein Türkisch-Tatarisch sind (1). Das Factum, dass die Uiguren zum Türkischen Völkerstamme gehörten, war also seit geraumer Zeit bekannt; aber wir kannten, ausser den angeführten, keine Wörter ihrer Sprache, und wussten nicht ob das Volk seit *Ulug-Beg* (er lebte um's Jahr 1493), bis auf unsere Zeiten bestehe; obgleich der grosse Begründer unserer Geographie, *d'Anville*, es in seiner Charte von Asien, es als noch vorhanden, unter dem Namen *Eygur*, angiebt.

Auf meinen Reisen in Sibirien war ich im Jahre 1806 so glücklich einen Einwohner aus Turfan, dessen Muttersprache das Uigurische ist, zu *Ust Kamenogorsk* (einer Russischen Festung am Irtysch) zu finden, aus dessen Munde ich etwa neuzig Uigurische Wörter aufzeichnete. Diese Sprachprobe, mit dem Türkisch-Tatarischen verglichen, habe ich im Jahre 1812 in meiner *Abhandlung über die Sprache und Schrift der Uiguren*, bekannt gemacht, die sowohl in den *Fundgruben des Orients*, als auch im zweiten Bande meiner *Reise in den Kaukasus* abgedruckt worden ist (2).

Aber etwas schätzbareres über diese Sprache besitzt die königliche Bibliothek zu Paris, nämlich ein achthundert Wörter enthaltendes Uigurisch-Chinesisches Vocabular, und funfzehn Uigurische Schreiben mit Chinesischer Ubersetzung, von verschiedenen Landesfürsten an die Kaiser der Dynastie 明 *Mîng*. In dem Wörterverzeichnisse findet man das Uigurische in Originalcharacteren nebst beigesetzter Chinesischer Umschreibung der Aussprache, die aber, so wie die vom *P. Amiot*, hinzuge-

(1) Ulug-Beg. ed. Gravii, pag. 87. — Auch im ايين اكبرى *Ayin Akbari*, oder der, auf Befehl des Kaisers Akbar verfassten, Beschreibung von Indien (Th. I, S. 277 der Englischen Übersetzung), finden sich die Ighurischen Monate [ماهای ایغور] aber von Schreib- und Druckfehlern entstellt, und in verwirrter Ordnung. Der zwölfte Monat heisst dort حقسابات *Hhoksabat*, beim Ulug-Beg چقشاباط *Tschakschabath*, und im Uigurischen Vocabular [illegible] *Tschakschabut*.

(2) Auch sind hundert Exemplare davon besonders abgezogen worden.

fügte Lateinische Übersetzung, sehr fehlerhaft ist. Ein Wort mag zur Probe der Œconomie des Ganzen dienen.

AUSSPRACHE DES UIGURISCHEN.	CHINESISCH.	UIGURISCH.
Chun..... 順	*Jun.* 閏	
Ngai..... 哀	*yue.* 月	

LUNA INTERCALARIS.

Was diesem Uigurischen Wörterverzeichnisse einen besonderen Werth giebt ist der Umstand, dass es aus dem kaiserlichen Übersetzungsinstitute 館譯四 *Szû-ў-kuàn* herstammt, welches sich zu Pe-king, ausserhalb dem Thore 門陽正 *Dschíng-yâng-mên*, in der Strasse 街斜竹梅楊 *Yâng-meў-dschŭ-siĕ-kiaў* [die krumme Bachweiden- und Rohrstrasse], befindet. Ehemals war es westlich von der Brücke über den Fluss 河玉 *Yŭ-chô*. Es ward im Jahre 1382 von dem Stifter der Dynastie 明 *Mîng* errichtet, und 1417 erneuert. Damals wurden dort acht und dreissig Schüler des kaiserlichen Gymnasiums 監子國 *Kouĕ-dsù-kiān* zu Dollmetschern für acht fremde Sprachen, zu welchen auch die Uigurische gehörte, erzogen. Unter der jetzigen Mandshuischen Dynastie erhielt dieses Institut eine andere Verfassung und ward unter die Aufsicht der Academie 院林翰 *Chán-lîn-yuán* gesetzt. Man lehrt dort folgende acht Sprachen: 天西 *Sў-thiān*, oder Sanscrit 羅暹 *Siān-lô*, oder Siamisch; 回回 *Chuў-chuў*, oder Bucharisch; 百八 *Pă-pĕ* (Name eines Volkes in Indien jenseit des Ganges); 昌高 *Kaō-tchāng*, oder Uigurisch; 番西 *Sў-fān*, oder

Tübetanisch ; 甸緬 *Miàn-tián*, oder Birmanisch, und 譯百 *Pě-ỳ* (Name einer anderen Nation im jenseitigen Indien) (1).

---

(1) Siehe 志統一清大 *Thaý-zīng-ỳ-thùng-dschý*, oder die grosse Chinesische Reichsgeographie. Peking, 1744. Band I, S. 14 *verso*. Dieses Werk ward auf Befehl des Kaisers *Khiân-lûng* von einer Commission unter der Oberaufsicht des *Choschoï-zîng-wâng* [Prinzen erster Classe von kaiserlichem Geblüte] 晝弘 *Chûng-dscheú* verfasst. Es ist die vollständigste Beschreibung von China, und aller den Mandshu unterworfenen Länder, die wir besitzen, und besteht aus 356 Abschnitten. Jede der neunzehn Provinzen in die jezt China getheilt ist, hat ihren besonderen Titel in alten Characteren, auf welchem eine Generalcharte und mehren Spezialcharten der einzelnen Districte folgen. Die musterhafte Beschreibung ist gewöhnlich unter folgende Abschnitte gebracht.

1. Lage, Gränzen.
2. Lage in Hinsicht auf Klima und Constellation.
3. Alte Geographie und historische Untersuchungen.
4. Physikalische Beschaffenheit.
4. Sitten und Character der Bewohner.
6. Städte, Canäle und Gebäude.
7. Schulen und Bibliotheken.
8. Zahl der Bewohner.
9. Flächeninhalt.
10. Regierungsbeamte.
11. Berge und Flüsse.
12. Alterthümer.
13. Festungen und enge Pässe.
14. Brücken und Ubergänge über Flüsse.
15. Dämme.
16. Grabmale und Monumente.
17. Tempel der Secte der Gelehrten.
18. Tempel der Secten *Fŭ* und *Taó*.
19. Berühmte Minister.
20. Berühmte Männer.
21. Weise Männer.
22. Tugendhafte Frauen.
23. Heilige und Unsterbliche.
24. Producte.

Von diesem wichtigen Werke, das aus *hundert und acht Bänden* in gross Octav besteht, ist im Jahre 1778, ein ganz magerer und skeletartiger Auszug in Russischer Sprache, in *einem Octavbande*, zu S.t-Petersburg erschienen, der den Titel führt : Кратчайшее описаніе городамъ, доходамъ, и прочему Китайскаго государства, а при томъ и всѣмъ государствамъ, королевствамъ и княжествамъ, кой Китайцамъ свѣдомы. Выбранное изъ Китайской государственной географіи, коя напечатана въ Китайскомъ языкѣ при нынѣшнемъ Ханѣ Кянъ-Лунѣ. *Секретаремъ Леонтїевымъ.* Dieser *elende Auszug* findet sich Deutsch in *Büsching's Magazin*, und hat einigen Gelehrten, die ihn für eine vollständige Übersetzung des Chinesischen Originals hielten, Gelegenheit gegeben eine sehr geringe Meynung von der Wichtigkeit des letzteren zu hegen.

Ich gebe hier diese Uigurische Sprachproben, nämlich das Wörterverzeichniss, mit den übrigen Türkisch-Tatarischen Dialecten und anderen Asiatischen Sprachen verglichen, und einige der funfzehn Schreiben an die Chinesischen Kaiser, von einer getreuen Übersetzung begleitet. Auffallend ist mir bei dieser Vergleichungen der Umstand gewesen, dass mehrere Uigurische Wörter, die man im Türkischen und im gewöhnlichen Tatarischen vergeblich sucht, sich in der Sprache der Türkischen Völkerschaften am Altaïschen Gebirge, und besonders bey den Yakuten am Eismeere, wiederfinden.

Ich muss noch bemerken dass die Blätter, des in Peking geschriebenen Originals, die roth gedruckte Aufschrift 堂文同 *Thûng-wên-thâng* führen, d. i. Übersetzungshof.

Soviel ich weiss befinden sich in Europa nur zwei Exemplare dieses Werkes, wovon das eine in der Bibliothek der kaiserlichen Academie der Wissenschaften zu S.t-Petersburg (unter Nr. 121 des neuen von Herrn *Kamenski* verfassten Catalogs) aufbewahrt wird; das andere aber von den Jesuitischen Missionarien nach Paris geschikt wurde, und jezt mein Eigenthum ist. Nach neueren Nachrichten aus China ist im Jahre 1790 eine neue sehr vermehrte Ausgabe davon zu Peking erschienen.

UIGURISCHES

WÖRTERVERZEICHNISS

MIT ANDEREN TÜRKISCH-TATARISCHEN DIALECTEN

VERGLICHEN.

I. Vom Himmel.

Tängri. Dieses Wort, welches sich in vielen alten Tatarischen Dialecten findet, bezeichnet nicht allein den *Himmel* sondern auch den *Geist des allumfassenden Himmels* und entspricht gänzlich dem Chinesischen Worte (1) *Thiān*, von dem es entweder abgeleitet ist, oder mit dem es einerley Ursprung hat. Vielleicht ist *tängri* eine verdorbene Aussprache von *Thiān-lỳ* (2) [ratio cœli, Vorsicht]. Überhaupt bietet die alte Religion der Chinesen sehr viel Ähnlichkeiten mit der der Tatarischen Völkerschaften dar. Bei den Türken findet man das Wort تنكرى *tängri* mit der Bedeutung von Gott; eben so bei den Kasanischen und Sibirischen Tataren, bei den Baschkiren, Nogay und Kirgisen; ja sogar bei den Jakuten am Eismeere und der Lena bedeutet *tangara* Gott. Diejenigen Tataren die das Wort *tängri* zur Bezeichnung der Gottheit brauchen, nennen gewönlich den materiellen Himmel كوك *kök* oder *kük*, das Blau. — Bei den Mongolen, in deren Sprachen sich häufig Türk-Tat. Wörter finden, heisst der materielle Himmel *oktorgoi*, und der Geist des Himmels *tägri*; welches Wort ein allgemeiner Name ihrer Gottheiten geworden ist, oder wenigstens einer untergeordneten Classe derselben.

Tin. Dunst. — Tatar. دملى *dymly*, nebliges Wetter; Türkisch دم *dem*, Hauch; Russ. дымъ, Rauch.

Kün. Sonne.—In allen Türk-Tat. Sprachen كُن *kün* oder *giun.*

Ay. Mond. — آى *ay*, Türk-Tat.

Yuldus. Stern. — يولدوس *yuldus*, Türk-Tat.

Matschit. Stelle ohne Sterne am Himmel.

Yel. Wind. — Türk-Tat. يل *yel.*

Kürkirdy. Donner. —Tatarisch in Kasan und in Tobolsk كوكرت *küguryt;* Türkisch كورلدى *giörüldi.*

Bulit. Wolke. — Tat. بولوط *buluth* und *bulith.*

Oot-tschachildy. Blitz (d. i. *Feuerschlag*). — Ein rein Türk-Tatarisches Wort; denn اود *od* oder *ud* bedeutet Feuer und چاقامن *ʒakamen* oder *tschakamen* ich schlage an. Türkisch in Constantinopel چقمق *tschakmak*, anschlagen.

Yachmur. Regen. — Tatar. يامغور *yamghur* oder يغمور *yaghmur.* Türk. in Constant. يغمور *yaghmur.*

Char. Schnee. — Tatarisch und Türkisch قار *kar.*

Mus. Eis. — Tat. und Türk. بوز *bus* und موز *mus.*

(1) 天 (2) 理天

Möndur. Hagel. — Tat. bei Kusnezk *mendür;* Kangatzisch *mündur;* Teleutsch *mendür;* Mong. *möndur.*

Chiracho (chirao). Reif.—Tat. قراو *kiraw* od. *kraw;* Tür. قراغو *kyraghu.*

Schigüderin (scheûderin). Thau.— Tat. چق *zik;* Türk. چيق *tschik.*

Manan. Nebel. — Mong. *manan,* Dünste.

Yulach. Regenbogen.

Tutun. Rauch.—Tat. توتون *tutun;* Türk. دوتون *dütün.*

Tutuldy. Verfinsterung. —Tatar. توتولو *tutuluw;* Türk. طوتلمه‌سى *dutulmassi.*

Kün-tutuldy. Sonnenfinsterniss.

Ay-tutuldy. Mondfinsterniss.

Bulit boldy. Der Himmel ist bewölkt (wörtlich *Wolken sind*).—Im Tatar. heisst die Wolke بولوط *buluth* (Türk. بولوت *bulut*) und بولدى *boldy* ist die dritte Person des Singular in der vergangenen Zeit, vom Verbo بولامن *bulamen,* ich bin.

Atschildy boldy. Es ist hell oder heiter geworden.—Tat. und Türk. اچوق *atchuk,* heiter, اچلمق *atchilmak,* heiter werden, sich aufheiteren.

Churchak boldy. Er ist trocken geworden. — Tatar. قرغاق *kurugak,* trocken (vom Wetter). قرو *kuru,* trocken; Türk. قورو *kuru* und قوراق *kurak,* trocken.

Ül boldy. Er ist feucht. Bei den Tataren am Jeniseï und um Kusnezk *ul;* Jakutisch *el,* feucht.

Tang atdy. Es tagt. —Tatar. تانك *tang,* der Morgen, die Helle.

Burgut boldy. Er ist trübe geworden.

Tang arte. Er ist Tag geworden. Der Morgen. — In Tobolsk تانك ايرته *tang irtä;* Türk. ارته *irteh,* früh.

Charangchu boldy. Er ist dunkel geworden.—Tat. قرانغو *karanghu,* dunkel; Tür. قرانكلو *karanglu,* dunkel.

Kün tschichdy. Die Sonne ist aufgegangen. —Tatar. كون چقادى *kün tschikady* od. *kün zikady,* die Sonne geht auf.

Kün batdy. Die Sonne ist untergegangen. — Tat. كون باطش *kün bathysch;* Untergang der Sonne: كون باتادى *kün batady,* die Sonne ist untergegangen.

Yel teberatdy. Der Wind wehet.

Yachmur yachdy. Es regnet.—Tür. يغمور *yaghmur,* der Regen und يغمق *yaghmak* regnen; Tat. يامغور ياوادى *yamghur yawady,* es regnet.

Esin boldy. Der Wind weht sanft.

Burachan (burân). Sturmwind.— Tatar. بوران *burân;* Nogaïsch *borân;* Tatar. in Tobolsk بوراغان *buraghan;* in der Barabinzischen Steppe *buran;* bei den Jakuten am Eismeere und am der Lena *burchân;* bei den Burätten, einem Mongolischen Stamme am Baikalsee *boroghôn.*

Kük chalik. Die blauen Stellen des Himmels.—Im Tat. bedeutet كوك *kük,* blau.

Yaruk und *yaschuk.* Glanz.—Tat. ياروق *yaruk,* Glanz; bei den Sibirischen Tat. *yarak, yarik, tscharyk, ariak, yaaruk,* u. s. w.

Tschulban. Der Morgenstern. — Tat. چولبان *tschulbân* oder *zulbân;* Mong. *tscholmon.*

Telim yuldus. Das Sternenheer.— Im Türk. bedeutet دليم *delim,* viel, welches dem Chinesis. *dschúng* (1) entspricht, wodurch das Uigurische Wort *telim* erklärt wird.

Ugher. Name eines Gestirnes. — Chines. *Dsuōn-maô* (2).

Altun chasuch. Der Polarstern. — Mongol. *altan-chadassu.* Im Türkischen bedeutet قازق *kasuk,* eine Umzäunung.

---

(1) 衆 (2) 昂攢

II. Von der Erde.

- *Yir.* Land, Erde. — Tatar. und Türk. ير *yer.*

- *Tubrach.* Erde. —Tatarisch توفراق *tufrak*; Türk. طپراق *toprak*; Tatar. am Jeniseï *tobrak*; Teleutsch *toprak*; bei Kusnezk *toprak.*

- *Tach.* Berg. —Tatar. تاغ *tagh* und تاوْ *taw*; Türk., so wie in allen Tatarischen Dialecten طاغ *tagh.*

- *Ssuw.* Wasser. — Tatarisch سوْ *suw* oder صوْ *suw*; Türk. صو *su.*

- *Chum.* Sand. — Tatar. قُم *kum*; Türk. قوم *kûm.*

- *Murän.* Fluss. — Dieses Wort hat sich nur noch im Mongolischen *murän* erhalten, das einen grossen Strohm (Chinesisch *kiâng*) (1), bezeichnet.

- *Kul.* See. — Tat. كول *kül*; Türk. كول *gol.*

- *Taloi.* Meer. — Dieses alt-Tatar. Wort hat sich im Mongol. *talai* erhalten; Tatar. am Tschulim *dalai*; bei Kusnezk *talai*; Teleut. *talai*, u. s. w.

- *Ukus.* Kleiner Fluss.

- *Chuduch.* Brunnen. — Tat. قودوق *kuduk*; Mong. *chuduk.*

- *Yol.* Weg. —Tat. und Türk. يول *yol.*

- *Bulach.* Quell. — In allen Tatarischen Dialecten بولاق *bulak.*

- *Balich.* Eine mit Mauren umgebene Stadt. — Dschagat. und alt-Tatar. باليق *balik.* Die Mongolen haben davon das Wort *balgasun*, Stadt, abgeleitet; welches dem Chines. *tschhing* (2) entspricht.

- *Ulus.* Horde, Herrschaft, Königreich. — Ist im Mongol. *uluss*, Horde, Reich, aufbehalten.

(1) 江 (2) 城

- *Ail.* Dorf. — Tat. اول *aûl*, Dorf und ايل *yl*, Flecken.

- *Schiltken.* Flecken.

- *Tasch.* Stein. — Tatar. تاش *tasch*; Türk. طاش *thasch.*

- *Ümang.* Graben. — Tatarisch bei Kusnezk in Sibirien, *oïmak*, eine Grube.

- *Adis.* Hoch.

- *Büdy.* Tief.

- *Yirach.* Entfernt. — Tatarisch يراق *yerak*; Turk. اراق *irak.*

- *Yachin.* Nahe. —Tat. يَقين *yak'in*; Türk. ebenfalls يَقين *yakin.*

- *Tus* und *tumal.* Staub. —Tatarisch توزان *tusan*; Türk. توز *tus* oder طوز *thus.*

- *Taban.* Ein Bergrücken über den ein Weg führet. —Mong. *tabagha*; Mandshuisch *dabaghan.*

- *Kulmak.* Teich, Weiher.

- *Ssin.* Grabmal. — Türk. سين *ssin.*

- *Bach* und *burluch.* Garten. — Tat. und Türk. باغ *bagh.*

- *Basar.* Markt. —Tatar. und Türk. بازار *basar.*

- *Aimach.* Stamm, Geschlecht. — Dieses Wort hat sich in den mehrsten Tatarischen Dialecten so wie auch im Mongolischen *aimak*, und in Mandshuischen *aiman*, Stamm, Horde, erhalten.

- *Abich.* Zaun, Umzäunung.

- *Tarich yir.* Acker. — Tatar. تريك *terik*, lebendig; ير *yer*, Land.

- *Yasi yir.* Wüste.

- *Ködki.* Hohes Land.

- *Chidich yir.* Gränze. — *Yär* bedeutet Land und *chidich* ist vielleicht mit dem Türk. كدوق *kuduk*, Spalte, Ritze, verwandt.

Dam. Mauer. — Im Tatarischen heisst طوان *duan,* ein Wall.

Achar suw. Fliessendes Wasser. — Türkisch اقر صو *akar su.*

Mus sisdy. Das Eis schmilzt. — Im Türk. موز *mus* oder بوز *bus,* das Eis; und سزمق *sismek,* rinnen, abfliessen.

Tach ning achis. Pass in Gebirge. — Diese Phrase ist rein Tatarisch zusammengesetzt von تـاغ *tagh,* Berg, نينك *ning* Postposition die den Genitif, bildet, und آغز *aghis,* Mund, Mündung.

III. Von der Zeit.

Yas. Frühling. —Tat. ياز *yas.*

Yai. Sommer. —Tat. ياى *yai.*

Küs. Herbst. —Tat. كوز *küs.*

Chysch. Winter. — Tatarisch قش *kysch.*

Yil. Jahr. — Tat. يل *yil.*

Üt. Zeit.

Kündus. Tag. — Tat. كوندوز *kündus,* oder كون *kün.*

Ketscha. Abend. — Tatarisch كيچه *kiza (kitscha).*

Yilang boldy. Das Wetter hat sich abgekühlt.—Vom Tatarischen يلان *ilan,* angenehm und بـولدى *boldy,* der dritten Person des Singulars in der vergangenen Zeit des Verbums بولامن *bulamen,* ich bin.

Issik boldy. Es ist heiss geworden. — Tatarisch ايسغ *issigh,* heiss und بولدى *boldy,* es ist geworden.

Arté. Früh. — Tat. ايرته *irteh.*

Ketscha. Abends. —Tatarisch كيچه *kiza.*

Yanghi. Neu. — Tatarisch يانكا *yangha.*

Äski. Alt [antiquus]. — Tat. اسكى *issky.*

Bulian boldy. Es ist warm geworden. Burättisch *bula,* Hitze.

Suyuch boldy. Es ist kalt geworden. — Tatar. und Türkisch صـوق *soûk,* kalt.

Ketscha charangchu. Die Nacht dunkelt. — Tat. كيچه *kiza,* Abend; قرانكغو *karanghu,* dunkel.

Kedscherk boldy. Es ist Nacht geworden. (Scheint fehlerhaft zu seyn.)

Suyuch tungdy. Frieren, fest frieren. — Tatarisch صـووق *suwok,* Frost, und دونكدى *dungdy,* es ist gefroren, vom Verbo دونكامن *dungamen,* ich friere.

Churudy. Es hat getrocknet.—Tat. قرو *kuru,* trocken; قرولنامن *kurulanamen,* trocken werden.

Burun-chi oder *arté-ghi.* Alt, ehemahlig. — Tatar. بورون *burun,* ehemahlig; كى *ky* oder قى *ky* ist eine Ableitungssylbe. ايرته *irteh,* früh, vormahlig.

Amdy-chi. Jeztig.

Bu kün. Heute (d. i. diesen Tag). —Tat. بوكون *bu gün.*

Tangda kün. Morgen.—Tatarisch. تانكلا *tangla,* morgen.

Bu yil. Dieses Jahr. — Eben so zusammengesetzt wie بو يل *bu yil,* im Tatarischen.

Tangda yil. Kommendes Jahr. — Siehe *tangda kün,* morgen.

Yanghi yil. Das neue Jahr. — Tat. يانكا يل *yanga yil.*

Äski yil. Die vergangenen Jahre [die alten Jahre].—Tat. اسكى *issky,* alt, und يل *yil,* Jahr.

Kelirghi yil. Das kommende Jahr. — Tatarisch كيلامن *kilämen,* ich komme.

Boldurghi yil. Das vergangene Jahr. — Tatarisch بيـلدورغى يل *bildurghi yil,* oder بولدورغى يل *boldurghi yil.*

Aram ay. Der erste Monat.

Ikindy ay. Der zweite Monat.

Ütschundy ay. Der dritte Monat.

Törtuntsch ay. Der vierte Monat.

Bischintsch ay. Der fünfte Monat.

Altintsch ay. Der sechste Monat.

Yitintsch ay. Der siebente Monat.

Seksintsch ay. Der achte Monat.

Tochsuntsch ay. Der neunte Monat.

Onuntsch ay. Der zehnte Monat (1).

Bir jigirmintsch ay (bedeutet eigentlich den ein und zwanzigsten Monat). Der eilfte Monat. — Bei *Ulug-beg*, der die Uigurischen Monate giebt (2), steht wahrscheinlich durch einen Schreibfehler بیربنكزمنج آی für بیربكیرمنج آی, so würde wenigstens im Tatarischen der ein und zwanzigte Monat heissen.

Tschachschabut ay. Der zwölfte Monat.

Schün ay. Der Schaltmonat, der nach fünf Mondjahren wiederkömmt. — Dieses Uigurische Wort stammt vom Chinesischen *shún* (3), welches den Schaltmonat bedeutet ab und beweisst, dass die Uiguren ihr chronologisches System von den Chinesen entlehnt haben.

Kün küningé. Täglich (eigentlich täg-täglich). — Ganz Tatarisch.

Tört ut. Die vier Jahreszeiten. — Tat. دورت *durt*, vier.

Sekis tschach (*pä dsiĕ* (4) Chinesisch). Die acht Theile, oder Zeittheile, einer Chinesischen Stunde, die aus acht Europäischen Viertelstunden besteht. Beim *Ulug-beg* چاغ *tschagh*.

IV. Von Kräutern, Blumen und Bäumen.

Tschetschek. Blume. — Tat. چچاك *ẓiẓäk (tschitschak)*; Türkisch چچك *tschitschek*.

Yichatsch. Baum, Holz. — Tatar. اغاج *aghatsch*, Baum.

Sugut. Baum. — Türkisch سوكوت *sugut*, Weidenbaum.

Yemisch. Frucht. — Tatar. يميش *yemisch*, Baumfrucht.

Chamisch. Schilf, Rohr. — Tatar. قامش *kamisch*.

Saman. Stroh. — Tatar. سامان *saman*; Türkisch صمان *saman*.

Burtschach. Erbsen. — Tat. بورچاك *burẓak (burtschag)*.

Arpa. Gerste. — Türkisch ارپه *arpah*.

Chatschora. Fichte.

Ardutsch. Wachholder. — Türkisch اردج اغاج *ardidsch aghatsch*; Tatar. ارتوش *artusch*.

Leken. Binse.

Badam. Mandel. — Türk. بادام *badam*.

Tschoschum. Maulbeerbaum.

Charchatsch. Ulme. — Türkisch قره اغاج *kará aghatsch* (d. i. Schwarzbaum); Tat. قرامه *karama*.

Chadirchan (Chines. *chuây*) (5). Ein der Acazie (Mimosa?) ähnlicher Baum, dessen Blätter zum Gelbfärben gebraucht werden.

Tal. Sandweide [salix arenaria]. — Tatar. طال *thal*; Russ. таль.

---

(1) Vom zweiten Monate bis zum zehnten sind die Zahlen alle mit den Tatarischen übereinstimmend. آی *Ay*, ist auch im Tatarischen Mond und Monat.

(2) Epochæ celebriores Chataiorum ect. ex traditione Ulug-Beigi, ed. Joh. Gravius. Lond. 1650, 4.°, pag. 87.

(3) 閏 (4) 節八 (5) 槐

Tuluk. Pfirsich.

Eruk. Abrikose.

Schunuk. (Chines. *tschün*) (1). — Ein Baum dessen feinere Zweige wohlriechend und essbar sind.

Tschobuchan. Brustbeere [zizyphum].

Busumla. Birnbaum.

Naritsch. Pomranze. — Türkisch نارنجه *narindsché.*

Yildis. Wurzel.

Tschibichi. Zweig, Ruthe. — Tat. جبوق *zubuk (tschubuk)* ; Türkisch چوبق *tschubuk.*

Ütschi. Spitzen der Zweige.

Yebirchach. Blatt. — Tatar. يابراق *yabrak.*

Uruchi. Samen. — Tatarisch اوروق *uruk* , اوروغ *urugh* und اوروو *uruw*, Saame und Geschlecht; das gewöhnliche Wort für Pflanzensamen ist اورلوق *urluk.*

Tukurtschuchi. Die ersten Sprossen der Pflanzen.

Kendir. Hanf. — Tatarisch كندير *kendir.*

Kunach. Getreide, Feldfrüchte.

Kuschi. Räucherwerk. — Türkisch قوقو *kuku,* Geruch.

Koola (kaola). Kohl, Gemüse. — Italiänisch *caccola.*

Tschaské. Ingwer.

Suchun. Zwiebel. — Tatar. und Türkisch صوغان *sughan.*

Satun. Knoblauch.

Kekurtdé. Wilder Knoblauch. — Chinesisch *chiaŷ* (2) ; Mandshuisch *matscha.*

Chamysch nyng tus'chachi. Junge essbare Bambussprossen. — Tatar. قامش *Kamysch* Rohr, نينك *ning,* Zeichen des Genitivs.

Chamysch ning tuchurtschuchi. Die ersten Stämmchen des Bambusrohrs. Vergleiche das vorhergehende Wort.

Küntschid. Sesam. — Türkisch und Tatarisch كنجيد *kendshid ;* Russisch кунчутъ und кунжутъ.

Schuldurcha. Name einer Pflanze. — Chinesischen (3) *mà-liân.*

Somur. Zirbelnuss.

Yinkech. Wälsche Nuss. — Tatar. يانكاق *yankak.*

Nara. Granatapfel. — Türk. نار *nar.*

Usum. Weintraube. — Tat. اوزوم *usum.*

Charbus. Wassermelone. — Tatar. قاربوز *karbus.*

Chachun (chaûn). Melone. — Tat. قاون *kaûn.*

Badirach. Eine Art langer Kürbisse.

Yur. Gekochter Reiss.

Murtsch. Indianischer Pfeffer. — Chinesisch *chû-dsiaō* (4).

Yarma. Chinesischer Pfeffer. — Chines. *chuā-dsiaō* (5).

Kedis. Baumwolle (so steht durch einen Schreibfehler im Original ; es muss aber heissen *kedin*). قطن *kethen* ist das allgemein in Asien gebräuchliche Wort ; daher *cotton.*

Bidadao. Gesponnene Baumwolle.

Chadistschetschek. Zimmetblüthen.

---

(1) 椿 (2) 韮

(3) 馬蓮 (4) 胡椒 (5) 花椒

Linchoua. Nymphæa nelumbo. — Chinesisch *liân-chuâ* (1).

Bacham. Brasilienholz. — Tür. بقم *bäkkem.*

Chaïng. Birke. — Tatarisch قايين *kayn.*

Abinus. Ebenholz. — Türk. ابنوس *Abenos.*

Tschintan. Aloeholz. — Chines. *tschîn-thân* (2).

Churslang. Cardamom.

Ot taluk. Arzeneykräuter. — Tür. اوت *ot,* Kraut.

V. Von Vögeln und Thieren.

Chusch. Vogel. — Tat. und Türk. قوش *kusch.*

Keyik. Ein vierfüssiges Thier.

Sitschichan. Maus. — Tat. چقان *ssyzchan (ssitschchan).*

Ut. Rind, Ochse. — Dshagataïsch اوط *uth.*

Bars. Tyger. — Tatarisch بارس.

Tayischchan. Haase. — Türkisch طوشان *tauschan;* Nogaïsch *tawschan;* Türkmenisch *dauwschan.*

Loo. Drache. — Vom Chinesischen *lûng* (3).

Yilan. Schlange. — Tatar. يلان *yilân.*

At. Pferd. — Tat. اط *ath.*

Choï. Schaaf. — Tatarisch قوى *koï.*

Bitschin. Affe. — Dshagataïsch بيچين *bitschin.*

Tacho (tao). Huhn. — Dshagat. داقوق *dakuk;* Tat. طاوق *thawok.*

It. Hund. — Tatar. ايت *it.*

Tunkus. Schwein. — Bei den Tataren in Kasan und Tobolsk ist دونكز *dungus,* ein wildes Schwein. In den übrigen Tatarischen Mundarten und Sibirien, in Chiwa und bei den Kirgisen bedeutet *tongus* oder *dongus,* Schwein.

Uchar. Storch.

Buchu. Hirsch. — Mongolisch und Kalmükisch *bugu,* Rennthier und Hirsch; Tatarisch bei Kusnezk *bugà.*

Adik. Bär. — Bucharisch *ajik;* Tat. ايو *ayu.*

Charchulach, d. i. Schwarzohr, eine Art Tyger. — Im Tatarischen bedeutet قراقولاق *karakulak,* Schwarzohr.

Dewa. Kameel. — Tatar. توه *tiwa, tewä* und تويه *tuya.*

Yangé. Elephant.

Chas. Gans. — Tat. قاز *kas.*

Ördek. Ente. — Tatarisch اورتاك *urtäk.*

Ischek. Esel. — Türkisch اشك *eschek.*

Chadir. Maulesel. — Tatar. قتر *katyr.*

Büri. Wolf. — Tatar. بورى *buri.*

Schilasun. Luchs. — Tatar. سلاوسون *silawsun.*

Matschian. Das Weibchen unter den Vögeln.

Chulas. Männchen unter den Vögeln.

Inek. Kuh. — Tat. اناك *inäk.*

Utas. Stier.

Simrucha. Der Vögel Greif. — Ist das Persische Wort سيمرغ *simurgh.*

Chat. Das fabelhafte Einhorn der Chinesen *(khî-lîn).*

(1) 蓮 (2) 檀沉 (3) 龍

Kerudy. Der Garudha ein fabelhafter Vogel der Indier.

Schir und *arsalang.* Löwe. — *Schir* ist das Persische Wort شير *schir,* und *arsalang* das Tatarische ارسلان *arslan.*

Tudy. Papagey. — Persisch und Türkisch طوطى *thuthy.*

Kers. Rhinoceros. — Türkisch und Pers. خريس *cheris* und كرك *kerk.*

As. Hermelin. — Tat. آس *as.*

Teïng. Graues Eichhorn. — Tatar. تيين *tiin.*

Kisch. Zobel. — Tat. كيش *kisch.*

Schongchar. Grosse Falken die man zur Jagd abrichtet. — Tat. شونكقار *schungkar.*

Chuchu. Wilde Gänse.

Maral. Eine Art grosser Hirsche. — Tatarisch bei Kusnezk *maral.*

Büs. Ein graues Pferd. — Tatar. بوز *bus,* grau.

Chula. Schweissfuchs. — Tat. قوله اط *kulah-ath.* (*Ath,* Pferd.)

Tschirté. Ein Rothfuchs.

Burté. Ein Schimmel.

Chara-at. Rappe. — Tatar. قرا اط *kara-ath.*

Aïchir. Hengst. — Tatar. ايغير *aighyr.*

Akda. Wallach. — Türk. ايغدش *ighdisch*; Mong. *akta*; Mandshuisch *akta.*

Baitschal. Stute. — Tat. بيه *bia.*

Chulan und *Tani.* — Wildes Steppenpferd. — Tat. قولان *kulan.*

Churun. Füllen.

Tubitschach. Ein grosses Pferd aus den westlichen Gegenden.

Archumach. Ein kleines Pferd aus den westlichen Gegenden.

Altun yarmak lyk bars. Ein Goldgestreifter Tyger. — Tatar. *altun,* Gold; *yarmak-lyk,* gespalten oder gestreift und *bars,* Tyger.

Ala bars. Ein gefleckter Tyger. — Tat. اله بارس *ala-bars.*

VI. Vom Menschen.

Chan. König. — Ein altes Tatarisches Wort, خان *chan* und خاقان *chakan.*

Tuschimal. Minister, Vasall. — Hat sich noch im Mongolischen *tusimal* (Mandshuisch *chafan*), Regierungsbeamter, erhalten.

Ata. Vater. — Tat. اتا *ata.*

Ochly. Sohn. — Tat. اوغلى *oghli* und اوغلو *oghlu.*

Er. Mann. — Tat. اير *ir.*

Abetschi. Frau. — Tatarisch in Tobolsk und Kasan بيچه *biza* oder *bize* (*bitscha*); Kirgisisch *bitsché*; bei den Kangazischen Tataren *iptschi.*

Uluch. Erwachsen. — Tatar. اولوغ *ulugh,* erwachsen, gross.

Yikit. Jung. — Türkisch und Tatarisch يكت *yikit,* ein Jüngling; Tatarisch bei Kusnezk *tschüt*; bei Jeniseisk *yeét.*

Acha. Älterer Bruder. — Tat. اغا *agha.*

Ini. Jüngerer Bruder. — Tat. اينى *ini.*

Abukeng. Grossvater.

Uluch-ata. Der ältere Bruder des Vaters. — Nach den Worten, die ganz Tatarisch sind *grosser Vater.*

Abuka. Der jüngere Bruder des Vaters.

Ana. Mutter. — Tat. انا *ana.*

Chacha maktschi. Vaterschwester.

Yingkessi. Frau des älteren Bruders

Maktschi. Ältere Schwester.

Singhi. Jüngere Schwester.—Tat. سینکلی *singly.*

Nachatschi. Frauenschwester.

Uchul (uul). Söhne. — Siehe oben Sohn.

Chis. Tochter. — Tatarisch قز *kys.*

Nangkiya. Barbaren. — Noch bis jezt heissen die Chinesen bei den Mongolen *nangkiyat.*

Bachschi. Lehrer. — Hat sich im Mongolischen Worte *baksi* erhalten.

Schabi. Schüler. — Findet sich im Mongolischen *schabi*, und im Mandshuischen *schabi*, wieder.

Tanghi. Anhänger der Secte *Taó* (1); gewöhnlich *Taó-szü* (2) genannt.

Tuin. Buddhapriester.

Niwasiki. Guter Genius.

Ussit. Böser Dämon.

Burchan. Buddha, oder *Foë* (3) der Chinesen. Bei den Mongolen ebenfalls *burchan.*

Intschke. Lehre der Confucius.

Bek. Statthalter, Fürst. — Tat. بی *bi*; Türk. بك *beg.*

Tscherik. Heerführer, Krieger. — Tat. چریك *tscherik.*

Chari. Greis. — Tat. قارت *kart.*

Yikit. Jüngling.—Türk. und Tat. یکت *yikit.*

Men. Ich. — Tat. من *men.*

Sen. Du. — Tat. سن *ssen.*

Ani. Er. — Tatarisch انلار *anlar*, sie.

Kim. Wer! — Tat. کم *kem.*

Uchri. Dieb. — Türk. und Tatar. اوغری *ughri.*

Charachtschi. Räuber. — Tatar. قاراقچی *karaktschi (karakzi).*

Uruch, tarich. Blutsverwandtschaft, Stamm. — Tatar. اوروغ *urugh*; und اوروو *uruw.*

Ischlari. Freunde.

Chari kischi. Ein alter Mann. — Tat. قاری کشی *kari kischi.*

Kitschik ochul. Knabe.—Tat. کچك اوغلی *kütschük oghli.*

Ailukung. Der jüngste der Familie.

Chul kischi. Knecht. — Tat. قول *kul*, Knecht, und کشی *kischi*, Mensch.

Chachan. Kaiser.—Tat. und Türk. خاقان *chakan.*

Usatunghi. Die Majestät des Kaisers.

Charatschu. Minister.

Bilkutschi. Ein Weiser.—Mit dem Türkisch-Tatarischen Verbo بلمك *bilmek*, wissen, verwandt.

Bochdas. Ein Heiliger. — Daher das Mongolische *bogdo*, heilig.

Arsi. Ein Unsterblicher. — Chinesisch *Siān-shîn* (4).

Tschidachutschi. Der da kann [potens].

Uchachutschi. Ein Gelehrter.

Ikesi. Der Herr des Hauses. — Tat. ایکاسی *igassy.*

Achatscha. Der erste eines Orts, Bürgermeister, Schulze.

Tarichutschi. Landmann.

---

(1) 道 (2) 道士 (3) 佛 (4) 仙人

Sadichtschi. Kaufmann. — Tatar. ساودە *ssawdá*, Handel; سادو *ssaduw*, Verkauf.

Umoch. Herr, Wirth.

Kudan. Gast.

Nukur. Collegen.

Ulachtschi. Stallknecht. — Türk. اولاق *ulak*, ein Postillion.

Kelemetschi. Dollmetscher. — Tat. قلغوچى *kälghutschi.*

Iltschi. Gesandter. — Tatarisch ايلچى *ilʒi (iltschi).*

Utlitschi. Wohlthäter.

Tusun kischi. Ein guter Mensch.

Yachschi kischi. Ein guter Mensch. — Ist ganz Tatar. يخشى كشى *yackschi kischi.*

Yaman kischi. Ein böser Mensch. —Ebenfalls Tat. يمان كشى *yaman kischi.*

Utschayit. Ein roher Mensch.

Murki. Narr.

Sanachtschi. Wahrsager.

Ot'tschi. Arzt, von *ot'*, Kraut. — Ist ganz Tatarisch.

Il kün. Volk. — Tat. ايلى *ili.*

Us kischi. Künstler. — Türk. اوص *us*, Verstand, und Tat. كشى *kischi*, Mensch.

Alintschuki abukem. Ältervater.

Nachatschu. Mutterbruder.

Chadin ata. Schwiegervater.—Tat. قاين اتا *kaïn ata.*

Chadin. Schwiegermutter. — Tat. قاين انا *kaïn ana.*

Chatun kischi. Frauenzimmer. — Tatar. خاتون كشى *chatun kischi.*

Kelin. Schwiegertochter. — Türkisch كلن *ghelin;* Tatarisch كيلين *kilin.*

Abuschka. Mutter [Mama].

Nachatschu kelin. Die Frau des Schwagers.

Batscha. Der Mann der Frauenschwester. — Tat. باجه *badsha.*

Kundekusi. Eidam. —Türk. كويكو *kuïku.*

Yasna. Mann der älteren Schwester. — Tat. يسنه *yisnä.*

Tschiya. Bruder- oder Schwestersohn.

Tusun. Ein Weiser.

Bis lar. Wir. — Tatar. und Türk. بزلر *bislär.*

Sening. Dein. — Tatar. سنينك *senyng*, dein.

Ular. Sie. — Im Tatarischen sollte اولار *ular*, der reguläre Plural von اول *ul*, er, seyn, so aber ist er انلار *anlar.* Die Tataren in der Steppe Baraba sagen auch *ular*, und die Nogay und Tataren von Jeniseisk und Kusnezk *olar.*

Kidat kischi. Ein Chinese; von *Kidat*, China (daher unser Kitay) und *kischi*, Mensch.

Taschchari kischi. Ein Ausländer. — In Türk. bedeutet طشره *thaschré*, ausserhalb; كشى *kischi*, Mensch.

Baschlachutschi. Ein Aufseher. — Vom Tatar. باش *basch*, Kopf.

Teûmu. Oberhaupt. — Vom Chinesischen *theû-mû* (1).

Mongchol. Ein Mongole.

Mussurman. Mohhammedaner.

Tübut. Ein Tübetaner.

Uigur. Ein *Uigur.* — Chinesisch *Kaö-tschäng* (2).

Tschurtschuk. Ein *Nü-dschy̆ (Shü-dshy̆)* (3). (Vorfahren der Mandshu.)

---

(1) 頭目 (2) 高昌

(3) 女直

Mändän. Ein Awaner. — Ist Chinesisch *Miàn-thiân* (1).

Enätke. Ein Hindustaner. —Daher das Mongolische *Änätkäk.*

Babe. Name einer Nation in Indien jenseit des Ganges. — Chinesisch *Pä-pĕ* (2).

Tangut. Das Land in Norden und Westen der Chinesischen Provinz *Schèn-sў.* — Bei den Mohhammedanischen Schriftstellern تنكوت *Tangut* ; bei den Chinesen *Chô-sў* (3).

VII. Vom Körper und seinen Theilen.

Budin. Körper. — Tatarisch بدن *bädan.*

Yurek. Herz. — Tatarisch يوراك *yuräk.*

Basch. Kopf. — Tatarisch باش *basch.*

Yüs. Gesicht.—Tatarisch يوز *yüs.*

Yangach. Wange. — Tatar. ينكاق *yangak'.*

Satsch. Haar. —Tatar. ساج *sadsh,* und جاج *zaz.*

Chasch. Augenbrauen. — Tatar. قاش *k'asch.*

Küssi. Auge. — Tat. كوز *küs.*

Burun. Nase. — Tat. بورون *burun.*

Achis. Mund. — Tat. اغز *aghis.*

Kulak. Ohr. — Tatarisch قولاق *kuluk.*

Tisch. Zahn. — Tatar. تيش *tisch.*

Til. Zunge. —Tatarisch تيل *til.*

Arin. Lippe. — Tatar. ايرين *irin.*

Ilik. Hand. —Türkisch ال *el*; bei den Jakuten *ili*; bei den Kasach im südlichen Georgien *eli.*

But. Der Hintere. —Vielleicht ein Schreibfehler für *kut*; denn im Türkischen und Tatarischen sagt man كوت *küt.*

Adachi. Fuss. — Tat. اياق *ayak*; Jakutisch *atach.*

Sünguki. Knochen. — Tatarisch سوياك *süyak* ; Türkisch سوكك *sünük.*

Angil. Schulter. —Tat. ايكين *ighin.*

Küksum. Brust. — Tatarisch كوكس *kuksse.*

Bal. Das Kreutz. — Tatarisch بيل *bil.*

Ütscha. Rücken.

Itschaku. Eingeweide. —Tatarisch ايجنداكى *izindagé (itschindagé).*

Charin. Bauch. — Tatarisch قرن *karyn.*

Tari. Haut. — Tat. ترى *teri.*

Et. Fleisch. — Tat. ايت *it.*

Tuk, tuluk. Haare am Körper. — Türkisch توى *tuy* ; Tatarisch توك *tuk.*

Tar, tarlady. Schweiss. — Tatar. تير *tir* ; Türk. در *der.* Schwizend Tatarisch تيرلادى *tirladi.*

Chan. Blut. — Tatar. und Türk. قان *kan.*

Tingrach. Nagel am Finger oder Zehen. — Tatarisch ترناق *tarnâk*; Türkisch طرنق *thyrnak* ; Jakutisch *tygyrach.*

Tach tisch. Backenzähne. (Wahrscheinlich *Berg-zähne* تاغ تيش .)

Sachindurchutschi. Die Hüften.

---

(1) 甸緬 (2) 百八

(3) 西河

VIII. Von Gebäuden.

Ordu. Der kaiserliche Pallast. — Tat. آوردە *ordah;* Türk. اوردو *ordu,* das kaiserliche Lager.

Charschi. Pallast.

Ew. Haus. — Türk. او *ew;* Tat. أى *ui.*

Chalich, balachana. Die obere Etage eines Hauses.

Achilich, sang. Vorrathshaus, Speicher. *Ssang* kommt vom Chinesischen Worte *ẑâng* (1).

Chasnach. Schatz, Casse. — Tat. خزينه *chasinah.* (Daher das Russische казна.)

Chapi. Thür, Pforte. — Türkisch قپي *kapi* und قپو *kapu;* Tatar. قابقه *kapka,* Thorweg.

Tungluk. Fenster.

Buchar. Tempel.

Chachu. Herd.

Kübruck. Brücke. — Tatar. كوبور *kübür* und *kobur.*

Tirki. Säule. — Türkisch ديرك *direk.*

Baduk chapi. Hauptthür.

Iki chapi. Nebenthür (*iki* zwei).

Altun charschi (d. i. der goldene Pallast). Der Ort wo der Kaiser Rath hält.

Altun chapi. Die goldene Pforte des kaiserlichen Pallastes. — Tat. آلتون *âltun,* Gold; Türk. قپي *kapi,* Thür.

Kebit. Bude. — Tatarisch كبيت *kibit.* Daher das Russische кибитка als Wohnung der Kalmücken.

Aschlich ew. Küche. — Tatarisch und Türkisch اش خانه *asch-chanah* (wo *chanah* Persisch, für او *ew,* Haus steht). Eigentlich sollte man sagen اش او *aschew,* oder اشليق او *aschlik-ew,* wie im Uigurischen.

Yam-cha. Poststation. — Tatarisch und Türkisch يام *yam;* daher das Russische ямъ und ямчикъ.

Metschit buchar. Eine Moschee.

IX. Von Kleidungsstücken.

Tun. Ein Kleid. — Tatarisch طون *thun.*

Bürk. Hut, Mütze. — Tat. بورك *burük.*

Aduk. Stiefeln. — Tat. ايديق *idyk'.*

Utschuk. Strümpfe. — Tatarisch in Sibirien *uk.*

Chio. Schuh. Ist Chinesisch.

Chóur. Gürtel. — Tatarisch am Tschulim, bei Kusnezk, Kangatzkisch und bei den Tschazkischen Tataren *kur,* eben so bei den Jakuten.

Bus. Baumwollenes Zeug.

Turchu. Feines Seidenzeug.

Küschuntschuk. Bettzeug.

Tüschek. Lager zum schlafen. — Tat. توشاو *tuschaw,* توشاك *tuschäk.*

Tawar. Seiden dammast. — Daher kommt vielleicht das Russische Wort товаръ Waare.

Altun-luch santschba. Mit Gold gestickte seidene Zeuge.

Charchumi santschba. Verschiedenfarbig gestickte seidene Zeuge.

Manglung. Seidene Zeuge worauf

(1) 藏

Drachen gestickt sind.—Chinesisch *Màng-lûng* (1).

Altun-luk. Goldstoff. —Von *altun*, Gold. Tat. آلتونلق *altunluk.*

Kukus-luk. Brustlatz. — Türkisch كوكس *kükus*, Brust; und كوكسلق *kükusluk'*, zur Brust gehörig.

Chasch chôur. Ein Gürtel mit dem kostbaren Steine *yü* (Jade) ausgelegt. Von *chasch*, Jade und *chôur*, Gürtel. Siehe unten *Jade.*

Altun chôur. Ein goldener Gürtel.

Küschike. Vorhang.

Tschadir. Zelt. —Tatarisch جادير *dshadyr* und *tschatyr.*

Yachlich. Schnupftuch, Schweisstuch. — Tat. ياولوق *yawluk.*

Chabtschuch. Sack, Tasche.

Tscherk. Kurzes Unterkleid.

Tari tun. Pelzkleid.—Tat. ترى تون *teri-tun.*

Bilbach. Hüftengurt. — Tatarisch بيلباؤ *bilbow.*

Tumacha bürké. Eine Art Mütze. — Im Tatarischen bedeuten تـوماق *tumak* und بورك *burük*, Mütze.

Yachan turuch. Weite Ermel, die man aufkrämpen kann.

Kisch tari tun. Zobelpelz. —Tat. كيش ترى تون *kisch teri tun.*

X. Von Gerätschaften und Meubeln.

Urnaûk. Bettstelle.

Schira. Tisch. — Im Mongolischen *sireké.*

Changli. Wagen. — Beim Abulghasi *kank* [اربه‌غه قانق آت قويديلر] daher der Name des Stammes *kankli.* Tatarisch am Flusse Katscha und bei den Kamaschen in Sibirien, *kanga* Wagen.

Banting. Bank. — Mong. *bantang.*

Tuchlucha. Helm, Sturmhaube. — Türk. طولغه *thulgha.*

Chuyach. Panzer. — Tatarisch in Kasan كُبه *küba*; in Tobolsk, Jeniseisk und Kusnezk, قوياق *kuyak*; Jakutisch *kugach.*

Tschida. Lanze.—Tür. جدا *dshida.*

Bitschak. Messer. — Tatar. چپاق *petschak*, und بچاق *bizak*; Türkisch بچاق *bitschak.*

Ya. Bogen. — Tat. يا *ya.*

Och. Pfeil. — Tatar. اوق *uk.*

Tuch. Fahne. — Dshagataïsch طوق *thuk*; Tatarisch طو *thu*. Wahrscheinlich stammt dieses Wort vom Chinesischen *thü* (2) ab, welches die Hauptfahne der Armee bezeichnet.

Chalchan. Schild. — Tatar. قالقان *kalkan.*

Sa. Schloss, Vorhängeschloss. — Vom Chinesischen *sò* (3).

Yachschi. Schlüssel. — Tat. اچقچ *azkyz* (*atschkytsch*).

Tamcha. Pettschaft. — Alt-Tatarisch تمغا *tamgha.*

Kusungu. Spiegel. — Tatar. كوزكو *küsigu* (*küsgu*).

Yilbiku. Fächer. — Tat. يلبوچ *yelbäutsch.*

Kuschadiri. Sonnenschirm.

Tschich. Vorhang vor der Thür.

Tscham. Schüssel.

Chaban. Teller.

Ayach. Schaale. —Tat. آياق *ayak.*

---

(1) 龍蟒

(2) 纛 (3) 鎖

Tsching. Eine Chinesischee Metze — Das Wort ist auch Chinesisch *ÿ-sching* (1), eine Metze.

Küri. Ein Scheffel. — Tatar. قارى *kari.*

Batman. Eine Wage.

Yingna. Nähenadel. — Tatar. انه *inä*; Türk. اكنه *ighné.*

Chubing. Weingefäss. — Ist Chinesischen Ursprungs.

Tabschi. Ein kleines Trinkgeschirr.

Itschitsch. Kochgeschirr.

Tschüki. Chinesische Essstäbe.

Tschung. Eine Glocke. — Vom Chinesischen *tchüng* (2).

Kürbuk. Trommel.

Ider. Sattel. — Tat. ايار *iyar.*

Tabingu. Schabracke.

Lungaka. Flasche. — Mong. *lungku.* Ist Chines. Ursprunges.

Sachu. Ein rundes und langes hölzernes Gefäss.

Nama. Sache.

Turiluk. Ein Stück.

Tschini chabchao. Ein Porcellangefäss.

Chading. Ein grosses Weingeschirr.

Abtschama. Trinkgeschirr. — Ist Persischen Ursprungs von آب *ab*, und جام *dsham.*

Chubur. Ein Hackebrett das mit den Fingern gespielt wird.

Altun abtschama. Ein goldenes Fläschchen.

Chasch abtschama. Ein Fläschchen von Jade.

XI. Von kostbaren Dingen.

Altun. Gold. — Tatarisch آلتون *altun.*

Kümusch. Silber. — Tatarisch كموش *kümusch.*

Ärdini. Kostbarkeit, Kleinod. — Dieses Wort hat sich noch im Mongolischen *erdeni* erhalten.

Üntschu. Perl. — Tatarisch ينجو *intschu (indsü).*

Bachir. Kupfer. — Tatarisch باقر *bakyr.*

Temur. Eisen. — Tatarisch تمر *timir* und *temur.*

Schaschar. Achat.

Mardshan. Coralle. — Tat. مرجان *mardshan.*

Chasch tasch. Orientalische Jade, als Chinesischer Stein *yü* (3), berühmt. — Mongolisch *chas*; Tatarisch يشم *yeschem.*

Tcheku. Eine sehr grosse gewundene Seemuschelschaale, die für eine Kostbarkeit gehalten wird.

Chubich. Bernstein. Davon stammt das Chinesische Wort *chù-phĕ* (4).

Bolor. Bergcrystall. — Tatar. und Türk. بلور *belur.*

Tschabingir. Eine Art schlechten Glases.

Almas. Diamant. — Tatar. الماس *almas.*

Natschiur. Lasurstein. — Tat. und Türk. لاجورد *ladshiurd.*

Sibsingir. Zinnober. — Türkisch زنجفر *sindshefer.*

---

(1) 升一 (2) 鍾 (3) 玉 (4) 珀琥

Tana. Perl aus dem östlichen Ocean. — Mongolisch ; Mandshuisch *tana.*

Yakut tasch. Rubin, Hyazinth. — Tatarisch ياقوت *yak'ut*, Rubin; تاش *tasch*, Stein.

XII. Von Essen und Trinken.

Surma. Wein.

Asch. Speise. (Gekochter Reis).— Türkisch und Tatarisch آش *asch.*

Tüki. Reis ohne Hülsen.

Et. Fleisch. — Türk. ات *et.*

Yach. Öhl. — Türk. ياغى *yaghi.* Stammt wahrscheinlich vom Chinesischen *yeû* (1) ab.

Tus. Salz. — Tatar. توز und دوز *tus.*

Lachscha. Weitzenmehl.

Sirke. Essig. — Tat. سيركه *sser'kä*; Türk. سركه *ssirkéh.*

Tscha. Thee. —Tatarisch چاى *zai (tschai).*

Schurba. Brühe. — Tatarisch شوربه *schurba*, Fischsuppe. (Russisch yxa.)

Yich. Roh, ungekocht. — Türk. چيك *tschik.*

Baschich. Gekocht, gar.

Siyich. Dünn (von Flüssigkeiten). — Tat. شينككان *schingkän.*

Chuyuch. Dick. — Tatarisch قويى *kuye*; Türkisch قيو *kuyu*, und قويى *kuyi.*

Sirke. Sauer. (Siehe oben *Essig.*)

Schur, tarcha. Salzig, gesalzen. — Tatarisch شور *schur*, Salzwasser, Salzquell.

Talchan. Von Mehl gebacken.

Ütmäk. Brod. — Tatarisch اتمك *etmek.*

Schikussun. Ruheplätze auf den Landstrassen; Gasthäuser.

Tschibian. Leckerbissen.

XIII. Litteratur.

Nom. Ein heiliges Buch. — Chinesisch *kìng* (2). Ist im Mongol. *nom* aufbehalten.

Bidik. Ein Buch. — Im Mongol. *bitschik*; Mandsh. *bitche.* Das Russische пишу, *ich schreibe*, stammt vielleicht von derselben Wurzel.

Tubtschian. Ein historisches Werk, Geschichtsbuch.

Tschachsi. Schrift.

Chachd. Papier. — Türkisch كاغد *kjaghid*; Tatar. كغد *kaghäds.*

Meke. Tinte; vom Chinesischen *mĕ-chĕ* (3), Dintenschwärze.—Mongolisch *beke*; Mandshuisch *beche.*

Kilam. Schreibkiel.—Tatarisch قلم *kaläm.*

Mekelik. Tintenfass, von *meke* Tinte mit der Tatarischen Ableitungssylbe لك *lik.*

Bidik. Litteratur. (Siehe oben *Buch.*)

Büluk. Styl.

Bildurguluk. Eine Proclamation.— Türkisch بلدرمك *bildürmek*, anzeigen, offenbaren, ausrufen.

---

(1) 油 (2) 經

(3) 黒墨

Yarlich. Kaiserlicher Befehl. — Daher das Mongolische *yarlik,* Befehl; und das Russische Wort ерлыкъ, welches Diplom, Befehl, öffentliche Bekanntmachung bedeutet.

Bidik ning yuruki. Deutlichkeit und Annehmlichkeit des Styles einer Schrift. — *Ning* ist die Tatarische Genitivsylbe نينك *ning,* und ياروق *yaruk,* bedeutet hell, klar.

Tungkul bidik. Tafel mit einer Anzeige.

Bidik uchi. Ein Bücherleser. — Im Tatarischen اوقوى من *ukuimen,* ich lese; Türk. اوقومق *okumak,* lesen.

Bidik uschik. Ein Schreiber. — Türk. يازمق *yasmak,* schreiben.

Bidik ning yaraschdurub. Ein Schriftsteller. — Türk. ياراشمق *yaraschmak,* geschickt seyn.

Sachurd bidik. Wörterverzeichniss für Anfänger. — Vielleicht mit dem Türkischen شاكرد *schagird,* ein Anfänger, verwandt.

Bidik achtardy. Übersetzung.

Sachurd bidik uchi. Ein Schüler der die Anfangsgründe lernet.

XIV. Weltgegenden und Lage.

Ündun. Osten. (Vorwärts.)

Kedin. Westen.

Kündun. Süden. (Sonnenwärts.)

Tachdin. Norden. (Bergwärts.)

Sul. Links. — Tat. سول *sul.*

Ung. Rechts. — Tat. اونك *ung.*

Tabuchinda. Vorn, vor.

Songira. Hinten, nach. — Türk. صكره *songra;* Tat. سنك *sung.*

Üsdun. Oben. — Tat. اوستون *ustun.*

Eldin. Unten. — Türk. الت *alt,* التنده *altinde,* unter.

Itschkeri. Innen. — Türkisch ايچره *itschré,* ايچ *itsch.*

Taschchari. Aussen. — Türkisch طشره *thaschra.*

Arassindé. Zwischen. — Tatarisch, Türkisch und Dshagataïsch آراسنده *arassindé.*

Tört bulung. Die vier Ecken.

Tört sari. Die vier Seiten, Viereck.

Säkis yangach. Die acht Seiten. (Siehe *Wange.*)

XV. Von den Farben.

Kük. Blau. — Tat. كوك *kük.*

Sarich. Gelb. — Tat. سارى *sari,* ساريغ *saryg.*

Kysyl. Roth. — Tatarisch قزل *kysyl.*

Yurung. Weiss, hell. — Tat. ياروق *yaruk,* hell.

Chara. Schwarz. — Tatarisch قارا *kará.*

Al. Hellroth. — Tatarisch آل *âl.* (Russisch алый.)

Yangkari. Indigo-farbig.

Yaschil. Grün. — Tat. ياشل *yaschil.*

Schibkin. Violet.

Sidam. Einfach, glatt, vom Zeuge gebräuchlich.

Ala. Fleckig, geblühmt. — Tatar. الا *ala.*

Tschübschik. Pfirsichblüthfarben.

Scham scha unluk. Dunkelblau und taubenhälsig. (Blitzblau, Chinesisch *schán-ssě*) (1).

---

(1) 

Tschikil tschakil. Glänzend von Farbe. — Farbe, Tatar. شیکیل *schikil.*

Ssuchun ning yurung. Zwiebelfarbe.

Tal ning sarich. Weidengelb. — Tatarisch تال نینك ساریغ *tal ning saryk.*

Tal ning kük. Weidenblau, dunkele Farbe der Weiden. — Tatarisch تال نینك کوك *tal ning kük.*

Ünluk. Gesichtsfarbe, Ansehn.

XVI. Von den Zahlen.

Bir. Eins. — Tat. بر *bir.*

Iki. Zwey. — Tat. ایکی *iki.*

Ütsch. Drey. — Tat. اوچ *utsch.*

Tört. Vier. — Tat. دورت *dört.*

Bisch. Fünf. — Tat. بش *bisch.*

Alty. Sechs. — Tat. آلتی *alti.*

Yidi. Sieben. — Tat. یتی *ytti.*

Sekis. Acht. — Tatarisch سکیز *sikis.*

Tochus. Neun. — Tat. طوقوز *tokos.*

On. Zehn. — Tat. اون *on.*

Bir on. Einmal zehn. — Tatarisch بر اون *bir on.*

Igirmi. Zwanzig. — Tatar. یکرمی *igirmi.*

Otus. Dreyssig. — Tatarisch اوتوز *utus.*

Chirch. Vierzig. — Tat. قرق *kryk.*

Ellik. Fünfzig. — Tatarisch ایللی *illje.*

Altmisch. Sechzig. — Tatar. التمش *altmysch.*

Yitmisch. Siebenzig. — Tat. یتمش *itmysch.*

Sekis on. Achtzig, d. i. achtmal zehn.

Tochus on. Neunzig, d. i. neunmal zehn.

Yus. Hundert. — Tat. یوز *yus.*

Ming. Tausend. — Tat. مینك *ming.*

Tümen. Zehntausend. — Tatarisch تومان *tuman.*

Kuldy. Hunderttausend.

Niüt. Eine Million.

Sidir. Beyde, ein Paar.

Batman. Ein Chinesisches Pfund. — Tat. بطمن *bathman.*

Sanin. Zahl.

Natscha. Wieviel! — Tatarisch نیچه *nitschä (nizä).*

Bachyr. Kupfermünze. — Tatar. باقر *bakyr,* Kupfer.

Natscha on. Wieviel zehner!

Natscha yus. Wieviel hunderte!

Sanachuluchsus. Unzählbar. — Türkisch سای *saï,* die Zahl; سایمق *saïmak,* zählen.

XVII. Von Menschlichen Dingen (1).

Sawintsch. Freude. — Tatar. سوینچ *süüntsch;* Türkisch سوینمك *sewinmek,* sich freuen.

Tschimad. Zorn.

Chaichu. Traurigkeit. — Tatarisch قیغو *kaighu.*

Mangi. Freudenbezeigung.

Buschusch. Hass.

(1) Da die Bedeutungen vieler Wörter in diesem Abschnitte ziemlich unbestimmt sind, so habe ich es für dienlich gehalten in den Vergleichungen nicht zu weit zu gehen.

Amke. Schmerz.

Yuri. Das Gehen. — Tatar. und Türk. یور *yur*, gehe!

Turayin. Das Bleiben.

Ulur. Das Sitzen. — Tat. اولتورامن *ulturamen*, ich sitze.

Yat. Das Liegen. — Tatar. یاتامن *yatamen*, ich liege.

Übkelab. Das Zürnen. — Türk. اوکه *ökie*, Zorn.

Yamanlab. Etwas entsetzliches. — Tat. یمان *yaman*, böse, schlecht.

Kül. Das Lachen. — Tat. کولەمن *külämen*, ich lache.

Sichtab, *yichlab.* Das Weinen. — Tat. یغلای‌من *yeglaïmen*, ich weine.

Sekrib. Das Springen. — Tatar. سیکرامن *sikiramen*, ich springe.

Buchdy. Das Tanzen. — Tat. بیوجی *biowzé*, ein Tänzer.

Yukun. Das Grüssen.

Tschük. Das Kniebeugen.

Ischit. Das Hören. — Tat. ایشیتامن *ischitamen*, ich höre.

Kürub. Das Sehen. — Tat. کورامن *küramen*, ich sehe.

Yachschi. Schön. — Tatar. یخشی *yachschi*.

Yaman. Schlecht. — Tatarisch یمان *yaman*.

Bar, irki. Das Haben, Seyn. — Tatarisch بار *bar*, es ist, er hat, und ایردی *irdi*, es ist.

Yoch. Nicht. — Tatar. und Türk. یوق *yok*.

Erur. Ja, es ist.

Armas. Es ist nicht.

Yalchan. Leer. — Tatarisch یلغان *yalghan*, unwahr, erlogen.

Machat. Fest, wahrhaft.

Amasinkir. Wahr.

Bis'chaïnlab. Falsch.

Yichib. Annehmen.

Chudub. Abschlagen.

Telim. Viel. — Türk. دلیم *delim*.

As. Wenig. — Tat. und Tür. از *as*.

Berke. Schwer, schwierig. — Türk. برك *berk*; Tat. بریك *berik*, fest.

Ungaï. Leicht. — Tat. اونکای *ungaï*.

Ütschib. Vorstellung an den Kaiser.

Üsa. Immer.

Baduk. Gross. — Tat. بییك *bük*.

Kitschik. Klein. — Tatarisch und Türk. کچك *kizik (kitschik)*.

Turing. Tief. — Tatar. تیران *tiran*; Türk. درین *derin*.

Yalbach. Seicht.

Tebrab. Bewegung. — Türkisch دیرتمك *depretmek*, bewegen.

Schuk bulub. Ruhe.

Tars. Umgekehrt, krumm. — Türkisch ترس *ters*.

Küni. Gerade.

Chalyn. Dick. — Tat. قالون *kalun*.

Yucha. Dünn. — Tat. یوخه *yucha*.

Usun. Lang. — Tat. اوزون *usun*.

Chis'chach. Kurz. — Tatarisch قسقه *kyska*.

Umach. Familienname.

Adi. Name. — Türk. اد *ad*.

Chamach. Alle. — Persisch und Tatarisch همه *hemmeh*.

Yamach. Angenäht. — Türk. یمق *yamak*.

Tängri ürdunmesch. Der Schutz des Himmels. — Tatarisch تنکری *tängri*, Himmel; Türk. اورتمك *örtmek* oder *ürtmek* bedecken.

Yir gündurmesch. Das Wiederzurückgeben der Erde. — Türk. یر *yer*, Erde; کندورمش *gündürmisch*, war zurückgeschickt wird.

Bildursun. Eine Anzeige, Bekanntmachung. — Türk. بلدرمك *bildürmek*, bekanntmachen.

Intschlandurmesch. Beruhigen, versöhnen.—Türk. ايخشمك *indshitmek*, anreitzen.

Tscharik ni tablab. Seine Unterthanen lieben.

Il kün ni assirab. Mitleiden mit dem Volke empfinden.

Kessatku. Ein Verbot.

Kuschilachu. Examen, Prüfung.

Suyurchab. Belohnung.

Tuy birdi. Ein Gastmahl.

Birla amirach boldy. Mit einander verbunden seyn.

Tiläbdur. Eine Bitte. — Tatarisch تلاو *tiläw* oder تلاك *tilak.*

Baschlab. Ein Führer, Anführer. — Von باش *basch*, Kopf, Haupt.

Tartib. Abgabe, Tribut. — Türk. ترتيب *tertib*, angeordnet, Anordnung.

Inyat. Hoffnung. — Tatar. ايناغلى *inanyzly*, getrost, hoffend.

Isch chatachlab. Geschäfte besorgen.

Tamcha ni chatachlaku. Siegelbewahrer. (Siehe oben *tamcha.*)

Yiterib sachlab. Die Gebräuche in Ehren halten. — Tat. سقلايمن *saklaiman*, ich bewahre; Türk. سقلمق *saklamak*, erhalten.

Yumschab. Ein Abgesendeter.

Türua ma yassach ni. Die Regeln der Anständigkeit. — Türk. يصق *yassak*, Verbot.

Tschin girdu. Aufrichtigkeit, Treue.

Iris chachas. Muthig, grossmüthig.

Budun ni yassab. Körperliche Enthaltsamkeit. (S. oben ... S. 19.)

Isik uschung. Das Leben.

Asda. Verringeren, aufhören. — Tat. از *as*, wenig.

Bütdy. Vollendung, Ende einer Sache.

Al aldach. Unzucht treiben.

Chuschulub. Vermischt.

Dschabdusun. Vorbereitung, Bereitung.

Yichin chuwarach. Sammeln, vereinigen.

Bikri. Bald.

Yaldandy tschäiladi. Ausweichen, ablehnen.

Tschoch yalin. Sehr streng. — Türkisch جوق *tschok*, viel und يالين *yalin*, nackt.

Basinib. Unterdrückung.

Tschichaï. Schwer, beschwerlich.

Ussul simdach. Ein Fauler.

Süs ni surubdur. Mit Worten fragen, Frage. — Tatarisch سوز *süs*, Wort; Türkisch صورمق *sormak*, fragen.

Süs ni yanib yidibdur. Eine mündliche Antwort.

Tabik uduk. Verehrung.

Churchub imanib. Furcht. — Türk. قورقو *korku*, Furcht.

Talasch der. Mit einander streiten.

Uyan. Spiel. — Tatarisch اويون *uyun.*

Indi. Suchen des Verlohreren.

Yusun bila. Vernunft. — Türkisch بلمك *bilmek*, verstehen.

Tua. Verwünschung. — Findet sich im Mandshuischen Worte ... *toombi*, wieder.

Buyan, chol. Glück, Glückszufall. — Mongol. ... *buyan.*

Kunkul tchurub. Mit Eifer etwas treiben.

Sadich yuluch. Handel und Wandel. — Tatar. ساتو *satu*, Handel.

Angid. Sich beim Grüssen bücken und die Hände bis zur Erde strecken.

Basch tschalisdy. Das *Kheú-thêu* machen, mit der Stirn die Erde berühren. — Türkisch باش *basch*, Kopf; چالمق *tschalmak*, werfen, niederwerfen.

Uyady. Lob. —Türk. اوكمك *ögmek*, loben.

Irindy. Tadel.

Yingillab. Schlechte und unhöfliche Behandlung.

Ariyady. Verachtung.

Kengkeschduk. Berathschlagung.

Assich tüssu. Gewinn, Nutzen. — Tatar. توشوم *tuschum* ; Mongolisch *tusa* ; Mandsh. *tusa.*

Basch tschachib. Den Kopf neigen, d. i. sich unterwerfen.

Tschachur. Vorstellung beym Kaiser.

Kürian turdy. Das Lager abbrechen. — Mongolisch *kuria*, und *kurian (kurän)*, ein Lager. — Offenbar gehört das Türkische Wort قورمق *kurmak*, ein Lager aufschlagen, zu derselben Wurzel. —Türkisch دورمك *durmek*, zusammen falten.

Küriän tuschdy. Das Lager aufschlagen.

Udub kel. Jemanden kommen lassen.

Usad bardy. Abgehen.

Taorach barkin. Schnell abgehen, entheilen. — Tatarisch تيز *tis*; oder تيزراق *tisrak*, schnell; Jakutisch *türgän.*

Taorach kelkin. Schnell kommen.

UIGURISCHE SCHREIBEN

AN DIE

CHINESISCHEN KAISER

DER DYNASTIE *MÎNG.*

Erstes Schreiben.

Zweytes Schreiben.

Drittes Schreiben.

Erstes Schreiben.

)er von der Fläche (Wange) des Landes *Chamul* gekommene (1). Gesandte *Baba-ke* die übrigen (2).
eugen vor dem erhabenen Kaiser den Kopf bis zur Erde nieder. Das Land dieser ven wird vom Winde erkältet, der Boden ist frostig und erzeugt keine seltene Dinge. abgeordnete Gesandte und Diener bringt daher nur als Tribut acht Stück (3) der *Ar-tach* genannten Pferde, und dreyssig Gemsenhörner (4).
)er himmlische und erhabene Kaiser wird er dieses gnadenvoll (5) aufnehmen?

Hier ist das Chinesische Wort 差 *tchaÿ*, welches *gesendet* bedeutet, beybehalten worden; so dass im rischen *der gesendet gekommene Gesandte* steht.

Das Uigurische Wort *baschlich* entspricht dem Chinesischen 等 *tèng*, welches Rang, Ordnung, gleiche Gattung, die *übrigen* derselben Gattung, bezeichnet. Es ist nicht mit dem Türkisch-Tatarischen *baschlyk*, Oberhaupt, zu verwechseln; aber wohl mit باشقه *baschka* (anderes), verwandt.

Hier ist wieder das Chinesische Wort 匹 *phÿ* beybehalten, als Zählwort, von Pferden und anderem ieh.

Das Chinesische Zählwort 枝 *tchÿ* (Ruthe), das bei langen Sachen, wie Kerzen, Pinseln, Rudern, w. gebraucht wird, ist hier ins Uigurische durch *tschibich* (Ruthe) übersetzt.

Hier ist der Chinesische Ausdruck 憫 憐 *Liân-min* (*lan-min*), *gnadenvoll*, beybe-
ı.

Wir bitten demuthsvoll um ein wohlthätiges Geschenk.
Der heilige Befehl « *es sey befohlen* » (1).

Zweytes Schreiben.

Der von der Fläche (Wange) des Landes *Chamul* abgeordnete Gesandte *Baba-ke* bezeigt seine Ehrfurcht, und erhebt sein Antlitz zu dem überströhmenden Glücke Ew. Majestät. Dieser Sclave ist zur Residenz (2) gekommen um Tribut zu bringen, und wünscht sehr zurück zu kehren. Er bittet um Stoffe zu Brustlätzen und kurzen Kleidern, um Stücke von blauem, grünem und rothem baumwollenem Zeuge und andere ähnliche Dinge; und übergiebt solcher Wohlthat wegen diese Bittschrift.
Der heilige Befehl « *es sey befohlen* ».

Drittes Schreiben.

Sachara, der König (3) von *Chotscho* (4), stellt dieses dem Kaiser vor. Seit einigen Jahren war unser Land nicht ruhig, weshalb keine Gesandschaft zur Residenz geschickt werden konnte, um Ew. Majestät Tribut zu bringen. Jetzt da die Ruhe im Lande wiederhergestellt ist, erhebe ich mein Haupt mit Zutrauen zu Ew. Majestät überströhmenden Glücke, welches die Völker des Weltalls in Frieden erhält; und ich *Sachara* sende sechs Stück Pferde, und ein Stück des Steines *Chasch* (5), welches fünf Pfunde wiegt, durch den jetzt abgeschickten Gesandten dem *Teumu* (6), der beauftragt ist den für die Gegenwart des Kaisers bestimmten Tribut zur Residenz zu bringen; welches ich hiermit anzeige.
Der heilige Befehl « *es sey befohlen* ».

Ich gehe nun auf das historische was wir über die Uiguren wissen über, und fange mit folgender Stelle an, die ich aus: ابو الغازى بهادر خان *Abulghasi Bahadur Chan's*, كتاب شجر تركى oder Stammbaum der Türkischen Völkerschaften entlehne. (Seite 42 *recto* der Handschrift der Königlichen Bibliothek zu Berlin.)

---

(1) Chinesisch 道知 *dschȳ-taó*, ich weiss es, ich bin unterrichtet; Uigurisch لىعيلنز وليمر *yarlich bilur*, es sey befohlen, sind die Worte mit welchen der Kaiser befehligt und bestättiget; wie das Russische быть по сему, es sey also.

(2) Das Chinesische 京 *King*, Residenz, ist hier ebenfalls gebraucht; رلنغشي و رلنغ *kingschy u king.*

(3) Im Uigurischen حنك *Ung*, König, stammt vom Chinesischen 王 *Wâng* ab; daher *Umcan [Ung-chan]*, beym *Marco Polo* und anderen Reisenden des Mittelalters.

(4) Im Chinesischen 州火 *Chò-dscheū*; Name einer ehemaligen Stadt, 1070 *Lỳ* in Westen von *Chamul.*

(5) Chinesisch 玉 *Yŭ*, die orientalische *Jade.*

(6) Ist das Chinesische Wort 目頭 *Thêu-mū*, Chef, Aufseher.

ايغور ايلى نينك ذكرى

اويغور نينك معناى يايشتور تماك بولور قچان سوت اويوغاندیب صکره آیرلماس اویودی سنين يايشتور تماك بولور ۞ انداغ ايتمرلار كيم مغول يورتننك ايكى تاغ بولور اوزون كوتر كون توغوشوندن كون باتش غه چه بى نهايت اولوغ تاغ ايردى لار بريسى آتى توقرا توبوزلوق بريسى اوسقون لوق تكرآم بو ايكى تاغ نينك آراسنده مغول يورتى نينك كون باتشنك تقى بر تاغ باريردى آتى قوت تاغ ديرلر بو ايتلغان تاغ لرنينك آراسنك بر يردا اقاتورغان اون ساى بارتورور بر يردا توقوز ساى بارتورور چاى اولوغ سولار قديم اويغور ايلى شول ساى لارنينك اراسنك اولتورور ايردى تقى اون سايده اولتورغان لارغه اون اويغور ديرلر توقوز سايده اولتورغان لارغه توقوز اويغور ديرلر شهر وكنت واكينلى خلق ايديلر يوز يكرمى اوروق ايل ايردى لر بر كشى نى پادشاه كوتاريب آنينك غرينه باقماس ايرديلر بو سببدين بوزولورغه كلديلر بر كون بارچاسى يغليب كنكاشديلر بزلر ايكى بولوك خلك مز هر قايسى مز بر كشى توره قيلاى هر كيم آنينك سوزنى قبول قيلماسا باشنى اولتورسين وماليں الدورسين تدين تقى اون اويغور روقوندن منكوتاتى اتليغ كشى نى خان كوتارديلر ايل ايلتر لقب قويديلر توقوز اويغور روقوندن بر كشى كوتارديلر كوكلو (1) لقب قويديلر بو ايكى سينك اوغلان لارنى يوز يل غچه توراليك سورديلر آندين سونك تقى بر اويغور بولدى اون اويغورغه هر كيم توره بولسا ايل ايلتر تيديلر توقوز اويغورغه هر كيم تورا بولسه كوكلو ايكين تيديلر كوب يل لار تورالارنيك آتين شونداغ ديرلار ايدى اندين صكره هر كيم تورا بولسه ايديقوت لقب ايتورلر ايديلر اوچ يوز يل غه چالوشبو ايتولغان يورتنك توردیلر اندين صونك بوزلديلر اولچه واسير بولوب توردیلر بر نجه لارى يورتنك اولتوروب قالديلر و بر نجه سى ايرتيش سويونوك يقلسنه كلوب آنك قالديلر بر بولوكى

(1) Beigeschriebene Variante كوكل ايركينى .

بیش شهرینه یاریب ایکین اکیب ولایتین ابادان قیلدیلر و بر بولوکی یلقی قوی سقلاب بش بالیق نینك یقننك کوچوب قونوب بوردیلر و ینه بر بولوکی ایرتیش نینك توغاینده هیچ مال سقلامای بالیق و قوندوز و کیش وصوصار و تین اولاب اتین ییب وتیرسین کیار ایردیلر قماش نی عمرنك کورماس ایردیلر انالری اکر قزلارین قارغاسالر ایتورلار ایردیلر یلقی لی قوی لی کشیکه توشوب ایت ییب قمیز اچب باشنکه یمان کون یوغوب یورکای سن دیرلر ایمش لر ۞

چنکزخان زماننك باروچیق تیکان خلق قوت ایردی چنکز خان کشی یباریب باقنب یلده مال یبارور ایردیلر چنکز خان اتلانیب ماور النهر اوستنه کلکاندا باورچیق ایدیقوت لشکری برلان کلیب یولدا چنکزخان غه قوشولوب یخشی خدمت لار قلدی اویغور خلقندا ترکی تلی اوقوغان کشی لار کوب بولور ایردی دفتردارلیق نی و دیوان حساب لارینی یخشی بیلورلار ایردی چنکز خان نینك نبیرهلاری نیك زماننده ماور النهردا و خراسان وعراق دا دیوان لار و دفتردار لار بار جالاری ایغور ایردی ختای نینك یورت لاریندا هر چنکز خان نینك اوغلان لاری دیوان و دفتردار انی اویغور خلقیندین قویوت ایردی لار چنکز خان نینك اوزی نینك اورینده اولتورغان اوغلی اوکدای خان خراسان و مازنداران و کیلان نی اویغور کورکوز تیکان کاتاشوروب ایردی اول یخشی حسابدان ایردی اوج تورت مینك مالین خبط قیلب ییلدا اوکدای خانغه بیارور ایردی ۞

« Die Bedeutung von *Uigur* ist *fest* oder *zusammenhängend;* » denn wenn die Milch sauer wird, so sondert sich daraus » etwas zusammengeronnenes ab, welches so genannt wird (1).

---

(1) Diese Stelle fehlt in beyden Übersetzungen von *Abulghasi's* Buche. — Im Türkischen haben sich noch die Zeitwörter یوغرلمك *joghurlamak*, und یوغرتمك *joghurtmak*, erhalten, die vom *Zusammenlaufen der Milch* gebraucht werden; und یوغورد oder یغورد

» Im Lande der *Mogul* sollen sich zwey Berge befinden, die » sich vom Aufgange der Sonne bis zu ihrem Untergang er- » strecken, und unendlich grosse Gebirge sind. Der eine heisst » *Tukra-tubusluk* und der andere *Uskun-luk-Tigram.* Zwischen » diesen beyden Gebirgen, dem Lande der Mogul in Westen » ist noch ein anderer Berg Namens *Kut-tagh.* Zwischen diesen » zusammenhängenden Gebirgen, finden sich auf der einen » Seite *zehn Flüsse* (1), und auf der anderen *neun,* die alle sehr » gross sind. Ehemals wohnte das Volk der *Uigur* zwischen » denselben. Diejenigen, welche an den zehn Flüssen wohnten, » wurden *On-Uigur,* und die an den neun, *Tokus-Uigur* » genannt. Sie hatten Städte und Dörfer, trieben Ackerbau » und waren hundert und zwanzig Familien (2) stark; aber nie- » mand war ihr König, oder besonders angesehen. Daher ge- » riethen sie auch bald in Uneinigkeit. Als einstmals ein Theil » von ihnen versammelt war, um sich zu berathschlagen, sagten » sie : Beide Haufen unseres Volkes sollten sich jeder einen » Richter wählen, und wer seinen Worten widerstrebte, der » müsste mit dem Tode bestraft werden, und Habe und Gut » verlieren. Darauf erhoben die *On-Uigur* aus ihrem Ge- » schlechte den Elden *Mangutati* zum Chan, und gaben ihm » den Namen *Il-Iltar,* die *Tokus-Uigur* aber erwählten einen » aus dem ihrigen, denn sie *Kuklù [Kull-irkiny]* nannten. Die » Nachkommen beider verwalteten fast hundert Jahre lang das » Richteramt, und herrschten über die *Uigur.* Alle Richter bei » den *On-Uigur* hiessen *Il-Iltar,* die bei den *Tokus-Uigur* aber » *Kuklù.* Die Namen dieser Richter dauerten viele Jahre lang,

---

joghurd, bedeutet dort und in anderen Dialecten *saure Milch,* woraus Busbek *Jugurtha* gemacht hat.

(1) Im Original fast beständig, nach einer Dialekt-Verschiedenheit, سای *say,* für چای *tschay.*

(2) اوروق *Uruk* ist mit dem Türkischen طایفه *Thaïfa* gleichbedeutend. Im Kasanisch-Tatarischen wird dieses Wort اوروغ *Urugh* oder اورو *Uruw* geschrieben.

9

» worauf sie endlich unter einem vereinigt wurden, der den » Beinamen *Idikut* erhielt. So lebten sie dreihundert Jahre (1) » vereint in diesen Wohnplätzen, bis eindlich eine grosse Un- » einigkeit unter ihnen entstandt, worauf sie sich trennten, ein » Theil gefangen ward, ein anderer im Lande wohnen blieb, » und noch ein anderer sich an den Fluss *Irtisch* begab. Ein » Haufe des letzteren wandte sich nach der Stadt *Bisch* (2) und » trieb Ackerbau. Ein anderer hielt Pferde (3) und Schaafe, und » lebte in der Nachbarschaft von *Bisch-balik* zerstreut. Endlich, » wieder ein anderer setze sich unten am *Irtisch* fest, und hatte » keine Reichthümer noch Viehzucht, sondern fing Fische, Biber, » Zobel, Marder (4) und Eichhörner. Dass Fleisch assen sie, » die Felle aber brauchten sie zur Kleidung, denn sie hatten » nie einen gewebten Stoff gesehen. Die Mütter, wenn sie ihre » Töchter verheiratheten, sprachen : Wollte Gott, du mögest » Pferde und Schaafe halten, Fleisch und Hemden tragen; ein » Tuch um den Kopf winden und so gehen!

» Zur Zeit des *Tschingis-chan* war *Bawertschik* der *Kut [Idikut]* » dieses Volkes. *Tschingis-chan* berief ihn zu sich und fordete » von ihm einen järhlichen Tribut; und als er gegen *Mawar-* » *alnahar* zog, stiess *Bawertschik-Idikut* mit seinem Heere zu » ihm, und leistete güte Dienste. — Unter dem Volke der Uigur » sind viele Leute, welche die Türkische Sprache lesen können, » und als Schreiber und als Rechnungsführer in den Kanzeleyen » gut zu brauchen sind. Zur Zeit der Urenkel des *Tschingis-chan*,

---

(1) In *Messerschmidts* und in der Französischen Übersetzung steht dreytausend, in Originale aber اوج يوز, d. i. dreihundert.

(2) Hier im Texte بيش شهر *Bisch-scheher*, und weiter unten بش باليق *Bisch-balik*, welches dasselbe bedeutet, *Bisch-balik* war eine Stadt in *Turkestan*, deren *Naser-eddin* und *Ulug-beg* erwähnen.

(3) يلقى *Yelki* ist bey den Sibirischen Tataren das gewöhnliche Wort für *Pferd*, und wird eben so häufig als آط *ath* gebraucht. Die Tschatzkischen Tataren sagen *Dshilgy*, und die Jakuten am Eismeere *Sylgy*.

(4) سوسار *Zuzar*. Im Kasanisch-Tatarischen سوسار *zussar*.

» die in *Mawaralnahar*, *Chorassan* und *Irak* regierten, waren ein
» Theil der Geheimschreiber und Rechnungsführer *Iguren*, so wie
» auch im Lande *Chathai*; und bei allen Söhnen *Tschingis-chan's*,
» waren die Buchhalter und Rechnungsführer aus dem Volke
» der *Uigur*. Der vom *Tschingis-chan* als Nachfolger erwählte
» Sohn *Ogodai-chan* übergab dem Uigur *Korgos* die Provinzen
» *Chorassan*, *Masanderan* und *Gilan*. Er war ein guter Rechner,
» und schickte jährlich drei bis vier tausende Geldes dem
» *Ogodai-chan*. »

An einer anderen Stelle wiederholt *Abulghasi* (1) die Erklärung des Namens *Uigur*, im dem es sagt :

قرآخان نینك اینی لرنینك كوپ اوغلان لار بار ایردی جمله لر قرآخان دین آیرولیب
اوغوز خانغه كیلدیلر اوغوز خان انلرغه اویغور آت قویدی تركی تیلی ترور معنی سی
معلوم یابشغور معنی سی نه ترور ایتورلر سوت اویتدی ایریكانك بری بریندن آیریلور
قاتیق بولغاندین صونكره بر برینه یابوشور و تقی ایتورلار امامغه اویدم امام اولتورسه
اولتور آترور تورسه تور آترویس یابوشغانی بولماشمو انلار كیلب اوغور خان اتیكیكایه
یابوشتی لر الارغه اویغورتدی یابشغور بتمك بولور

« Die jüngeren Brüder des *Kara-chan* hatten viele Söhne,
» welche alle den *Kara-chan* verliessen und zum *Oghus-chan*
» übergingen. *Oghus-chan* legte ihnen den Namen *Uigur* [Anhänger] bei ; denn aus der Türkischen Sprache ist seine
» Bedeutung bekannt. Er bedeutet, sagt man, was *anhängt*
» [anklebt]. Die Milch gerinnt und bei der Scheidung sondert
» sich eins vom andern ab, nachdem es sich aber wieder gemengt hat, so hängt eins an das andere. Sie sprachen darauf,
» wir folgen der *Imam* (unter *Imam* wird hier *Oghus-chan*

---

(1) Ich habe nicht nöthig zu bemerken dass alle diese Stellen, sowohl in der Französischen Übersetzung von *Abulghasi's* Werk, als auch in der Deutschen von *Messerschmidt*, ganz verstellt und unvollständig wiedergegeben sind.

» verstanden); wer Imam ist der ists, wenn er spricht stehet » auf, so heissen wir uns aufstehen (d. i. wir gehen in den Krieg, » sobald er es befiehlt). Seine Anhänger also vereinigt kamen » und ergriffen den Saum des *Oghus-chan* und leisteten ihm die » Huldigung. So endigten die Anhänger. »

Was *Abulghasi* über die Uiguren sagt, ist nichts als ein etwas veränderter Auszug aus رشید الدّین *Raschid-eddin's* جامع التواریخ oder allgemeinen Geschichte. Da sich aber bei dem letzten Schriftsteller mehrere Umstände finden die bei jenem fehlen, so lasse ich hier sein Persisches Original, aus den beiden Handschriften der Königlichen Bibliothek zu Paris verglichen, mit der Übersetzung folgen.

، قوم اویغور ،

بموجبی که در مقدمهٔ کتاب یاد کرده شد چون اوغوز پسر قراخان پسر دنب باقوی پسر ابولجه خان یافث بن نوح پیغمبر علیه السلام بواسطه آن که موحّد بود با اعمام و برادران و برادرزادکان مصاف و محاربه کرد و بعضی از ایشان یارمندی او کردند و دیکرانرا مقهور کردانید و ممالك را مسخر کرد و جمعیتی عظیم ساخت و خویشان و امرا و لشکریان را بنواخت و طایفه خویشانراکه موافقت او کرده بودند اویغور نام نهاد و معنی این لفظ بلفظ ترك بهم پیوستن و مدد کردن است اسم بر تمامت آن طایفه وشعب و فرزندان و اوروق ایشان اطلاق میکردند و چون بعضی از ان اقوام هریك بسببی مخصوص اند اسمی دیکر یافتند مثل قارلوق و قلج و قبچاق وغیرهم واسم اویغور برایشان مقرر کشت وبرین تقدیر تمامت اویغور ازنسل ایشان باشند بلی بواسطه طول مدت کیفیت اشعاب قبایل وشعب ایشان بر وجهی که اصل ایشان مسمی ومفصل شد معلوم نشك وبدان سبب ایشانرا مطلقا بی تقرّض این مقدمات شعبهٔ ازاتراك می نهند ازین جهت هرچند ذکر ایشان داخل شعبهٔ اوغوز کرده شد درین فصل اقوام ماننده باتراك مکرر

گردانیدن لازم آمد بر نمطی که اویغور تقریر می کنند و چون قصص و احوال ایشان بسطی تمام دارد ذکر حوادث و معتقدات ایشان چنان که در کتب ایشان مذکور ومسطور یافته تاریخ علی حده ساخته ذیل این تاریخ مبارک گردانیده آمد و درین موضع شمّه ازآن که مناسب شعبه باشد ایراد میرود ٭

چنان آورده اند که در ولایت ایغورستان دو کوهی بغایت بزرگست نام یکی توقراتو بوزلوق وازآن دیگری اسقون‌لوق تکرم وکوه قراقروم درمیانه این دو کوه افتاده وشهری که قاآن بنا کرده بنام آن کوه باز می‌خوانند ودرجنب آن دوکوه کوهیست که قوت طاق خوانند ودر حوالی آن کوهها درموضعی ده رود خانه هست ودر موضعی نه رودخانه ودرقدیم الایام مقام ‌اقوام ایغوردرآن رودخانها وکوهها وصحراها بوده آنچ درآن ده رودخانه بودند ایشانرا اون ایغورخوانند وآنچ درنه رودخانه توقوز اویغور وآن ده رودخانه را اون ارقون میخوانند ونامها آن بدین تفصیل است ایشکل ، اوتیکر، بوقیر، اوزقید ، بولر، بادار، ادرا، وخ نانس ، قملانجو ، انبکان ، و درسه رودخانه اولین نه قوم ساکن بوده اند ودرچهار پنج قوم واثان را که درقملانجوکه نهم است بوده اند قوم اونك گویند واثان که دراوبکان که دهم است قوم قمن آتی گویند بیرون ازین اقوام که درین رودخانها نشسته اند صد وبست ودو قوم بوده اند دران حوالی لکن اسامی ایشان معلوم نیست وسالها وقرنها گذشته که آن اقوام اویغوررا پادشاهی وسروری معین نبوده وبهر وقت از هر طایفه یکی بتغلّب امیرقوم خود شدی بعد ازآن عموم ان اقوام جهت ضبط مصالح کلی کنکاج کردند که مارا ازپادشاه مطلق امرکه بر همگنان نافذ فرمان باشد چاره نیست وناگزیرست وتمامت باتفاق وتراضی خویش منکوتای نام را از اقوام ایشکل که اعقل اقوام بود اختیار کردند واورا ایل ایلتربر لقب نهادند ویکی دیگر بکفایت موصوف از قوم اوزقید را اورا کول ایرکین لقب نهادند وهر دورا پادشاه جمهور اقوام گردانیدند واروق ایشان مدّت صد سال پادشاهی کردند وعجایب احوال

و نوادر حوادث که نقل میکنند و بعضی از معتقدات که دارند حسب روایت ایشان در تاریخی که علی حده در باب ایغور پرداخته ذیل این تاریخ مبارك ساخته شده بشرحی مستوفی مسطور و مذکورست و مصطلح ایغور درین آخرها جنان بوده که پادشاه خویش‌را ییدی قوت خوانده اند یعنی خداوند دولت در عهد جنکیز خان ییدی قوت باورجق بوده و چون کورخان باز در بلاد ماوراء النهر و ترکستان غالب شد ییدی قوت در ربقه طاعت او آمد واورا شحنهٔ فرستاده نام اوشاوکم چون متمکّن شد دست تطاول بر ییدی قوت و امرا و اقوام اویغور دراز کرد و مالهای ناستوجه مطالبه می‌نمود و ایشان از و متفرق و متنفّر شدند در ان حال خبر رسید که جنکیز خان بر بلاد ختای مستولی کشته و آوازه قوّت و شوکت و متعاقب می رسید ییدی قوت اشارت کرد تا آن شحنه‌را در دیه قراخو نام هلاك کردانیدند و با علام باغی شدن با قراختای و اظهار ایلی و مطاوعت جنکیز خان قیالش قیا و عمر اوغول و تاتاری نام‌را بایلچی بندکی او فرستاد جنکیز خان ایلجیان‌را نواخت فرمود و بامدن ییدی قوت بحضرت فرمان داد و امتثال حکم فرمود و بانواع عاطفت و سیورغامشی مخصوص کشته بازکشت و بوقت حرکت لشکر منصور بجانب کوشلوك خان بروفق فرمان باسیصد مرد روان شد مردها نمود و بعد از مراجعت بحکم اجازت ملازم اهل و حشم خویش کشت و چون جنکیز خان متوجه بلاد تاجیك شد بموجب فرموده با لشکر خود بر نشست و ملازم شاه زادکان جغتای و اوکتای کشته درباب استخلاص اتوار سعیها نمود و بعد از ان در صحبت امرا ترباى و ییسوز و علاف متوجه حضرت و آن حدود شد و چون جنکیز خان در یورت اصلی خویش باردوی بزرك فرود آمد و عزیمت تنکقوت فرمود ییدی قوت از بیش بالیق بحکم فرمان بالشکر بندکی جنکیز خان روان شد و بوسلیت آن خدمات پسندیده بمزید نوازش اختصاص یافت و دختر از آن خود نامزد او فرمود و اتمام ان جهت واقعهٔ جنکیز خان در توقف افتاد و او بیش بالیق آمـــــد ٥

« Wie schon zu Anfange dieses Werkes erwähnt worden ist, » so war *Oghus-chan*, der Sohn des *Qara-chan*, des Sohnes » *Deneb-baquï* [Dib-baquï], des Sohnes *Abuldsheh-chan*, des » Sohnes *Noahh* des Propheten, über dem Seegen sei. Er lebte, » da er rechtgläubig war, in Feindschaft mit seinen Oheimen, » Brüdern und Brüdersöhnen, und führte Krieg mit ihnen. Aber » ein Theil derselben leistete ihm Hülfe, so dass die übrigen » überwunden und ihre Länder erobert wurden. Darauf hielt » *Oghus-chan* eine grosse Versammlung, in welcher er seine Ver- » wandten, Heerführer und Krieger belohnte, und dem Stamme » derer die ihm beigestanden hatten, den Namen *Uigur* beilegte, » welcher in der Türkischen Sprache *verbunden sein* (1) *und Hülfe* » *leisten* bedeutet. Dieser Name ging endlich auf ihr ganzes Ge- » schlecht, auf ihre Familien und Nachkommen über. Obgleich » ein Theil derselben aus anderen Ursachen andere Beinamen » erhielt, wie die *Qârluq*, *Qaladsch*, *Qibtschâq*, u. s. w. so blieb » ihnen doch im Allgemeinen der Name *Uigur*; und es sind » also die *Uigur* als ihre Nachkommen anzusehen. Da aber diese » Stämme lange Zeit hindurch getrennt blieben, und die Ge- » schlechter besondere Namen erhielten, oder sich vertheilten, » so sind diese uns unbekannt geblieben. Es ist indessen unwider- » sprechlich, dass ihr erster Ursprung von den Türken herzu- » leiten ist, und als solche gehört ihre Geschichte in die der » Nachkommen des Oghus. Da sie von demselben Stamme mit » den Türken sind, so ist er nöthig das zu wiederholen, was » die Uiguren selbst davon erzählen; und am Ende ihrer Ge- » schichte, werde ich Nachricht von ihren Begebenheiten und » ihren Gebräuchen geben, so wie beides in ihren eigenen » Büchern aufgezeichnet ist. Ihre ausführliche Geschichte wird » in dem Anhange zu dieser vortrefflichen Chronik beschrieben

(1) Herr *L. Langlès* hat in einer anderen Stelle des *Raschid-eddin*, die im zweiten Bande der *Recherches asiatiques* (S. 63 in der Note), abdruckt ist, بنوست für پیوست gelesen; welches einen unrichtigen Sinn giebt, wie er denn auch übersetzt : « *celui » qui nous* écrit *et qui nous porte secours et attachement.* » Statt « *qui nous* soutient » , &c.

» werden; hier aber will ich nur im Kurzen etwas über ihre » Abstammung beibringen.

» Wie man erzählt, giebt es im Lande der Uigur zwei aus- » serordentlich grosse Gebirge. Der Namen der einen ist *Tuq-* » *ratu-busluq*, und die des anderen *Ussqun-luq Tigrim* (1). » Zwischen ihnen liegt der Berg *Qara-qorum*, von dem die » Stadt, welche der Qaân dort erbaute, ihren Namen erhalten » hat. Neben diesen beiden Gebirgen befindet sich der Berg » *Qut-thaq*. In der Nachbarschaft dieser Gebirge ist eine Gegend » mit zehn und eine andere mit neun Flüssen. In den frühsten » Zeiten war der Sitz der Uigurischen Stämme an diesen Flüssen, » in den Gebirgen und Ebenen. Diejenigen von ihnen, welche » an den zehn Flüssen wohnten, wurden *On-Uigur*, und die an » den neun Flüssen *Toqus-Uigur* genannt. Die zehn Flüsse » hiessen *On-Orqon* (2) [die zehn Orqon], ihre Namen sind » *Ischkel* (3), *Uiger* [اويكر], *Tuqir* [بوقير], *Usqider* [اوزقىدر], » *Buler* [بولر], *Badam*, *Adra*, *Wach-bajin* [وخ بىن], *Qum-* » *lândshu* und *Aïikân* [اىكان].

» An den drei ersten dieser Flüsse wohnen neun, und am » vierten fünf ihrer Stämme. Der Stamm derer, welche am » Qumlandshu, dem neuten Flusse hausen, und die welche am » *Uikan* (oben *Aïikan*) wohnen werden *Qomen-aty* genannt. » Ausser den an diesen Flüssen befindlichen Stämmen gab er noch » hundert und zwei und zwanzig. In der Beschreibung werden » die Namen derselben nicht angegeben. Es vergingen Jahre und » Zeitläufte während welcher die Uigurischen Stämme weder » Fürsten noch bestimmte Oberhäupter hatten, und es war immer

---

(1) In der Handschrift steht nur تكرم man kann also *Tigrim* und *Tengrim* lesen.

(2) In einer anderen Handschrift steht اوقون *Ugun*, welches aber fehlerhaft ist, da hier offenbar vom Flusse [illegible] *Orgon* die Rede, an dessen Linken nach meinen Untersuchungen *Qara-Qorum* lag, da wo er den Bach [illegible] *Gorocho* aufnimmt.

(3) In der einen Handschrift steht ايسكل, welches nicht zu lesen ist, und in der anderen نىشكل, was, wie ich glaube, *Bischkil* oder *Nischkil* gelesen werden muss.

» der mächtigste eines Stammes zu dessen Oberhaupt. Späterhin » ward in der Versammlung aller ihrer Stämme einstimmig » ein hoher Rath eingesetzt, der wie bei uns der König die » oberste Gewalt über alle ausübte, und weder Gehülfen noch » Anführer hatte. Endlich erwählten sie in vollkommener Über- » einstimmung den weisesten der ganzen Volkes, der den Namen » *Mangutai* führte und aus dem Stamme *Bischkil* war, und gaben » ihm den Titel *Il Ilteris* (1). Ein anderer Theil des Volkes » machte einen vortheilhaft bekannten Mann, aus dem Stamme » *Urqider*, zum *Kul-Irkin*, und diese beide waren die Könige » des ganzen Volkes. Ihre Familien behielten diese Würde hun- » dert Jahre lang. Die merkwürdigen und sonderbaren Bege- » benheiten welche sich während dieser Zeit zutrugen, sind » in ihren Sagen aufbehalten, und stehen in der Chronik, » deren ich der oben im Capitel von den Uiguren erwähnt » habe. Zu Ende dieses vortrefflichen Geschichtsbuches findet » man sie deutlich erzählt und erklärt. In der Sprache der Uigur » wurden zuletzt die Könige *Idi-qut* genannt d. i. *beglückter » Fürst.* Ihr *Idi-qut* zur Zeit des *Tschingis-chan* war *Bawer- » tschick ;* der als der *Gur-chan* (2) sich Mawarannahar und » Turkestân unterworfen hatte, unter dessen Bothmässigkeit » kam. Ihm wurde ein Statthalter Namens *Schawkam* eingesetzt, » der so mächtig ward, dass er die Hand der Tyrannei über den » *Idi-qut,* und über die Fürsten und das Volk der Uigur er- » streckte. Unerbittlich forderte es ihr Habe und Gut, und » machte sich dadurch bei ihnen verhasst und verabscheut. Als » nun die Eroberung des Landes Chatai durch *Tschingis-chan* » bekannt wurde, und sich der Ruf von dessen Macht und

---

(1) In der einen Handschrift ايلتربر und in der anderen ايلتبرز ; man kann das Wort also lesen wie man will.

(2) *Gur-chan* oder *Kur-chan* war der Titel der Könige von *Kara-Chatai* die im XII Jahrhundert in der kleinen und grossen Bucharei herschten. Ihre Hauptstadt war *Kaschgar* oder *Ordu-kend.* Auch *Timur* führte den Titel *Gur-chan*, und man liest ihn auf seinen Münzen.

» Tapferkeit verbreite, so setzte sich der *Idi-qut* ins Geheim » mit ihm in Verbindung; liess den Statthalter in dem *Qarachu* » genannten Dorfe umbringen, und erhob mit Genehmigung des » *Tschingis-chan*, die Fahne des Aufruhrs gegen die *Qara-Chatai* » und alle seine Feinde. Auch sandte er den *Qayalmasch-qata*, » den *Omr-ogul* und den *Tatari* als Gesandte an ihn ab. *Tschin-* » *gis-chan* befahl sie aufs Beste zu empfangen, nahm den *Idi-qut* » durch einen hohen Befehl in die Zahl seiner Vasallen auf, be- » handelte sie mit besonderer Gnade, und schickte einen seiner » vertrautesten Lehnsträger mit ihnen zurück. Als das siegreiche » Herr gegen *Kuschluk-chan* aufbrach, stiess der *Idi-qut* auf Be- » fehl mit dreihundert Mann dazu, und nach gelieferter Schlacht » kehrten, mit hoher Erlaubniss er und die Seinigen nach Hause » zurück. *Tschingis-chan* brach späterhin gegen das Land der » *Tadschik* (d. i. die Bucharei) auf, und befahl dem *Idi-qut* » mit seinem Heere aufzusitzen und die Kaiserlichen Prinzen » *Dschagatai* und *Oktai* zu begleiten, in deren Gefolge er » den Auftrag hatte die Abgesandten zu empfangen. Bald darauf » begab er sich, im Gemeinschaft mit den Fürsten *Turbai* und » *Nissus* und dem Aufseher der Weideplätze, dahin wo sich der » Kaiser befand.

» Als *Tschingis-chan* in die Heimath seines Stammes und in » die *hohe Ordu* zurückgekommen war, so beschloss er die Un- » ternehmung gegen *Tangut*, und der *Idi-qut* stiess auf Kaiserli- » chen Befehl von *Bisch-baliq* mit seinem Heere zu ihm, und da » er bei dieser Gelegenheit mit der ganzen Verwandtschaft dieses » Fürsten bekannt ward, und auf einen vertrauten Fuss kam, so » gab ihm derselbe eine seiner eigenen Töchter zur Gemahlin. » Da während dieser Unternehmung *Tschingis-chan* mit Tode » abging, so kehrte der *Idi-qut* nach *Bisch-baliq* zurück. »

Obgleich diese Erzählung des *Raschid-eddin* den Türkischen Ursprung der Uiguren, und deren Existenz als beträchtlichen in Staat Mittelasien, hinlänglich beweiset, so halte ich es doch nicht für überflüssig noch folgende darauf Bezug habende

Stellen, Asiatischer und anderer Schriftsteller, hier herzusetzen. *Abulfaradsh* (1) sagt: وكان امير بلاد الايغور وهم طايفة كثيرة من الترك فى طاعة ملك الخطا « Es war ein Fürst des Landes der Ighur, eines » zahlreichen Volkes der Türken, der unter der Oberherrschaft » des Königes von *Chatha* [Nord-China] stand. »

Plan-Carpin (2) als er von den Tataren oder Mongolen spricht berichtet: « Leur pays est situé en cette partie de l'Orient qui, » selòn notre avis, se joint au Septentrion. A l'Orient, ils ont le » *Cathai* et *Solangues* [Koreaner]; au Midi, les *Sarrasins;* » ENTRE L'OCCIDENT ET LE MIDI, LES *HUIRES* [Uiguren]; » à l'Occident, les *Naymans;* et, au Nord, l'Océan qui les en» vironne de ce côté-là. »

Ruysbroeck oder *Rubruquis* sagt von den Uiguren folgendes: « Ces *Jugures* [Uiguren] qui, comme j'ai dit, sont mêlez de » Chrétiens et de *Sarasins*, avoient été réduits, à ce que je » croi, par nos disputes et conférences, à ce point-là de croire » qu'il n'y a qu'un Dieu. Ces peuples habitoient de tout temps » dans des villes et citez, qui après furent sous l'obéissance de » *Cingis-Cham*, qui donna une de ses filles en mariage à leur » Roi.

» La ville de *Caracorum* est peu éloignée de ce pays-là [der » *Juguren* oder *Uiguren*], environnée de toutes les terres du » *Prêtre Jean* et de son frère *Vut*. Ceux-ci étoient aux cam» pagnes et pâturages vers le Nord, et les *Jugures* aux montagnes » vers le Midi: de là est venu que ceux de *Moal* se sont for» mez à l'écriture, car ils sont grands écrivains; et presque tous » les Nestoriens ont pris leurs lettres et leur langue. APRÈS EUX » SONT LES PEUPLES DE TANGUTH, vers l'Orient, entre les » montagnes (3). »

---

(1) Historia Dynastiarum, pag. 432.

(2) Siehe die sogenannte Sammlung von Bergeron, S. 25.

(3) In derselben Sammlung, S. 57.

Schon vor der Zeit der Geburt Christi wohnte ein Theil des Volkes der *Uigur* in der Gegend von *Turfan*, südlich und nördlich von dem hohen Schneegebirgsrücken, welchen die Chinesen 山天 *Thiān-schān* oder das *Himmelsgebirge* nennen. Bei den Chinesischen Schriftstellern hiessen diese Uiguren 師車 *Kiū-szū* (1) oder 師故 *Kū-szū*. Sie standen unter zwei Fürsten von denen einer der *vordere*, und der andere der *hintere König* genannt ward.

Zur Zeit des Kaisers *Yuân-tý* aus der Dynastie *Chán*, also etwa vierzig Jahre vor der Geburt Christi, hatten die Chinesen befestigte Lager in diesem Lande angelegt, und in Jahre 91 n. Chr. Geb. als der General *Pān-tschaō* die westlichen Gegenden unterworfen hatte, wurden daselbst Truppen in Garnison gelegt und Gerichtsbarkeiten eingesetzt, welche die Stäume der *Kiū-szū* regierten, die mit den 昌高 *Kaō-tschāng* gränzten. Diese *Kaō-tschāng* gehörten zu demselben Völkerstamm wie die anderen Uigur. Ihr Name ist Chinesisch, und sie erhielten ihn weil ihr Land hoch gelegen, welches im Chinesischen durch *kaō* ausgedrückt wird, und weil ihre Angelegenheiten in einem blühenden Zustand waren, welches *tschāng* heisst. Die wörtliche Übersetzung dieses Namens also ist *hoher Wohlstand.*

Unter der Dynastie *Dsín*, ums Jahr 330, erhielt das Land den Namen des Fürstenthums der *Kaō-tschāng*. Unter den

---

(1) Der erste der beiden Buchstaben aus denen dieses Wort besteht, 車 kann *Tschē* und *Kiū* ausgesprochen werden. *Deguignes* und *Visdelou* haben diese Aussprache angenommen, und nennen die Uigur *Tsche-sü* und *Tsche-sse*. Da aber ihr Name auch mit dem Buchstaben 故 *Kū* geschrieben wird, dessen Lesart keinem Zweifel unterworfen ist, so muss man die Aussprache *Kiū-szū* vorziehen. Es kommt bei dieser Gelegenheit nicht auf die Bedeutung des Wortes an, weil die Chinesischen Charactere nur den Laut eines fremden Wortes wiedergeben sollen.

letzten *Gueý* 424 warf sich *Khiuĕ-schuâng* zum Protector der *Kaō-tschāng* auf, ward aber von dem Statthalter der, für die Könige von *Liâng* jene Gegenden regierte, verjagt. Bald darauf nahmen die 蠕蠕 *Shuân-shuân* das Land ein, und machten den *Khán-pĕ-dscheū* zum König, und dieses ist der erste König im Lande der *Kaō- tschāng* oder *Uigur* gewesen. Nach verschieden Unruhen und Regierungsveränderungen kam endlich 嘉麴 *Khiŭ-kiā* im Jahre 506 auf den Thron, und seine Familie besass denselben neun Generationen hindurch, während *hundert und vier und dreissig* Jahren, oder bis 640. Sie entrichtete regelmässig den Tribut an die Chinesischen Dynastien *Gueý* und *Suý*, und auch den beiden ersten Kaisern der *Thâng*. Im genannten Jahre schickte *Thaý-dsūng* ein Heer in das Land der *Kaō-tschāng*, eroberte es, und nahm den König gefangen; worauf es zur Chinesischen Provinz unter dem Namen 州西 *Sȳ-dscheū* ward. Damals gab es in demselben 22 Städte, und die ganze Bevölkerung ward auf 8000 Familien oder 17,700 Männer angeschlagen. Von Osten nach Westen hatte es 800 *Lỳ* [26 $\frac{2}{3}$ Deutsche Meilen] und von Süden nach Norden 500 *Lỳ* [16 $\frac{2}{3}$ D. M.]

Das Land der *hinteren Uiguren* lag westlicher. Der Sitz ihrer Könige war unter den *Chán* an dem Orte, der zur Zeit der *Thâng* Chinesisch 府護都庭北 *Pĕ-thîng-tū-chú-fù* genannt ward. Von demselben hatte man:

	Lỳ.	Deutsche Meilen.
Nach Südost bis *Ȳ-dscheū* in der Nachbarschaft des jetzigen *Chamil.*	970.	32 $\frac{1}{3}$.
Nach Osten bis *Sȳ-dscheū* oder *Turfân*	500.	16 $\frac{2}{3}$.
Nach Südwest bis *Yân-khŷ-dschīn*	1100.	36 $\frac{2}{3}$.
Nach Norden bis zum Hauptlager der *Kiān-kuēn*	4000.	133 $\frac{1}{3}$.
Nach Westen bis *Suý-yĕ*	2220.	74.
Nach Nordost bis zu dem Hauptlager der *Chuŷ-kŭ*, oder der nachmahligen Stadt *Kara-korum* am oberen Orchon, da wo er den Bach *Gorocho* in seine Linke aufnimmt	3000.	100.

12

Unter des Stadt *Pĕ-thîng-tū-chú-fù* standen drei Städte vom dritten Range, nämlich *Cheú-thîng, Phû-luý* und *Lûn-thaŷ*. Späterhin ward das Land der Uigur von den *Sȳ-fān* oder den Tübetern verwüstet.

Unter der Dynastie *Súng*, also nach dem Jahre 960 kam der Name *Kaō-tschāng* wieder im Gebrauch. Um diese Zeit zogen viele 鶻回 *Chuŷ-kŭ* in das Land der Uigur, und lebten gemischt mit ihnen, weshalb diese auch selbst *Chuŷ-kŭ* genannt wurden. Von 960 bis 1008 entrichteten die Uigur regelmässig den Tribut an die Chinesischen Kaiser. Zur Zeit der Mongolischen Dynastie *Yuân* werden sie in den Chinesischen Büchern 兒吾畏 *Uý-gû-ûl,* oder 兒兀畏 *Uý-gŭ-ûl* genannt, welches die einzige Art ist wie man mit Chinesischen Buchstaben das Wort *Uigur* einigermassen richtig umschreiben kann. Die Mongolen richteten hier eine Statthalterschaft ein, die unter einem *Anführer über Zehntausend* stand. Auch setzten sie einen *Daruchuatschi* dort hin, der über die Gegend der jetzigen *Turfan* und über 州火 *Chò-dscheū* die Aufsicht hatte.

Erst unter den *Mîng* kam der Name *Turfan* oder *Turufan* [番魯土 *Thù-lù-fân*], Tübetisch *Turman,* im Gebrauch. Diese Stadt und 陳柳 *Lieù-tschîn* standen unter *Chò-dscheū. Chò-dscheū* war zur Zeit der *Chán* der Gränzort des vorderen Stammes der *Kiū-schŷ* und der *Kaō-tschāng,* und ist 州西 *Sȳ-dscheū* der *Thâng.* Siebenzig *Lỳ* [etwa $2\frac{1}{3}$ Deutsche Meilen] östlich davon lag die, mit einer Mauer umgebene, Stadt *Lieù-tschîn,* welche unter den *Thāng* auch *Lieù-tschîn-chián* genannt ward. *Turfan* liegt 100 *Lỳ* [$2\frac{1}{3}$ Deutsche Meilen] westlich von *Chò-dscheū.* Die Stadt ist viereckig und jede Seite zwei *Lỳ* lang. Das Klima ist gesund und sehr warm. Er regnet und schneit dort sehr wenig. Die Erde bringt Hanf und Getraide hervor. Von der Stadt 20 *Lỳ* in Westen ist der Fluss 河交 *Kiaō-chô,* und mehr als 200 *Lŷ* in Norden davon, erhebt sich das Gebirge *Bokdo*, oder das *heilige*, welches von den Chinesen 山天 *Thiān-schān*, oder das *Himmelsgebirge* genannt wird.

Ein anderer Berg Namens 山靈 *Lîng-schān* liegt von der Stadt *Yaiur* in Nordwesten. Der See 海昌蒲 *Phû-tschāng-chaŷ* ist von derselben fast gerade in Süden, mit weniger Abweichung nach Osten, über 300 *Lŷ* entfernt. Er heisst auch der *Salzsee*.

Im ersten Vierthel des XV. Jahrhundert regierte, unter Chinesischer Oberherrschaft, ein König zu *Chò-dscheū* und ein Anführer über Zehntausend zu *Lieù-tschîn* und *Turfan*. Um's Jahr 1490 brachen dort Unruhen aus; ein Rebell in Turfan nahm den Titel Ssulthan an, und bemeisterte sich der Städte *Chò-dscheū* und *Lieù-tschîn*.

Im Jahre 1646 unterwarf sich *Turfan* den Mandshu, und ward mit in die Gränze des Reichs gezogen. Der Tribut und die Gesandtschaften wurden nicht abgeschafft. Der dritte Kaiser aus ihrer Dynastie verlegte 1732 die Fahne der Mohhammedaner von *Turfan* nach 州瓜 *Kuā-dscheū* (39° 43′ N. Breite, 93° 54′ O. L. von Paris), das 1500 *Lŷ* in Südosten von ihrem alten Lande entfernt ist. Ihre ehemaligen Weideplätze waren in der *Tarnazin* genannten Gegend. Aber der fette Boden, die vielen schönen Quellen, die angenehme und warme Luft, welche ganz der ihres Vaterlandes ähnlich ist, und die weiten, leicht zu bebauenden Ebnen von *Kuā-dscheū*, verursachten dass sie *Tarnazin* gern verliessen, und sich hier ansiedelten. *Kuā-dscheū* ward mit einer Pallisadenwand umgeben, innerhalb welcher man Häuser baute. Die Einwohner erhielten Lebensmittel und Zuchtvieh.

Der Sitz des Königes der *vorderen Uigur* war zur Zeit der Dynastie *Chán* in der Stadt 成河交 *Kiaō-chô-tschîng*, die an dem oben erwähnten Flusse *Kiaō-chô* lag. Ihre Entfernung von 安長 *Tschāng-ngān*, der damaligen Residenz der Chinesischen Kaiser, oder der jetzigen Stadt *Sȳ-ngān-fù* in *Schèn-sȳ* betrug 8150 *Lỳ*, und die von dem damaligen Sitz des Chinesischen Gränzgouvernements 1807 *Lỳ* in Nordwest.

Die Residenz des Königes der *hinteren Uigur* war in dem Thale 谷塗務 *Wú-thû-kŭ.* Von *Tschāng-ngān* bis dahin hatte man 8950 *Lỳ*. In Südosten war der Sitz des Chinesischen Gränzgouvernements 1237 *Lỳ* entfernt.

Gegen Morgen erstreckten sich die Wohnplätze der *Uigur* bis nach *Chamil* oder 密哈 *Chă-mў*. Die Gegend dieser Stadt ist das alte Land 盧吾伊 *Ȳ-gû-lû* [Igur], welche in Norden von 煌敦 *Tūn-chuâng*, und jenseits des grossen Steinfeldes (1) lag. Unter der Dynastie der *letzten Chán* im Jahre 73, während der Kriege die man im Norden mit den *Chiūng-nû* führte, ward dort das Gouvernement von 禾宜 *Ȳ-chô* errichtet; wo fortdaurend ein Observationscorps im Lager stand. Auch dieser Name stimmt, wie man sieht, mit *Igur* oder *Uigur* überein. Nachher kam das Land unter die Bothmässigkeit der *Chiūng-nû.* Im Jahre 131 ward in der Gegend von 吾伊 *Ȳ-gû*, ein befestigtes Lager errichtet, und über dasselbe ein Kriegsbefehlshaber ernannt, der den Titel *General von Igur* führte.

Unter der Dynastie der *Gueý* (von 219 bis 265) gab es eine Stadt vom dritten Range Names 縣吾伊 *Ȳ-gû-chián*; und unter den *Dsín* eine Statthalterschaft von *Ȳ-gû*, unter der alle von *Tūn-chuâng* nördlich gelegenen Gegenden standen. Aber

---

(1) Die Wüste *Gobi* besteht grössentheils aus solchen Steinfeldern, welche Chinesisch 磧 *Dsў* genannt werden.

das *Ŷ-gû* dieser beiden Dynastien ist nicht mit dem alten *Ŷ-gû* der *Chán* zu verwechseln, sondern lag nördlich von der Stadt 州沙 *Schā-dscheū*, im jetzigen Chinesischen Kriegsgouvernement 西安 *Ngān-sȳ*; und zwar, wenn man von China nach *Chamil* reiset, vor den Steinfeldern. Unter den *Suŷ*, im Jahre 610, ward das Land zum *Fürstenthum von Igur*, oder 郡吾伊 *Ŷ-gû-kiŭn* erhoben; allein die Chinesen zogen bald darauf ihre Truppen zurück, und überliessen es den 厥突 *Thŭ-kiŭ.*

Unter den *Thâng* wurde es, 630, mit in die Gränze gezogen, und daselbst die Stadt 州伊西 *Sȳ Ŷ-dscheū* oder das westliche *Ŷ-dscheū* angelegt, die aber nach zwei Jahren nur *Ŷ-dscheū* genannt ward. Im Jahre 742 ward dort ein *Fürstenthum von Igur* [*Ŷ-gû-kiŭn*] gemacht, aber 768 wieder *Ŷ-dscheū* genannt. Sie hatte drei 縣 *Chián*, oder Städte vom dritten Range, unter sich, nämlich : *Ŷ-gû*, *Nă-dschȳ* und *Sheû-yuàn*.

Zur Zeit der fünf kleineren Dynastien, die in China in der ersten Hälfte des X. Jahrhunderts regierten, erhielt das Land der Uiguren den Ehrennamen 磧盧胡 *Chû-lû-dsȳ.*

Zur Zeit der Dynastie *Súng* regierten in *Ŷ-dscheū* Befehlshaber aus der Familie 陳 *Tschîn*, die sich im Jahre 713 dieser Stadt bemächtigt hatte. Sie waren durch Mandate der Kaiser der *Thâng* bestättigt worden, und hatten dieselbe zehn Generationen hindurch inne. Nachher ward das Land, so wie ganz Uigurien von den 鶻回 *Chuŷ-kŭ* eingenommen.

Aus *Raschid-eddin* haben wir oben gesehen dass der *Idi-qut* der *Uigur* sich dem *Tschingis-chan* unterwarf; auch die Chinesischen Annalen *Thūng-kián-kāng-mŭ* erwähnen dieser Unterwerfung im Jahre 1209 mit folgenden Worten :

古蒙于降國兒吾畏月二十冬年二定嘉

« Im zweiten der *Kiă-ting* genannten Jahre, in Winter, im » zwölften Monate, unterwarf sich das Reich der *Uý-gû-ûl* [Ui- » gur] den Mongolen. » Und in der Anmerkung fügen sie hinzu :

也昌高之唐兒吾畏

« Die *Uý-gû-ûl* sind die *Kaō-tschāng* der Dynastie *Thâng* (1). »

Zu Ende der Mongolischen in China herrschenden Dynastie *Yuân*, ward ein Prinz aus ihrem Geblüte Namens *Nachori* (oder *Nacholi*) zum Kriegsbefehlshaber in *Chamil* ernannt, und nachher durch seinen Bruder *Anke-Timur*, der einen anderen Titel erhielt, abgelöset.

Unter den *Mîng*, 1404, ward das Land mit in die Gränze gezogen. *Anke-Timur* erhielt als erblicher Statthalter den Titel eines *Dschūng-schŭn-wâng*, und ein goldenes Insiegel. Zwei Jahre darauf ward dort das Kriegsgouvernement 衞密哈 *Chă-mì-ueý* errichtet, und *Machamacho* zu dessen Oberaufseher, und unter ihm noch andere Beamten als Aufseher ernannt. Der *Dschūng-schŭn-wâng* starb, und ihm folgte *Toto* der Sohn seines älteren Bruders, der 1410 vom Kaiser bestättig wurde. Sein jüngerer Bruder *Mengli-Timur* ward zum *Dschūng-ý-wâng* erhoben, und erhielt ein Pettschaft (2). Beide herrschten in *Chamil*. Sie entrichteten dem Kaiser einen bestimmten Tribut und diese Stadt ward zum Hauptort der westlichen Gegenden gemacht, über welchen alle Gesandschaften aus denselben ihren Weg nehmen mussten. Späterhin blieb der *Dschūng-ý-wâng* einziger Beherrscher von *Chamil*.

In der Stadt und ihrem Bezirke wohnen drei verschiedene

---

(1) *Thūng-kián-kāng-mŭ* (Ausgabe von 1707), *Sü*, Vol. XVIII, S. 4.

(2) Ein vom Kaiser ertheiltes Pettschaft, und dessen Annahme, so wie die des Chinesischen Calenders, ist Zeichen der Vasallenschaft.

Völkerschaften beisammen, nämlich 回回 *Chuŷ-chuŷ* oder *Bucharen* [Persischen Ursprungs], 兒元畏 *Uý-gŭ-ûl,* oder *Uigur* und 灰喇哈 *Chă-lă-chuŷ*, lies *Chara-chuy*, d. i. schwarze Bucharen. Die Geographie der *Mîng* nennt statt der letzteren 韃靼 *Thă-tă*, d. i. Tataren oder Mongolen (1). Sie setzt hinzu : « Ehemals war ein Unterschied der Kleidung bei diesen » drei Stämmen verboten, aber im Essen und Trinken beo- » bachtet. »

Dieselbe Geographie erwähnt auch des 河兒吾畏 *Uý-gû-ûl-chô*, oder *des Flusses der Uigur*, der sich 130 *Lý* in Osten von *Chamil* befindet, und durch Sand, Weidengebüsch » und üppige, mit den herrlichsten Kräutern bedeckte, Wiesen fliesst. Östlich von demselben ist die Quelle 泉子娘 *Niâng-dsù-ziuân*, die von den Einwohnern *Kadun-Bulak* genannt wird. Beides bedeutet *Damen-Quell.*

Unter der jetzigen Mandshuischen Dynastie, unterwarf sich *Chamil* im Jahre 1696. Der Königstitel (*Dschūng-ý-wang*) ward dort abgeschafft, und der Fürst nur als Vasall des Reiches angesehen. In neueren Zeiten sind jedoch dort wieder Könige eingesetzt worden, von denen der, welchen zur Zeit des Krieges der Chinesen und Dsungaren regierte, *Isaak* hiess. Ich finde den Namen *Uý-gû-ûl* oder *Uigur* in den neusten Beschreibungen nicht mehr.

Die 紇回 *Chuŷ-kŭ*, ein Türkisches Volk, dessen Namen die Chinesen seit dem Jahre 788 auch 鶻回 *Chuŷ-kŭ* schreiben, hatte ehemals seinen Hauptsitz am oberen *Orchon*, in der Gegend wo späterhin *Kara-korum* erbaut ward; das ist gerade

(1) Siehe über die Übereinstimmung der *Tataren* und *Mongolen* meine *Asia Polyglotta* (Paris, 1823, *in-4.°*), S. 202 bis 209.

da wo *Raschid-eddin* das alte Vaterland der *Uiguren* hinsetzt. Viele Umstände und besonders der Name der *Chuŷ-kŭ*, der so sehr mit *Uigur* zusammenstimmt, (vorzüglich wenn man für das *ch* zu Anfang, wie dieses im Chinesischen häufig geschieht ein *sanftes h* setzt), lassen mit Grund vermuthen, dass beides nur wenig verschiedene Benennungen desselben Volkes sind. Hierzu kömmt noch, dass die *Chuŷ-kŭ* in der Mitte der zehnten Jahrhunderts das Land der *Uigur* von *Turfan* und *Chamil* besetzten, und sich so mit ihnen vermischten, dass beide Völkerschaften nur mit dem gemeinschaftlichen Namen der *Chuŷ-kŭ* bezeichnet wurden. Diese *Chuŷ-kŭ* oder *Uigur*, haben sich späterhin bis zur Gränze der Provinz *Schèn-sŷ* verbreitet, und bewohnten mit anderen Völkerschaften gemischt die grosse Provinz, welche Marco Polo *Tanguth* nennt.

Aber auch nach Westen breiteten sich die Uiguren aus, denn die vier Hauptstämme der *Usbek*, welche im Gebiete von *Chiwa* wohnen, heissen UIGUR-NAIMAN, *Kangli-Kiptschak*, *Kiat-Konkrat* und *Nökjus-Mangud*. Die *Usbek* gehören übrigens zu demselben Volke, das von den Arabischen Schriftstellern غز *Ghus* genannt wird. Mit diesem Namen stimmt auch sehr gut die alte Benennung der Uiguren 師故 *Kŭ-szŭ* überein; denn von den Chinesen wird die erste Sylbe eher *Gu* als *Ku* ausgesprochen, und man kann daher das ganze Wort, nach der bei ihnen gebräuchlichen Art fremde Wörter zu schreiben, *Gus* lesen, was genau mit dem Arabischen غز übereinkommt. *Chardin* sagt sogar: « *Yegoury* sont les Tartares de Turquestan, qu'on appelle » autrement *Turcomans.* » Das Chinesisch-Persische, oder Bucharische Wörterverzeichniss, der Kaiserlichen Übersetzungshofes zu Pe-king, erklärt 昌高 *Kaō-tschāng* durch ترکی *Türki.* Diesen Namen gebraucht auch *Marco-Polo*, der unbezweifelt mit Persischen Dollmetschern reiste, für die *Uigur.*

VON DER
UIGURISCHEN SCHRIFT.

Aus den Erzählungen Europäischer Mönche, welche im Mittelalter die grosse Tatarei besuchten, und aus den Nachrichten des genauen *Marco-Polo* wissen wir, dass dort, und vorzüglich unter den Uiguren, das Nestorianische Christenthum, wahrscheinlich durch Syrische Priester, ausgebreitet war. Durch diese wurden auch daselbst die Syrischen Buchstaben eingeführt, aus denen offenbar die Uigurische Schrift entstanden ist. Denn diese hat nicht nur mit denselben einzelne Ähnlichkeiten (1), wie die hier unten folgenden zeigen; sondern sie stimmt auch vollkommen mit den Formen und Sylbenverbindungen des *Sabäischen* Alphabets überein, wie man aus gegenüber stehender Tafel ersehen wird.

	B & F	G	O	K	T	M	M *final.*	N	N *final.*	I	I *final.*	Z	R	T
Uigurisch....														
Estranghelo..														
Syrisch......														
Nestorianisch.														

Das Uigurische Alphabet ist die Quelle der jetzt in Mittelasien gebräuchlichen Mongolischen und Mandshuischen Schrift,

(1) Der Gelehrte *Th. S. Bayer* bemerkte schon diese Ahnlichkeit, indem er inden *Actis Eruditorum* von 1732, S. 309, sagt: « *Litterarum Mongolicarum cum Syriacis convenientia tanta quanta potest esse maxima.* »

und dient noch jetzt den Türkischen Bewohnern der kleinen Bucharei, neben dem Arabischen, um ihre Muttersprache zu schreiben; wie dieses die Handschriften des *Miradsch* und des *Teskeret-el-Evlija* beweisen, die sich auf der Königlichen Bibliothek zu Paris befinden. Aus beiden hat der gelehrte *Jaubert*, in seinen trefflichen *Élémens de la Grammaire Turke* (Paris, 1823, *in-4.°*), lithographirte Proben gegeben hat; und aus dem zweiten findet man einige Zeilen in meiner ersten Abhandlung über die Uiguren.

Die in Mandshuischer Sprache 1646 zu Peking gedruckte Geschichte der Dynastie *Yuân*, giebt folgende Nachricht von der ersten einführung der Uigurischen Schrift bei den Mongolen.

[illegible] (1)

Der Beherrscher der Naiman *Tay-yang-chan* hatte einen Mann aus dem Lande der *Uy-u* [Uigur], Namens *Tata-tung-o*, als geschätzten Lehrer, dem er ein goldenes Siegel und die Aufsicht über die Proviantmagazine gegeben. — Als Taidsu *Temudshin* (2) das Reich der *Naiman* zerstörte, verbarg *Tata-tung-o* dieses goldene Siegel in seinen Kleidern, und suchte damit zu entfliehen. Aber einige Krieger aus dem Heere des *Tai-dsu Temudshin* ergriffen ihn, und brachten ihn von ihre Herrn, der zu ihm sagte: Gehören nicht mir die Orte, das Land und die Unterthanen des *Tay-yang-chan*, warum bist du also mit den Siegel entwichen? — *Tata-tung-o* antwortete: « Mir war es

(1) [illegible] Band I, Blatt. 28.

(2) *Taidsu Temudshin*, d. i. der Stammvater *Temudshin*, welches der Name des *Tschingis-chan* war, ehe er diesen letzten Titel annahm.

» anvertraut, um es bis an meinen Tod zu bewahren, darum wollte ich es seinem alten » Herrn wieder einhändigen. » Darauf sagte *Tai-dsu Temudshin* : « Du bist ein recht- » schaffener und braver Mann ; » — Er erkundigte sich nachher, wozu das Siegel gebraucht würde. — *Tata-tung-o* antwortete : Um die Magazine und Proviantvorräthe zu eröffnen und zu schliessen, rechtlichen Männern Aufträge zu geben, und alle Angelegenheiten genau und deutlich abzumachen. — *Taidsu Temudshin* lobte darauf den *Tata-tung-o,* nahm ihn in sein Gefolge auf, und beauftragte ihn, von der Zeit an allen Befehlen das Siegel beizudrücken. — *Taidsu Temudshin* sagte ferner : Kennst du die Schrift und die Gesetze deines Vaterlandes? *Tata-tung-o* antwortete, dass er sie aufs genaueste kenne, worauf ihm *Tai-dsu Temudshin* befahl, alle *Taidsi* [Fürsten] und *Wang* [Prinzen vom Geblüt] in der Schrift, der Sprache und den Gesetzen des Landes *Uy-u* zu unterrichten.

Das 録簡弘續 *Sü-chûng-kiàn-lü,* welches die ausführliche Geschichte der Mongolischen Dynastie der *Yuân* enthält, giebt (Buch XXVIII, Blatt 2), eine kurze Lebensbeschreibung des 阿統塔塔 *Thă-tă-thŭng-ō,* nennt ihn 人元畏 *Uŷ-gû-shîn*, einen *Uiguren*, und sagt, dass er sehr verständig und beredet gewesen, auch die Schrift seines Vaterlandes sehr gut gekannt habe. Darauf erzählt es die Geschichte mit dem Siegel des *Thay-yang-chan*, und die Unterredung *Thă-thă-thŭng-ō*'s mit *Tschingis-chan* und setzt ebenfalls hinzu : der letztere habe befohlen alle *Taidsi* und *Wang* in der Uigurischen Schrift (字元畏) zu unterrichten. Auch unter *Ogodai* war *Thă-thă-thŭng-ō* Siegelbewahrer im Inneren des Pallastes, und seine Gemahlin Amme des Kaiserlichen Prinzen *Kharatschar.* Dasselbe Werk erwähnt auch zweier Söhne des *Thă-thă-thŭng-ō*, Namens *Yüchümisch* und *Lichünmisch.*

Abdul-Risaq, ein Persischer Geschichtschreiber, der 1482 starb; erkannte auch die Identität der Mongolischen und Uigurischen Schrift, indem er sagt خط مغول كه خط يغـوران اسـت « Die Schrift der *Mogul* welche die Schrift der Uiguren ist. »

Ruisbroeck (1) drückt sich noch bestimmter aus, indem er sagt: « Les *Tartares* [Mongolen] ont pris leurs lettres et leur al- » phabet (das der *Juguren* oder *Uiguren*); ils commencent leur » écriture par en haut, qui comme une ligne va finir en bas, » qu'ils lisent de même façon, et multiplient ainsi leurs lignes » du côté gauche au droit..... Lés lettres que le *Cham Mangu*

---

(1) In der sogenannten *Bergeronschen* Sammlung, S. 55.

» envoie à Votre Majesté sont écrites en langage *Moal* [Mon-
» gol], mais en caractères *Jugures.* »

Eben so der Mönch *Bacon :*

« Les *Jugres* [Uiguren] écrivent fort bien, et c'est d'eux
» que les Tartares tiennent leurs lettres. Ils écrivent du haut en
» bas et de la gauche à la droite. »

Ahmed ben Arabschah sagt in seiner Geschichte *Timurs :*

واما الجغتاى فلهم قلم يسمى اويغور وهو بالقلم الموغولى مشهور وعدّته اربعة عشر حرفا وسبب نقصانه واختصاره فى هذا العدد ان حروف الحلق يكتبونها على هية واحدة وكذلك تلفظهم بها ومثل هذا الحروف المتقاربه فى المخرج مثل الباء ومثل الفاء ومثل الزاء والسين والصاد ومثل التاء والدال والطاء وبهذا الخط يكتبون توقيعهم ومراسيمهم ومناشيرهم ومكاتيبهم ودفاترهم ومخاتيمهم وتواريخهم واشعارهم وقصصهم واخبارهم وسجلاتهم واسعارهم وجميع ما يتعلق بالامور الديوانية والتور الجنكيزخانية والماهر فى هذا الخط لا يبور بينهم لانه مفتاح الرزق عندهم ۞

« Die *Dshagatai* (1) aber haben eine andere Schriftart, Na-
» mens *Uigur,* die als Schrift der Mongolen bekannt ist. Man
» zählt in derselben *vierzehn* Consonanten; welche geringe und
» wenige Anzahl daher rührt, weil die Kehlbuchstaben durch
» ein und dasselbe Zeichen ausgedrückt, und gleich ausgespro-
» chen werden. Dasselbe findet auch bei den Consonanten statt,
» die ähnliche Aussprache haben, wie bei *be* und *fe,* bei *se, ssin*
» und *zad,* und bei *te, dal* und *tha.* Mit dieser verfassen sie ihre
» Diplome, Befehle, Patente, Briefe, Verzeichnisse, Maasse,
» Jahrbücher, Gedichte, Geschichten, Erzählungen, öffentlichen
» Verhandlungen, die gesetzmässigen Preise der Lebensmittel,

---

(1) *Dschagatai* ist der Name eines Türkischen Stammes, aus dem *Timur* oder *Tamerlan* entsprossen sein soll. Nach demselben wird das reine Türkische, das in Chiwa und anderen benachbarten Gegenden gebräuchlich ist, *Dschagatai* genannt.

VERGLEICHUNG
des Uigurischen und Sabäischen Alphabets

Uigurisch	Sabäisch	Uigurisch	Sabäisch	Uigurisch	Sabäisch
n		r		d	
ni		ri		di	
no		ro		do	
b, p				t	
pi		i		ti	
po		tsch		to	
ka		tschi		v	
ki		tscho		wo	
ko		s			
m		si			
mi		so			
mo					

» und was auf ihre Landesgesetze Bezug hat, so wie auch die » Gesetze des *Dschingis-chan.* Wer diese Schriftart versteht, » geht nicht zu Grunde, denn sie ist der Schlüssel zum Ge- » winnste bei ihnen. »

Ahmed-ben-Arabschah's Bemerkung, dass die Uigurische Schrift der Mongolen nur vierzehn Consonanten hatte, ist ganz richtig, und wird von einem Werke über den Ursprung dieser Schrift (1) bestätigt, welches berichtet, dass zuerst nur *vierzehn* Consonanten und drei Vocalzeichen derselben von den Mongolen angenommen worden waren. Diese sind folgende:

	1.	2.	3.	4.	5.	6.	7.	8.	9.	10.	11.	12.	13.	14.
a	*na*	*ba*	*cha*	*ga*	*ma*	*la*	*ra*	*ssa*	*da*	*ta*	*ja*	*za*	*sa*	*wa*
ä	*nä*	*bä*	*kä*	*gä*	*mä*	*lä*	*rä*	*ssä*	*dä*	*tä*	*jä*	*zä*	*sä*	*wä*
i	*ni*	*bi*	*ki*	*gi*	*mi*	*li*	*ri*	*ssi*	*di*	*ti*	*ji*	*zi*	*si*	*wi*
	n	*b*	*ch*	*g*	*m*	*l*	*r*	*ss*	*d*	*t*	*j*	*z*	*s*	*w*

Mit diesen vierzehn Grundbuchstaben sind natürlich von jeder verschiedener Nation, nach dem Bedürfniss ihrer Sprache, wenn sie die *Uigurische* Schrift annahm, Veränderungen vorgefallen, und man hat neue Zeichen dazu erfunden, wie bei den *Mongolen* und den *Mandshu.*

Wir haben gesehen, dass *Tschingis-chan* die Uigurische Schrift und Sprache bei seinem Volke einführte, und die Fürsten seines Hauses Unterricht in beiden nehmen mussten. Da das Uigurische eine Türkische Mundart ist, so war das sehr weise von ihm

(1) *Brilwa Ssaadsha-Bandida jän gargaksen Mongol Üssük* d. i. von der durch *Ssaadsha-Bandida* erfundenen Mongolischen Schreibkunst. Es erschien im Jahre 1730 und enthält 20 Blätter in Querfolio.

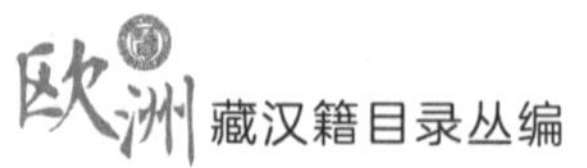

gehandelt, den *Mongolen* hatte *Tschingis-chan* weder in *Süden* noch in *Westen* zu unterwerfen, wohl aber Türkische Völker, nach deren Bezwingung er auch erst in den Stand gesetzt wurde, seine Eroberungen auszubreiten, und bis nach Persien vorzudringen. Denn es ist historisch bekannt, dass bei weitem der grösste Theil seiner Krieger Türken waren, mit Mongolen gemischt, und nur von Mongolischen Heerführern angeführt wurden. Durch seine Züge nach Westen, ward auch die *Uigurische Schrift* in Hochasien bekannt, und seine Nachfolger in *Persien* und im *Kiptschak* bedienten sich derselben als Hofschrift, und liessen sogar eine Seite ihrer Münzen *Uigurisch* und die andere *Arabisch* prägen.

So besitze ich Münzen, die von 1289 bis 1294 nach Christi Geburt, zu *Tiflis* geschlagen worden, als dort *Wachtang der zweite* als Vasall des Persischen *Ssulthan Argun-chan* herrschte. Auf der einen Seite haben sie eine Uigurische Aufschrift, auf der andern das Georgische Handzeichen *Wachtang's* und die Worte : بسم الاب والابن وروح القدس الله واحـد « Im Namen des » Vaters, des Sohnes und des heiligen Geistes, des einigen » Gottes. » Am Rande der Umschrift : ضرب سنة تسعين وستمايه « Geschlagen im Jahre 690 » (1291). In der Mitte sieht man ein Kreutz in einem Zirkel. Auch von *Mangu-chan* habe ich ein Stück mit Uigurischer und Arabischer Aufschrift; und unter den Münzen der *Tschingis-chaniden* im *Kiptschak* finden sich viele, mit dem Namen der Chane *Toktögu* und *Dshani-Beg*, in Uigurischer Schrift, dahingegen die übrigen Worte Arabisch sind.

Schrifteinführung bei den Mongolen.

Unter der Regierung des *Tschingis-chan*, und seiner drei ersten Nachfolger *Ogodä-chan*, *Guiyu-chan* und *Mönggu-chan*, wurde nicht in Mongolischer Sprache geschrieben, sondern *Uigurisch*. Erst unter dem Stifter der Mongolisch-Chinesischen Dynastie *Yuân*, Namens *Chubilä-Zäzen-chan* (dem *Kublai* der Mohhammedanischen, und dem *Yuân-schý-dsù* der Chinesischen Geschichtschreiber (von 1259 bis 1294), ward der Grund dazu gelegt. Zwei Brüder dieses Kaisers, liessen den *Ssaadsha-Bandida* (1), einen Enkel (2) des ehedem von

(1) *Bandida* ist eine hohe geistliche Würde.

(2) Im Original [illegible] *Atschi*, welches Wort der Mongolische Wörterspiegel, so erklärt : [illegible]

Tschingis-chan zum Mongolischen Patriarchen ernannten, Oberpriesters *Sottnam-Dsimon* aus Tübet kommen, damit er die Lamaïsche Religion unter den Mongolen verbreite; was auch geschah. *Ssaadsha-Bandida* blieb bis an sein Ende, sieben Jahre lang, Patriarch der Mongolischen Lamaïten. Zu seinen merkwürdigsten Unternehmungen gehört die Einrichtung der Uigurischen Schrift zum Gebrauch für die Mongolische Sprache. Er hatte jedoch die Eitelkeit, nicht gestehen zu wollen, dass er seine neue Schriftart von der Uigurischen entlehnt habe, sondern gab vor, er hätte sie selbst erfunden, und ihre Buchstaben, nach dem Vorbilde eines Kerbholzes, von oben nach unten zu an einander gehängt. Obgleich er nichts gethan hatte, als den Styl der Uigurischen Schrift ein wenig zu verändern. Ehe er aber ganz mit diesem Geschäfte fertig war, starb er und liess die neue Schrift unvollendet, hatte aber in derselben die 14 Uigurischen Consonanten beibehalten.

Sein Nachfolger im Oberpriesteramte, Namens *Pakba*, erhielt bald darauf den Befehl, ein eigenes Alphabet für die Mongolische Sprache anzufertigen. Er würdigte der Vorarbeit des *Ssaadsha-Bandida* keiner Aufmerksamkeit, verwarf überhaupt den Uigurischen Schriftzug, traf eine Auswahl unter den Buchstaben der Tübätischen Quadratschrift [illegible] *Gdschab*, und suchte sie der Mongolischen Sprache anzupassen. Obgleich der Kaiser befahl, dieselbe überall einzuführen, so kam sie dennoch, wegen ihrer Umbequemlichkeit, fast gar nicht in Gebrauch (1).

[illegible] « Der vom Sohne gebohrene Sohn wird *Atschi* genannt. » — Auch wird es Mandshuisch durch [illegible] *omolo*, Enkel, übersetzt.

(1) Die Chinesischen Annalen, welche den Titel: *Thŭng-kián-kāng-mü* führen, nennen diesen Oberpriester in der Mandshuischen Übersetzung *Passpa*, und erzählen folgendermassen:

[illegible]

(Im fünften der *Chián-schŭn* genannten Jahre, d. i. 1269 n. Chr.)

Im zweiten Monate ward im Reiche der Munggu *ein neue Schrift gemacht, und der Lama* Passpa *dus den westlichen Gegenden erhielt dafür den Ehrentitel* Ta-pao-fa-wang.

Der Befehl dazu lautete also: « Unser Reich hat seinen Anfang in den nördlichen Gegenden genommen, und » wir bedienten uns im Schreiben der Chinesischen Schrift, oder der Buchstaben des Reiches *Uy-u*, um unsere

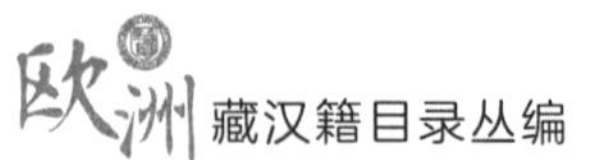

Der Nachfolger des *Chubilä-Zäzen-chan*, Namens *Ölsötä-chan*, beauftragte den *Zordshi-Odsir* (1), einen Verwandten des *Ssaadsha-Bandida*, die Tübätischen Religionsbücher in's Mongolische zu übersetzen, und sich dabei der von *Pakba* eingerichteten Quadratschrift zu bedienen. *Zordshi-Odsir* bemühte sich vergeblich, diesem Befehle Folge zu leisten, weil jene Schrift gar nicht in Gebrauch gekommen war, und sich jedermann der Uigurischen bediente. Er suchte daher die von *Ssaadsha-Bandida* für die Mongolen eingerichtete Schrift hervor, und vermehrte sie nach Bedürfniss, so dass sie zur Übersetzung des grossen Tübätischen Werkes *Bangscha-Raktscha* dienen konnte.

Der Mangel einer vollständigen Mongolischen Schrift dauerte bis auf *Chaissun-Küllük* (dem *Dshenessek-chan* der Mohammedanischen Schriftsteller; von 1307 bis 1311) fort, der selbst ein Gelehrter war, und auf dessen Antrieb und unter eigener Aufsicht *Zordshi-Odsir* die Buchstaben zur Vollkommenheit brachte; indem er zu der, von *Saadscha-Bandida* nach der Uigurischen gebildeten Schrift, die noch fehlenden Vocale *o*, *u*, *ö* und *ü* hinzu setzte, so wie auch die Consonanten *scha*, *sa*, *dsi* und *pu*, und die Zeichen für die durch *n*, *p*, *k*, *m*, *l*, *r*, *t*, *i*, *u* und *ng* geschlossenen Sylben. So dass nun ein weitläuftiges und vollständiges Syllabar entstand, mit dem man alle Mongolischen Wörter vollkommen ausdrücken konnte. Als Zahlzeichen behielt er die *Tübätischen* bei, die von den Indischen abstammen.

Schliesslich mag hier noch die Bemerkung folgen, dass Wort ᠳᠡᠪᠲᠡᠷ *Depter* im Mongolischen, und ᡩᡝᠪᡨᡝᠯᡳᠨ *Deptelin* im Mandshuischen, welches *Buch*, *volumen* bedeutet, *Chaldaischen* Ursprungs ist; denn im Chaldaischen heisst דפטרא *Diptherá*, eine Schreibtafel, oder ein Rechnungsbuch; und im Arabischen und Persischen دفتر *Defter*, das Heft eines Buches, Diplom, Buch und Band. Im Grieschischen ist Διφθέρα eine Haut, worauf man schreibt, Pergament. Das Persische Wort دفتردار *Defterdár*, Rechnungsführer, ist davon abgeleitet.

» Muttersprache auszudrücken. Wir sehen aber, dass die *Liao* und das *goldene Reich*, so wie alle entferntere » Königreiche ihre eigene Schrift haben. Jetzt, bei der Vortrefflichkeit unseres Staates, und dem Fortschreiten » seiner Bildung, ist es nöthig dass wir eigene Buchstaben erhalten. Daher ist der Lehrer des Reichs *Passpa* be- » auftragt worden, den ursprünglichen *Munggu* [Mongolen] neue Lettern zu bilden, die in allen Provinzen » verbreitet worden sind. Sie sind zu allen Arten von Übersetzungen eingerichtet, und dienen zur genauen Be- » zeichnung der Wörter. Darum erhält nun *Passpa* den Ehrentitel *Ta-pao-fa-wang*. » — Dieser Buchstaben waren tausend, und sie dienten vorzüglich um den Laut auszudrücken.

Die Mandshuisch geschriebene Geschichte der *Yuân*, nennt den Lama *Passba* und enthält diesen Befehl mit anderen Worten. Sie fügt hinzu, dass seine Schrift aus einundvierzig Grundbuchstaben bestand, aus welchen Zusammensetzungen von zwei, drei, vier und fünf Buchstaben gebildet wurben. — Dies ist ein neuer Beweis, dass hier die von *Pakba* eingeführte Tübätische Quadratschrift *Gdschab* gemeint sey, die für die Mongolische Sprache eingerichtet, aus 22 Consonanten, 10 Vocalen, 8 Endsylben und einem Anfangstrich, also zusammen aus 41 Zeichen bestand, welche, wie die jetzigen Tübätischen Buchstaben zwei-, drei-, vier- und fünffach gruppirt wurden. — Vergleiche *A. Rémusat*, Recherches sur les Langues Tartares, tom. I.er, p. 345.

(1) *Zordshi* ist ebenfalls eine hohe geistliche Würde.

NACHSCHRIFT.

MEINE erste Abhandlung über die Uiguren ward schon 1811 im zweiten Bande der Fundgruben des Orients abgedruckt, und im folgenden Jahre erschien sie verbessert und vermehrt als Anhang zu meiner *Reise in den Kaukasus.* Mehrere Jahre nachher liess Herr *J. J. Schmidt* zu S.t-Petersburg, Kassenführer der Russischen Bibelgesellschaft und Kommissionair des Herrnhutergemeinde von Sarepta, ein gründlicher Kenner der Kalmükischen und Mongolischen Sprache, eine gegen mich gerichtete Abhandlung in den VI Band der *Fundgruben* abdrucken, die den Titel führt *Einwürfe gegen die Hypothesen des Herrn* Klaproth *über die Sprache und Schrift der Uiguren.*

Der Zweck des Herrn *Schmidt* ist zu beweisen :

1. Dass die von mir gelieferte Uigurische Schrift- und Wörterprobe *meine eigene Schöpfung* sei.
2. Dass die jetzige Mongolische Schrift nicht von der des Türkischen Volkes des Uigur abgeleitet, sondern von den Mongolen selbst erfunden worden sei.
3. Das *Uigur* und *Tangut* dasselbe Volk und Land seien, und also die Uigur nicht Türken sein können.

Die Gründe zu diesen drei Beweispunkten schöpft Herr *Schmidt* besonders aus der im Jahre 1730, auf 20 Blättern in Querfolio gedruckten Mongolischen Geschichte der von *Saadscha Bandida* erfundenen Mongolischen Schrift, und auf die Auctorität einer *Geschichte der Mongolischen Chane,* die bis auf die ersten Zeiten der jetzt in China herrschenden Mandshuischen Dynastie fortgeführt ist, also höchstens aus der Mitte der XVII Jahrhunderts sein kann. Was dieses letzte Werk betrifft, so habe ich den Werth desselben schon in meinem *Examen des extraits d'une Histoire des Khans Mongols, insérés par M.* Schmidt *dans le VI.e volume des Mines de l'Orient*, beleuchtet, welches im II. Bande des *Journal asiatique,* S. 193 u. f. abgedruckt, und auch besonders unter eben dem Titel erschienen ist. Die Geschichte der Mongolischen Schrifterfindung kennt man aus den von *Pallas*, von *mir* (1) und von Herrn *Schmidt* gegeben Auszügen, welche,

(1) Während meines zweimaligen Aufenthaltes in Irkuzk, in den Jahren 1805 und 1806, war ich besonders bemüht authentische Nachrichten über die Mongolischen Völkerschaften einzuziehen, und in ihrer Sprache verfasste Werke zu erhalten. Der Erfolg entsprach meinen Wünschen nicht so sehr als ich gehofft hatte; dennoch erhielt ich mehreres Brauchbare, und besonders einige Russische und Deutsche Ubersetzungen von Fragmenten Mongolischer Bücher; die ich theils der Güte des würdigen Herrn Staatsrathes *von Kranz*, theils den Bemühungen des dortigen Kaiserlichen Dollmetschers für die Chinesische und Mandshuische Sprache, Herrn *Alexei Paritschew* verdanke. Ich kenne weder den Namen des Russischen noch den des Deutschen Ubersetzers. Die Deu-

16

besonders da sie ein sehr neues Machwerk ist, wenig für ihre Glaubwürdigkeit sprechen.

Die beiden ersten von Herrn *Schmidt* aufgestellten Punkte sind theils zu lächerlich, theils verrathen sie eine so grosse Unbekanntschaft mit alle dem was früher, nicht nur über die Uiguren, sondern über die ganze Geschichte der mittleren Asiens vorhanden ist, als dass ich mich bei ihrer Widerlegung aufzuhalten brauchte. Sie sind auch bereits durch Herr *Rémusat's* vortreffliche *Recherches sur les Langues Tartares*, durch das *Uigurische Vocabular* der Königlichen Bibliothek zu Paris, von dem sich nun auch eine aus Peking gekommene Abschrift zu St-Petersburg, in den Händen des Herrn *Baron Schilling von Canstadt* befindet, und schliesslich durch diese meine Abhandlung über die Uiguren widerlegt. Er bleibt mir also nur übrig den Herausgebern der *Fundgruben des Orients* mein aufrichtiges Beileid zu bezeigen, wenn ich die unschuldige Ursache gewesen bin, dass sie, die als so tiefe Kenner der Asiatischen Geschichte und Litteratur im Occidente und im Oriente bekannt sind, ihrer Zeitschrift durch Herrn *Schmidt's* Einwürfe einigen Makel beigebracht haben. Herr *von Hammer* hat jedoch diese Scharte glücklich wieder ausgewetzt; durch die Einrückung eines lithographisch nachgestochenen und übersetzen *Uigurischen Diplomes* von *Timur Kutlugh*, das wahrscheinlich weder von Herrn *Schmidt*, noch von sonst jemand als *meine Schöpfung* angesehen werden wird.

Mein einziger Zweck ist also hier nur der, zu zeigen in wiefern die Namen *Tangut* und *Uigur* als identisch gelten können.

Der Name Tangut, kommt von einem Stamme im östlichen Tübet her, den die Chinesischen Schriftsteller 項党 *Tàng-chiáng* nennen. Nach *Mà-tuōn-lîn* (1) waren dieses die Nachkommen der 苗三 *Sān-miaô*, oder der alten Ureinwohnen von China, welche von den aus Nordwesten angekommenen Chinesen in die Tübetischen Gebirge vertrieben worden waren. So wie ihre Stammverwandte, die 昌宕 *Tháng-tschāng*, und 狼白 *Pĕ-lâng*, hielten sich auch die *Tàng-chiáng* für Abkömmlinge einer grossen Affenart (2). Sie wohnten ehemals westlich von der, in der Provinz *Kān-sū*

---

tschen Stücke stammten aus dem Nachlasse des bekannten *Laxmanns* her, und ich erhielt durch Herrn *von Kranz* die Erlaubniss sie zu copiren. Aus denselben ist vorzüglich das geschöpft, was ich im ersten Bande meiner *Reise in den Kaukasus* (von Seite 163 bis 256), über die Lamaischen Religionsgebräuche gesagt habe. Unter diesen Papieren befand sich auch die *Geschichte der Mongolischen Schrifterfindung*, aus einem Mongolischem Originale, wie es scheint auszugsweise, übersetzt; aber in einem so fürchterlichen Deutsch geschrieben, dass ich genöthigt war sie ganz umzuarbeiten, um sie nur einigermassen verstandlich zu machen. Da ich das Original nicht mit der Übersetzung vergleichen konnte, so kann ich auch nicht für ihre Treue stehen, und die mir deshalb von Herrn *Schmidt* gemachten Verwürfe fallen von selbst zusammen.

(1) *Wĕn-chián-thûng-khaò*, CCCXXXIV, Blatt 8.

(2) Nach dem aus dem Indischen übersetzten Religionswerke *Mani-Gombo*, sollen allen Tübeter von dem grossen Affen *Sarr-Metschin* und der Äffin *Raktscha* abstammen. Sie selbst rühmen sich dieses Ursprunges, und halten sich für älter als andere Menschengeschlechter. *Jährig*, der viele Jahre unter den Mongolen an der Russich-Chinesischen Gränze gelebt hat, behauptet dass in den Gesichtszügen der Tübeter, die Ahnlichkeit mit den Affen unverkennbar sei; besonders hervorstechend schien sie ihm bei den Greisen, die als Glaubensgesandte mit offenen Schreiben des *Dalaï-Lama* und *Bogdo Banzin* in der Mongolei umherreisen. Diese brüsteten sich sogar mit ihrer Verwandschaft mit den Affen, und hielten ihre Bildung für volkommener, als die anderer Völkerschaften. Noch jetzt wird das mittlere Tübet das *Land der Affen* genannt.

gegenen, Stadt *Lîn-thaô*, in dem 支析 *Sŷ-dschŷ* genannten Lande, oder der ganzen Gegend, welche der *gelbe Fluss* von seinem Eintritt in China in verschiedenen Krümmungen durchströmt. Als im III und IV Jahrhunderte die Chinesischen Dynastien *Gueý* und *Dsín* die Macht der 羌 *Khiāng* (1) gebrochen, und die *Dschēū* im VI.ten die *Tháng-tschāng* vernichtet hatten, wurden die 至鄧 *Téng-dschý*, und nach ihnen die *Tàng-chiáng* mächtig. Bald darauf entstand das grosse Reich der 番吐 *Thù-pō* oder *Tübeter*, dessen Könige schon im Anfange des VIII Jarhunderts *Chotian*, *Kaschgar*, *Aksu* und *Charaschar* besassen. Nun verbreiteten sich auch die nomadischen *Tàng-chiáng* oder *Tangut* weiter nach Norden und Nordosten, und dadurch erhielt das ganze Land, zwischen dem hohen Gebirge *Bajan-chara*, dem *Chuang-cho* oder *gelben Flusse*, bis da wo er sich über dem jetzigen Lande der *Ordos* nach Osten, und dann gerade nach Süden wendet, dem *Himmelsgebirge* in Norden der Städte *Chamil* [Hami] und *Turfan*, und dem See *Gasch-noor*, im östlichen Theile der sogenannten *kleinen Bucharei*, den Namen Tangut. Es stammt dieser Name besonders von dem Theile des Volkes der *Tàng-chiáng* her, der zur Zeit der Dynastie 遼 *Liaô* (916 bis 1121 n. Chr. Geb.) 古唐 *Thāng-kù*, genannt ward, und von dem die Mandshuisch verfasste Geschichte dieser Dynastie vier Horden kennt. Drei derselben, nämlich die [illegible] *I-zi Tang-gu*, [illegible] *Cho-la Tang-gu* (schwarze Tangut?) und die *nördlichen Tang-gu*, wohnten innerhalb der mitternächtlichen Provinzen des Reiches der *Liaô*; die *südlichen Tang-gu* aber, ausserhalb seiner Gränze (2).

Die Chinesen geben dem Lande *Tangut* den Namen 西河 *Chô-sŷ*, das ist Westen des *(gelben)* Flusses, weil es gegen Abend von dessen oberen Hälfte gelegen ist. Das Chinesisch-Uigurische Vocabular (S. 19) übersetzt 西河 durch [illegible] *Tangut*, und das Chinesisch-Bucharische durch تنغوت *Tanghut*. Dagegen unterscheiden beide davon *Tübet*, Chinesisch 番西 *Sŷ-fân*, indem das erste es durch [illegible] *Tüböt*, und das andere durch تبت *Tübet* umschreibt. Eines stärkeren Beweises bedarf es kaum um die Nicht-Übereinstimmung von *Tübet* und *Tangut* zu bestättigen.

Der genaue *Marco Polo* hat uns die besten Nachrichten über das Land *Tangut* und dessen damalige Ausbreitung hinterlassen. Ich gebe deshalb hier die darauf Bezug habenden Stellen aus dem Italiänischen Texte des *Ramusio*:

Lib. I, cap. 36. — Ramusio, II, fol. 12 b.

Quando s'è caualcato queste trenta giornate, pe'l deserto, si truoua vna città detta Sachion, laqual'è del gran Can, & la prouincia si chiama Tanguth, & adorano

---

(1) Dieses ist der alte Chinesische Name für die östlichen Tübeter, welche mit China gränzten.

(2) Siehe [illegible] (Peking, 1646), Vol. VIII, Blatt 20 und 21.

gl'Idoli, & vi sono TURCHI, & alcuni pochi Christiani Nestorini, & ancho Saraceni: ma quelli, che adorano gli Idoli hanno linguaggio da per se.

Sachion, ist 沙州 *Schā-dscheū*, eine zur Zeit der Mongolen sehr bevölkerte Stadt, südlich von der Sand- und Steinwüste, und westlich von der Chinesischen Provinz *Kān-sŭ* belegen. Sie ward damals von dem Türkischen Volke der *Chuў-kŭ* bewohnt, die Stammverwandte der Uiguren waren. Die Mandshuische Geschichte der *Liaô* setzt dort hin [illegible] *Chuy-ku* von *Scha-dscheu*.

Lib. I, cap. 37. — Ramusio, II, fol. 12 e.

CHAMUL è vna prouincia posta fra la gran prouincia di TANGUTH soggetta al gran Can, & sono in quella molte città, & castella, dellequali la città maestra è detta similmente CHAMUL.

Chamul ist die, von den Chinesen 哈密 *Chă-mў*, Uigurisch [illegible] *Chamul*, von den Mongolen [illegible] *Chamil* und [illegible] *Chamul*, und von den Dsungarischen Ölöt [illegible] *Chami* genannte Stadt. Sie und *Turfan*, waren ehemals der Hauptsitz der *Uiguren*.

Lib. I, cap. 38. — Ramusio, II, fol. 13 a.

Partendosi dalla prouincia predetta, si và per dieci giornate fra Greco, & Leuante, & in quel cammino vi sono poche habitationi, ne cose degne di raccontarle & in capo di dieci giornate, si truoua vna prouincia chiamata SUCCUIR, nellaqual sono molte città, & castella, & la principal città è ancor lei nominata SUCCUIR. Le cui gente adorano gl'Idoli, & sono anchora in quella alcuni Christiani. Sono sottoposti alla signoria del gran Can. & la gran prouincia generale, nellaqual si contiene questa prouincia, & altre due prouincie subsequenti, si chiama TANGUTH & per tutti li suoi monti, si troua Reubarbaro perfettissimo, in grandissima quantità, & i mercanti, che iui lo cargano, lo portano per tutt'il mondo.

Succuir ist ohne Zweifel 肅州 *Sŭ-dscheū*, in der Provinz *Kān-sŭ*, ein noch jetzt wegen seines Rhabarberhandels berühmter Ort.

Lib. I, cap. 39. — Ramusio, II, fol. 13 b.

CAMPION è una città, che è capo della prouincia di TANGUTH. La città è molto grande, & nobile, & signoreggia a tutta la prouincia.

Campion ist die Stadt 甘州 *Kān-dsheū* in der Provinz *Kān-sŭ*.

Lib. I, cap. 40. — Ramusio, II, fol. 13 c.

Partendosi da questa città di Campion, & caualcando per dodici giornate, si truoua vna città nominata EZINA in capo del deserto dell'arena, verso Tramontana, & contiensi sotto la prouincia di TANGUTH. . . . . . . Et quando s'è caualcato per questo deserto 40 giornate, si truoua vna città verso Tramontana detta CARACHORAN. *Et tutte le prouincie sopradette, & città, cioè :* SACHION, CHAMUL, CHINCHITALAS, SUCCUIR, CAMPION, & EZINA *sono pertinenti alla gran prouincia di* TANGUTH.

Der Fluss 河來討 *Thaò-laŷ-chô*, oder 河來滔 *Thaō-laŷ-chô* entsteht aus mehreren Bächen, die auf der Nordseite des hohen Schneegebirges *Amuni-eku*, nordwestlich vom See *Chuchu-noor*, entspringen. Er fliesst vor *Sŭ-dscheū* vorbei nach Nordost, nimmt, nachdem er China verlassen hat, den aus Südosten von *Kān-dscheū* kommenden Fluss 水黑 *Chĕ-schuŷ* (1) auf, und führt, vor und nach der Verbindung mit demselben, den Namen [illegible] *Edsine*. Er hat seinen Abfluss in die beiden Seen *Sobo* und *Sogo*; von denen der letzte noch unter der Dynastie *Ming*, 海乃集亦 *Ÿ-dsŷ-naŷ-chaŷ*, d. i. See von *Idsina* genannt ward. An diesem Flusse standen zur Zeit der Mongolischen Herrschaft mehre bedeutende Orte, zu denen auch *Ezina* des *Marco-Polo* gehörte, das von *Kān-dscheū* fast gerade in Norden lag.

Aus *Marco-Polo's* Angabe sieht man also deutlich die Ausbreitung von Tangut nach Osten und Norden, und die Nothwendigkeit es von Tübet ganz zu trennen.

Wie überhaupt in Mittelasien, wohnten auch in Tangut Horden der verschiedensten Stammvölker neben einander, und folgten mit ihnen Heerden den Flüssen und dem Wiesenwuchse. Den grössten Theil der Bewohner machten Türkische Stämme aus, und zwar *Uiguren*, Chinesisch 昌高 *Kaō-tschāng*, oder 鶻回 *Chuŷ-khŭ*. Nach der angeführten Geschichte der *Liaô* wohnten dort [illegible] *Kao-tschang*, [illegible] *Chuy-ku*, [illegible] *Asalan Chuy-ku*, [illegible] *Chuy-ku von Kan-dscheu*, [illegible] *Chuy-ku von Scha-dscheu*, [illegible] *Chuy-ku von Cho-dscheu*. (S. oben S. 30, Anmerkung 4.) Alles das stimmt vortrefflich mit *Marco-Polo*. Dennoch weidete dort auch die Horde [illegible] oder der *Tang-chiang* vom *Westen des gelben Flusses*, das ist die *eigentlichen Tangut*, die wie wir wissen Tübetischen Ursprungs waren.

Die *Chuŷ-kŭ*, welche ein Volk mit den *Uigur* ausmachten, hatten im Mittelalter ein mächtiges Reich im östlichen Theile des inneren Asiens gestiftet, das aber ums Jahr 848 unserer Zeitrechnung vernichtet ward; worauf sich ihre Horden zerstreuten und westlich nach *Tangut* zogen.

Hier wurden sie in der Gegend von *Kān-dscheū* und *Schā-dscheū* mächtig, und gegen 1000 hatte sich ihre Herrschaft über die ganze kleine Bucharei, bis zu den Quellen des Oxus verbreitet. Es ist also gar nicht unnatürlich, dass bei den Mongolen zur Zeit *Tschingis-chan's* und seiner Nachfolger die Benennungen *Uigur* und *Tangut* gleichbe-

---

(1) Dieser Fluss ist auf *d'Anville's* Charten, durch einen Irrthum *Etschine*, und *Ezine* genannt worden, obgleich dieser Name ihm nicht zukömmt.

deutend waren; weil dieses Land vorzüglich von Uigurisch-Türkischen Nationen bewohnt ward.

Folgende von Herrn *Schmidt* gegen mich, angeführte Mongolische Stelle erklärt sich also von selbst: « Was das Uigur Volk betrifft, so wurde das Volk von *Tangut* zu der Zeit *Uigur* genannt. »

In einem Briefe an Herrn *Abel-Rémusat* der Auszugsweise im *Journal asiatique* (Band I, S. 321, u. f.) eingerückt worden ist, giebt Herr *Schmidt*, um die Identität der *Uiguren* und *Tübeter* zu beweisen, folgende Stelle aus der Geschichte der Mongolischen Chane, die er im Original besitzt. « Nach diesem, da er [*Altan-chagan*] sieben und sechzig » Jahr alt war, im *Küi-Takka* Jahre (1573) zog er gegen *Chara-Töbet* zu Felde, und » unterwarf sich die beiden Abtheilungen der *oberen* und *unteren Uigur*. Die drei Ober- » häupter der unteren Abtheilung: *Arik-Ssaghardshaiwa*, *Garbo-Lombum* und *Sserteng* » *Sereb dshab*, nebst vielen des Volkes nahm er gefangen, und führte die beiden *Arik* » *Lama* und *Gumi Schoga* nebst vielen Tibetern mit sich in seine Heimath. »

Für's erste muss ich bemerken, dass Herr *Schmidt* in seiner Übersetzung ein Wort ausgelassen hat, denn im Original steht « die obere » und untere Horde der SCHIRA-*Uigur*. » Es ist aber dieses Wort *Schira*, wegen der Erklärung des Textes von Wichtigkeit, wie man sogleich sehen wird.

Die Chinesen nenen das eigentliche Tübet 藏西 *Sȳ-zâng*, d. i. das *westliche Zâng*, und den östlichen nach China zu gelegenen Theil 藏西烏 *Ū-sȳ-zâng*, d. i. *Schwarz-Tübet*. Diese Benennung besteht seit der Zeit der Mongolischen Dynastie *Yuân*, und stimmt vollkommen mit der von *Chara-Tübet* oder *Schwarz-Tübet*, in Herrn *Schmidts* Mongolischer Geschichte, überein. Sie bezieht sich besonders auf den Theil des Landes nordöstlich vom Flusse *Dsatschu*, bis gegen den See *Chuchunoor* hin und namentlich gehört die ganze Gegend am den Flüssen *Jeke Tschiïdam* und *Bachan Tschiïdam*, oder wie sie auf den Mandshuischen Charten heissen *Tschaidam*, dazu. In Norden wird *Chara-Tübet* dort von dem Schneegebirge 山南 *Nân-schān* begränzt, das südlich von *Schā-dscheū* liegt, und auf dem der *Bulunggir*, und seine Nebenbäche entspringen.

In der Gegend des Flusses *Tschiïdam* lag, zur Zeit der *Yuân* und der *Mîng*, die befestigte Gränzstadt 衛定安 *Ngān-tíng-weý*, von 州沙 *Schā-dscheū* in Süden; von 衛東罕 *Chàn-tūng-weý* in Westen; und 1500 *Lỳ* in Südwesten von 州甘 *Kān-dscheū*. Die *Yuân* gaben dem *Buyan-Timur*, der aus kaiserlichem Geblüte stammte, den Bezirk dieser Stadt als Lehn, und ertheilten ihm den Titel eines

王寧 *Nîng-wâng.* Der ursprüngliche Name des Landes war SARI-UIGUR, und es gränzte an den Theil von Tübet, dessen Bewohner nicht in Städten, sondern in beweglichen Filzhütten wohnen, und ein nomadisches Leben führen. Die Produkte des Landes sind Kamele, Pferde, Ochsen und Schaafe. Nach der Vertreibung der Mongolen aus China, forderte im Jahre 1374 der Stifter der Dynastie *Mîng* den *Buyan-Timur* auf sich zu unterwerfen; der auch vier Jahre später den Anführer seiner Leibgarde Namens *Madar* als Gesandten nach Peking abfertigte, und Panzer, Säbel und andere Dinge als Tribut schickte. Der Kaiser war damit sehr zufrieden, beschenkte den Gesandten, und den Fürsten der ihn abgeschickt hatte, und sendete dem letzteren ein Insiegel, auf dem die Namen der vier unter ihm stehenden Horden *Aduan, Adschen, Josiän* und *Tili* eingegraben waren. Alle diese Horden wohnten im Lande *Sari-Uigur.* Im ersten Monate des folgendes Jahres 1375 schickte derselbe Fürst eine zweite Gesandtschaft unter der Anführung des *Buyan-buchua* mit Geschenken an den Chinesischen Kaiser, die ihm am Laternenfeste vorgestellt wurde, und bei dieser Gelegenheit ein Diplom in goldenen und silbernen Buchstaben erhielt, durch welches dem *Buyan-Timur* der Königliche Titel *Ngān-tîng-wâng* beigelegt, und er als Lehnsträger und Statthalter der Gränzörter *Ngān-tîng* und *Aduan* bestättigt wurde. *Schara* und andere seiner Untergebenen erhielten den Rang als Obristen. Im Jahre 1376 schickte der Kaiser eine Gesandtschaft an den neuen König, die ihm und den Seinigen köstliche Stoffe überbrachte. Im folgenden Jahre ward *Buyan-Timur* vom *Schara* gedödtet, und bald darauf auch der Thronfolger *Bantscha-schiri;* wodurch sehr grosse Unruhen im Lande entstanden. *Dordschiba* Anführer einer Tübetischen Parthei, kam, auf seiner Flucht nach der Sandwüste *Gobi,* durch *Ngān-tîng,* plünderte diesen Ort, und nahm das Königliche Siegel mit sich. Die innere Zerrütung des Landes dauerte noch einige Zeit lang fort, und von Seiten der Chinesischen Kaiser, als Lehnsherrn, wurden dort verschiedene Veränderungen gemacht. Die Fürsten von *Sari-Uigur* oder *Ngān-tîng* beaupteten sich bis zum Ende des XV.ten Jahrhunderts, bis in den Jahren 德正 *Dschîng-tĕ* (1506 bis 1522) die Mongolischen Horden unter *Ybura-Ordos* das Land um den See *Chuchu-noor* einnahmen, und sich bis nach *Ngān-tîng* verbreiteten (1).

Es ist nun wohl keinem Zweifel unterworfen, das [illegible] *Sira-Uigur* in Herrn *Schmidt's* Mongolischer Geschichte, und *Schari-Uigur* der Chinesischen Schriftsteller derselbe Name sind, und beide in *Chara-Tübet* oder *Schwarz-Tübet* zu finden waren. Wie wir sehen kamen im Aufange der XVI Jahrhundert die, es bewohnenden gröstentheils Türkischen Horden, welche Überbleibsel der *Chuŷ-kü,* eines *Uigurischen Volkes* waren (2), unter die Bothmässigkeit Mongolischer Fürsten. Es ist also leicht

---

(1) 史明 *Mîng-szù*, oder *Geschichte der Dynastie Mîng*, Buch CCCXXX, Blatt 12 bis 16.

(2) In jenen Gegenden hausten selbst früher Uigurische Stämme, neben anderen Bewohnern verschiedener Abkunft. Die ehemahlige Stadt 縣吾伊 *Ŷ-gû-chián*, d. i. *die Uiguren Stadt*, lag von *Ngān-sŷ-weý*, in Norden, also in der Nähe der Flusses *Bulunggir.* Sie ward unter der Dynastie *Dsín* (265 bis 419 nach Christi Geburt) angelegt, und in den Mitte des VI. Jahrhunderts, unter den *letzten Gueý* zerstöhrt. — S. *Thaý-zîng-ŷ-thûng-dschý*, Buch CLXX, Blatt 8 *verso.*

zu begreifen, dass 1573 *Altan-Chagan* dort *Schira-Uigur* (1) fand, deren Häupter *Mongolisch-Tübetische* Namen hatten, und die der Lamaïschen Religion zugethan waren; so wie sich auch Tübetische Priester bei ihnen aufhielten.

Der Unterschied zwischen der *Uigurischen* und *eigentlichen Tangutischen* Sprache, wird aus *Raschid-eddin* volkommen einleuchtend, welcher sagt: « *Mangu-chan* hatte » Schreiber die seine Befehle in Persischer فارسی, Chinesischer ختایی, Tübetischer تبتی, » TANGUTISCHER تنکقوتی, und UIGURISCHER ایغوری Sprache abfasten. » — Diese Stelle würde uns, wenn auch kein Uigurisches Wort auf uns gekommen wäre, die Identität dieser Sprache mit der *Türkischen* beweisen; weil wäre ein Unterschied zwischen beiden, *Mangu-chan* offenbar Schreiber für die letztere gehabt haben müsste, weil ein ansehnlicher Theil seiner Unterthanen aus *Türken* bestand, und sonst seine Befehle nicht verstanden haben würde. Das *Türkische* behielt noch lange Zeit, wenn es mit den von dem Syrischen abgeleiteten Uigurischen Alphabete geschrieben war, den Namen *Uigurisch*, wie man aus den Unterhandlungen der Genueser von Kaffa in der Krym, mit den Mongolischen Fürsten von *Soldaya* [Sudak], *Cembalo*, u. s. w. ersicht, in welchen jene Sprache LINGUA UGARESCA genannt wird (2). Das von Herrn *von Hammer*, im IV Bande der *Fundgruben des Orients* bekannt gemachte höchst merkwürdige Diplom des *Timur-Kutlugh* vom Jahre 1397 beweiset ebenfalls, dass die *Türkisch-Uigurische* Sprache und Schrift, noch damals von den Mongolischen, im südlichen Russlande herrschenden Fürsten, bei öffentlichen Verhandlungen gebraucht wurde. Der geschätzte Herausgeber hat dieses Diplom, mit Beihülfe einiger gelehrten Freunde, vollkommen übersetzt und erklärt.

Abdallah Beïdhawi, kannte ebenfalls den Unterschied der *Uigur* und *eigentlichen Tanguten* wenn er sagt: شکمونی برخان که اقوام هند وکشمیر وتبت وختای وتنکقوت وایغور اورا پیغمبر میدانند « *Schigemuni-Burchan* den die Völker von Indien, Kaschmir, Tübet, Chatai [China], » TANGUT und IGHUR für einen Gesandten Gottes erkennen. (3) »

---

(1) Diese *Sari-Uigur* oder *gelben Uigur*, sind wahrscheinlich dasselbe Volk welches von den Chinesen auch 黃頭回鶻 *Chuâng-theu Chuŷ-kŭ*, das ist, *Gelb-köpfige Chuŷ-kŭ* genannt wird, und das in *Tangut*, auf dem Wege von *Chotian* nach dem nordwestlichen China wohnte. — Vergleiche *Abel-Rémusat*, Histoire de la Ville de Khotan, tirée des Annales de la Chine; Paris, 1820, *in-8.°*, S. 95.

(2) Siehe Herrn *Saint-Martin's*, Mémoires sur l'Arménie, t. II, p. 275. — Rapport sur les archives de Gènes, par M. le Baron *Silvestre de Sacy*, in den Mémoires de l'Institut, tom. III, p. 114.

(3) Historia Sinensis, ed. And. Mullero; Jenæ, 1689, *in-4.°*, S. 28 des Persischen Textes.

ENDE.

Verzeichniss der Chinesischen und Mandschu-Tungusischen Bücher und Handschriften der Königlichen Bibliothek zu Berlin

御书房满汉书广录

Verzeichniſs

der

Chinesischen und Mandschu-Tungusischen

Bücher und Handschriften.

御書房滿漢書廣錄

Verzeichnifs

der

Chinesischen und Mandschu-Tungusischen

Bücher und Handschriften

der

Königlichen Bibliothek zu Berlin.

Eine Fortsetzung des im Jahre 1822 erschienenen
Klaproth'schen Verzeichnisses.

Von

Dr. WILHELM SCHOTT,

aufserordentlichem Professor des Chinesischen und der Tatarischen Sprachen an der Königlichen
Universität zu Berlin.

Berlin.

Gedruckt in der Druckerei der Königlichen Akademie
der Wissenschaften.

1840.

Seiner Majestät

Friedrich Wilhelm dem Dritten,

Könige von Preufsen

in unterthänigster Ehrfurcht gewidmet

von

dem Verfasser.

Vorwort.

In das nachstehende Verzeichniſs sind alle diejenigen Chinesischen und einige wenige Mandschuische Werke aufgenommen, die seit dem Drucke des Klaproth'schen Verzeichnisses (1822) Eigenthum der Königlichen Bibliothek geworden. Verschiedne Umstände haben es mir unmöglich gemacht, dem Werkchen die anfangs beabsichtigte Ausführlichkeit zu geben; es bleibt mir aber die Hoffnung, späterhin einen umfassenderen Katalog liefern zu können, worin ich denn auch die von Klaproth bereits angezeigten älteren ostasiatischen Erwerbungen der Königlichen Bibliothek einer neuen Würdigung und genaueren Charakteristik zu unterwerfen gedenke.

Dem Kenner des Chinesischen wird es nicht entgehen, daſs in meinem Verzeichnisse manche gröſsere und kleinere Erscheinung der unermeſslichen Chinesischen Litteratur — wenn auch nur oberflächlich — zur Sprache kommt, die bis jetzt kaum ihrem Titel nach bekannt war; und ist es mir einstweilen gelungen, einige willkommene Beiträge zur Geschichte dieser Litteratur zu liefern: so verdankt man diefs vornehmlich der Unterstützung unseres Hohen Ministeriums der Geistlichen, Unterrichts- und Medicinal-Angelegenheiten, ohne welche der Druck meiner vorliegenden Arbeit wohl nicht so bald hätte beginnen können.

Nach der von mir gewählten Rechtschreibung Chinesischer und anderer Asiatischer Wörter vertritt *Y* die Stelle eines Deutschen *Jod*, wogegen Letzteres für das Französische *J*, und *dj* für denselben gelinden Zischlaut mit vorhergehendem *D* steht. *Ts* ist Deutsches *Z*; *Ts'*, ein *Z* mit folgendem *H*. Denselben Hauch vertritt der Apostroph hinter *P*, *K*, und *Tsch*. — Alles Übrige wird sich von selbst ergeben.

Berlin, den 1ten Junius 1840.

Wilhelm Schott.

前　言

本索引收录了皇家图书馆在柯氏索引（1822）出版之后收集的所有汉语文献和为数不多的满文文献。出于各种原因，本索引无法达到预期之详实，然而我仍期望未来能编制一册更全面的索引，以重新鉴赏皇家图书馆中包括柯氏索引所罗列的东亚古籍，对其进行更详实专业的描述。

汉语文献浩若烟海、篇幅长短不一，迄今为止，有些作品的标题甚至都还不为人所知。通晓汉语之士定会留意到，本索引对大量此类文献做了粗略的介绍。同时，我还在本书中引入了关于此类文献历史的重要著述。以上尤其应感谢我们尊敬的宗教、教育和医学事务部的支持，否则，我的作品便无法尽快付梓。

本书采用以下汉语以及其他亚洲语言的拉丁文字母转换方式：Y对应德语的J，也代表法语的J，dj代表字母j所发的弱摩擦音加前置的D，Ts代表德语的Z，Ts’代表Zh，同上，P’，K’，Tsch’代表Ph, Kh, Tschh。其余的书写转换方式符合我们的一般阅读习惯，不会产生歧义。

柏林，1840年6月1日

硕特

（邓二红译）

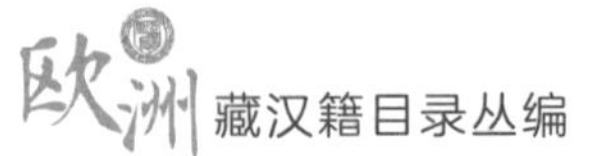

御書房滿漢書廣錄

Geschichte und Biographie.

I.

通鑑綱目

T'ūng-kiān-kāng-mŭ.

[20 Bände. L. S. 343-362.]

Eine Geschichte des Chinesischen Reichs von *Tschu-hi*, dem Philosophen und Erklärer der kanonischen Bücher, welcher um die Mitte des 13ten Jahrhunderts unserer Zeitrechnung lebte.

Dieses Werk ist weniger eine selbstständige Arbeit als eine bequemere Bearbeitung des beinahe hundert Jahre älteren *T'ung-kian*, das den berühmten *Sse-ma-kuang* zum Verfasser hat, und von welchem die Königliche Bibliothek schon längere Zeit ein Exemplar besitzt. (L. S. 38-58. Klaproth's Katalog S. 1.)

Kaiser *Yng-tsung* von der grofsen Dynastie *Sung* (regierte 1064-67) befahl seinem Reichs-Historiographen *Sse-ma-kuang*, mit Benutzung sämtlicher damals vorhandenen Geschichtswerke, vor Allem aber der Grofsen Annalen, eine Geschichte China's in kürzerer Fassung und genau chronologischer Anordnung ans Licht zu stellen. (*) Die

(*) Die beste und gründlichste Notiz über die Veranlassung zu diesem Werke und die näheren Umstände seiner Entstehung giebt Pater Mailla in der Vorrede zu seiner *Histoire générale de la Chine* (S. 41-44.).

fast beispiellose Ausführlichkeit der eigentlichen Annalen, und noch mehr der Umstand, dafs in selbigen die Special-Geschichte von der allgemeinen, und Beide wieder von den Staats-Einrichtungen, dem geographischen Theile u.s.w. getrennt sind, hatten einen übersichtlichen, mit kritischem Geiste bearbeiteten Auszug sehr wünschenswerth gemacht. *Sse-ma-kuang* vollendete das ihm übertragene Werk im Jahre 1084, und legte es dann dem Kaiser *Schin-tsung* (*Yng-tsung*'s Nachfolger) zu Füfsen, der ihm den Titel *T'ung-kian*, d.h. allgemeiner oder allumfassender Spiegel (der Begebenheiten) gab. Es beginnt mit der ältesten wahrhaft historischen Zeit, und reicht bis zum Anfang der Dynastie *Sung* II, einen Zeitraum von 1362 Jahren umfassend.

Der Verfasser des *T'ung-kian* giebt nur das Detail der Thatsachen, und überläfst es dem Leser, sich die Haupt-Momente herauszuheben. Durchdrungen von dem hohen Werthe der Leistungen seines Vorgängers, hoffte nun *Tschu-hi* die Brauchbarkeit des *T'ung-kian* noch zu erhöhen, wenn er, ohne an dem Werke selbst erhebliche Veränderungen vorzunehmen, jeder umständlich erzählten Begebenheit eine summarische Übersicht in wenigen bündigen Worten voranschickte. Er gab seinen Übersichten, die in gröfserer Schrift gedruckt sind, und auf welche die Details, wie ein Commentar auf einen Text folgen, den Namen *Kang-mu*, d.h. Netz, weil sie die Fülle des Stoffes gleichsam einfangen und zusammenhalten müssen. Wir Europäer würden mit einem anderen Bilde: Rahmen, Fachwerk, oder Gerippe sagen. *T'ung-kian-kang-mu* heifst also: Allgemeiner Spiegel und Netz, oder mit dem Netze.

Das *T'ung-kian* des *Sse-ma-kuang*, und das *T'ung-kian-kang-mu* des *Tschu-hi* sind, obschon ihre Verschiedenheit nur formell, Jedes für sich commentirt und im Laufe der Zeiten ergänzt worden, ohne dafs die Erklärer

und Fortsetzer des Einen von denen des Anderen Notiz genommen hätten. (*) Von den *Sung* II bis in die Zeiten der *Ming* (14ten - 17ten Jahrhundert) hinab traten nach einander sieben Gelehrte auf, die zu dem *Kang-mu* und seinen Supplementen erklärende Noten lieferten. Diese begleiten den Text unter verschiedenen Überschriften, z.B. *Fa-ming* (Erläuterungen), *Tsi-làn* (gesammelte Bemerkungen) u.s.w. Sie sind gröſstentheils sprachlich, geographisch und archäologisch.

Die Fortsetzung des *Kang-mu*, das Werk einer ganzen Gesellschaft von Gelehrten, zumeist Mitgliedern des Collegiums *Han-lin*, erschien im Jahre 1576. (**) Zwei sogenannte Commentare dazu enthalten nichts als sehr entbehrliche moralisch - politische Betrachtungen. Dieses, die Geschichte der Dynastieen *Sung* II und *Yuan* umfassende Supplement bildet seitdem einen integrirenden Theil des *Kang-mu*.

Im Jahre 1630 besorgte der damalige Reichs-Historiograph *Tschin-jin-si* eine neue Auflage, von welcher das Exemplar der Königl. Bibliothek ein unter der Herrschaft des vorigen Kaisers (1803) veranstalteter Abdruck ist.

(*) Der Commentator des *T'ung-kian*, *Hu-san-sing*, ein Zeitgenosse des *Tschu-hi*, publizirte später unter dem Titel *T'ung-kian-sche-wen-pián-ú*, d.h. Berichtigung der Fehler in den erklärenden Noten zum *T'ung-kian*, ein besonderes Werk in 12 Kapiteln, worin er eine Auswahl von Stellen seines eignen Commentares kritisirt. Auch dieses Buch ist Eigenthum der Königl. Bibliothek (L. S. 229.).

(**) Nach Gaubil ist diese Fortsetzung weniger ausführlich und flatterhafter gearbeitet, als das Supplement zu dem unveränderten Werke des *Sſe-ma-kuang*, welches nur Einen Bearbeiter (*Sie-ying-k'i*) hatte, und zehn Jahre früher (1566) ans Licht trat. S. dessen *Traité de Chronologie etc.* (S. 172.).

II.

通鑑紀事

T'ūng-kiān-kí-ssé.

[15 Bände. L. S. 445-59.]

Eine Reichsgeschichte in anderer Form, bei der aber das *T'ung-kian* des *Sse-ma-kuang* ebenfalls zum Grunde liegt. Als ihr Verfasser, von dem keine Vorrede beigegeben ist, wird ein gewisser *Yuan-ki-tschung* aus *Kian-ngan* (dem heutigen *Nan-king*) genannt, der, gleich *Tschu-hi*, unter den *Sung* II lebte. Das Werk, welches ursprünglich nur bis zu dieser Dynastie (exclusive) reichte, ist unter den *Ming* von *Tschin-pang-tschan*, der die Geschichte der Dynastien *Sung* und *Yuan*, nach demselben Plane bearbeitet, hinzufügte, ergänzt worden. Seine Vorrede hat das Jahr 1606 (34te des *Schin-tsung* der Dynastie *Ming*) als Datum. In der allgemeinen Vorrede zu dem ganzen Werke, geschrieben von dem letzten Revisor desselben, *Tschang-t'ian-ju*, deren Datum das Jahr 1642 (15te des *Sse-tsung* derselben Dynastie), heifst es unter Anderm, dafs der Verfasser der vorliegenden Geschichte sowohl die blofse Anordnung nach Materien (wie sie in den Reichs-Annalen statt findet), als auch das streng chronologische Aufreihen der Begebenheiten am Faden der Jahre (wie *Sse-ma-kuang* und *Tschu-hi* gethan) vermieden habe, und, seinen eignen Weg gehend, der Ordnung der Begebenheiten gefolgt sei. Jede Katastrophe wird demzufolge ohne Unterbrechung und als ein in sich zusammenhangendes Ganzes durcherzählt, gleichviel, was für andere Katastrophen sie kreuzen oder mit ihr parallel laufen mochten. Die einzelnen Bücher zerfallen in mehr oder weniger Abschnitte, welche bald gröfsere, bald kleinere Zeiträume befassen, und den jedesmaligen Hauptinhalt bezeichnende Überschriften an der Stirn tragen. So z.B. hat das erste Buch derjenigen Abtheilung, welche der Mongolischen Dynastie (*Yuan*) gewidmet ist, folgende Überschriften: «Beschwichtigung der Räuberhorden in *Kiang-nan*» — «Empörung der Vasallen-Könige an den Nordgränzen» — «Unterwerfung von Korea» — «Japan greift zu den Waffen» — «Kotschintschina rüstet sich zum Kriege» — «Die Barbaren in Süd-West ergreifen die Waffen» — «Empörung des *A-ha-ma*.»

Das *T'ung-kian-ki-sſe* folgt also einer Methode, die mit der unserer Europäischen Geschichtschreiber am Nächsten verwandt ist, während *Sſe-ma-kuang* und *Tschu-hi* den streng chronikmäſsigen Weg einschlagen. Es ist übrigens ganz ohne Commentar geblieben.

III.

明朝紀事

Mīng-tsch'āo-kī-sſé.

[6 Bände. L. S. 460-64]

Dieses Werk, worin die Geschichte der Dynastie *Ming* (1368-1616) ganz nach demselben Plane, welchen *Yuan-ki-tschung* in seinem *T'ung-kian-ki-sſe* zuerst ins Werk setzte, behandelt ist, kann als ein bloſses späteres Supplement zu der erwähnten Geschichte betrachtet werden. Es enthält 80 Bücher und eine, vom Jahre 1658 (dem 15ten des Kaisers *Schi-tsu* der jetzt regierenden Dynastie) datirte Vorrede des Verfassers, eines gewissen *Ko-ying-t'ai*, der zu den Mitgliedern des Kriegs-Ministeriums gehörte. Eine andere Vorrede aus demselben Jahre, als deren Verfasser der damalige Kriegs-Minister selbst sich ankündigt, soll dem Werke zur Empfehlung gereichen.

IV.

南唐書

Nān-t'āng-schū.

[1 Band. L.S. 682.]

Geschichte der sogenannten Südlichen *T'ang*, einer von den zehn kleinen After-Dynastieen, die mit den sogenannten fünf späteren Dynastieen (*Heu-ù-tái*) gleichzeitig (im 10ten Jahrhundert u.Z.) einzelne Stücke von China beherrschten, und endlich den *Sung* II, oder Grofsen *Sung* erlagen. Die drei Kaiser der erwähnten Dynastie regierten von 937 bis 976 im süd-östlichen China. Der Verfasser vorliegenden Werkes, ein gewisser *Lo-yeu*, der unter den *Sung* II lebte, hat ganz nach dem Muster der grofsen Reichs-Annalen gearbeitet; demzufolge besteht sein Werk aus zwei Haupt-Abtheilungen — einer Kaiser-Geschichte (*Pen-ki*), und den Biographieen der bedeutendsten Menschen, die zur Zeit des Hauses *Nan-t'ang* in den Staaten dieser Dynastie wirkten. Einen Anhang zu der letzten Abtheilung bildet die besondere Geschichte der politischen Berührungen des Hauses *Nan-t'ang* mit ausländischen Reichen, namentlich Korea und den Kitan-Tungusen. Das Werk zerfällt in 18 Bücher.

V.

靖逆記

Tsíng-nĭ-kí.

[1 Band. L.S. 622.]

Gedruckt im ersten der Jahre *Taó-kuàng* (1821). Der Verf. erzählt in sechs Kapiteln die allmählige Beschwichtigung der Räuberbanden, welche vom 18ten der Jahre *Kia-*

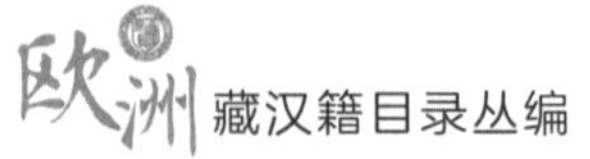

k'ing (1813) an, verschiedne Provinzen China's beunruhigten. Dies besagt auch der Titel, welcher «Geschichte der zur Ruhe gebrachten Empörer» bedeutet.

VI.

左國輯要

Tsò-kuĕ-ts'ĭ-yāo.

[1 Band. L. S. 712.]

Ein bloſser Auszug aus den alten Geschichtswerken *Tsò-tschuan* und *Kue-yü*, welche dem *Tso-k'ieu-ming* zugeschrieben werden, und deren Inhalt hauptsächlich um die Schicksale der kleinen Vasallen-Reiche sich dreht, die in den späteren Zeiten des Herrscherhauses *Tscheu* (von 722 vor Chr. an) mächtig wurden. (*) Vorliegendes Buch erschien zuerst i. J. 1758, und hat im 14ten der Jahre *Kia-k'ing* (1809) eine neue Auflage erlebt.

VII.

史記補註

Sſè-ki-pù-tschú.

[1 Band. L. S. 661.]

Kritische und erklärende Bemerkungen zu einer Auswahl schwieriger Stellen des berühmten Geschichtwerkes *Sſè-ki* (von *Sſe-ma-ts'ian*, dem Gründer der Reichs-Annalen), dessen Abfassung ins Jahr 104 vor Chr. fällt. Ohne Datum und Vorrede. Aus einer kurzen Notiz auf der

---

(*) Andere Auszüge aus hochgeachteten alten und neueren Geschichtswerken (auch mehreren Reichs-Annalisten) findet man in den Chrestomathieen. (S. unten.)

ersten Seite erfahren wir, dafs zwei Schüler eines gewissen *Fang-wang-ki* den Inhalt aus den Vorträgen ihres Lehrers niedergeschrieben haben.

VIII.

古今紀史錄

Kù-kīn-kī-sſè-lŏ.

[2 Hefte. L. S. 799. 791.]

Zwei Exemplare eines kurzen chronologischen Abrisses, worin man nur die Namen der Kaiser, ihre Abkunft, und die Dauer ihrer Regierungs-Zeiten verzeichnet findet. Die Bedeutung des Titels ist: Übersicht der alten und neuen Geschichte.

IX.

歷代帝王

Lĭ-tái-tí-wāng.

[1 Heft. L. S. 157. 165.]

Bedeutung des Titels: Kaiser und Könige der auf einander folgenden Dynastieen. Ebenfalls ein kurzer chronologischer Abrifs in tabellarischer Form, welcher jedoch aufser den Kaisern auch die Vasallen-Könige der verschiednen Dynastieen namhaft macht. Zwei Exemplare.

X.

列仙傳

Liĕ-siān-tschuān.

[1 Band. L. S. 735.]

Eine Sammlung von kurzen Biographieen merkwürdiger Adepten der Sekte *Tao*, mit gut ausgeführten Abbildungen

derselben. In einem Anhang sind kleine metaphysisch-moralische Tractate dieser Secte mitgetheilt.

XI.

廣東名人

Kuàng-tūng-mīng-jīn.

[2 Hefte. L. S. 775.]

Anekdoten aus dem Leben namhafter Eingebornen der Provinz *Kuàng-tung* (Canton). Den Eingang bilden geographisch-statistische Notizen über diese Provinz. (*)

Völker- und Länderkunde.

I.

太平寰宇記

T'ái-p'īng-hoān-yū-kí.

[6 Bände. L. S. 321-26.]

Eines der vortrefflichsten älteren geographischen Werke der Chinesen, welches in den Jahren *T'ái-p'ing* (Allgemeine Ruhe) der Dynastie *Sung* II (976-84) zuerst ans

---

(*) Sehr reichhaltige biographische Sectionen befinden sich in mehreren Werken von vermischtem Inhalt (s. weiter unten), in den Pantheon's schöner Geister u. s. w. Auch ist das Riesenwerk *Tse-fu-yuan-kuei* im Wesentlichen nur ein ungeheuerer historischer und biographischer Stoff in möglichster Zerstückelung, doch so, dafs man die zahllosen Incidenzen nach dem Principe der Gleichartigkeit vertheilt und geordnet hat.

Licht trat. Sein Verfasser, den *Ma-tuan-lin* als einen kritischen Geist rühmt, (*) hiefs *Lo-sfe-teng*, und war in der heutigen Provinz *Kiang-si* geboren. Er widmete sein Werk dem Kaiser *T'ai-tsung* der genannten Dynastie, an dessen Hof er eine bedeutende Charge bekleidete.

Das *Hoan-yü-ki* (d.h. Beschreibung der ganzen Erde) begreift 200 Bücher. Es erlebte in den Jahren *K'ian-lung* (1736-96) eine zweite, und im 8ten der Jahre *Kia-k'ing* (1803) eine dritte unveränderte Auflage, von welcher die Bibliothek ein sauber gedrucktes Exemplar auf schönem weifsem Papier besitzt.

Man darf in diesem Werke die heutige Eintheilung des Chinesischen Reiches nicht suchen; denn Zahl und Namen der Provinzen, der kleineren Gebiete und Arrondissements, ja selbst der grofsen und kleinen Städte haben beständig gewechselt, und sind bisweilen in verschiednen Perioden einer und derselben Dynastie verschieden gewesen. Zur Zeit des *Lo-sfe-teng* zählte man 13 Statthalterschaften (*Táo*), deren Beschreibung 172 Bücher des *Hoan-yü-ki* umfafst.

Die Provinzen sind alle nach ihren einzelnen Bezirken und Kreisen beschrieben. Den Anfang macht jedes Mal eine kurze Geschichte des betreffenden Distriktes, worin auch bemerkt wird, was für Namen er im Zeitenstrome geführt. Zunächst folgt ein Elenchus der in dem Bezirk enthaltenen

---

(*) Siehe dessen *Wen-hian-t'ung-k'aò*, in der 18ten Section (Litteratur-Geschichte), Kapitel „Erdbeschreiber". An demselben Orte erwähnt der gelehrte Sammler zweier tüchtigen Vorgänger des *Lo-sfe-teng*, die Beide unter der grofsen Dynastie *T'ang* (618-906) lebten, aber nur das eigentliche China beschrieben. Der Erstere, *Liang-tai-yan*, betitelte sein Werk *Schi-táo-tschi*, Beschreibung der zehn Provinzen (in welche China damals zerfiel); der Andere, *Li-ki-fu*, nannte das seinige *Yuan-ho-kiun-hian-tschi*, d.h. Beschreibung aller Distrikte (des Reiches) aus den Jahren *Yuan-ho* (806-20), und erhöhte die Brauchbarkeit desselben durch beigefügte Karten.

Städte, die Bestimmung seiner Gränzen, und die Angabe seiner Ausdehnung in die Länge und Breite. Alsdann reihen sich folgende Abschnitte an einander: Zahl der Familien jedes Distriktes, wie sie unter den *Sung* und unter früheren Herrscher-Geschlechtern sich auswies — Charakter und Neigungen seiner Bewohner — Aufzählung aller berühmten und berüchtigten Personen, die in dem betreffenden Distrikte zur Welt gekommen, nebst biographischen Bemerkungen — Vornehmste Natur- und Kunst-Erzeugnisse — Special-Chronik jedes kleineren Kreises, d.h. jeder einzelnen Stadt und ihres Weichbildes, wobei auch bemerkt ist, wie viele Dörfer zu dem Kreise gehörten — Gewässer, Berge, Naturwunder, Alterthümer, interessante Bauwerke u.s.w. Jedem Abschnitte sind verbessernde Zusätze angehängt.

Sehr sorgfältig und erschöpfend verbreitet sich der Verfasser von Buch 172 bis 200 unter dem generellen Titel *Sſé-yi* (Ausländer der vier Weltgegenden) über sämtliche, den Chinesen bis auf seine Zeit bekannt gewordene ausländische Völker. Dieser höchst werthvollen Section, die Geschichte mit Beschreibung verbindet, sind eine allgemeine, und vier besondere Einleitungen vorangeschickt. Mit besonderer Ausführlichkeit verweilt *Lo-sſe-teng* bei zweien der merkwürdigsten Völker, die im Alterthum auf dem Hochlande Ostasiens eine Rolle spielten, den *Hiung-nu*, und ihren wahrscheinlichen Nachkommen, den *Tu-kiu* (Türken) am Altai. Jedem dieser Völker, die mit China so oft in politische Berührung kamen, sind drei grofse Bücher gewidmet. Auch die Geten, die blonden *U-sun* im Norden der *Tu-kiu*, die Stämme Tungusiens u. s. w. nehmen in dieser Abtheilung ausgezeichnete Stellen ein.

II.

西域聞見錄

Sī-yü-wēn-kián-lŏ.

[1 Band L. S. 624.]

Beschreibung und neuere Geschichte der im Nordwesten China's sich ausdehnenden Länder Asiens, zum grofsen Theile aus den Ergebnissen eigner Anschauung, oder selbstständig empfangener Belehrung zusammengestellt. Der Verfasser, ein Mandschuischer Offizier, mit dem Chinesischen Namen *Tschün-yuan*, mufste von Amts wegen viele Jahre im Chinesischen Turkestan verweilen, wo er denn keine Gelegenheit versäumte, sich anzumerken, was seinem Auge und Ohr Wissenswürdiges geboten ward. (*) Das Werk erschien 1778 in zierlichem Taschen-Formate. Es beginnt mit einer roh gearbeiteten Karte aller Länder, die im Norden und Süden der Riesenkette des *T'ian-schan* (Himmelsgebirges) bis zu den Gränzen der sogenannten Grofsen Bucharei sich an einander reihen. Ihre Bewohner, theils Türkischen, theils Mongolischen Stammes, sind nach vielen hartnäckigen Kämpfen durch die Heere der beiden gröfsten Mandschu-Kaiser, *K'ang-hi* (*Sching-tsu*), und *K'ian-lung* (*Kao-tsung*) dem heutigen Herrscher-Hause unterworfen worden. Der Karte folgt eine übersichtliche Schilderung des *T'ian-schan*, nach seinem Laufe und seinen Krümmungen; und an diese reihen sich die Special-Beschreibungen der einzelnen Länder, welche die grofse nördliche und südliche Heerstrafse durchzieht, von *Ha-mi* (*Chamyl*) bis *Yarkand* und *Kaschgar*. Darauf wendet sich der Verfasser, nicht befriedigt mit dem, was er selbst gesehen,

---

(*) Der Titel bedeutet: „Beschreibung (dessen, was ich) von den Westlichen Regionen gesehen und gehört."

auch zur Beschreibung einer Menge anderer, von China unabhängiger Länder und Staaten, die im Norden, Westen und Süden unmittelbar oder mittelbar an die ehemalige Dsungarei und das östliche Turkestan gränzen, z.B. Fergana, Bolor, Kaschmir, Badakschan, Samarkand, Pendschab u.s.w. Selbst das Russische Reich ist mit aufgenommen.

Ein fernerer Abschnitt historischer Art handelt hauptsächlich von der Entstehung, dem Gedeihen, und der endlichen Zertrümmerung des furchtbaren Reiches der Dsungar-Kalmyken. Dann sucht uns der Verf. in einer ausführlichen physikalisch-ethnographischen Section ein Total-Bild von Klima und Produkten der ungeheuern, mit dem allgemeinen Namen *Si-yü* (westliche Gränz-Regionen) belegten Länderstrecke, und von Charakter, Sitten, Religion und Bildungs-Stufe ihrer gröfstentheils muhammedanischen Bewohner zu geben. Das ganze Werk ist frischer und lebendiger stilisirt, als viele Chinesische Bücher ähnlichen Inhalts.

Der Russische Mönch Jakinth Bitschurin hat in seinem **Описаніе Чжунгаріи и Восточнаго Туркистана** (Beschreibung der Dsungarei und des Östlichen Turkestan) das *Si-yü-wen-kian-lo* seinem gröfsten Theile nach übersetzt mitgetheilt. Das erwähnte Buch ist 1829 in Petersburg erschienen.

III.

佛山街畧

Foĕ-schān-kīai-liŏ.

[2 Heftchen. L.S. 767.]

Topographie von *Foe-schan* (d.h. Buddha-Berg), einem grofsen, volkreichen und sehr betriebsamen Wohnorte auf dem, von ungezählten Gewässern durchschnittenen Terrain im Südwesten der Stadt Canton. Sehr schlecht gedruckt, und von einem grob gezeichneten Plane begleitet. Vielleicht ist *Foe-schan* das Focan (Fosan?) des Capitain Purefoy (S. Ritter's Asien, Band III, S. 825.); aber in der vorliegenden Topographie wird dieser Ort als ein *tschin* (Dorf) qualificirt, und keiner Mauern desselben Erwähnung gethan. Auch finde ich *Foe-schan* sonst nirgends verzeichnet. (*)

Statistik und Gesetzgebung.

I.

太清會典

T'aí-ts'ing-hoēi-tiàn.

[5 Bände. L. S. 580-84.]

Dieses statistische Werk, dessen Titel «Gesammelte Verordnungen der Dynastie *T'ai-ts'ing*» (Chinesisches Prädicat des jetzigen Herrscherhauses) bedeutet, ist ein blofser Auszug aus dem gleichnamigen grofsen Staats-Handbuche, wovon im Jahre 1818 die neueste Auflage erschien. Der in Rede stehende Auszug, im Jahre 1774 einem kaiserlichen Befehle gemäfs veranstaltet, begreift in 100 Kapiteln die

(*) Sehr werthvollen geographischen und ethnographischen Notizen begegnet man auch in manchem Werke von gemischtem Inhalt, und selbst in einzelnen, zur schönen Litteratur gehörenden Büchern, wie denn überhaupt bei Benutzung der Chinesischen Litteratur nicht genug in Erinnerung gebracht werden kann, dafs willkommene Belehrung über eine bestimmte Materie keineswegs ausschliefslich bei denen Schriftstellern sich findet, die *ex professo* davon handeln, sondern gar häufig, Dank der Chinesischen Polyhistorie, aus allen Winkeln zusammengesucht werden mufs.

Functionen sämtlicher Hof-Behörden und ersten Staats-Behörden der Hauptstadt, die in folgender Ordnung aufgeführt sind. (*)

1. *Tsūng-jīn-fù:* das Collegium der erlauchten Personen (Mandschuisch *Uksun-be kadalara yamun*) welches sämtlichen Angelegenheiten der kaiserlichen Verwandten vom gelben und vom rothen Gürtel vorsteht. (**)
2. *Néi-kŏ:* das innere Gemach, oder der geheime Staatsrath, (Mandsch. *Dorgi yamun*).
3. *Lì-pú:* das Collegium der Magistrate (Mandsch. *Chafan-i djurgan*), welches für Anstellung, Absetzung, Beförderung, und Versetzung sämtlicher Civil-Beamten des Reiches Sorge trägt.
4. *Hú-pú* (Mandsch. *Boigon yamun*): Collegium der Staats-Einkünfte.
5. *Lì-pú* (Mandsch. *Dorolon yamun*): Collegium der Gebräuche, welches die Ober-Aufsicht über Alles führt, was zur religiösen, hofmännischen, diplomatischen und bürgerlichen Etikette gehört.
6. *Yŏ-pú* (Mandsch. *Kumun-i djurgan*): Collegium der Tonkunst. Führt die Controlle der Hofkapelle. Die Musik bei kaiserlichen Opfern, Hoffesten und anderen Gelegenheiten öffentlicher Feier ist mit dem Rituale unzertrennlich verknüpft.
7. *Pīng-pú* (Mandsch. *Tschoocha-i djurgan*): das Kriegs-Collegium.
8. *Hīng-pú* (Mandsch. *Beidere djurgan*): Collegium

(*) Die Mandschuischen Benennungen habe ich dem nach Materien geordneten vortrefflichen Spiegel der Mandschu-Sprache (*Mandju gisun-i buleku bitche*) entlehnt.

(**) Die Ersteren stammen von dem Stifter der Dynastie in gerader Linie; die Anderen aber von seinen Seiten-Verwandten, oder von seinen Brüdern und Oheimen.

der Strafen: die höchste Instanz für alle wichtigen Criminal-Fälle im ganzen Reiche.

9. *Kŭng-pú* (Mandsch. *Weilere djurgan*): Collegium der öffentlichen Arbeiten. Seine Gegenstände sind: Landwirthschaft, Gewerbe, Künste, öffentliche Bauten u. s. w. (*)

10. *Lĭ-făn-yuán:* das Ministerium des Auswärtigen. (Mandsch. *Dulergi golo-be dasara djurgan*). Besorgt die Angelegenheiten der zum Chinesischen Reiche gehörenden Völker anderen Stammes (Mongolen, Türken, Tibeter u.s.w.), und führt die Unterhandlungen mit fremden Staaten.

11. *Tŭ-ts'ă-yuán* (Mandsch. *Ucheri-be baitschara yamun*): das Alles untersuchende Collegium, oder das Tribunal der Staats-Inquisitoren. Wacht über die Handhabung der Gesetze, und über das Betragen sämtlicher Beamten des Reiches.

12. *Hán-lĭn-yuán:* das Collegium Pinsel-Wald (Mandsch. *Bitche-i yamun*, Bücher-Collegium), die Kaiserliche Akademie der Wissenschaften, deren vornehmste Gegenstände die Fortsetzung der officiellen Reichs-Annalen (mit Geographie und Statistik), die Aufrechthaltung der politischen Ethik, und die Staats-Examina sind.

13. *K'ì-kiŭ-tschú* (Mandsch. *Ilire tere-be edjere yamun*): ein Bureau, auf welchem die täglichen Handlungen des Kaisers (wörtlich: sein Aufstehen und Niedersitzen) zu Papier gebracht werden. Arbeitet der historischen Klasse des *Hán-lin-yuan* in die Hände.

(*) Nach dem *Kung-pú* werden die Filiale der sechs letzterwähnten Ministerien in *Sching-king* oder *Liao-tung*, demjenigen Gebiete des Chinesischen Tungusiens, wo die herrschende Dynastie sich zuerst befestigte, aufgeführt.

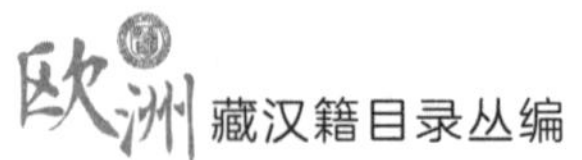

14. *Tschān-ssé-fù* (Mandsch. *Dergi gurung-ni baita-be alicha yamun*): das Hofmarschall-Bureau. Führt die Controlle über die Angelegenheiten des Palastes, oder den kaiserlichen Haushalt.

15. *Kuàng-lŏ-schī.* Dieses Bureau beschafft Wein und Mehl zu Opfern, und Speise-Artikel zu Ceremonien-Mahlen. Mandschuisch heifst es *Sarin-be dagilara yamun:* das die Hof-Diner's besorgende Bureau.

16. *T'ái-pŭ-schì* (Mandsch. *Adun-be kadalara yamun*): ein Bureau, dem die Controlle der kaiserlichen Jagden und Parke zukommt.

17. *Schün-t'iān-fù.* Eine Behörde der die Verwaltung des Gebietes der Residenz obliegt. *Schün-t'ian-fu,* oder die „dem Himmel gehorchende Stadt" ist zugleich der heutige Name von *Pĕ-king.*

18. *Hūng-lū-schì.* Leitet die Ceremonien an Hof-Festen, bei grofsen Audienzen u. s. w. Mandsch. *Doro djorire yamun,* das Ceremonien-Collegium.

19. *Kuĕ-tssè-kiān* (Mandsch. *Gurun-i djuse-be chuascha-bure yamun*): Collegium für die Erziehung der Kinder des Reichs, d. h. Ober-Schul-Collegium.

20. *K'īn-t'iān-kiān* (Mandsch. *Abka-be gingulere yamun*): das den Himmel ehrende (astronomische) Tribunal.

21. *T'ái-yī-yuán* (Mandsch. *Oktosi-be kadalara yamun*): das Ober-Medizinal-Collegium.

22. *Néi-wú-fù:* Behörde der inneren Geschäfte, welche die allgemeine Controlle über die Arbeiten der hohen Staatsbeamten hat (Mandsch. *Dorgi baita-be ucheri kadalara yamun*).

23. *Luān-yī-wēi:* ein Collegium das die kaiserlichen Aufzüge ordnet, und alle zu denselben gehörigen Gegenstände beschafft und aufbewahrt (*Dorgi faidan-be kadalara yamun*).

24. *Lĭng-schi-wēi-fù* (Mandsch. *Chia kadalara yamun*): Tribunal der kaiserlichen Leibgarde.

25. *Pă-kʻī-tu-tʻŭng-ya-men* (Mandsch. *Djakūn gūsa-i yamun*): Tribunal der acht Banner oder militairischen Divisionen (des Mandschu-Volkes).

II.

太清律例

Tʻái-tsʻīng-liŭ-li.

[6 starke Bände. L. S. 588-92.]

Der Criminal-Codex der jetzt über China herrschenden Dynastie, zu welchem bereits 1646 durch den ersten Kaiser derselben der Grund gelegt wurde. Seitdem ist das Werk in den Jahren 1679, 1725, 1740, 1799, und 1815 mit jedesmaligen Erweiterungen und Ergänzungen wieder aufgelegt. Das Exemplar der Bibliothek ist ein bloſser, im Jahre 1829 besorgter Wieder-Abdruck der letzten Edition. Jede Auflage hat der zu ihrer Zeit regierende Kaiser mit einer eigenhändigen Vorrede in rothen Charakteren geziert; und diese sechs Vorreden sind samt den jedesmaligen Rapporten der Redacteurs an die Kaiser in den vorliegenden neuesten Abdruck mit aufgenommen.

Die Einrichtung des Werkes ist sehr klar und methodisch. Die erste Abtheilung enthält vornehmlich allgemeine, den ganzen Codex betreffende Definitionen; und die Gesetze in den sechs übrigen Abtheilungen sind unter die Rubriken der sechs höchsten Reichs-Collegia (*Pú*) vertheilt. Jede Seite zerfällt der Queere nach in drei Theile oder Columnen: die unterste Columne ist den allgemeinen Gesetzen (welche ein Commentar in kleinerer Schrift begleitet) und den besonderen Bestimmungen (ohne Commentar) gewidmet. Die mittlere Columne enthält Beispiele obrigkeit-

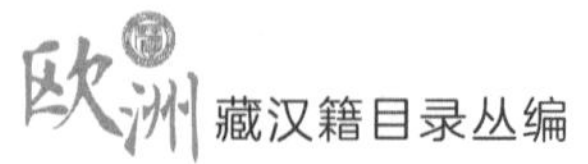

licher Verfügungen in einzelnen Rechtsfällen; und in der Obersten wird bemerkt, wo der Leser dies oder jenes Gesetz finden kann, das er vielleicht an einer falschen Stelle suchen dürfte.

Eine sehr ausführliche Inhalts-Anzeige giebt Davis in seinem trefflichen Werke «*the Chinese*» (T. I, p. 237 ff.). Eine vollständige Englische Übersetzung des Werkes lieferte Sir G. T. Staunton unter dem Titel: *Ta Tsing Leu Lee, being the Fundamental Laws and Supplementary Statutes of the Penal Code of China.* London 1810. royal 4to.

III.

兩廣鹽法志

Liáng-kuāng-yēn-fă-tschí.

[4 Bände. L. S. 597-600.]

Der Titel bedeutet: Vorschriften, das Salz betreffend, für die beiden *Kuang* (*Kuang-tung* und *Kuang-si*) erlassen. Diese beiden Provinzen sind nämlich die salzreichsten in der ganzen Monarchie, und das Salz bildet einen wesentlichen Theil ihrer Besteuerung. Der Inhalt dieser Sammlung zerfällt in die drei Haupt-Rubriken: Gesetze — Ermahnungen oder Verwarnungen — Anzeigen und Vorschläge. Sämmtliche Documente reichen vom 8ten der Jahre *Schün-tschi* (1651) bis zum 18ten der Jahre *K'ian-lung* (1753).

Zur Probe folge hier eines der Gesetze, und eine der Verwarnungen.

Gesetz.

«Jeder Kaufmann, der obrigkeitliches Salz, mit Sand oder Erde vermischt, verkauft, erhält eine Bastonnade von 80 Schlägen.»

2*

«Jeder, der obrigkeitliches Salz aufser den Gränzen des gesetzlich vorgeschriebenen Bezirkes verkauft, soll 100 Stockschläge empfahen. Wer um das Vergehen weifs, und doch von dem Salze kauft, soll 60 Stockschläge empfahen. Wer nicht darum weifs, bleibe ungestraft, wenn er auch von dem Salze kauft.»

Kaiserliche Aufforderung.

[datirt vom 1ten der Jahre *Yung-tsch'ing*, 1723.]

«Um das Volk in Ruhe zu erhalten, mufs man über seine Sitten wachen; um aber die Sitten rein zu erhalten, ist nichts wichtiger, als das Volk an Mäfsigkeit und Nüchternheit zu gewöhnen. Im Buche *Tscheu-li* findet man Vorschriften gegen Luxus und Ausschweifungen. (*) So hat auch *Meng-tfse* gesagt: «Wenn die Nation frugal ist, so wird an Getraide kein Mangel sein, und die Tugend auf sicherer Basis ruhen.» Seit Ich den Thron meiner Ahnen bestiegen, habe ich Mäfsigung geübt, und gewollt, dafs meine Unterthanen vor Allem nach dem, was wesentlich Noth thut streben möchten. Die Tugend der Mäfsigung herrscht noch vorzugsweise auf dem Lande, wogegen Luxus und Verschwendung vorzugsweise bei der handeltreibenden Klasse zu finden sind. Man hat mir angezeigt, dafs die Salz-Händler jeder Provinz von Innen ihre Häuser füllen, und nach Aufsen hin prassen und verschwenden. Ihre Kleidung und ihr Hausgeräth sind ausnehmend kostbar; ihre Speise- und Trinkgeschirre von feinster Qualität. Man findet in ihren Häusern Schauspieler und Sänger. Sie tanzen, zechen, berauschen sich, oder vertreiben die Zeit mit unwürdigen Possen. Gold, Silber, Perlen und edles Gestein sind ihnen wie Sand oder

---

(*) Ein uraltes Ritualbuch der Dynastie *Tscheu*, von welchem Pater Jakinth Bitschurin in den Anmerkungen zu seinem **Сань-цзы-цзинъ или троесловіе** etc. (St. Petersburg 1829.) auf der 50ten Seite handelt.

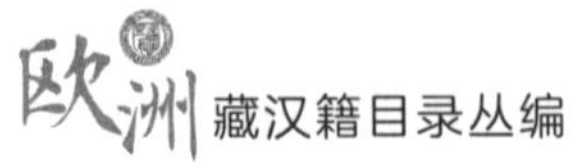

Strafsenkoth. Sie übertreten das Ritual-Gesetz und erheben sich über ihre Stellung in der Gesellschaft. Keiner von ihnen ist fähig, seinen Lüsten zu gebieten; Hoffahrt und grobe Sinnlichkeit haben sich ihres ganzen Wesens bemächtigt, und sind ihnen zur Gewohnheit geworden. Je gröfser aber ihre Prachtliebe und Verschwendung ist, desto mehr kommt das Volk in Versuchung einem so bösen Beispiele zu folgen. Ihr, die ihr dem Salz-Handel vorsteht, es ist euere Pflicht, solchem Unfuge zu steuern! Erlasset obrigkeitliche Befehle und sorget dafür, dafs die lüderlichen Salzhändler, kraft euerer Vermahnungen, aufrichtige Reue fühlen, und, dem Sittengesetze sich bequemend, hinführo ihrem Stande gemäfs ihr Leben einrichten."

IV.

天下水陸程

T'iān-hiá-schùi-lŏ-tschīng.

[1 Heft. L. S. 776.]

Tabellarische Übersicht der Courier-Stationen des Chinesischen Reiches (zu Wasser und zu Lande), nebst Angabe der gegenseitigen Entfernung je zweier Stationen.

V.

科場條例

Kō-tsch'āng-tiāo-lī.

[3 Bände. L. S. 683-85.]

Verordnungen, die Staats-Examina betreffend. Dieses Werk, das durch seinen Titel genugsam definirt ist, wird alle zehn Jahre neu aufgelegt, und jede neue Edition ist nach Mafsgabe der Abänderungen, die in der Zwischenzeit getroffen, bearbeitet. Die vorliegende Edition (60 Kapitel) trägt das Jahr 1825 als Datum. Eine sehr fruchtbare Übersicht des Inhalts giebt Robert Morrison in dem ersten Bande seines *Chinese Dictionary, according to the Radicals,* und zwar unter dem Schriftzeichen *Heo* (*Hio*), Lernen, Studiren (S. 759-79.)

VI.

季條例

Kī-tiāo-lī.

[40 Bände. L. S. 495-534.]

Ohne Vorrede und allgemeines Datum. Der Titel bedeutet: Jahreszeiten-Gesetze. Es ist diefs eine chronologisch geordnete Sammlung von Gesetzen, die unter der jetzt regierenden Dynastie erschienen sind; und von welcher jedes Heft sämmtliche, im Verlaufe einer und derselben Jahreszeit bekannt gemachten Gesetze begreift. Die einzelnen Hefte tragen Register an der Stirn, in denen man die zum Theil sehr langen Überschriften besonders verzeichnet hat; und bei jeder kaiserlichen Verfügung stehen Monat und Tag der Ausfertigung. Die Jahre sind mit Charakteren des Sexagesimal-Cyclus bezeichnet.

VII.

[L. S. 239. a-f.]

Ein pappenes Kästchen mit sechs dünnen und schmalen Oktav-Heften, die eben so viele Nummern einer Chinesischen Zeitung sind. Zwei dieser Nummern tragen den 25ten und 26ten Tag des fünften, und die vier übrigen den 1ten, 4ten, 5ten und 10ten Tag des siebenten Monats des zweiten der Jahre *Tao-kuang* als Datum. (*) Diese Zeitungen sind alle Manuscript, und also wahrscheinlich bloſse Copieen der täglich in *Pe-king* erscheinenden, mit beweglichen Typen gedruckten Staats-Zeitung *King-pào* (Bote der Residenz), einer Art Amtsblatt, das ſast nur Auszüge aus kaiserlichen Edikten, Beförderungen, Rang-Erhöhungen u. dgl. enthält. Der Titel *king-pào* fehlt den vorliegenden Zeitungen; dagegen ist jedem Hefte ein Blättchen rothes Papier mit folgenden gedruckten Worten aufgeklebt:

tsùng-tʼùng-tsʼă-hă-ōll-tū-tʼùng

d. h. Sämmtliche Banner (militärische Divisionen) der *Tsachar*. Die *Tsachar* sind ein im Norden der Provinz *Pe-tschi-li*, also im Südosten der Gobi angesessenes, gleich den Mandschu in acht Banner abgetheiltes Mongolisches Volk. Vielleicht darf man aus dem angeführten Titel schlieſsen, daſs handschriftliche Copieen der Chinesischen Staats-Zeitung in der Ursprache (und auch wohl in Mongolischen Übersetzungen) an die gränzhütenden Stämme im Norden der Groſsen Mauer versandt werden. Die in den sechs Zeitungs-Nummern der Königl. Bibliothek enthaltenen Verordnungen beziehen sich übrigens nur auf Provinzen des Binnenreichs.

(*) Das zweite der Jahre *Táo-kuang* (Licht der Vernunft) beginnt mit dem 23ten Januar 1822 und endet mit dem 10ten Februar 1823. Die sehr genaue Kalender-Tafel in Ideler's «Zeitrechnung der Chinesen» (Berlin, 1839.) setzt uns in den Stand, obige Data bequem auf unseren Kalender zu reduciren:

Monat	Tag	Monat	Tag
5	25	Julius	13
—	26	—	14
7	1	August	17
—	4	—	20
—	5	—	21
—	10	—	26

VIII.

(L. S. 169.)

Ein pappenes Futteral, das ein anderes dergleichen aus dunkel-rosenfarbenem Papier, mit einer Chinesischen Urkunde darinnen, beherbergt. Auf dem äufseren Futteral stehen die Worte: «Certificat des chinesischen Vicekönigs in Canton über das dortige Verhalten der Mannschaft des Preufsischen Schiffes Mentor.» Man könnte hiernach ein *testimonium morum* erwarten; es ist aber die Urkunde ein blofser Schiff-Pass (*tschuan-p'ai*, in Canton *sfün-poi*), ausgefertigt von dem Ober-Einnehmer der Zölle ausländischer Schiffe in Canton, um den Kaufmann *Hin-tschin* (*) vor Plackereien an Chinesischen Küsten-Orten, die er etwa nothgedrungen besuchen sollte, sicher zu stellen. Das Datum dieses Geleit-Briefes, dem das grofse rothe Amtsiegel des Ober-Einnehmers (*Hài-kuan*, oder *Kuan-pú*, von den Europäern irriger Weise *Hoppo* genannt) beigedruckt worden, ist: 10ter Tag des 2ten Monats des 4ten der Jahre *Táo-kuang*, und entspricht dem 10ten März 1824.

Philosophie, Religion und Moral.

A. Schule des *Kung-tsfè.*

a.

Kanonische Bücher dieser Schule.

Da dieser Zweig der Chinesischen Litteratur für die meisten Männer des Staates und der Wissenschaft in Form

(*) Der Name des Kaufmanns mufs ohne Zweifel im Dialekte von Canton gelesen werden, also *Yän-sfän*, welches Wort an den Deutschen Namen Jansen erinnert.

und Gehalt die höchste Autorität ist, und, obschon zum Theil fragmentarisch auf uns gekommen, nicht bloſs ein Abstractum der Cultur des Chinesischen Alterthums bietet, sondern auch alle höheren Litteratur-Fächer, wie sie in späteren Zeiten sich entwickelt haben — Moral, Politik, Geschichte, Beschreibung und lyrische Poesie — gleichsam embryonisch in sich schlieſst: so hat man auch von Europäischer Seite für das Verständniſs dieser ehrwürdigen Monumente bis jetzt weit mehr gethan, als für alles Übrige zusammengenommen. Ich glaube daher den Dank des Lesers zu verdienen, wenn ich ihn mit einer neuen Anzeige ihres respectiven Inhalts verschone, und mit bloſser Anführung derjenigen Ausgaben dieser Bücher, welche im Besitze der Königlichen Bibliothek sind, mich begnüge.

I.

五經

U-kīng.

[L. S. 250-54. 782-4. 706. 713. 800.]

Die vorstehenden Nummern enthalten den bloſsen sauber gedruckten Text der fünf *King*. Drei vollständige Ausgaben, und daneben noch einzelne Exemplare des *Yi-king* und *Schi-king*.

[L. S. 249. 626. 668-69.]

Der Text von dreien dieser Bücher, mit Rand-Noten, welche bloſs die schwierigsten Stellen erklären. Die drei Bücher sind: das *Schi-king* (Lieder-Kanon), *Schu-king* (Geschicht-Kanon), und *Lì-ki* (Ritual-Kanon).

[L. S. 339.]

Das fünfte der *King*, oder das *Tschün-ts'ieu* (die von *K'ung-tſse* abgefaſste Chronik seiner Heimat, des Vasallen-Reiches *Lu* in *Schan-tung*), mit vollständigem Commentare des *Hu-ngan-kue,* eines Gelehrten aus der Provinz *Fu-kian,* welcher unter den *Sung II.* lebte. Gedruckt ist diese Ausgabe im Jahre 1790.

II.

四書

Sfé-schū.

Die vier Bücher, oder der *Tetrateuch,* von uns Europäern auch kanonische Bücher zweiten Ranges genannt.

[L. S. 254. 628. 817·]

Blofser Text derselben *in corpore.* Dann noch ein einzelnes Exemplar des Buches *Meng-tfsè,* und eine in St. Petersburg lithographirte Ausgabe der Bücher *Tá-hio* und *Tschung-yung.*

III.

四書合講

Sfé-schū-hŏ-kiàng.

[Ein starker Band. L. S. 337.]

Eine Ausgabe der *Sfé-schu,* worin der Text von den abgekürzten Scholien des berühmten *Tschu-hi,* und umständlichen Paraphrasen aus neuerer Zeit begleitet ist. Da die Auslegungen dieses grofsen Gelehrten aus *K'ung-tsfe's* Schule, so wie auch seiner geschätztesten Vorgänger, wegen ihrer sehr energischen und prägnanten Kürze, dem reiferen Alter mehr, als der Jugend, angemessen sind, so verfafste die Akademie *Han-lin-yuan* während der Minderjährigkeit des Kaisers *Sching-tsu* († 1722) zum Besten des jun-

gen Fürsten eine weitschweifige Umschreibung derselben, welche den Titel *Ji-kiàng* (Lektüre für jeden Tag) erhielt, und seitdem verschiedene Ausgaben der *Sſé-schu* begleitet. Die vorliegende Edition erschien im 8ten der Jahre *Yung-tsching* (1730) zum ersten Male, und wurde 1821 unverändert wieder abgedruckt.

Manches, was zum Verständnisse der *Sſé-schu* wichtig, hat man in diesem Buche einleitend vorausgeschickt, z.B. drei historische Karten, auf denen die wechselnde politische Eintheilung China's von den ältesten Zeiten an bis ins dritte Jahrhundert vor unserer Aera verzeichnet steht — Umrisse antiker Paläste, Altäre, und anderer öffentlichen Gebäude — Zeichnungen von Ritual-Gegenständen und musikalischen Instrumenten samt Erläuterungen u. s. w. — endlich kurze Lebens-Beschreibungen von Personen, deren in den *Sſé-schu* gedacht wird. Die Einrichtung des Werkes selbst ist kürzlich folgende: Jede Seite zerſällt in zwei Quer-Columnen; die untere enthält den Text in gröſserer und *Tschu-hi's* Noten in kleinerer Schrift; die obere, viel breitere Columne ist ganz mit Paraphrasen angefüllt.

IV.

四書朱子異同

Sſé-schū-tschū-tsſè-yi-t'ūng.

[6 starke Bände. L. S. 327-32.]

Eine andere Ausgabe der *Sſé-schu*, mit vollständigsten Wort- und Sach-Commentaren, auch sehr langen und verschiedentlich betitelten scholastisch-kritischen Digressionen über den Inhalt der einzelnen Paragraphen, die in selbigen, wie in einem Ocean, untergehen. Alles aus den Werken *Tschu-hi's* mit groſsem Fleiſse ausgezogen und methodisch zusammengestellt.

Dieses Werk erschien im 44ten der Jahre *K'ang-hi* (1705). Drei Jahre vorher hatte der Kaiser einer Gesellschaft gelehrter Akademiker, an deren Spitze *Li-tschin-yü*, Präsident des *Lì-pú* (Ritual-Collegiums) und kaiserlicher Vorleser bei den litterarischen Hof-Concilien (*King-yan*) stand, die Redaction desselben übertragen.

β.

Erklärer und Philosophen aus *K'ung-tſse's* Schule.

I.

[L. S. 673.]

Ein Buch ohne besonderen Titel, welches Abhandlungen des *Kuan-tsſe* und des *Siun-tſse*, zweier der ältesten Philosophen aus Confucius's Schule, enthält. Beide lebten als Zeitgenossen im dritten Jahrhundert vor Ch. Von Ersterem, der auch unter den militärischen Autoren rühmlich erwähnt wird, sind 81 kleine Dissertationen mitgetheilt, deren Inhalt gröſstentheils um Regierungs-Kunst und Kriegswesen sich dreht. Von dem Anderen sind nur selbstständige Artikel und aphoristische Gedanken über allerlei Gegenstände, die ins Bereich der Moral und des Studiums gehören, aufgenommen; denn *Siun-tsſe* hat auſserdem einen Commentar zu den kanonischen Büchern geliefert.

Die Textes-Revision dieser, im Jahre 1736 erschienenen Ausgabe besorgte ein gewisser *Fang-wang-k'i* aus *T'ung-tsch'ing*.

II.

朱子全書

Tschū-tsſè-ts'iuān-schū.

[6 Bände. L. S. 465-70.]

Sämmtliche (philosophisch-moralische) Werke des *Tschu-hi* oder *Tschu-yuan-mei*, den wir schon als Erklärer der *Sſé-schu* und als Bearbeiter des historischen Werkes *T'ung-kian-kang-mu* kennen gelernt haben. Zu *Hoei-tscheu-fu* im heutigen *Kiang-nan* geboren, lebte dieser mächtige Pfeiler der Lehre *Kung-tsſe's*, dem auch das ehrende Prädicat *Wen-kung* (der gelehrte Herr *par excellence*) geworden, im 12ten Jahrhunderte unserer Zeitrechnung. (*)

Die vorliegende Sammlung erschien 1714 auf *Sching-tsu's* Befehl. Sie begreift 66 Bücher. In der ersten Abtheilung (B. 1-6.) giebt der Verf. pädagogische Regeln, und raisonnirt über die Gegenstände, womit man Kinder beschäftigen soll. Der nächste Abschnitt (B. 7-41.) umfaſst den so hoch gepriesenen Commentar zu den kanonischen Büchern ersten und zweiten Ranges, deren Zahl, Ordnung und relativer Werth erst durch *Tschu-hi* festgestellt worden ist. Im dritten Abschnitte (B. 42-48.) handelt *Tschu-hi* von dem Wesen der Seele, von den natürlichen Anlagen, Neigungen und Tugenden; im vierten (B. 49-50.) von Kosmogonie, Elementen, physikalischen Erscheinungen, Erd- und Himmelskunde; im fünften (B. 51.) von den Genien und Manen, und ihrer Verehrung. Die sechste Abtheilung (B. 52-60.) enthält

---

(*) Vermöge eines sonderbaren Miſsgriffs macht ihn Abel-Rémusat (*Nouv. Mél. Asiat.* T. II, p. 166 sqq.) zum Lehrer und Zeitgenossen des kritischen Polyhistors *Ma-tuan-lin*, der ungefähr 100 Jahre später gelebt hat.

Beurtheilungen der Systeme und Schriften aller berühmten Denker und Sectenstifter, vom hohen Alterthum bis auf die Zeit des Verfassers; in der siebenten (B. 61-62.) zieht *Tschu-hi* Parallelen zwischen den Stammherren der verschiednen Dynastieen, die über China regiert hatten; in der achten (B. 63-64.) raisonnirt er über verschiedne Zweige der Staats-Verwaltung, und der letzte Abschnitt ist der Philologie, Medizin, Poesie und den schönen Redekünsten gewidmet.

III.

黃氏日抄

Hoāng-schí-jĭ-tschāo.

[4 Bände. L. S. 381-85.]

Tägliche Lucubrationen des *Hoang-schi.* (*) Der Verfasser, ein gewisser *Hoang-tung-fa,* der ebenfalls unter den *Sung II* lebte, wird zu den besten Erklärern der Litteratur des Chinesischen Alterthums gerechnet. Seine gesammelten Werke erschienen zuerst 1337, unter dem letzten Mongolen-Kaiser; die Ausgabe der Bibliothek ist vom Jahre 1767. Sie zerfallen in 97 Abschnitte, von welchen die 30 ersten den *King,* die übrigen aber den anderen mustergültigen Werken des Chinesischen Alterthums und Mittelalters, den berühmtesten Philosophen, Auslegern, Historikern, Meistern des Stils u. s. w. gewidmet sind. *Hoang-schi* giebt gelehrte Einleitungen und beleuchtet schwierige Stellen. Über zwei der *King,* das *Li-ki* und das *Tschun-ts'ieu,* liefert er vollständige Commentare. Die letzten Bb. enthalten eigne Ausarbeitungen von mancherlei Art.

(*) *Hoang* ist der Familien-Name des Verf., und *schi* bedeutet Familie. Nur berühmte Personen werden vermöge eines ehrenden Lakonismus in dieser Art citirt, als wollte man sagen: die bekannte Person vom Stamme NN.

IV.

象山先生全集

Siàng-schān-siān-sēng-tsʻiuān-tsĭ.

[15 Hefte. L. S. 806. a-p.]

Sämmtliche Werke des Herren vom Elephanten-Berge. Diesen Beinamen erhielt *Lo-kieu-yuan,* ein Zeitgenosse und persönlicher Freund des berühmten *Tschu-hi.* Die reizenden Natur-Scenen des Berges *Siang-schan* (Elephanten-B.), der in der Provinz *Kiang-si,* im heutigen Gouvernement *Kuang-sin-fu,* bei der Stadt *Kuei-ki-hian,* sich erhebt, bewogen den aus letztgenannter Stadt gebürtigen Philosophen, auf diesem Berge ein heiteres Asyl zu suchen, wo er ganz ungestört denken und schreiben konnte. Sein vorliegender litterarischer Nachlaſs besteht groſsentheils aus Briefen *ad diversos,* in denen er bald streng und tiefsinnig reflectirt, bald den Gefühlen der Freundschaft, oder seinem Entzücken über die ihn umgebende Landschaft eine Sprache leiht. Nach den Briefen folgen moralisch-politische Memoiren und Ermahnungen an den Kaiser, Lucubrationen über kanonische Bücher, Betrachtungen und aphoristische Gedanken der verschiedensten Art. Das Ganze ist in 36 Abschnitte vertheilt, und endet mit einer ausführlichen Biographie des *Lo-kieu-yuan.* In dem Exemplare der Bibliothek fehlt aber der erste Abschnitt, samt Vorrede und Datum des Druckes.

V.

望溪先生文集

Wang-kʻi-siān-sēng-wēn-tsĭ.

[1 Band. L. S. 674.]

Ein Buch ohne Kapitel-Abtheilung, gedruckt im 11ten der Jahre *Kʻian-lung* (1746). Es enthält Meditationen über die kanonischen Bücher, und sonstige Abhandlungen verschiedner Art. Der Titel bedeutet: «Gesammelte Schriften des Herren vom Bergstrome *Wang*»; ich kann aber nicht angeben, was für ein Philosoph hinter diesem Beinamen versteckt ist.

* * *

Vielleicht darf man auch das Büchlein *Sieu-tschin-pian-nan* (L. S. 662.), d. h. Ermittelung des Wahren und Lösung der Schwierigkeiten, hierher rechnen, welches metaphysische Grübeleien über den *Yi-king* enthält und 1811 wieder aufgelegt ist.

B. Lehre der *Tao-sse.*

I.

神仙鑑

Schīn-siān-kian.

[6 Bände. L. S. 676-81.]

Spiegel der Unsterblichen, oder der heiligen Anachoreten. Eine mythische Geschichte der Genien und Adepten von der Secte *Tao,* innig verwebt mit den vorweltlichen Sagen der Chinesen und mit ihrer älteren historischen Zeit. Dieses Werk gewinnt ein besonderes Interesse durch die kühne Selbständigkeit, womit seine unbekannten Verfasser ihr Pandämonium gleichsam zur Axe der Welt-Begebenheiten machen, und die Schicksale China's, seiner Herrscher und Magnaten von dem Einflusse der *Tao*-Geister abhangen lassen. Sehr charakteristisch ist besonders eine kurze Biographie des *Buddha Sakyamuni* (im 5ten Kapitel), worin *Lao-kiun,* die höchste Intelligenz, gewisser Massen als Geburtshelfer der *Mahamaya* (*Buddha's* Mutter) darge-

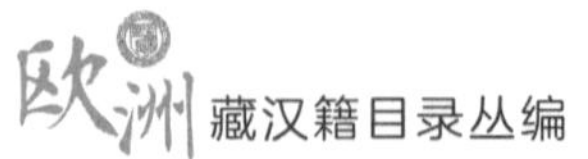

stellt wird, und *Sakyamuni* selbst eine Wanderung nach China machen mufs, um dort bei einem heiligen Anachoreten das wahre Mittel geistiger Befreiung zu lernen.

Das *Schin-sian-kian* der Bibliothek ist ohne Vorrede, Datum und Register,. auch wahrscheinlich defectiv, da es mit Buch 22 etwas jählings abbricht.

II.

性命主旨

Síng-míng-tschù-tschì.

[1 Band. L. S. 338.]

Lehre von der Seele, ihrem Verhältnisse zur Geisterwelt und ihrer Bestimmung. Ein hochgeachtetes Buch von altem unbekanntem Verfasser. Die Ausgabe der Bibliothek ist im Jahre 1705 gedruckt.

III.

三官玅經

Sūn-kūan-miáo-kīng.

[1 Band. L. S. 763.]

Gebete und Beschwörungs-Formeln an die mächtigsten Geister der *Tao*-Secte, insonderheit an die drei Geister-Fürsten (*San-kuan*), welche vermuthlich mit den drei reinsten Wesen (*San-ts'ing*) Eins sind. Sie erscheinen hier unter den Namen *T'ian-kuan, Ti-kuan,* und *Schùi-kuan* (von ihrer Herrschaft über Himmel, Erde, und das Wasser-Element); auch heifsen sie die drei Urwesen (*San-yuan*), mit der Unterscheidung in *Schàng-yuan,* das obere Urwesen, welches Glückseligkeit, *Tschung-yuan,* das mittlere, welches Vergebung

3

der Sünden, und *Hia-yuan*, das untere, welches Erlösung vom physischen Übel verleiht.

IV.

呂祖全書

Liù-tsù-ts'iuān-schū.

[3 Bände. L. S. 688-90.]

Eine im 9ten der Jahre *K'ian-lung* (1744) veranstaltete Sammlung der Werke eines berühmten Philosophen von der Secte *Tao*, seines Namens *Liu-tsu*, oder *Liu-tung-pin*, der unter den *T'ang*, im 9ten Jahrhundert lebte. Sein litterarischer Nachlafs ist theils in Prosa, theils in gebundener Rede, bald dogmatischen, bald moralischen Inhalts; aber durchweg in das ganz eigenthümliche mystische Gewand der *Tao*-Lehre eingehüllt, und bietet dem Verständnifs grofse Schwierigkeiten. Die poetischen Stücke des *Liu-tsu*, worunter viele, bei Bereitung des Steines der Weisen und des Trankes der Unsterblichkeit anzuwendende feierliche Apostrophen an die Geister, sind wegen ihres kühnen Schwunges und ihrer rythmischen Vollendung in die grofse Sammlung von Dichterwerken aus dem Zeitalter der Dynastie *T'ang* aufgenommen worden.

Dem Steine der Weisen, (*) einer Composition aus acht verschiedenen Mineralien, welche die Kraft haben soll, Todte zu erwecken, Alles, was sie berührt, in Gold

---

(*) Chinesisch wird dieser magische Stein *Tan* genannt, auch *Kin-tan*, in welcher Zusammensetzung das erste Wort Gold bedeutet, und *Sian-tan*, das *Tan* der Unsterblichen. Seine acht Ingredienzien sind: Zinnober, Auripigment, *K'ung-tsing* (eine Art Petrefact), Schwefel, *Yün-mù* (nach Einigen Talk, nach Anderen Perlmutter), *Su-yen* (eine Art Salz), und *Tsfe-hoang*, eine Art Auripigment. S. das *Kang-hi-tsfé-tiàn* unter dem Worte.

zu verwandeln u. s. w., sind besondere alchymistische Bücher gewidmet, von denen die Bibliothek Eines besitzt, unter dem Titel *Kin-tan-tschin-tschuan*, rechte Anweisung (zur Bereitung des) *Kin-tan*, herausgekommen im Jahre 1615 (L. S. 618). Das Büchlein *U-tschin-pian*, Erkenntnifs der Wahrheit (L. S. 615.), welches zuerst unter den Grofsen *Sung*, im 8ten der Jahre *Hi-ming* (1057) erschien, scheint eine ähnliche Tendenz zu haben.

V.

太上感應篇

T'ái-scháng-kàn-yíng-p'ian.

[1 Band. L. S. 610.]

Ein moralisches Werk der *Tao*-Secte, welches dem *Lao-kiun* selber zugeschrieben wird, aber jedenfalls eine weit spätere Compilation ist. Es besteht aus lauter kurzen Maximen, worin der Mensch über seine Pflichten und über die Belohnungen und Strafen belehrt wird, die er von Seiten seiner Lebens-Wächter, der Genien, zu gewärtigen hat. Der Titel bedeutet: Buch der Vergeltung durch Einwirkung der Genien, von *T'ái-scháng* (dem Hocherhabenen, eines der Prädicate des *Lao-kiun*). Eine sehr sorgfältige Übersetzung des Textes und der gewöhnlich damit verbundenen Commentare und Erzählungen hat Professor Julien in Paris unter dem Titel «*Livre des Récompenses et des Peines*» geliefert.

In dem *Kàn-ying-pian* bemerkt man schon viel Annäherung an die Lehrmeinungen der übrigen Secten, die in den moralischen Volksbüchern zu wahrem Synkretismus wird.

C. Buddhistische Werke. (*)

I.

金光經

Kīn-kuāng-kīng.

[10 Hefte. L. S. 746.]

Das Wort *King* (kanonisches Buch) entspricht bei den Chinesischen Buddhisten dem Sanskrit'schen *Sutra,* womit man solche religiöse Schriften belegt, die als *Sakyamuni's* Wort verehrt werden. Die vorliegende *Sutra,* deren Name *Kin-kuang* (Gold-Glanz) ihre Berühmtheit schon ahnden läfst, ist, wie Alle ihres Gleichen, aus einem verloren gegangenen Sanskrit-Originale übersetzt. Seinem verklärten Hintritt schon nahe, belehrt hier Buddha auf dem Berge *Kedara* seine Schüler und die Genien aller Elemente über seine drei Wesenheiten — über Heil und Bufse — Würde und Pflichten der *Bodhisatwa's* — und den Zustand des *Nirwana,* oder der endlichen seligen Auflösung in das abstrakte Ursein. Er empfängt die Lobpreisungen seiner Schüler, und ihr feierliches Versprechen, für die Verbreitung der heilbringenden Lehre Sorge zu tragen.

Nach Mongolischen Übersetzungen haben J. J. Schmidt in Petersburg und Ossip Kowalewski in Kasan — Ersterer am Schlusse seiner Grammatik, und Letzterer in seiner Chrestomathie (Petersburg 1836-37.) interessante Stücke aus dem *Kin-kuang-king* (Mongol. *Altan gerel*) mitgetheilt.

(*) Gröfstentheils in Pappkapseln, und auf schönes weifses, nach Art der Sanskrit-Bücher gefaltetes Papier gedruckt. Die Deckel der Hefte sind mit einem hochrothen Zeug überzogen.

Die Bibliothek besitzt noch ein Fragment einer anderen Ausgabe dieser *Sutra*, in Einem Hefte (L. S. 811.).

II.

金剛經

Kīn-kāng-kīng.

[1 Heft. L. S. 230. 744.]

Mit dem Vorigen nicht zu verwechseln. *Kin-kang* heifst der Diamant; also das diamantene Buch. Auch mit dem Zusatze *Pan-ju Pa-la-mi,* einer Corruption der Sanskrit-Worte *Pradjna Paramita,* worunter man den zehnten der ethischen Vervollkommnungs-Grade versteht, welche der Nachfolger Buddha's in unermesslichen Zeiträumen durchlaufen mufs, bevor er die Würde eines *Bodhisatwa* erlangen kann. Die Lehre von diesem *Paramita* (Übergang) ist nun der eigentliche Gegenstand des an Umfang kleinen, aber sehr schwierigen Büchleins, das die Bibliothek in zwei Ausgaben besitzt. (*)

III.

蓮花經

Liān-hoā-kīng.

[7 Hefte. L. S. 705.]

Sutra der Lotosblume, welche Symbol der Heiligkeit und Unsträflichkeit ist. Das Buch enthält eine Reihe abstruser, mit Weissagungen untermengter Lehren, die Bud-

---

(*) Eine Edition des *Kin-kang-king* in Mongolischer Sprache hat Professor Erman d. J. von seiner Reise nach Daurien und der Chinesischen Gränze mitgebracht.

dha im Kreise seiner Schüler zuerst in Prosa ertheilt, und dann, um ihnen gröfseren Nachdruck zu geben, in prächtigen gereimten Versen recapitulirt. Unter anderen prophezeit er mehreren seiner Anhänger, die schon höhere Grade der geistlichen Weihe erstiegen haben, in irgend einer grauen Zukunft die Buddha-Würde; er schildert mit glänzenden Farben das Reich, das sie dereinst als *Bodhisatwa's* beherrschen sollen, versichert, dafs Menschen, zahlreich wie der Sand des Ganges, zu ihrem Unterrichte sich drängen werden u. s. w. Auch entwickelt er umständlich die künftigen zeitlichen Vortheile Derer, welche dem Studium des vorliegenden Buches sich widmen. Als Probe diene Folgendes:

«Wenn Tugendhafte beiderlei Geschlechts dieses *King* aufnehmen und mit gläubigem Gemüthe lesen, absingen, erklären, oder abschreiben: so erwerben sie 800 Augen-Talente, 1,200 Ohren-Talente, 800 Nasen-Talente, 1,200 Zungen-Talente, 800 Körper- und 1,200 Willens-Talente. Kraft dieser Gaben werden die erwähnten Sinne wunderbarlich verklärt. Mit leiblichen Augen schauen diese Tugendhaften alle Berge, Flüsse, Wälder und Meere des Weltgebäudes; ihr Blick dringt abwärts bis in die höllischen Regionen, und aufwärts bis zum höchsten Himmel. Auch alle beseelten Geschöpfe können sie schauen, die in und zwischen den Welten durch einander wimmeln u.s.w.» In ähnlicher Art schildert Buddha nun die Talente der übrigen Sinne: Das Ohr hört und versteht alle die endlos mannigfachen Töne des Weltalls und seiner Bewohner u. s. w.

IV.

華嚴經

Hoā-yan-kīng.

[Ein starkes Heft. L. S. 743.]

Ein *Bodhisatwa,* Namens *P'u-hian* (der Weisheit verbreitet) belehrt in diesem Buche vor *Sakyamuni* und zu dessen hohem Wohlgefallen die versammelten Schüler der verschiednen Weihe-Stufen, und insonderheit den jungen *Schen-ts'ai* (d. h. Schönbegabt) über die zehn Heilmittel oder Übergänge (*Paramita's*) zum Jenseit des *Nirwana,* die sich gröſstentheils auf unbedingteste Hingebung des Ich und Ertödtung aller sinnlichen Begierden reduziren. Der Aspirant auf die Buddha-Würde muſs beständig und mit edelster Selbstverläugnung für das Wohl aller Wesen thätig sein, den Gelüsten der Sinne auf ewig die Pforte verschlieſsen, und für die immer weitere Ausbreitung der heilbringenden Lehre aus allen Kräften Sorge tragen. Die Aufopferung und Entsagung ist sehr originell so characterisirt: «Seine abgeschundene Haut als Papier, die Splitter seiner Knochen als Pinsel, sein Blut als Tinte gebrauchend, das Gesetz Buddha's niederschreiben.» In dem Abschnitt von der Mildthätigkeit finden wir die schönen Worte, daſs der angehende *Bodhisatwa* Alles, was er den Wesen erzeigt, Buddha selber erzeige, und, indem er die Wesen erfreut, auch Buddha mit Götterfreuden erfülle.

In gleicher Kapsel mit dem erwähnten Werke befindet sich das *A-mi-ta-king,* oder die *Sutra* von *Amita* (genauer *Amitabha,* maſsloser Glanz), einem *Bodhisatwa,* der, wie *Sakyamuni* seine Schüler hier belehrt, im unermeſslich fernen Westen das Reich der höchsten Freude (*Ki-lo*) beherrscht. Dieses Reich schildert nun der herrlichst Vollendete mit Glut und Farbenpracht, und versichert, dafs ein eifriger und gläubiger Verehrer die Hoffnung nähren könne, nach seinem irdischen Hintritt in diesem seligen Reiche wiedergeboren zu werden. (*)

V.

禪定正指

Tschān-tíng-tschíng-tschì.

[1 Heft. L. S. 753.]

Handelt von dem *Dhyana* (bei den Chinesischen Buddhisten *Tschan, Tschan-na, Tschan-tsung*, oder *Tschan-ting*), der frommen Beschaulichkeit und Vertiefung bei vollkommenster Körper- und Seelenruhe, einem der wichtigsten moralischen Heilmittel, durch welche der Mensch zum *Bodhi,* oder zur geistigen Erleuchtung empordringt. Wer den Weg Buddha's wandeln will, der mufs vor Allem in sich gehen, seine eigne Natur studiren, und jedem werdenden Gedanken, jeder leisesten Regung des Gefühls in vollkommenster Abstraction von der Aufsenwelt nachspüren können. Bevor der Mensch diese Gabe sich angeeignet hat, kann er eben so wenig Buddha-Thaten ausführen, als er «ein Gericht Reis erhielte, wenn es ihm einfiele, Sand am Feuer zu kochen.» Dieser ganze wichtige Gegenstand wird in einem fortlaufenden Dialoge zwischen Buddha Sakyamuni und den ihm anhangenden *Bodhisatwa's* und Geistlichen der verschiednen Grade erörtert.

Die Bibliothek besitzt noch ein Buddhistisches Buch ähnlichen Inhalts, betitelt *Tschan-tsung-yung-kia-tsi* (L. S. 601.), d. h. Abhandlungen über das *Dhyana,* aus der

---

(*) *Amitabha* verkörpert sich, als Buddha's Vertreter auf Erden, in der Person des jedesmaligen *Bantschen Rinbotsche,* welcher der Mit-Pabst oder Gegen-Pabst des Dalai-Lama in Tibet ist.

Stadt *Yung-kia*. Der Verfasser war nämlich ein in der Stadt *Yung-kia*, im Gebiete von *Wen-tscheu* geborner Buddha-Priester, der unter den Grofsen *T'ang* lebte, und *Tai-hiuan-kio* hiefs. Sein selbständig abgefafstes Werk zerfällt in zehn Abschnitte, welche eben so viele Heilsmittel oder Pflichten der höheren Aspiranten abhandeln. Diese Pflichten sind im Wesentlichen dieselben, wie sie das *Hoa-yan-ts'an* entwickelt, nur in etwas abweichender Ordnung, und mit etwas verschiednen Namen aufgeführt.

VI.

千佛名經

Ts'iān-foĕ-mīng-king.

[1 Heft. L. S. 745.]

Die *Sutra* von den tausend *Foe's* (Buddha's). Im Verlaufe einer grofsen Welt-Periode (die alle Mal viele Millionen Jahre begreift) erscheinen der Reihe nach tausend vollendete Buddha's als Erneuerer der Lehre und Erlöser der Menschheit. Obgleich nun *S'akyamuni* erst der vierte unserer Weltperiode ist, so hat man doch Namen, Abkunft, irdische Lebensdauer u. s. w. von allen Übrigen schon genau bestimmt. In dem vorliegenden Buche giebt *S'akyamuni* seinen versammelten Jüngern über die Namen aller dieser Buddha's vollständige Auskunft.

In gleicher Kapsel mit dieser *Sutra* befindet sich das *Foe-mu-tscheu-king*, oder «Buch der heiligen Formeln der Mutter Buddha's» (1 Heft), worin der allerherrlichst Vollendete seinen hochbejahrten Schüler *Ananda* mit einer Anzahl mystischer Formeln (*Tarni*) bekannt macht, von denen er sagt, dafs seine Mutter *Mahamaya* sie überkommen habe, und welche, wie er aus Beispielen darthut, von allen physischen und Seelen-Leiden befreien, insonderheit auch jedes Gift unschädlich machen können.

VII.

淸土文

Tsīng-t'ù-wēn.

[1 Band. L. S. 734.]

Dieses wichtige und sehr belehrende Werk, dessen Titel s. v. a. Abhandlungen über das Land der Verklärung oder höchsten Reinheit bedeutet, hat den eingestandenen Zweck, die Glaubwürdigkeit und Vortrefflichkeit der Lehre Buddha's gegen Zweifler und Verächter zu vertheidigen, und das Wesen dieser Lehre, samt den Anforderungen, die sie an ihre Bekenner macht, in gemeinfaſslicher Sprache darzulegen. Der Verf. zeigt, daſs der Buddhaismus mit den Lehren *K'ung-tsſe's* nicht im Widerspruche steht, wohl aber eine unendlich erhabnere Tendenz hat. Er beweist die Nothwendigkeit des Glaubens an Prä-Existenz und ewige Fortdauer; und ruft Jedem wiederholt in Erinnerung, daſs keinem belebten Wesen die Hoffnung abgeschnitten sei, in *Amitabha's* verklärtem Reiche (S. No. IV.), wo jeder Wechsel der Geburten aufhört, wiedergeboren, und endlich selbst Buddha zu werden. An diese Belehrungen reihen sich Anekdoten aus dem Leben gottseliger Menschen, die den *Amitabha* vor ihrem Tode in Traumgesichten geschaut; Zeugnisse von der göttlichen Kraft des Gebetes, und ein ausführlicher moralischer Abschnitt, worin Menschen jeden Standes und Lebens-Verhältnisses, die das Heil erlangen wollen, ein Spiegel ihrer besonderen Pflichten vorgehalten wird. Alles ist mit ausgezogenen Stellen der geschätztesten *Sutra's* und *Sastra's* belegt und erhärtet. Druck und Vorrede dieses Werkes sind vom Jahre 1658. Der Verfasser, ein gewisser

Wang-ji-hieu aus *Lung-schü*, hat dem Titel den Namen seiner Heimat vorgesetzt, um das Werk von gleich-betitelten Werken Anderer zu unterscheiden.

VIII.

佛說

Foĕ-schuĕ.

[1 Heft. L. S. 761.]

Belehrungen Buddha's über die Pflichten der Geistlichen oder *Schamanen*. (*) Eine Art von Katechismus in 42 Paragraphen.

IX.

慈悲道場懺法

Tsſ'ē-pēi-táo-tsch'āng-tsan-fă.

[7 Hefte. L. S. 810.]

Bufs-Regeln für die barmherzigen Klöster. Eine Liturgie samt Ordens-Ritual der Buddhistischen Mönche.

Von zwei Büchern ähnlichen Inhalts hat das Eine (L. S. 616.), welches im 14ten der Jahre *Yung-lo* (1416) erschien, gleichen Titel; das Andere in 10 Kapiteln (L. S. 627.), ist schlechthin *Ts'an-fa-tschuan* (Bufsregeln) überschrieben.

* * *

Schliefslich sei noch des kleinen Büchleins *Sian-foe-ho-tsung* (L. S. 760.) gedacht, worin einige schwierige

---

(*) Die Indische Benennung *Schamane* (genauer *Sramana* oder *Samana*), welche einen abstrakten Denker bezeichnet, ist sehr irriger Weise auf die Geister-Beschwörer Nordasiens übertragen worden, denen sie durchaus nicht zukommt.

Punkte der Lehre *Tao* und des Buddhismus in Fragen und Antworten erörtert werden.

D. Moderne Philosophie.

性理眞詮

Sīng-lí-tschín-ts'iuān.

[5 Bände. (*) L. S. 290-94.]

Wahrhafte Erklärung der Naturgesetze. Dieses interessante Werk ist ein Produkt neuerer Zeit, in welcher bei denkenden Chinesen das Bedürfniſs rege wurde, über die Räthsel des menschlichen Daseins und der menschlichen Bestimmung selbständiger zu forschen. Es erschien im Jahre 1753, verfaſst von einem Privatgelehrten, Namens *Sün-te-tschao.* Wahrscheinlich hatte dieser Mann aus den Chinesisch geschriebenen Werken der Jesuiten die christlichen Dogmen und die Methode, ihre Wahrheit und Glaubwürdigkeit zu beweisen, kennen gelernt. Er eignete sich davon Alles an, was in einem Systeme der natürlichen Religion seine Stelle findet, und lieſs Alles hinweg, was dem Christenthume, als positiver Religion, eigenthümlich ist. Von Christus, der Erlösung, der Gnade u. s. w., ja von der ganzen Existenz einer christlichen Lehre ist mit keiner Silbe die Rede. Der Verf. verwirft ausdrücklich die Doctrinen der *Táo-sſe* und der Buddhisten, und behauptet, die einzig wahre Lehre sei in den alten kanonischen Büchern der Chinesen offenbart. In ihrer heutigen Gestalt, meint er, seien diese Bücher nur kostbare Fragmente, und auſserdem würde ihr Sinn verdreht und miſsgedeutet; trotz ihres lückenhaften Zustandes könne man aber noch jetzt alle Prin-

(*) Die beiden letzten Bände dieses in Paris eingebundenen Werkes sind bloſse Doubletten des dritten Bandes.

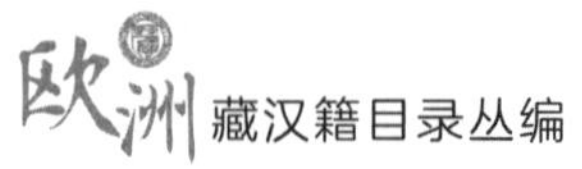

cipien der einzig wahren Lehre aus denselben abstrahiren. (*)

Der Verf. eifert gegen die pantheistischen Theorieen, welche die Sophisterei späterer Zeiten aus den *King* herausgesponnen habe, und als deren vornehmster Repräsentant das mit seinem Buche titelverwandte Werk *Sing-li-tá-ts'iuan* (Grofse oder vollständige Erklärung der Natur-Gesetze), welches im 14ten Jahrhundert erschien, zu betrachten ist. Um seinem eignen Raisonnement ein höheres Interesse und mehr Überzeugung zu geben, kleidet er es in die Form eines langen Gespräches zwischen zwei gelehrten Bekennern derChinesischenStaats-Religion, von denen derEine aus den glücklichen Zeiten des ungefälschten Patriarchen-Glaubens stammt, der Andere aber in den Verirrungen moderner After-Philosophen befangen ist: B wird von A nach und nach vollständig überführt, und jeder seiner Zweifel gelöst. Der Inhalt ist kürzlich folgender:

1. Von dem Wesen der Seele. Die menschliche Seele ist etwas rein Geistiges, untheilbar und unzerstörbar. — 2. Ursprung der Seele. Sie hat ihren Ursprung in dem einzigen Urheber aller Dinge, einem Wesen von wahrer Persönlichkeit, das nicht mit dem Universum Eins ist, wie so Viele irrthümlich glauben. Fernere Beweisgründe für die Unsterblichkeit, von dem unverschuldeten Unglück und ungesättigten Streben des Menschen hergenommen. Ewige Vergeltung. — 3. Weg der Seele, oder Mittel zur Erkenntnifs. In diesem Abschnitt wird gezeigt, dafs die wahre Lehre so alt sei, wie die Schöpfung, und dafs sie nur Eine sei, wie Gott nur Einer ist, auch niemals untergehen, wohl aber getrübt und entstellt werden könne.

Sün-te-tschao hat von seinem eignen Werke einen etwas einfacher stilisirten Auszug geliefert, der die zweite

(*) Auch hierin waren dem Verf. die Jesuiten durch ihre bekannte Anbequemungs-Methode vorangegangen.

Abtheilung bildet, und vermuthlich für Solche bestimmt ist, die sich mit sehr weitläufigen Raisonnemens nicht befreunden können. Ich bemerke noch, dafs meine Vermuthung eines starken Europäischen Einflusses durch den consequent logischen Charakter des Werkes, wie man ihn von Orientalen nicht gewohnt ist, grofses Gewicht erhalten dürfte.

E. Moralische Volksbücher.

(Gröfstentheils das Werk synkretistischer *Tao-sse.*)

I.

敬信錄

Kīng-sin-lŏ.

[1 Band. L. S. 341.602.768.804.802.]

Diese Sammlung kürzerer und längerer Artikel und Anekdoten moralischen Inhalts oder Zweckes trägt das Büchlein der Vergeltung (*Kàn-ying-pian*), dessen wir oben unter der Rubrik «Lehre der *Tao-sse*» gedacht, an der Stirn; und wirklich darf man fast alles Übrige nur als Erläuterung, Ergänzung und Bekräftigung des Inhalts dieser so heilig geachteten Schrift betrachten. Das *King-sin-lo,* dessen Titel s. v. a. Buch des ehrerbietigen Glaubens bedeutet, ist in der That eine wahre Blumenlese des Vorzüglichsten, was ältere Meister der *Tao*-Sekte zur praktischen Belehrung und Veredlung der Menschheit geschrieben haben. Als Compilator nennt man einen gewissen *Tscheu-t'ing-tschin* aus *Fu-kian.* Die erste Auflage erschien 1749, und die vorliegende vierte, 1824.

In der Vorrede zur ersten Ausgabe heifst es: «Dieses Buch läfst die Menschen auf den ersten Blick moralisch erwachen, wie eine Glocke, die in stiller Mitternacht ertönt. Es erhellt verfinsterte Augen und heilt moralische Taubheit.»

Wir begnügen uns mit einer allgemeinen Angabe des Inhalts. Nach dem Texte des *Kan-ying-pian* folgt eine Anweisung, dieses Büchlein mit wahrem Vortheil zu lesen — ein Artikel über Natur und Funktionen des «Genius des Feuerheerdes», der bei den *Tao-sſe* als schützender Engel eine groſse Rolle spielt; und eine poetisch stilisirte Lobpreisung der barmherzigen Gottheit *Kuan-yin* (in Canton *Kun-yam*), die aus dem Buddhismus herübergeholt ist (*). Dann folgen moralische Traktate allgemeiner und besonderer Art, worin die menschlichen Pflichten rhetorisch eingeschärft werden, mit lehrreichen Erzählungen untermengt. Besondere Auszeichnung verdienen: Zwei vortreffliche Declamationen gegen Verirrungen der Sinnlichkeit, und die Geschichte von der Begegnung des *Yu-kung* mit dem Genius des Feuerheerdes, welche Letztere Julien in dem oberwähnten Buche übersetzt mittheilt. (**) Einen Anhang bilden mehr oder weniger abergläubische Vorschriften zur Befreiung von allerlei Unfällen des Lebens.

Die Königl. Bibliothek besitzt dieses Werk in nicht weniger als fünf Exemplaren.

(*) *Kuan-yin*, oder richtiger *Kuan-schi* (d. h. der schützend auf die Welt schaut, das Sanskrit. *Awalokita*), einer der erhabensten *Bodhisatwa's*, den die Buddhistischen Chinesen als ihren mächtigsten und gnadenvollsten überirdischen Patron verehren, verkörpert sich seit drei Jahrhunderten in dem *Dalai-lama* von Tibet. Er ist kein weiblicher Genius, wie Viele irrthümlich glauben. *S. Foe-koue-ki,* S. 117.

(**) Eine Mandschuische Übersetzung dieses Historchens hat Klaproth in seine *Chrestomathie Mandchou* (Paris, 1828.) aufgenommen. Daſs aber der Herausgeber, weit entfernt, die Geschichte gelesen zu haben, nicht einmal den Chinesischen und Mandschuischen Titel richtig verstanden, beweist seine Übersetzung der deutlichen Worte dieses Titels: *Yü-kung-yü-tsáo-schin-ki* (Mandsch. *Yügung djun-i enduri-be utscharacha gi bitche*) d. h. Erzählung von *Yü-kung's* Begegnung mit dem Heerd-Genius, durch: *Mémoire sur l'ésprit du foyer, par Yu-goung!*

II.

玉歷傳

Yŭ-lĭ-tschuăn.

[L. S. 612.]

Dieses Buch ist ganz den höllischen Regionen gewidmet. Es handelt von den verschiednen grofsen und kleinen Orten der künftigen Qual in allen Weltgegenden, von den Arten der Qualen, den Lastern, wodurch man sich dieser oder jener Hölle würdig macht, und bringt Beispiele, die von der Wahrheit alles Gesagten zeugen. Der Herausgeber, welcher im Jahre 1814 den Wiederabdruck des Werkchens, das schon unter den Grofsen *Sung* verfafst sein soll, besorgte, hatte es zufällig irgendwo vorgefunden. Er glaubte, wie er in der Vorrede sagt, es gebe kein kräftigeres Mittel, die Menschen zu bessern, als wenn man sie mit so schauder-erregenden und wahrhaften Dingen bekannt machte. Das Buch ist auch mit Holzschnitten geziert. Zu der Schilderung dieser *Città dolente* scheint die Phantasie der Buddhisten und der *Tao-sfe* beigesteuert zu haben.

* * *

Die übrigen Bücher dieser Klasse erwähnen wir nur cursorisch, da ihr Inhalt wenig Eigenthümliches darbietet:

III. *Pào-schén-pian* (L. S. 696.): das die Tugend schätzende Buch. Eine Sammlung von elf moralischen Abhandlungen, die das «Buch der Vergeltung» wiederum einleitet. Neu gedruckt im Jahre 1820.

IV. *Liù-tsù-kung-ko-kĭ* (L. S. 740.). Neu gedruckt im Jahre 1817. Classification der Tugenden und Fehler nach ihren Graden. Von *Liu-tsu,* dessen wir schon oben als Verfassers des *Liu-tsù-ts'iuan-schu* gedacht haben.

V. *Kuĕ-sĕ-t'iān-hiāng* (L. S. 631-32.). Eine Auswahl moralisch-politischer Abhandlungen, mit vielen Erzählungen und versificirten Stücken untermengt. In 10 Kapiteln.

VI. *Kuàng-kiŏ-schi* (L. S. 609.): Allgemeine Erweckung des Zeitalters. Ein Büchlein in drei Kapiteln, welches Regeln der Klugheit und sittlichen Aufführung enthält. Wieder gedruckt 1829.

VII. *Mīng-sīn-pào-kiān* (L. S. 663.): Kostbarer Spiegel zur Beleuchtung des Herzens. Eine kurzgefaſste Anthologie weiser Sprüche. Ohne Datum und Namen des Verfassers.

VIII. *Ts'iuān-jīn-kiú-yŏ* (L. S. 670.): Sitten-Regeln für alle Menschen. Zuerst erschienen im 57ten der Jahre *K'ian-lung* (1792), und wieder abgedruckt im 5ten der Jahre *Kia-k'ing* (1800). Eine sehr ähnliche Sammlung wie das *King-sin-lŏ*, in welcher das «Buch der Vergeltung» abermals, und zwar mit erklärenden Noten versehen, den Reigen anführt. Da dieses Büchlein auch in das *King-sin-lŏ* (fünf Exemplare), und in das *Pao-schen-pian* aufgenommen ist: so besitzt also die Bibliothek seinen Text sieben Mal!

IX. *Ngān-schī-teng* (L. S. 687.): Leuchte des finsteren Hauses. In vier Kapiteln. Das Buch beginnt mit moralischen Declamationen des groſsen Genius *Wen-tschang-ti-kiun*, der seine eignen Thaten und Schicksale auf Erden im Verlaufe seiner zahlreichen Wiedergeburten beschrieben hat. Dann kommt eine Sammlung von Belehrungen oder Tugend-Spiegeln für alle Verhältnisse des Lebens, nebst lehrreichen Anekdoten und hin und wieder einem Liede, das zum Herzen dringen soll. Verschiedne Laster, darunter auch die barbarische Sitte, weibliche Kinder zu ertränken, werden in besonderen Abschnitten gerügt. Übrigens herrscht in diesem Buche eine eben so gräuliche Confusion, wie in den meisten Anderen seiner Klasse.

Sprach-, Schrift- und Alterthums-Kunde.

I.

韻府拾遺

Yūn-fù-schĭ-yí.

[6 starke Bände. L. S. 315-20.]

Ein Supplement zu dem berühmten tonischen Wörterbuche *Yün-fu* (Repertorium der Reimlaute), welches zuerst 1711 erschienen war. Im Jahre 1720 publicirte man vorliegendes *Schi-yi*, d. h. Sammlung des Vergessenen, welches übrigens bei gleicher Kapitel-Zahl auch genau dieselbe Einrichtung hat.

In den sogenannten tonischen Wörterbüchern sind die Charaktere nach den Endlauten der entsprechenden Wörter zusammengestellt: was auf einander reimt, das kommt unter gleiche Rubriken, und man sieht bei dieser Methode von jeder etwanigen Verwandtschaft der Charaktere, oder der Wörter — d. h. von Form und Bedeutung ab. Die Lautlehre der Chinesen stammt übrigens aus Indien, und *Ma-tuan-lin* nennt den Buddha-Priester *Schen-wen* als diejenige Person, welche die Zahl der Chinesischen Elementar-Laute zuerst auf 36 reducirte. Mit ihnen wurden auch die sogenannten fünf Accente abstrahirt, welche zur Unterscheidung einer Menge Bedeutungen so wesentlich sind.

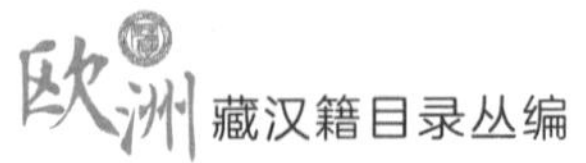

Man vertheilte die Elementar-Laute nach den bei ihrer Hervorbringung vorzugsweise thätigen Stimm-Organen, und so entstanden zuerst übersichtliche Tabellen der Laut-Verbindungen, die allmälig in Wörterbücher übergingen. (*)

Einrichtung des *Yün-fu-schi-yi*. Vom 1ten bis 15ten Kapitel reicht das Gebiet des hohen gleichen Accentes, in welches alle Wörter aufgenommen sind, deren Selbstlauter mit dem erwähnten Accente gesprochen werden. Wörter von völlig gleicher Endung bilden alle Mal eine Rubrik für sich, und sind dann wieder nach ihren Initialen classificirt. Das 1te Kapitel hat die besondere Überschrift *Tung-yün*, Reime auf *Tung*. Es enthält alle diejenigen Wörter, welche in Hinsicht des Vocals und nasalen Endlautes mit *tūng* (Osten) zusammenklingen. Z. B.

tūng, Osten	*t'ūng*, Röhre
t'ūng, gemeinsam	*t'ūng*, Jüngling
t'ūng, Kupfer	*t'ūng*, roh, ungesittet
t'ūng, ein gewisser Baum	*t'ūng*, Pupille

(*) Wir finden hier eine schickliche Stelle, einer kleinen Anzahl solcher, für uns ziemlich werthloser Syllabarien und prosodischer Schriftchen zu gedenken, welche die Bibliothek acquirirt hat:

1. *Fen-yün:* abgetheilte Reimlaute. [L. S. 798. 4 Hefte.]
2. *Kuan-hoá-ts'ung-lun:* vollständiges Lautsystem der *Kuan-hoa*, oder gebildeten Umgangs-Sprache. [L. S. 785.]
3. *Kuan-hoá-tsching-yin:* richtig bestimmte Laute der *Kuan-hoa*. [L. S. 623.]
4. *Tsſé-yuan:* Elementar-Laute der Wörter. [L. S. 667.]
5. *Tsſé-yin-yuan.* Von gleicher Bedeutung. [L. S. 665.]
6. *Kiang-hu-fen-yün:* abgetheilte Laute der (Länder am groſsen) Strom und (groſsen) See, d. h. von *Kiang-nan*, der Provinz, wo die klassische Aussprache herrscht. Die vornehmsten Gewässer dieser Provinz sind bekanntlich der Strom *Tá-kiang*, und der See *T'ái-hu*. [L. S. 630.]
7. *Ts'ing-hán-t'úi-yin-tsſé:* Zusammenstellung des Chinesischen und des Mandschuischen Lautsystems. [L. S. 660.]

tschūng, Mitte	*tsch'ūng*, Ende
tschūng, Treue	*ts'ūng*, erlaucht
tsch'ūng, Insekt	*sūng*, Nadelholz
tsch'ūng, Eis	*kūng*, Bogen

u. s. w.

Wenn verschiedene Begriffe genau dieselbe mündliche Bezeichnung haben, wie z. B. bei den angeführten sieben *t'ūng* und dreien *tsch'ūng* der Fall ist, so wird eine gleiche Anzahl verschiedner Wörter angenommen, wie denn auch die entsprechenden Charaktere der Schrift respective verschieden sind.

Das zweite Kapitel enthält Wörter, die mit *tūng*, Winter, reimen. Nach unserer Aussprache und Schreibung besteht zwischen diesen Wörtern und denen der vorhergehenden Klasse kein Unterschied in der Articulation; und dennoch mufs ein solcher vorausgesetzt werden, da der hohe gleiche Accent keine Unter-Abtheilung duldet, wohl aber in der Aussprache des Vocals, den wir in beiden Sectionen *U* schreiben, eine Nüance Statt finden kann. Das dritte Kapitel enthält die auf *ang* schliefsenden Wörter, immer vorausgesetzt, dafs sie in die Kategorie des hohen gleichen Accentes gehören — das vierte, die auf *yi* — das fünfte, die auf *ei* u.s.w. So geht es durch alle 15 Kapitel, bis sämtliche Endungen, die der Accent *Schàng-p'ing* begleiten kann, erschöpft sind.

Mit dem 16ten Kapitel beginnt die erste Section des *Hiá-p'ing-sching*, oder tiefen gleichen Accentes, der ebenfalls durch 15 Kapitel waltet. Darauf kommt die Section des *Schàng*, oder hohen Accentes; darauf die des *K'iú*, oder fortschreitenden, und endlich die des *Ji*, oder eingehenden Accentes, der nur vocalische Endungen trifft. Die Zahl der Kapitel ist überhaupt 106.

Das *Yün-fù* ist seinem Inhalt nach weniger ein Lexikon, als eine Phrasen-Sammlung. Jedes Wort steht an der

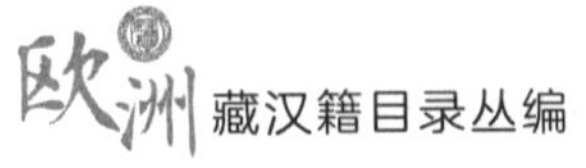

Spitze einer gröfseren oder kleineren Reihe zusammengesetzter Ausdrucks-Weisen, gewöhnlich aus zwei oder drei einfachen Wörtern (respective Charakteren) bestehend, in welchen es das letzte Glied der Zusammensetzung bildet. Für sich allein wird es nur seiner Aussprache, nicht seinen Bedeutungen nach bestimmt. Auch die Composita selbst, welche das Stichwort jedes Artikels bilden hilft, sind in der Regel nicht weiter erklärt; die Sammler derselben begnügen sich mit genauer Citation von Stellen mustergültiger Autoren, in denen die betreffende Phrase vorkommt.

II.

康熙字典

Kāng-hī-tſsé-tiàn.

[7 starke Bände. (*) L. S. 481-87.]

Ein im 55ten der Jahre *K'ang-hi* (1716) erschienenes, nach Wurzel-Zeichen geordnetes Wörterbuch, welches in China für das vollständigste gilt, obschon die Artikel, wegen der grofsen Zahl seiner Verfasser, von sehr ungleichem Werthe sind. Ein und dreifsig Gelehrte, worunter zwei hohe Würdenträger, denen die Ober-Aufsicht des Unternehmens anvertraut war, haben das Werk mit Benutzung alles dessen, was bis dahin für Lexikographie geschehen, zusammengetragen; und der Kaiser selbst versah es mit einer Vorrede.

Die Einleitung zu dem eigentlichen Wörterbuche bilden: ein Verzeichnifs der 214 Wurzel-Charaktere, — ein ditto aller derjenigen zusammengesetzten Schriftzeichen, de-

(*) Das andere, durch Klaproth an die Bibliothek gekommene Exemplar dieses Wörterbuches ist im höchsten Grade defectiv, und fast ganz unbrauchbar.

ren Wurzel schwer zu errathen ist, nach der Zahl ihrer Striche geordnet, und mit Angabe des Radicals, unter dem man sie zu suchen hat — eine Tabelle, auf welcher solche Charaktere, die hinsichtlich ihrer Form leicht verwechselt werden können, in Parallele gestellt sind — und schliefslich eine Darstellung des Lautsystems.

In allen Wörterbüchern, bei deren Abfassung man von der Zusammensetzung der Schriftzeichen sich leiten läfst, eröffnet das Wurzelbild die Rubrik der ihm zugeordneten, nach der Zahl ihrer Striche auf einander folgenden Charaktere. Bei jedem Schriftzeichen wird die Aussprache durch eine Art von Umschreibung bestimmt, und dann folgt die Aufzählung der Bedeutungen, welche, wo es nur irgend angeht, mit genauen Citaten aus Schriftstellern belegt, und durch Synonyma oder Definition und Paraphrase erklärt sind. So auch in dem vorliegenden Werke, bei dessen Bearbeitung aber offenbar kein Princip der Einheit gewaltet hat. Die gerühmte gröfsere Vollständigkeit des *K'ang-hi-tsse-tian* ist hauptsächlich darin zu suchen, dafs es eine bedeutendere Anzahl Varianten und minder gebräuchliche Charaktere aufgenommen hat, als vielleicht alle Übrigen, und dafs die Verfasser auf genaue Fixirung der Aussprache, für welche immer wenigstens zwei Autoritäten beigebracht sind, grofse Sorgfalt verwendet haben. Die Bedeutungen und die Definitionen derselben sind gröfstentheils dem berühmten Wörterbuche *Tsching-tsse-t'ung* entlehnt, dem kritischen Werke Eines Gelehrten, der sein Lebelang daran gearbeitet hatte. Dennoch ist Letzteres keineswegs ganz hineingearbeitet, und namentlich hat man die längeren sprachlichen Untersuchungen desselben bald abgekürzt, bald ganz übergangen. Endlich mufs ein Europäischer Gelehrter sich hüten, anzunehmen, dafs Bedeutungen, die im *K'ang-hi-tsse-tian* fehlen, auch in keinem anderen Wörterbuch anzutreffen seien. Trotz der im Vorbericht ausgesprochenen Versicherung des Gegentheils, ist den Sammlern manche wichtige Bedeutung entgangen, die man in weit älteren und weniger berühmten Wörterbüchern findet.

Die Chinesischen Wurzel-Wörterbücher enthalten auch eine Menge schätzbarer Sach-Notizen in bündiger Kürze. Nach einem ähnlichen Plane war Morrison's Wurzel-Wörterbuch ursprünglich angelegt; es fehlt aber viel daran, daſs sein Verfaſser dieselbe kluge Mäſsigung beobachtet hätte.

III.

Tsſé-wéi.

[3 Bände. L. S. 714-16.]

Eine unter *K'ang-hi,* im Jahre 1705 besorgte neue Auflage des trefflichen kleinen Handwörterbuches *Tsſe-wei,* welches zuerst 1615 erschien, und dessen Verfaſser, *Mei-ying-seng,* die 214 Radicale zuerst bestimmte. Die Zahl derselben war bis dahin schwankend gewesen. Die ältere Sammlung der Bibliothek besitzt schon drei Exemplare der Original-Ausgabe dieses Wörterbuches, von denen zwei vollständig sind.

IV.

增補字彙

Tsèng-pú-tsſé-wéi.

[3 Bände. L. S. 585-87.]

Eine sogenannte vermehrte Ausgabe des vorigen Lexikons, besorgt von einem gewissen *Han-t'an* aus *Tsch'ang-tscheu.* Derselbe hat die Vorrede bei der Original-Ausgabe gestrichen, und an ihre Stelle seine eigne

Vorrede gesetzt, die vom 44ten der Jahre *K'ang-hi* (1705) datirt ist.

Es scheint diese Edition mit nichts Anderem vermehrt zu sein, als mit einem sehr schlecht gedruckten Syllabar der Mandschu-Sprache.

V.

正字通

Tsching-tsſé-t'ūng.

[4 Bände. L. S. 633-36.]

Ein Wurzel-Wörterbuch, das ein gewisser *Wang-wu-ts'ao* im Jahre 1719 herausgab. Der Verf. sagt in seiner Vorrede, das *Tſse-wei* des *Mei-ying-tsu* habe ihm bei seiner Compilation als Basis gedient. Man darf sich von dem Titel dieses Werkes nicht irre leiten lassen: es ist keinesweges das gefeierte *Tsching-tsſe-t'ung* des *Tsch'ang-öll-kung*, wovon Abel-Remusat in seinem *Examen critique du Dictionnaire du Père Basile* (*) Kunde giebt; der Verfasser hat es, allem Anschein nach, für gut gefunden, einen schon classisch gewordenen Titel, als beste Empfehlung, seinem Werke vorzusetzen. In seiner Vorrede thut er des wahren *Tsching-tsſe-t'ung* nur mit folgenden wenigen Worten Erwähnung:

«Der Verfasser des *Tsching-tsſe-t'ung* ist zwar kritischer als der des *Tsſe-wei;* allein er hat sich in Allem, was die Classification der Schriftzeichen und die Unterscheidung nach der Zahl ihrer Striche betrifft, streng dem Letzteren anbequemt: ja, das *Tsſe-wei* ist eine stehende Norm für jedes Wörterbuch!»

(*) Dieses *Examen critique* ist dem Fragment gebliebenen Klaproth'schen *Supplément au Dictionnaire Chinois-latin* etc. (Paris, 1819) als Einleitung beigegeben.

Einige kürzere Artikel dieses Wörterbuches mögen als Proben von der lexikalischen Methode der Chinesen dienen:

Schan. Berg.

Sprich: *schi* + *kian* — (*yi* + *ki*) = *schan.* Ein Körper von bedeutender Höhe und Ausdehnung, der Felsen und Mineralien in sich schliefst. Das *Schue-wen* (eines der ältesten Lexika der Chinesen) sagt: *schan* ist verwandt mit *siuan* (sich ausbreiten); denn die Berge vermitteln die Verbreitung der alle Wesen hervorbringenden Flüssigkeit über die ganze Erde. Das *Kuang-yün* (ein tonisches Wörterbuch) sagt: *schan* ist verwandt mit *ts'an* (hervorbringen); denn Berge haben die Kraft, alle Wesen hervorzubringen, zu erzeugen. — *Schan* ist auch Familien-Name: der erste Stammherr dieser Familie hiefs *Lie-schan,* und lebte im hohen Alterthum. — Auch hat man den doppelten Familien-Namen *Kung-schan.* — Des Reimes wegen mufs man bisweilen *sin* lesen, statt *schan.* Beispiel aus dem kanonischen Buche *Yi-king:*

Yù tschdo tschu schin, hoei tschi Nan-sin;
Tschǐ wáng wan-kuě, t'ian-hiá ngan-ning.

Yü berief die Genien, und bannte sie auf dem Süd-Berge;
Er wachte über alle Reiche, und die Welt war beruhigt.

Anderes Beispiel aus *Pe-yang-san:*

— — — — *yi t'ǒ k'ieu sin;*
Sün yeu liào-k'uǒ, yü kuèi wei lin.

— — — — Er vertieft sich ins Gebirge;
Er durchirrt die Einöden, wo er Dämonen zu Nachbarn hat.

Ku. Knochen.

Sprich: *kù* + *hǔ* — (*ù* + *h*) = *kǔ.* Der Kern des Fleisches. Auch Familien-Name. Nach Einigen bezeichnet das

das Wort auch eine Person, die einsam ist, einen Wanderer ohne Gefährten. In Reimen wird es zuweilen *kŏ* gesprochen. Beispiel aus *Pe-lo-t'ian:*

Tung-yo ts'ian heu hoen,
Pe-wang sin kiéu kŏ:
Féu wen yo, wu-tschè
Wei ngái tsch'ang seng schŏ.

Der östliche *Yo* (*) belebt sich rings umher;
Der *Pe-wang* verjüngt seine alten Knochen.
Man hört wieder Jubeltöne; die entzückten Menschen
Finden Lust an der Kunst, ewig zu leben.

VI.

紅毛話

Hŭng-mao-hóa.

[L. S. 795.]

Sprache der rothhaarigen Ausländer. Ein Büchlein, welches die zum Verkehr nothwendigsten Englischen Wörter enthält. Diese sind aber nicht mit Buchstaben, sondern mit Chinesischen Charakteren geschrieben. Bei der Umschreibung hat man übrigens nur den Dialekt der Provinz Canton (*Kuang-tung*) im Auge gehabt. So z. B. ist das Englische *Come* (Kommen) durch ein Zeichen für Metall (den 167ten Radical) dargestellt, weil die Aussprache desselben im Dialekte von Canton *kom* ist, und nicht *kin*, wie in der gebildeten Umgangs-Sprache (*Kuan-hoá*).

(*) Einer der Vier Berge, auf welchen die alten Kaiser in den verschiednen Jahreszeiten opferten.

VII.

書畫譜

Schū-hoá-pú.

[23 Hefte. L. S. 803. a-x.]

Ein sehr umfassendes Werk über Paläographie, Schreibekunst und zeichnende Künste, welches im 47ten der Jahre *K'ang-hi* (1708), mit einer kaiserlichen Vorrede geziert, das Licht erblickt hat. Eine Gesellschaft gelehrter Personen, zumeist Mitglieder der Akademie *Hán-lin-yuán*, war drei Jahre vorher zu Veranstaltung dieser Sammlung aufgefordert worden.

Nach mehreren Einleitungen folgt ein Verzeichnifs von 1844 Werken, die von den Sammlern excerpirt und verglichen sind. In den ersten 10 Kapiteln ist unter der generellen Überschrift *Lün-schu* (Graphische Untersuchungen) mit grofser Ausführlichkeit von den verschiednen Schriftarten die Rede, welche seit grauer Zeit bei den Chinesen und verschiednen Nachbarvölkern im Gebrauche gewesen. Von den Schriftarten gehen die Sammler zu den Schreiberegeln und orthographischen Systemen über, denen man im Zeitenlaufe gefolgt ist. Alles wird mit Aussprüchen grofser Gelehrten belegt und erhärtet.

In dem folgenden Abschnitt, *Lün-hoá,* d. h. Untersuchungen über Malerkunst, finden wir eine Geschichte aller zeichnenden Künste der Chinesen, welcher sich eine Theorie derselben, verbunden mit weisen Aussprüchen grofser Autoritäten, anreiht. Besonders interessant sind die Abschnitte über Perspective, Farben-Mischung u. s. w. Diese Abtheilung reicht von Kapitel 11 bis 18.

Kap. 19-58 enthalten Biographieen der berühmtesten Kalligraphen und Maler aller Zeiten, nebst Beurtheilung ihrer Leistungen. Den Künstlern aus kaiserlichem oder fürstlichem Stamme ist ein besonderer Abschnitt gewidmet, unter dem Titel: «Schriften und Gemälde der Kaiser und Könige aller Zeiten.» Die Künstler vom Privatstande sind unter der Rubrik: «Geschichtliches über die Meister im Schreiben und Malen» chronologisch aufgeführt.

Das Exemplar der Königlichen Bibliothek reicht nur bis Kap. 54. Zu seiner Vollständigkeit fehlen noch 46 Kapitel, die in dem Register verzeichnet sind.

VIII.

金石萃編

Kīn-schĭ-tsʿúi-piān.

[12 Bände. L. S. 563-74.]

Dieses, für die Kenntnifs der älteren Chinesischen Schrift-Charaktere höchst wichtige Werk ist eine wohlgeordnete Sammlung von Copieen alter Inschriften auf Stein und Metall, mit Übertragungen in neue Charaktere und historisch-kritischen Erklärungen. Es erschien im 10ten der Jahre *Kia-kʿing* (1805), und wurde von seinem Verfasser, einem gewissen *Wang-tschʿang*, Geheimen Rathe beim Ober-Criminal-Collegium (*Ping-pú*), in dessen 82tem Lebensjahre herausgegeben. Das Werk ist in 160 Kapitel abgetheilt: es beginnt mit der ältesten historischen Zeit, und endet mit dem Schlufse der Dynastieen *Sung II* und *Kin* (im dreizehnten Jahrhundert unserer Zeitrechnung), mit welchen das Chinesische Alterthum sich abschliefst.

Geben wir jetzt einen Begriff von der Einrichtung des *Kin-schi-tsʿui-pian:*

Im ersten Kapitel handelt der Verfasser von den Inschriften steinerner Trommeln aus dem Zeitalter des Kaisers *Siuan-wang* von der Dynastie *Tscheu* (825-782 vor Chr.). Zuerst kommt folgende Anmerkung in kleinerer Schrift:

«Es sind von diesen Trommeln zehn erhalten. Die 1te hat 11 Zeilen (Columnen), und jede Zeile 6 Charaktere; die 2te hat 9 Zeilen, jede zu 7 Charakteren. Die 3te und 4te haben 10 Zeilen, jede zu 7 Charakteren. Die 6te hat 11 Zeilen; aber von jeder Zeile sind nur 4 Charaktere übrig, weil die obere Hälfte zerstört ist. Die Oberflächen der 7ten, 8ten und 10ten Trommel sind in solchem Grade beschädigt, dafs man weder die Zeilen, noch die Charaktere zählen kann. Alle diese Trommeln werden gegenwärtig in dem *Kue-tsfè-kian* (Ober-Schul-Collegium in *Pe-king*) aufbewahrt.»

Dann folgt von jeder Trommel 1) die Copie der Inschrift in Original-Charakteren (der *Tschuan*-Schrift, die jetzt nur noch auf Siegeln im Gebrauch). Undeutliche Charaktere sind durch Quadrate bezeichnet. 2) Umschreibung derselben in heutige Charaktere. Da der Verf. die undeutlichen Schriftzeichen durch Conjectur errathen mufste, so hat er die entsprechen sollenden der heutigen Schrift in kleineren Charakteren drucken lassen, also gleichsam kleinlaut von sich gegeben. — Schon auf der 5ten Trommel waren ihm viele Charaktere unlesbar. Nach den Copieen und Übertragungen folgt ein Commentar, worin der Verf. seine Conjecturen zu rechtfertigen und dunkle Stellen zu erklären bemüht ist.

Das vierte Kapitel enthält die Copieen verschiedner Inschriften aus den Zeiten der Dynastie *Ts'in*, und zwar zuvörderst eine Inschrift des grofsen Kaisers *Schi-hoang-ti* (246-210 vor Chr.) auf welcher die Thaten desselben gepriesen werden. Die steinerne Tafel befindet sich auf dem Berge *Yi-schan:* sie ist 8 Fufs 8 Zoll hoch, und 4 Fufs 3 Zoll breit. Sie enthält 11 Columnen, jede Columne zu 21 Charakteren. Ihr Inhalt ist im Wesentlichen folgender:

«Als der erhabene Kaiser seine Regierung antrat, züchtigte er die rebellischen Vasallen. Seine Glorie erschütterte die vier Pfeiler der Welt; seine Gerechtigkeit hat die Welt wieder beruhigt. Die Kriegs-Magnaten erhielten Befehle, und nach kurzem Zeitverlauf waren die sechs Tyrannen vernichtet. Im 26ten Jahre seiner Herrschaft legte er sich den erhabenen Titel eines *Hoang-ti* bei; und nachdem er auf dem Berge *T'ai-schan* geopfert hatte, geruhte er gnadenvoll, in weit entlegene Regionen zu reisen. Der Kaiser bestieg den *Yi-schan*. Alle Grofsbeamten, die ihm dahin gefolgt waren, erinnerten sich der Zeit der Bürgerkriege, als das Reich zerrissen war, und täglich Ströme Blutes flossen. *Schi-hoang-ti* machte sein Reich zu Einer Familie. Keiner wagte es, ferner die Waffen zu erheben. Alles Unheil ist jetzt ausgetilgt; die Nation lebt in tiefem Frieden; der Wohlstand ist allgemein und fest begründet. Die Minister kamen überein, dieses Denkmal aufzurichten, um solche Thaten der Nachwelt zu verkünden.»

Unter den Inschriften aus dem Zeitalter der *Han* (206 vor, bis 264 nach Chr.), heben wir eine heraus, die im 7ten Kapitel des Werkes erklärt wird. Sie soll die Verdienste eines Commandanten von *Tün-hoang* (in der heutigen Provinz *Tangut*) verewigen. Die Tafel steht 50 Li westlich von *Bukur*. Man nennt sie an Ort und Stelle den Stein-Menschen, weil sie oben schmaler ist, als unten (!). Ihr Inhalt ist folgender:

«Im 8ten Monat des 2ten Jahres *Yung-ho* (137 nach Chr.) zog der *T'ái-schéu* (Commandant) von *Tün-hoang* (sein Name ist verblichen) mit 3,000 Mann Local-Truppen aus, besiegte den Häuptling der feindlichen *Hiung-nu*, enthauptete ihn mit seiner ganzen Familie, und schaffte so das Verderben aus den Regionen im Westen. Unsere Gränzen sind jetzt beruhigt und die Autorität der Regierung ist begründet. Dieses Denkmal errichtete ihm die Kolonie, seinen Namen zu verewigen.»

IX.

三禮圖

Sān-lì-t'ū.

[1 Quartband. L. S. 608.]

Abbildungen der Drei Rituale. Enthält in 20 Kapiteln viele mit Erläuterungen begleitete Holzschnitte, welche Tiaren, Kleider und Geräthschaften darstellen, von denen man im hohen Alterthum bei feierlichen Gelegenheiten Gebrauch machte. Verfafst von *Nie-ts'ung-yi* aus *Lo-yang*, der das Buch im Jahre 962 dem *T'ai-tsu* der Dynastie *Sung II* überreichte. Wieder abgedruckt im Jahre 1676.

Von dem Werke *Po-kù-t'u*, worin man ebenfalls genaue Abbildungen und Beschreibungen von Gefäfsen aus dem Chinesischen Alterthum findet, besitzt die Bibliothek ein blofses Fragment in Einem Hefte (L. S. 163.).

Chrestomathieen.

I.

古文廣集

Kù-wēn-kuàng-tsǐ.

[2 Bände. L. S. 606-7.]

Eine Sammlung ausgewählter Stücke aus classischen Schriftstellern aller Zeiten, mit Wort- und Sach-Commentaren. Erschien zuerst im Jahre 1703. Die vorliegende Ausgabe ist vom Jahre 1797. Man verdankt diese Blumenlese den beiden Privatgelehrten *Ko-schang-heu* und *Hoang-*

tsi-fei. Die Texte sind gröfstentheils Historikern und Philosophen entlehnt; doch haben auch elegante Schriftsteller und selbst Dichter das Ihrige beisteuern müssen. Bühnenstücke und Romane sind ganz ausgeschlossen, weil diese in der Umgangs-Sprache abgefafst werden, und nur der edlere Bücher-Stil (*Kù-wen,* alter Stil) auf Classicität Anspruch giebt.

II.

經餘秘書

Kīng-yü-pí-schū.

[L. S. 651.]

Eine Chrestomathie aus kanonischen Büchern und anderen hochgeachteten Werken des Alterthums, mit erklärenden Randnoten. Besorgt von *Hiao-lui-lin* aus *Yün-kian,* und wieder gedruckt im Jahre 1806. Zu dieser, in acht Bb. vertheilten Chrestomathie haben unter Anderen folgende Werke beigesteuert: 1. Das berühmte *Táo-te-king* des *Lao-tsſe,* worin der grofse Reformator der Sekte *Tao* sein System entwickelt. 2. Das *Kia-yü,* Denkwürdigkeiten aus *K'ung-tsſe's* Leben. 3. Das *Pe-hu-t'ung,* welches lehrreiche Aufschlüsse über alte Einrichtungen giebt. 4. Die alte Chronik *Tschŭ-schu.*

III.

[L. S. 758.]

Ein Büchlein ohne allgemeinen Titel, welches Stücke aus geschätzten alten Philosophen und Historikern enthält, namentlich: Das *Hoei-fa* des *Tscheu-kung;* Einiges von *Kuan-tsſe,* der ein Paar Jahrhunderte vor Chr. lebte, und hauptsächlich über Staatskunst und Kriegswesen schrieb; ein Fragment des *Táo-te-king;* ein ditto des *Kia-yü*

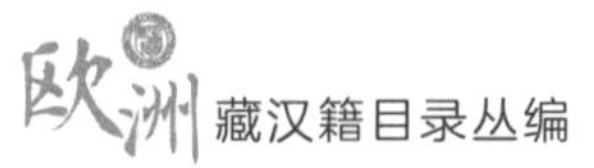

(Siehe No. II.), und einen Auszug aus dem *Hiao-king* des *Tseng-tsſe*.

Werke von encyclopädischem und vermischtem Inhalt.

I.

古今事文類聚

Kù-kīn-sſé-wēn-lúi-ts'iú.

[12 starke Bände. L. S. 535-46.]

Zu diesem Werke, das im 6ten Regierungs-Jahre des Kaisers *Li-tsung* von der groſsen Dynastie *Sung* (1246) zum ersten Male ans Licht trat, wurde von einem gewissen *Tschu-ho-fu* aus *Nan-king* der Grund gelegt. Im Jahre 1604 erschien eine zweite Ausgabe, geprüft von *T'ang-fu-tsch'un.* Die vorliegende Ausgabe ist im Jahre 1763 veranstaltet. Das Werk zerfällt in folgende sieben groſse Abtheilungen oder Sammlungen: 1) *Ts'ian-tsi*, vordere Sammlung, 60 Bücher. 2) *Heu-tsi*, hintere Sammlung, 50 Bb. 3) *Pie-tsi*, andere Sammlung, 32 Bb. 4) *Su-tsi*, fortgesetzte S., 28 Bb. 5) *Yi-tsi*, S. des Vergessenen, 15 Bb. 6) *Wái-tsi*, äuſsere S., 15 Bb. 7) *Sin-tsi*, neue S., 36 Bücher. Die drei letzten Sammlungen sind übrigens nicht von *Tschu-ho-fu*, sondern später angehängt; die *Yi-tsi* bearbeitete *Tschu-ts'ung-hi*, vermuthlich ein Nachkomme des *Tschu-ho-fu*; die beiden Letzten aber *Fu-ta-yung* aus *Nan-king*, von dem wir ebenfalls nichts weiter erfahren.

Die Einrichtung dieser Encyclopädie ist im Allgemeinen wie folgt: 1) Definition des Gegenstandes und verschiedne

Namen, auch wohl kurze Beschreibung desselben. 2) Alte und neue Begebenheiten, bei denen Individuen oder Exemplare des Gegenstandes eine Rolle spielen, oder die ihn irgendwie betreffen. 3) Längere Ausarbeitungen rhetorischer, philosophischer oder poetischer Art, welche eine Schilderung des Gegenstandes oder Gedanken über denselben enthalten, darunter auch simple Beschreibungen (*). In dieses Fachwerk müssen die heterogensten Dinge, concrete und abstracte Begriffe, Personen, Sachen, und Handlungen passen; und wer die unsägliche Mannigfaltigkeit des Inhalts bedenkt, der wird ohne Mühe begreifen, dafs die Natur ihrer Gegenstände die Sammler oft gezwungen hat, in einer oder der anderen Rubrik etwas ganz Anderes zu sagen, als man erwarten sollte. Die Werke, aus denen excerpirt worden, sind übrigens bei jeder Notiz, gleichviel, ob sie klein oder grofs, wichtig oder unbedeutend sei, gewissenhaft angeführt.

Inhalt der ersten Sammlung: Himmel — Meteore — Jahreszeiten — Erde — Meer — Berge — See'en — Flüsse — Kaiser und kaiserliche Verwandten — Lehrer — Vertraute Freunde — Handel und Verkehr — Gastfreundschaft — Grade der Gelehrten — Beförderungen — Strafen — Einsiedler — *Tao-sse* — Buddha und Buddhisten — Künstler — Jäger — Ärzte — Zauberer — Maler — Buhlerinnen und Schauspieler — Lebensalter — Krankheiten — Tempel und Pagoden — Dämonen — Trauergebräuche — Beerdigung — Grabmäler — Epitaphien.

Inhalt der zweiten Sammlung: Familien und Geschlechter — Namen und Titel — Verwandtschaft — Erziehung — Hochzeit und Ehe — Herrschaft und Dienstboten —

(*) Diese Einrichtung ist in dem lakonischen Titel des Werkes schon angedeutet: *Kù-kin-ssé-wen* heifst: Begebenheiten (und) schriftliche Aufsätze alter und neuer Zeit; *lùi-ts'iú,* nach Arten oder ordnungsmäfsig gesammelt.

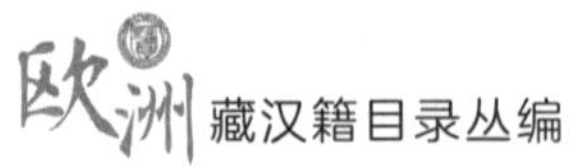

Gestalt und Körperbau — Lebens-Functionen und physiologische Erscheinungen — Gemüse und Hülsenfrüchte — Bäume — Obstgattungen — Blumen — Fische — Schalenthiere — Amphibien — Säugethiere — Vögel — Insekten.

Inhalt der dritten Sammlung. Schriftsteller — Bücher — Bibliotheken — Bücherlesen — Historiker — Schöne Litteratur — Kaiserliche Edikte — Obrigkeitliche Bekanntmachungen — Inschriften — Lobgedichte — Poesie — Schrift-Arten — Pinsel — Tusche — Papier — Ritual — Charaktere und Eigenschaften — Laster und Ausschweifungen — Scherzreden u. s. w. — Besteuerung — Diebe und Räuber — Berühmtheit — Bewillkommnung der Gäste — Entlassung mit Geschenken — Karawanen — Abschiednehmen — Rückkehr — Briefe und Correspondenz — Glückwünsche — Menschenkenntnifs — Reichthum und Rang — Armuth — Glück und Unglück — Wohlthätigkeit — Vergeltung.

Inhalt der vierten Sammlung. Residenzen — Städte — Zölle und Märkte — Wege und Strafsen — Furten — Wohnhäuser aller Art — Gasthäuser und Herbergen — Pavillon's — Brücken — Brunnen — Küchen — Gärten und Teiche — Hausrath — Räucherwerk — Thee — Kaiserliche Diner's — Wein — Trinkgelage — Speisen — Laternen — Feuer — Gala-Kleider — Mützen — Fufsbekleidung — Kleider — Stoffe zu Kleidern — Saiten-Instrumente — Blase-Instrumente — Glocken — Gesang und Tanz.

Die drei letzten Sammlungen sind den verschiednen Reichs-Behörden in allen ihren Verzweigungen gewidmet. Hier geht jedem Artikel eine historische Notiz über die Veränderungen voran, welche die Behörden und Ämter mit dem Wechsel der Dynastieen erfahren haben.

Dieses Wenige gebe einen nothdürftigen Begriff von dem Inhalt der gigantischen Compilation, die vielleicht nur in China noch andere ihres Gleichen hat.

II.

事類賦

Sſé-lúi-fú.

[2 Bände. L. S. 644-45.]

Dieses Werkchen, das man eine encyclopädische Blumenlese betiteln könnte, hat einen gewissen *U-schu*, der unter den *Sung II* lebte, zum Verfasser. Dieser überreichte sein Manuscript dem Kaiser *T'ai-tsung* im Jahre 992. Es wurde seitdem einige Male aufgelegt; der vorliegende unveränderte Abdruck ist vom Jahre 1816.

Das *Sſe-lui-fu* beschreibt hundert Natur- und Kunst-Gegenstände unter folgenden Rubriken: 1) Himmel (Himmelskörper, Luft-Phänomene, Jahreszeiten). 2) Erde (Gewässer, Berge, Steine, Feuer). 3) Kostbare Artikel (Gold, Edelsteine, Perlen, Baumwolle, Seide, Geld). 4) Musik. 5) Kleidung und Geräthschaften. 6) Schreibmaterial. 7) Fuhrwerke. 8) Getränke. 9) Geflügel. 10) Säugethiere. 11) Pflanzen. 12) Obst. 13) Schuppenthiere. 14) Insekten. In jedem Artikel ist ein gedrungener, bilderreicher, ziemlich dunkler Text Satz für Satz mit Noten in kleinerer Schrift versehen, die der Verf. selbst auf Befehl des Kaisers *T'ai-tsung* hinzugefügt. Die Noten sind bloſse Citate aus Schriftstellern, mit steter Verweisung auf die Quellen.

III.

廣事類賦

Kuang-sſé-lúi-fú.

[3 Bände. L. S. 641-43.]

Neu gedruckt im Jahre 1801. Ein ganz im Geiste des Vorhergehenden bearbeitetes, aber viel umfassenderes Werk

in 40 Kapiteln, worin ungefähr 300 Gegenstände beschrieben und erläutert werden. Laut der Vorrede zur ersten Ausgabe (1699), geschrieben von *Hoa-hi-hung*, hatte der ältere Bruder des Schreibers der Vorrede, *Hoa-hi-min*, ihm, seinem jüngeren Bruder, aufgetragen, das Werk des *U-schu* (d. h. das *Sſe-lui-fu*) umzuarbeiten und durch Ergänzung vieles Fehlenden zu erweitern, daher der Titel, welcher Erweitertes *Sſe-lui-fu* bedeutet. Aus Pietät nennt *Hoa-hi-hung* vor jedem Kapitel seinen Bruder als den Verfasser, und sich selbst nur als Revisor des Werkes.

Eine Vergleichung beider Werke lehrt übrigens zur Genüge, daſs sie nur in der Form übereinstimmen, hinsichtlich des Materials aber einander ergänzen, indem der Verf. des *Kuang-sſe-lui* nicht bloſs viel mehrere, sondern auch ganz andere Gegenstände behandelt, als der des *Sſe-lui-fu*, dem er geflissentlich auszuweichen scheint. Nur sehr wenige Artikel findet man in beiden Werken zugleich, und selbst dann ist keine Spur von Abhängigkeit oder bloſser Umarbeitung bemerklich.

Die Ordnung der Materien ist folgende: Kap. 1-2. Himmel (Sternbilder, Himmels-Globus). K. 3. Jahres-Abschnitte. K. 4. Kaiser und kaiserliche Familie (Prädicate, Insignien und Denkwürdigkeiten solcher hohen Personen). K. 5-8. Reichs-Collegien und andere Behörden (Beschreibung ihrer Functionen und Geschichtliches über dieselben). K. 9. Beförderungen und Auszeichnungen. K. 10. Ritus und Opfer. K. 11. Steuer-Wesen, Münz-Wesen und Criminal-Verwaltung. K. 12. Litteratur. K. 13. Schrift u. Malerei. K. 14. Kanonische Bücher und Geschichtschreiber. K. 15. Arzneikunde, Loos-Kunde, Astronomie, Erdbeschreibung, Geheime Künste, Spiele. K. 16-18. Verwandtschafts-Verhältnisse, Verhältnisse zwischen Lehrer und Schüler, Freund und Freund, Herrschaft und Dienstboten. Keusche Frauen. K. 19. Weibliche Schönheiten, hochbegabte Frauen u. s. w. K. 20-23.

Merkwürdige Personen von jeder Art — Menschen, die in physischer, moralischer oder intellectueller Hinsicht sich ausgezeichnet haben. K. 24-25. Lehre des *Foe* (*Buddha*) und der Unsterblichen (*Schin-sian*); Buddha's Lebens-Umstände; Biographie des *Lao-kiun* und merkwürdiger *Tao-sse.* K. 26. Gebäude, Gärten und Brücken. K. 27. Musikalische Instrumente. Kleidungs-Stücke, Schmucksachen. K. 28. Esswaaren; Hausrath; Wohlgerüche. K. 29-32. Allerlei Sorten Blumen. K. 33. Obst. K. 34-36. Geflügel. K. 37-38. Säugethiere. K. 39. Wasserthiere. K. 40. Insekten.

IV.

冊府元龜

Tsĕ-fù-yuān-kuēi.

[50 starke Bände. L. S. 395-444.]

Dieses Riesenwerk ist unter der Dynastie *Sung II* abgefafst worden. Im Jahre 1005 beauftragte Kaiser *Tschin-tsung* den *Hio-sse* (geheimen Staatsrath) *Wang-ju-tschi,* den Inhalt der kanonischen Bücher, der Reichshistoriker und anderer Werke von klassischem Ansehen unter Rubriken zu bringen, damit die grofsen und edeln Handlungen der Kaiser, Staatsmänner und Heerführer aller Dynastieen, übersichtlich geordnet, der Nachwelt ein Muster und Vorbild würden. *Wang-ju-tschi* unternahm die ungeheuere Arbeit mit Beihülfe eines Collegen, Namens *Yang-yi,* und funfzehn subalterner Beamten von gelehrter Bildung. Im Jahre 1013 war das Werk vollendet. Der Kaiser selbst hatte die einzelnen Kapitel im Manuscripte revidirt und etwanige Fehler eigenhändig angemerkt. Der Stoff zerfällt in 31 grofse Abtheilungen, die zusammen 1,000 Kapitel, und 1104 besondere Artikel begreifen. Die ersten 500 Kapitel haben nur kaiser-

liche Personen, die anderen 500 aber, Würdenträger von allen Klassen zum Gegenstande.

Obgleich aber der damalige Kaiser für die Abfassung dieses Werkes so grofses Interesse genommen hatte, so versäumte er doch, wir wissen nicht aus welchem Grunde, es drucken zu lassen. Die zweite der Vorreden, welche den ersten Abdruck (in den letzten Zeiten der Dynastie *Ming* veranstaltet) begleitet, enthält folgende Stelle: «Die Bücher der *Sung* zerfallen in vier grofse Klassen, deren respective Gegenstände Himmel, Erde, Mensch und Sachen sind; nur das *Tse-fù-yuan-kuei* ist davon auszunehmen: in diesem Werke finden wir Himmel, Erde, und Sachen in die Denkwürdigkeiten der Kaiser und der Staats-Beamten mit eingewebt. Alle anderen Bücher sind leicht zu erschöpfen; nur das *Tse-fu-yuan-kuei* ist umfassend und tief, wie ein Meer, ergiebig wie Regen, aufgethürmt wie Dämme, und eine gewaltige Aufgabe zum Studium. Dennoch blieb es sechshundert Jahre lang ungedruckt, in welchem ganzen Zeitraum es durch Abschriften fortgepflanzt wurde. Vornehme, die es kaufen wollten, wendeten 300,000 Kupfer-Münzen daran, eine Summe, die kein armer Gelehrter zu erschwingen fähig ist.»

Im Jahre 1642, unter der Herrschaft des letzten ohnmächtigen Kaisers der Dynastie *Ming*, besorgten mehrere Gelehrte, unter der Direction des *Kian-ts'a-yü-sse* (kaiserlichen Censors) *Li-sse-king*, die erste Auflage des Werkes. Das Exemplar der Bibliothek gehört einer zweiten Auflage an, die im Jahre 1754 ans Licht trat.

Die Denkwürdigkeiten, welche den Inhalt dieses kolossalen Werkes bilden, zerfallen in eine solche Menge von Rubriken, dafs wir uns mit Angabe eines kleinen Theils derselben begnügen müssen:

1) Genealogieen der Kaiser. 2) Geburts-Orte und -Zeiten der Kaiser, Umstände bei ihrer Geburt, Feier ihrer

Geburtstage. 3) Namen der Kaiser und ihre Veränderungen. 4) Wahl der Elemente und der correspondirenden Farben unter den verschiednen Dynastieen. 5) Erwerbung von Eigenthum zu Habilitirung der kaiserlichen Familien, d. h. Gründung der Dynastieen. 6) Thronfolge, oder wie die verschiednen Kaiser zur Regierung kamen. 7) Empörungen im Innern. 8) Residenzen, Paläste und andere kaiserl. Gebäude, von den verschiednen Kaisern errichtet oder anders benannt. 9) *Nian-háo,* oder Ehren-Prädicate der Regierungen. 10) Besondere Ehren-Namen von Kaisern. 11) Ausgezeichnete Eigenschaften der Kaiser. 12) Verdienstliche Handlungen derselben. 13) Wunderbare Vorzeichen, welche Kaiser empfangen haben. 14) Andere Wunder, die sie gesehen, oder erlebt. 15) Hülfe, die sie von den Genien empfingen. 16) Kindliche Liebe der Kaiser. 17) Huldigung, die sie ihren Verstorbenen bewiesen. 18) Frömmigkeit der Kaiser, oder Hochhaltung der Opfer von ihrer Seite. 19) Panegyrici auf kaiserl. Tugenden. 20) Blutsverwandten, Lehrern und Milchmüttern der Kaiser erwiesene Ehre. 21) Wissenschaftliche Bildung der Kaiser. 22) Zuneigung zu Gelehrten. 23) Grofsmuth und verzeihliches Gemüth. 24) Erbarmendes Gemüth. 25) Wunderbare körperliche Eigenschaften. 26) Ausnehmende Tapferkeit. 27) Geschick in kriegerischen Übungen. 28) Strategische Kunst. 29) Geniale Mafsregeln. 30) Weisheit und Klugheit. 31) Demuth und Willfährigkeit. 32) Ehre, der Sekte des Confucius erwiesen, worunter auch Stiftung von Schulen. 33) Ehre, dem Buddha und seiner Sekte angethan, Stiftung von Klöstern und Pagoden. 34) Ehre, die den *Tao-sſe* erwiesen worden. 35) Ernährung der Greise. 36) Mäfsigung und Sparsamkeit der Kaiser. 37) Gesandtschaften und Huldigungs-Schreiben von Seiten ausländischer Fürsten. U. s. w. u. s. w.

Nach den Kaisern selbst kommen Kaiserliche Verwandte beiderlei Geschlechts an die Reihe. Dann folgen die grofsen Vasallen — Minister — Generale — Staats-Censoren — Statthalter u.s.w., kurz, alle erdenklichen Klassen höherer Beamten, jede mit einer Anzahl Rubriken, in denen jede moralische Seite, welche ausgezeichnete Individuen der betreffenden Klasse der Welt zugekehrt, beleuchtet wird.

V.

太平廣記

T'ái-p'ĭng-kuăng-kí.

[10 starke Bände. L. S. 471-80.]

Eine Collection von Biographieen, Charakter-Zügen und Anekdoten jeder Art, die zur bequemeren Übersicht unter viele Fachwerke vertheilt sind. 500 Kapitel. *Kuang-ki* bedeutet Umfassende Denkwürdigkeiten; die Worte *T'ai-p'ing* (Tiefer Frieden) stehen deshalb voran, weil das Werk unter dem Kaiser *T'ai-tsung* von der Dynastie *Sung II*, dessen erster Regierungs-Abschnitt (976-83 nach Chr.) das ehrende Prädicat *T'ai-phing*, oder vollständiger, *T'ái-p'ing-hing-kue* (Tiefer Frieden, blühendes Reich) erhielt, zuerst herauskam. Eine Gesellschaft Gelehrter, an deren Spitze *Li-fang*, geheimer Rath am *Han-lin-yuan*, und Präsident des *Hu-pu* (Ober-Steuer-Collegiums) stand, überreichte das *Kuang-ki* im Jahre 978 dem Kaiser, der sie mit Abfassung desselben beauftragt hatte. Eine zweite Ausgabe erschien erst im Jahre 1753 (dem 18ten der Jahre *K'ian-lung*), und die vorliegende dritte Ausgabe im Jahre 1806.

Nun eine kurze Anzeige des Hauptinhalts! Erzählungen von merkwürdigen Anachoreten beiderlei Geschlechtes — Interessante Personen von der *Tao*-Sekte — Zauberer,

Beschwörer und Wahrsager — Ungewöhnliche, seltsame Menschen — Ausgezeichnete Buddha-Priester und Incarnationen (ein für die Geschichte des Buddhismus in China sehr wichtiger Abschnitt) — Wunderbare Zeugnisse für die Wahrheit der Lehre Buddha's — Vergeltungen für verdienstliche oder verwerfliche Handlungen jeder Art — Vorbedeutungen oder Weissagungen, die in Erfüllung gegangen; Beschlüsse des Schicksals — Dichter, Gelehrte, Künstler, Ärzte u. s. w. — Erfinder der verschiednen Schriftarten — Maler — Anekdoten von Personen, die sich durch alle erdenklichen schlimmen Eigenschaften oder durch lächerliche Gewohnheiten verhaſst oder zu Gegenständen des Spottes gemacht — Scherz- und Spott-Reden — Träume — Beschwörungen — Genien und Dämonen — Hexen und Unholde — Gespenster — Personen, die nach ihrem Tode wieder auferstanden oder von Neuem geboren wurden — Gräber — Merkwürdige Epitaphien — Luft-Erscheinungen — Berge und Steine — Wasser und Brunnen — Edle Metalle u. s. w. — Merkwürdige Vegetabilien und Anekdoten, in welchen sie eine Rolle spielen, nach den Rubriken der einzelnen Arten von Bäumen, Pflanzen und Thieren — Denkwürdigkeiten der verschiedensten Art, in denen Thiere die vornehmsten Agentia sind, nach den Rubriken der Thier-Gattungen geordnet — Ausländer (gröſstentheils fabelhafte Berichte über auswärtige Staaten) — Allerlei scherzhafte und ernsthafte Erzählungen.

Dieses Wenige mag von der chaotischen Stoff-Masse, welche die Sammler des *Kuang-ki* nach seltsamen logischen Principien zusammengedrängt oder- gekeilt haben, einen Begriff geben. Bei Weitem das Meiste hat allerdings einen erzählenden Charakter; doch ist, wie wir schon angedeutet, in den Abschnitten, welche die Namen von Natur-Produkten an der Stirn tragen, Beschreibung mit Erzählung verbunden; ja, bei mancher Pflanze und manchem Thier, deren Name keine Erinnerung an merkwürdige oder seltsame Begebenhei-

ten und Vorfälle weckte, fallen die Sammler aus ihrer Rolle, und begnügen sich mit blofser Beschreibung.

VI.

文獻通考

Wĕn-hiān-t'ung-k'ào.

[Ein sehr starker Band. L. S. 380.]

Ein fruchtbarer Auszug aus der gleichbetitelten berühmten kritischen Bibliothek des *Ma-tuan-lin,* von welchem Werke Abel-Remusat in seinen *Mélanges Asiatiques* (T. II.) ausführlich und mit der ihm eignen Klarheit handelt. *Ma-tuan-lin's* Werk ist nicht sowohl eine Encyclopädie, als eine Reihe gediegener, mit grofser Gelehrsamkeit und Umsicht bearbeiteter Resumé's des Vorzüglichsten, was die Chinesen bis auf seine Zeit in den wichtigsten Gebieten der Litteratur geleistet hatten.

Was den vorliegenden Auszug betrifft, so unternahm diesen ein gewisser *Yen-sſe-ngan* zum Besten Solcher, die «nicht Geisteskraft genug besäfsen, um das Werk *Ma-tuan-lin's* in seiner ganzen Fülle benutzen und studieren zu können!» Ein Enkel des Epitomator's publicirte das also verkürzte *Wen-hian-t'ung-k'ao* im 29ten der Jahre *K'ian-lung* (1764).

Die 24 grofsen Sectionen des Originals hat der Epitomator auf eben so viele Kapitel mit denselben Überschriften reducirt. Es sind folgende:

1. Eintheilung der Ländereien (unter d. verschiednen Dynastieen).
2. Münz-Wesen.
3. Bevölkerung des Reiches.
4. Verwaltung.
5. Zölle und Abgaben.

6. Handel und Tausch.
7. Grundsteuern.
8. Staats-Ausgaben.
9. Beförderungen und Rangstufen.
10. Studien und Examina.
11. Functionen der Magistrate.
12. Opfer.
13. Tempel der Voraltern.
14. Hof-Ritual.
15. Musik.
16. Kriegswesen.
17. Strafen.
18. Litteratur.
19. Genealogie der Kaiser.
20. Lehenswesen.
21. Himmelskörper.
22. Natur-Phänomene.
23. Eintheilung China's.
24. Ausländische Völker.

Zu beklagen ist in diesem wohlgemeinten Auszuge besonders die zu arge Reduction des 24ten Abschnittes, obschon diese Lücke durch die letzte Section des oben besprochenen geographischen Werkes *Hoan-yü-ki*, welches augenscheinlich zu *Ma-tuan-lin's* vornehmsten Quellen gehörte, so ziemlich ausgefüllt sein dürfte. Auch von den Fortsetzungen des *Ma-tuan-lin*'schen Werkes hat *Yen-sse-ngan* keine Notiz genommen; daher wir in seinem Auszuge die geschichtliche Fortbildung aller behandelten Sujet's nur bis zum Schlusse der Dynastie *Sung II* verfolgen können.

VII.

野獲編

Yè-hoĕ-pian.

[8 Bände. L. S. 365-72.]

Ein Repertorium von Merk- und Denkwürdigkeiten aus allen Gebieten des Wissens, die der Verfasser theils seiner Lektüre, theils mündlichen Nachrichten oder eignen Anschauungen während eines langen, an Erlebnissen reichen Lebens verdankte. Um einen vollständigen Begriff von dem Inhalt zu geben, würde der längste Titel nicht ausgereicht haben, weshalb auch der Verfasser, Kürze mit Bescheidenheit verbindend, einen Titel gewählt hat, der s.v.a. «Was ein Unwissender aufgegriffen (erjagt)» bedeutet.

Das Werk besteht aus 30 grofsen Sectionen, ungerechnet vier Sectionen Nachträge. Es erschien zuerst im 34ten der Jahre *Wan-lie* der vorigen Dynastie *Ming* (1606), gesammelt von einem gewissen *Tschin-te-fù*, und wurde schon unter *K'ang-hi* neu aufgelegt. Die vorliegende, besonders schön und correct gedruckte Ausgabe ist im 7ten Jahre des jetzigen Kaisers (1828) ans Licht getreten.

Jede Section hat ihre besonderen Register, welche sich auf die kleineren Abschnitte beziehen. Der Inhalt der ersten 22 Kapitel dreht sich hauptsächlich um Politik, Statistik und Administration, weshalb auch der gröfsere Theil des Materials unter die Rubriken der grofsen Reichs-Collegien, gleichsam der Pulsadern des ganzen Staatskörpers, vertheilt ist. Ohne allen Vergleich gemischter und bunter ist der Inhalt der folgenden Sectionen. Die 23te ist fast ganz dem weiblichen Geschlechte gewidmet. In der 24ten ist von localen Merkwürdigkeiten der Hauptstadt (*Pe-king*) und ihrer Umgebungen die Rede — ferner von Chinesischen Alterthümern in verschiednen Gegenden des Reichs — von geographischen Merkwürdigkeiten, eigenthümlichen Sitten und Herkommen in einzelnen Provinzen China's, oder bei ausländischen Völkern u.s.w. — Das 25te Kapitel handelt von Litteratur und schönen Künsten — im 26ten kommen hauptsächlich technische Dinge, z.B. Porcellan, Tusche, Firniſs, Fächer u.s.w. zur Sprache. — Die 27te Section ist eine Sammlung interessanter Beiträge zur Kenntniſs der Lehrmeinungen und Gebräuche gewisser Secten und Orden — die 28te eine Anekdoten und Legenden-Sammlung. — In der 29ten finden wir Rebellen und Räuber aller Zeiten aufgeführt. — Die 30te endlich beschäftigt sich ganz mit dem Auslande und seinen Verhältnissen zu China. Wir finden hier Notizen über Fremde, die unter verschiednen Dynastieen als Gesandte ihrer Fürsten, oder aus Neugier und Lerneifer nach China kamen. Der Verf. gedenkt aller Wohlthaten, welche Chinesische Kaiser den Bewohnern des Hoch-Plateau's der Tatarei erwiesen, giebt interessante Notizen über den Verkehr fremder Völker mit China, und schlieſst mit einer Beschreibung aller derjenigen Länder, die westlich und südwestlich von China bis gegen das Kaspische Meer und den Persischen Golf hin sich ausdehnen.

VIII.

熙朝新語

Hī-tschāo-sīn-yù.

[Ein Band. L. S. 718.]

Gedruckt im Jahre 1820. Der Herausgeber, ein gewisser *Ung-tsſe-king*, dessen Vorrede von 1818 datirt ist, sagt in selbiger, er habe 1815 auf einer Geschäfts-Reise, im Laden eines Buchhändlers zu *Wu-tsch'ang-fu* (in *Ho-nan*) ganz zufällig ein Werk, betitelt *Hi-tschao-sin-yü*, entdeckt, dessen Verfasser, ein gewisser *Yü-te-schui*, sich's zum Geschäfte gemacht habe, Alles zu sammeln, was seit dem Anfang der jetzt regierenden Dynastie in Sachen der Verwaltung, der Litteratur und des bürgerlichen Lebens Merkwürdiges vorgefallen sei. Er (*Ung-tsse-king*), der auf die Ausführung eines ähnlichen Planes wegen der Untreue seines Gedächtnisses hatte verzichten müssen, fand grossen Gefallen an dem Werke: er liess es excerpiren, bequemer ordnen, und die Materien in 16 Kapitel vertheilen. Ursprünglich sollte die Einrichtung chronologisch sein; dieses Princip konnte aber nicht genau befolgt werden, da der Verfasser etwas mehr an die Ordnung der Materien sich hielt.

Als Probe geben wir eine Mandschuische Mythe, die das erste Kapitel eröffnet:

«*Sching-king* und der *Tsch'ang-pe-schan* (Lange Weisse Berg) sind die Regionen, wo unsere erhabene Dynastie begonnen hat. Die Kette des *Tsch'ang-pe-schan* erstreckt sich 1,000 *Li* in die Länge, und ihre Höhe beträgt 200 *Li*. Unter der Dynastie *Ming* lebte ein Wahrsager, der da verkündete, in diesem Lande würde ein heiliger Mann zur Welt kommen, der alle Reiche vereinigen würde. Im Osten des Gebirges erhebt sich ein isolirter Berg, seines Namens *Pukuli*, und am Fusse desselben ist der See *Purhali*. Der Sage gemäss, badete sich eine Tochter des Himmels, die *Fekulun* hiess, in diesem Wasser. Als sie mit Baden fertig war, kam eine himmlische Elster geflogen, die in ihrem Schnabel eine rothe Frucht trug, und auf die Kleider des Mädchens legte. *Fekulun* ass die Frucht, wurde alsbald schwanger, und gebar ein männliches Kind von wunderbarem Ansehen, das schon bei seiner Geburt sprechen konnte. Als dieses Kind erwachsen war, erzählte ihm seine Mutter die Umstände seiner Geburt, und sagte ihm: «Der Himmel hat dich gezeugt, auf dass du Ordnung und Ruhe auf Erden herstellest. Er giebt dir den Namen *Aisin Gioro* als Familien-Namen.» Darauf verschwand sie in den Lüften; ihr Sohn aber bestieg einen Kahn und gelangte bald aus dem See in einen Fluss. Er kletterte an dem steilen Ufer hinan, schnitt Weiden- und Plantanen-Zweige ab, und verfertigte sich daraus eine Art Sessel, auf dem er in das Land hineinfuhr. Damals gab es drei Stämme, die einander unaufhörlich bekämpften. Einige Personen, die nach dem Flusse gingen, um Wasser zu schöpfen, bemerkten den Fremden. Sein Gesicht war ihnen auffallend, und sie kehrten sogleich um, diese Kunde den Ihrigen zu bringen. Die Menge drängte sich dem *Aisin Gioro* entgegen, und fragte, von wannen er käme. Er erzählte ihnen Alles was sich zugetragen hatte, worauf sie hocherfreut ausriefen: «Dieser ist ein heiliger und göttlicher Mann!» Sie luden ihn im Triumphe auf ihre Schultern, kehrten nach Hause zurück und begrüfsten ihn als ihren König. Seine Residenz wurde die Stadt *Anairi* im Osten des *Tsch'ang-pe-schan*. Er gab seinem Volke den Namen *Mandschu*.» (*)

IX.

通天曉

T'ūng-t'iān-hiāo.

[2 Bände. L. S. 723-24. 5 Hefte. 797.]

Gedruckt im Jahre 1816. Das Buch, welches auch den Titel *Wei-tsi-yü-pian* (**) führt, wurde herausgegeben von einem gewissen *Wang-jang-t'ang*, der ihm durch die Vorreden zweier Freunde Credit zu verschaffen suchte. Als

---

(*) In seinem Verzeichnifs der Chines. u. s. w. Bücher (S. 62-63.) theilt Klaproth eine ähnliche, aber weit umständlichere Legende mit, von der er nicht sagt, was für ein Text zum Grunde gelegen.

(**) Kann durch Noth- und Hülfsbuch übersetzt werden. — *T'ung-t'ian-hiao* bedeutet: «Allgemein verbreitete Morgenröthe.»

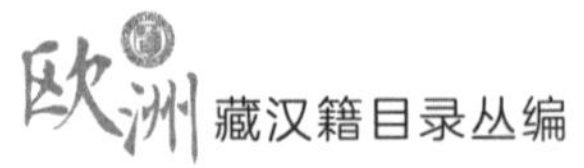

Verfasser wird dessen Grofsvater genannt, der den Ehrentitel *Sung-k'i-sian-seng* (Herr vom Fichtenstrom) führte.

Das Buch enthält physische und moralische Lebensregeln — Vorschriften und Mittel gegen alle Sorten von Unfällen — Anweisungen zu allerlei Arten von angenehmem Zeitvertreibe — Regeln zur Bereitung von Speisen und Getränken — technologische Artikel über Pinsel, Tusche u. s. w. — Vorschriften ökonomischer Art (Ackerbau, Gartenbau, Viehzucht u. s. w.).

Die werthvollsten Abschnitte sind unstreitig diejenigen, in welchen wir über die Technologie der Chinesen, die zum Theil noch sehr im Dunkeln liegt, Aufschlüsse erhalten. Wir geben hier einige abgerissene Stellen aus Tusche und Pinsel (Kap. XIV.).

«Um die Güte der Tusche zu prüfen, reibe man sie in einem überfirnifsten Gefäfse an, warte, bis sie getrocknet ist, und spüle sie dann in ein anderes Gefäfs. Findet sich nun, wenn man die Tusche bei Sonnenschein betrachtet, dafs ihre Farbe mit der Farbe des Firnifs gleich ist, so gehört sie zu den besten Sorten. Spielt sie ins Blaue, so ist sie von geringerer Güte; spielt sie aber gar ins Graue, so gehört sie zu den schlechtesten Sorten.»

«Das Haar des Wolfes, des Fuchses, und der Ziege eignen sich zu Pinseln; auch die Schnauze der Maus ist vortrefflich; aber Pinsel aus Hasenhaar — wenn der Hase im Herbst geschossen ist — sind die vorzüglichsten von allen. Die Röhrchen aus Bambus, welche als Stiele dienen, müssen hart, schwer, gerade und wohl gerundet sein. Der Kopf des Pinsels sei spitz, gleichförmig, dicht, und vollkommen rund, wie die einem fetten Boden entstiegenen jungen Keime des Bambus. Diese sind seine äufsern Eigenschaften. Anlangend seine innern Eigenschaften, so mufs er Biegsamkeit und doch Consistenz haben, d. h. wenn

6

man mit dem Pinsel auf dem Nagel des Fingers einen Kreis malt, so darf er weder steif sein, noch dürfen die Haare aus einander gehen. Hat man den Kreis gemalt, so mufs der Pinsel von selbst in seinen vorigen Zustand zurückkehren u.s.w.» Die Bibliothek besitzt dieses Werk in zwei Exemplaren.

X.

萬寶全書

Wán-pào-tsiuān-schū.

[1 Band. L. S. 717.]

Im 23ten der Jahre *K'ian-lung* (1758) publicirte ein gewisser *T'ian-tschang-pu* dieses Werkchen, dessen Titel «Buch der Zehntausend kostbaren Dinge» bedeutet. Ebenfalls eine quodlibetarische Sammlung von nützlichen und unterhaltenden Dingen, zum Theil mit Holzschnitten geziert.

Kapitel I. ist der Himmelskunde und Kosmogonie gewidmet.

Kap. II. Geographischer Abrifs in zwei Subdivisionen — Untere Queer-Spalte: Anzahl der Städte und Dörfer jeder Provinz, Quantität Reis, die jeder District hervorbringt, Bevölkerung nach Familien, und vornehmste Produkte. Obere Queer-Spalte: Aufzählung aller Reise-Stationen des Reichs, zu Lande und zu Wasser, nebst Angabe ihrer gegenseitigen Entfernung. Resumé dieser Routen in Versen. Städte, die unter den verschiednen Dynastieen als Residenzen gedient haben.

Kap. III. Historischer Abrifs in zwei Subdivisionen — Untere Queer-Spalte: Übersicht der vornehmsten geschichtlichen Begebenheiten in Versen. Darauf eine Tabelle der Dynastieen, mit Namen, Genealogie und Regierungs-Dauer

der Kaiser. — Obere Queer-Spalte: Nomenclatur aller berühmten Staatsmänner der Chinesischen Geschichte.

Kap. IV. Makrobiotik oder Diätetik. Allgemeine und besondere Regeln, was man beim Essen und Trinken zu thun und zu lassen habe. Empfehlung gedeihlicher und Warnung vor schädlichen Lebensmitteln. Ein Beispiel sei folgender Aphorismus über den Thee: «Der Thee verscheucht die Melancholie und vermindert die Beleibtheit. Man soll dem Thee nicht entsagen; aber trotz seiner guten Eigenschaften kann er auch sehr schädlich werden. Trinkst du ihn im Übermafse, so concentrirt er sich in den Nieren und erschlafft die unteren Theile, von den Nieren an abwärts. Ein wenig Salz, in den Thee gemischt, verhindert diese gefährliche Wirkung.» Andere Gesundheits-Regeln — Warnung vor Aufregung sinnlicher Gelüste und vor hypochondrischem Hinbrüten — Empfehlung innerer Ruhe und beständiger Heiterkeit.

Kap. V. Curiositäten von ausländischen Völkern und Reichen.

Kap. VI. Formulare von Verträgen (Kontrakten). — VII. Formulare von Gelegenheits-Gedichten. — VIII. Regeln des Verhaltens für schwangere Frauen, nebst einer Entwicklungsgeschichte des Foetus bis zu seiner Reife. — IX. Allerlei Methoden, Gedichte so zu arrangiren, dafs Figuren materieller Gegenstände (z. B. Flaschen), oder auch Räthsel entstehen. — X. Gesellige Scherze bei Trinkgelagen. — XI. Physiognomik. — XII. Kultur der Seidenwürmer. — XIII. Theorie des Schachspiels und verschiedner musikalischen Instrumente. — XIV. Gewandtheits-Spiele und Hokuspokus. — XV. Erzählungen zu Erschütterung des Zwerchfells. — XVI. Gymnastische und militärische Übungen. — XVII. Horoskopie. — XVIII. Regeln, die Chinesische Zither zu spielen. — XIX. Architektonische Regeln. XX. Formulare von Briefen. — XXI. Arithmetik.

6*

— XXII. Astrologie. — XXIII. Populairer Auszug aus dem Criminal-Codex. — XXIV. Titel aller Stats-Beamten — Beschreibung ihrer Ceremonienkleider und Angabe ihrer Einkünfte (*). — XXV. Moralische Ermahnungen. — XXVI. Wie man sich vor körperlichen Zufällen schützen könne. — XXVII. Chronologie. XXVIII. Malerei. — XXIX. Schrift. — XXX. Therapeutik für Ochsen und Pferde. — XXXI. Formulare für Eingaben an Gerichte und Behörden. — XXXII. Traumbuch.

Und hiermit endet diese litterarische *Olla podrida,* in der man sich für alle Verlegenheiten des Lebens Rath und Hülfe schaffen kann.

Schöne Litteratur.

A. Lyrische Poesie.

I.

全唐詩

Ts'iūan-t'āng-schī.

[20 Bände. L. S. 295-314.]

Vollständiger Inbegriff aller lyrischen Dichtungen, die im Zeitalter der grofsen Dynastie *T'ang* (618-906) ans Licht getreten sind. Im 46ten der Jahre *K'ang-hi* (1707) auf kaiserl. Befehl gedruckt, und mit einer Vorrede des Kaisers

(*) Diesem Verzeichnifs zufolge empfangen die Würdenträger der ersten Klasse, erster Abtheilung, monatlich 87, die der zweiten Abtheilung aber 74 *Schi* (Chinesische Scheffel zu 120 Pfund) an Reis. Pecuniaire Besoldungen giebt es bekanntlich keine.

versehen, worin bemerkt wird, dafs die Poeten aus jenem Zeitraume bei Beurtheilung jedes späteren Gedichtes als Mafsstab dienen. Unter der genannten Dynastie hatte das schwierige und raffinirte System der modernen Versification vollständig sich ausgebildet.

Diese ungeheuere Sammlung begreift weit über tausend besondere Sammlungen der Produkte der einzelnen Dichter und Dichterlinge, mit vorangehenden Biographieen und Charakter-Schilderungen. Den fürstlichen Personen (Kaiser, Kaiserinnen, Prinzen und Prinzessen) aus jener Zeit, von denen man Verse besitzt, ist eine besondere, die Collection eröffnende Rubrik angewiesen; dann erst folgen die Lyriker vom Privat-Stande (mehr als tausend an der Zahl) in chronologischer Ordnung. Die einzelnen Gedichte haben ihre besonderen, auf das jedesmalige Thema hinweisenden Überschriften. Verhältnifsmäfsig den gröfsten Raum befassen die lyrischen Schöpfungen der Dioskuren des Chinesischen Parnasses, *T'u-fu,* und *Li-t'ai-pe.*

II.

吳詩集覽

Ū-schī-tsĭ-làn.

[4 Bände. L. S. 333-36.]

Enthält die gesammelten Dichtungen eines gewissen *U-mei-tsun,* der um die Mitte des 17ten Jahrhunderts lebte. Seine Schöpfungen tragen, wie es in der Vorrede heifst, das Gepräge jener wildbewegten Zeit, in welcher die Mandschu-Dynastie ihre Herrschaft befestigte. Der Herausgeber, ein gewisser *Kin-ying-fan,* hat diese Gedichte nach der Verwandtschaft ihres Inhalts zusammengestellt, und mit ausführlichen, von grofser Belesenheit zeugenden Commentaren begleitet. Gedruckt erschien das Werk im 46ten der Jahre *K'ian-lung* (1781). Es zerfällt in 20 Bücher.

III.

詠物詩

Yùng-wĕ-schī.

[9 Bände. L. S. 386-94.]

Eine sehr reichhaltige poetische Blumenlese, auf kaiserlichen Befehl von einer Gesellschaft gelehrter *Han-lin* veranstaltet, und im 46ten der Jahre *K'ang-hi* (1707) ans Licht getreten. Dieses Werk enthält in 64 Abschnitten kleine lyrische Stücke von Dichtern aller Zeiten, encyclopädisch nach den Gegenständen der Natur, der Kunst, und der Geschichte geordnet, welche in denselben verherrlicht sind, vom Himmel bis zum unscheinbarsten Gewürm. Bei jedem Gedichte oder Fragmente steht der Name des Poeten, aus dessen Werken es entliehen ist.

IV.

梅花詩

Meī-hoā-schī.

[2 Bändchen. L. S. 762.]

Der Titel bedeutet: Verse von der Blume *Mei-hoa.* (*) Es sind Gedichte eines Buddhistischen Mönches, ohne Datum und Vorrede.

(*) Hat meines Wissens noch keinen botanischen Namen.

V.

行山歌

Hīng-schān-kō.

[1 Heft. L. S. 166. a.]

Ländliche Lieder, deren Gegenstand die Natur-Scenen der Berge sind; daher ihr Titel, welcher Lieder des Gebirgs-Wanderers bedeutet.

VI.

粤謳

Yuĕ-ngēu.

[1 Heft. L. S. 617.]

Volkslieder der Bewohner des Gouvernements *Kuang-tung* (Canton), dessen alter Name *Yue* war. Diese Lieder sind von den Erklärungen solcher Charaktere begleitet, welche die Eingebornen von Canton sich selbst erfunden haben, um Wörter zu bezeichnen, die ihrem Dialekte ausschliefslich angehören.

VII.

詩學

Schī-hiŏ.

[4 Bände. L. S. 637-40.]

Ein im 36ten der J. *K'ang-hi* (1697) zuerst erschienenes, und 1801 neu gedrucktes Wörterbuch aller, in klassischen Dichterwerken vorkommenden Phrasen, nach Materien geordnet. Für jeden Phantasie-armen Versmacher eine ergiebige Fundgrube, dergleichen man auch bei uns schon geliefert.

* * *

Nachträglich erwähnen wir noch: 1) Eine sehr defective Sammlung lyrischer Dichtungen, als deren Verfasser ein gewisser *Lo-wu-kuan*, der unter den grofsen *Sung* lebte, genannt wird. Diese Sammlung führt den Titel *Kian-nan-schi-kào* (L. S. 809. 10 Hefte), Dichtungen vom Süden des *Kian*, dem wahrscheinlichen Vaterlande des Dichters. (*) — 2) Eine gleichfalls defective Anthologie von Streckversen, oder poetisch aufgeputzten Gedanken in ungebundener Rede, betitelt *Yo-fu-yà-tsſe* (L. S. 805). — 3) Eine noch kleinere, aber vollständige Blumenlese ähnlicher Art, enthaltend Streckverse von 63 Gelehrten aus dem Zeitalter der *T'ang* und *Sung*. Sie führt den Titel *Ming-jü-ts'ào-t'ang*, und erschien erst im Jahre 1811. (L. S. 666.)

B. Romanisirte Geschichte, Romane und Bühnenstücke.

I.

開闢傳

K'āi-pĭ-tschuān.

[2 Bändchen. L. S. 649-50.]

Neu gedruckt im 7ten der Jahre *Tao-kuang* (1827). Eine mit vielen artigen Holzschnitten gezierte, romantisch

(*) *Kian-nan* hiefs unter der grofsen Dynastie *T'ang* ein Gebiet in der heutigen Provinz *Sſe-tschuan*, das heutige *Tsch'ing-tu-fu*.

bearbeitete Geschichte der Chinesischen Vorzeit, von Entstehung der Welt bis auf *Wu-wang*, den ersten Kaiser der Dynastie *Tscheu*, welcher 1122 vor Christus den Thron bestieg. Der Name des Bearbeiters war *Tschung-pe-king*.

II.

隋唐演義

Sūi-t'āng-yàn-yí.

[4 Bände. L. S. 719-22.]

Eine Auswahl von Begebenheiten aus dem Zeitalter der Dynastieen *Sui* (581-618 u. Z.) und *T'ang* (618-906 u. Z.), in romantischem Kostüme. Die Skizze zu diesem Werke entwarf *Lo-kuan-tschung*, der Verfasser des romanisirten *San-kue-tschi* (Siehe unter *Ts'ai-tsſe*); der eigentliche Bearbeiter aber war *Lin-han*, Präsident am *Li-pú* (Collegium der Magistrate), dessen Vorrede vom 2ten der Jahre *Tsching-te* (1508) datirt ist. Der vorliegende Wieder-Abdruck erschien 1802.

III.

唐演傳

T'āng-yàn-tschuān.

[2 Bände. L. S. 493-94.]

Romantisch bearbeitete Geschichte der grofsen Dynastie *T'ang*, während ihrer Glanz-Periode. In den Jahren *K'ian-lung* von einem Privat-Gelehrten Namens *Ku-ju-lian*, abgefafst.

IV.

唐五代傳

T'āng-ù-tái-tschuān.

[1 Band. L. S. 492.]

Erschien im 47ten der Jahre *K'ian-lung* (1782), und erzählt in ganz ähnlicher Weise, wie die vorhergehenden Werke (vom Jahre 874 beginnend) den Untergang der grofsen Dynastie *T'ang*, und die Geschichte der fünf kleinen Dynastieen, welche von 907 bis 959 schnell und tumultuarisch auf einander folgten.

V.

飛龍全書

Fēi-lūng-ts'iuān-schū.

[2 Bände. L. S. 488-89.]

Die Thaten und Schicksale des grofsen Stifters der Dynastie *Sung II*, welcher 960 den Kaiserthron bestieg. Ebenfalls im Novellen-Stil. Die Wortbedeutung des Titels ist: Geschichte des fliegenden Drachen. Erschien im Jahre 1815. (*)

(*) Die Novellen der Chinesen sind, wie ihre bürgerlichen Romane, in der Partikeln-reichen Sprache des Lebens geschrieben, und mit Abbildungen der vornehmsten Heroen ihrer Epoche geziert. Auch pflegt man den Titeln dieser litterarischen Zwitter die Worte *sieu-siang*, mit Bildern geschmückt, voranzuschicken.

VI.

西洋記

Sī-yāng-kí.

[3 Bände. L. S. 373-75.]

Eine fabelhafte Geschichte, zur Verherrlichung der Dynastie *Ming* (1368-1644) geschrieben, welche, obwohl von vielen auswärtigen Gesandtschaften beehrt, doch sehr wenig im Auslande besessen hat. Acht und dreifsig Asiatische Reiche, die südwestlich von China bis gegen Arabien hin sich ausdehnen (darunter auch wohl manches Utopien) erkennen in diesem Werke, theils freiwillig, theils gezwungen, die Chinesische Oberhoheit an. In geographischer und ethnographischer Hinsicht dürfte wohl manche willkommene Wahrheit der Fabel eingemengt sein. Übrigens hat das Werk einen auffallend buddhistischen Charakter. Es erschien 1597, verfafst von *Lo-meu-teng*. Die Bedeutung des Titels ist: «Geschichte des westlichen Oceans» (d. h. der Länder in und am westlichen Ocean).

VII.

才子

Ts'āi-tsſè.

Ein Titel, welcher s. v. a. hochbegabter, talentvoller Mann bedeutet, und besonders auf Meister des Stils im Romanen-Fache angewendet wird. Man zählt gewöhnlich acht solcher schönen Geister *par excellence*, von denen jeder seine ihm bleibende Nummer hat. Heifst es z. B. erster, zweiter, dritter *Ts'ai-tsſe*, so ist bald der Verfasser, bald das Buch zu verstehen, welches ihn berühmt gemacht.

Die Bibliothek besitzt nur vier dieser *Ts'ai-tsſè:* den Ersten, Sechsten, Siebenten, und Achten. (*) Sie haben der Reihe nach folgende besondere Titel:

1. *San-kue-tschi:* Geschichte der drei Reiche. Ein sehr bekannter und beliebter historischer Roman, über den schon Klaproth in seinem Kataloge (S. 149) kurz berichtet. Seitdem ist die Bibliothek mit zwei anderen Ausgaben bereichert worden: die Eine (L. S. 240. a-d), in vier starken pappenen Umschlägen, ist Geschenk des Freiherren A. v. Humboldt, der dieses Werk von seiner Reise nach der Chinesisch-Russischen Gränze mitgebracht hat. Sie erschien 1644. Die andere Ausgabe (4 enggedruckte Bände. L. S. 724-28.) hat im 19ten der Jahre *Kia-k'ing* (1814) das Licht erblickt.

2. *Si-siang-ki:* Geschichte des westlichen Pavillons. Ein im Jahre 1782 neu gedrucktes Drama, dessen einzelne Scenen durch gewaltige Digressionen ästhetischer Art auf empfindlich störende Weise unterbrochen werden. Der Haupt-Gegenstand desselben ist die von manchem Abenteuer durchkreuzte Liebe eines jungen Gelehrten zu der Tochter einer reichen Wittwe. Die Bekanntschaft des galanten *Tschang-kiun-schui* und der schönen *Ying-ying* knüpft sich zuerst auf einer Reise; der junge Mensch hat nämlich an demselben Orte (in einem Buddha-Kloster) Herberge gefunden, wo Mutter und Tochter eingekehrt sind. (L. S. 656-57.)

3. *P'i-p'a-ki:* Geschichte einer *P'i-p'a* (Chine-

(*) Der Dritte ist das von Abel-Remusat Französisch herausgegebene *Yü-kiao-li.* Der berühmte Sinolog bemerkt an irgend einer Stelle seiner *Mélanges Asiatiques*, dieser Roman werde auch *les Trois Personnes de Mérite* betitelt. Ohne Zweifel gründet sich dieser Irrthum darauf, daſs A-R. die dem *San-ts'ai-tsſe* vorangehende Ordinal-Partikel (*ti*) übersehen hat.

sischen Guitarre). Ebenfalls dramatisch bearbeitet. (L. S. 731-32.)

4. *Hoa-ts'ian-ki:* Geschichte des geblümten Blattes. Auf solche Blätter schreibt man Visiten-Karten u. dgl., daher das Wort auch die metaphorische Bedeutung von feiner Lebensart erhalten hat. Ein erzählendes Gedicht, oder ein kleiner philisterhafter Roman in Versen, dessen Abfassung zweien Eingebornen von Canton zugeschrieben wird. Ist durch Thoms unter dem Titel *Chinese Courtship in Verse* (1824) ins Englische übersetzt worden. Zwei Exemplare, jedes in einem dünnen Hefte (L. S. 748. 787.).

VIII.

嶺南史

Lìng-nān-sſè.

[4 Bändchen. L. S. 646-47.]

Der Titel bedeutet: Geschichte der Provinz *Kuang-tung* (*Ling-nan,* wörtlich: Süden des Gebirges *Mei-ling,* welches die Provinz im Norden begränzt). Das Buch ist aber nur ein auf historischen Grund basirter, in den unruhigen Zeiten der letzten Kaiser des Hauses *Ming* (gegen Ende des 16ten Jahrh.) spielender Roman, dessen Schauplatz die Provinz Canton. Die Ausgabe, zu welcher vorliegendes Exemplar gehört, erschien im 17ten der Jahre *Kia-k'ing* (1812).

IX.

二度梅傳

Oll-tú-mēi-tschuān.

[1 Band. L. S. 629.]

Ein Bürgerlicher Roman in sechs Kapiteln, der 1797 im Druck erschien. Die Geschichte schliefst, gleich dem

Yü-kiao-li, mit der Heirath eines jungen Mannes (*Mei-lang-yü*), dem zwei talentvolle Fräulein ihr Herz geschenkt haben.

X.

鬼神之德

Kuèi-schīn-tschī-tĕ.

[2 Hefte. L. S. 786.]

Die Macht der Genien und Dämonen. Eine Reihe kleiner Erzählungen, welche den Einflufs der Genien auf das menschliche Schicksal darthun. Schnitt und Druck der Charaktere sind über die Mafsen schlecht.

XI.

六十重曲

Lŭ-schĭ-tschūng-k'iŭ.

[16 Bände. L. S. 547–62.]

Wie schon der Titel besagt, eine Sammlung von sechszig dramatischen Stücken, die ohne Zweifel sehr verschiedne, jedoch anonym gebliebene Verfasser haben. Ohne Datum des Druckes. Jedes dieser Bühnenstücke zerfällt in zwei Haupt-Abtheilungen, und eine gröfsere oder geringere Zahl von Scenen. Die Titel der einzelnen Stücke sind sehr mannigfaltig, z. B. die Päonie — der weifse Hase — der Ring von Jaspis — die beiden Perlen — der Goldspatz — die tausend Goldstücke — die beiden Keuschen u. s. w. Jedem Titel ist das Wort *Ki* beigefügt, das eigentlich so viel als *Memoire* bedeutet, und hier für dramatisirte Geschichte steht. Auch kann man diese Produkte, ob ihrer grofsen Ausdehnung, nicht wohl anders qualificiren.

C. Schöne Redekünste.

I.

廣東文獻

Kuàng-tūng-wēn-hiān.

[4 Bände. L. S. 376-79.]

Ein Pantheon aller Meister des Stils, welche die Provinz *Kuang-tung* hervorgebracht, nebst Proben ihrer Leistungen in Prosa und in Versen. Verfaſst von *Lo-yün-schan* aus der Stadt *Schün-te-hian*, der seinen litterarisch berühmten Provincial-Landsleuten ein patriotisches Denkmal setzen wollte. Neue Ausgabe vom Jahre 1815.

II.

王陽明全集

Wāng-yāng-mīng-tsʼiuān-tsĭ.

[4 Bände. L. S. 708-11.]

Der litterarische Nachlaſs eines vielseitigen schönen Geistes, den auch die Philosophen halb zu ihrer Gilde zählen können. *Wang-yang-ming* wurde 1472 geboren, und starb 1528. Er bekleidete der Reihe nach viele ehrenvolle Staats-Ämter, widmete sich aber in seinen späteren Jahren vorzugsweise dem Lehrfache und cultivirte allerlei Zweige der schönen Litteratur. Die vorliegende Sammlung redigirte 1673 Einer von seinen Mitbürgern, und 1680 erschien sie im Drucke. Den Inhalt bilden: Briefe — Elegante Ausarbeitungen — Lobreden — Epitaphien — Officielle Memoiren — Vermischte Gedichte — Empfehlende Vorreden zu Werken anderer Schriftsteller. Unter den Vorreden befindet sich auch Eine, welche bestimmt war, für die gesammelten Werke des *Siang-schan-sian-seng* (s. oben unter den Philosophen) ein günstiges Vorurtheil zu erwecken. Eine sehr ausführliche Biographie des Verf. eröffnet seine Werke.

III.

渭南文集

Wéi-nān-wēn-tsĭ.

[1 Band. L. S. 804.]

Ein kleines Fragment einer litterarischen Sammlung, die in ihrer Vollständigkeit sehr bedeutend sein muſs; denn das Fragment umfaſst Buch 47-50. Es enthält die letzten Abschnitte einer interessanten Reise in die Provinz *Sſe-tschuan,* und auſserdem noch lyrische Gedichte. Über den Verfasser weiſs ich keine Auskunft zu geben; denn die Worte *Wei-nan* (Süden des Flusses *Wei* in der Provinz *Schen-si*) bezeichnen vermuthlich nur seine Heimat.

IV.

Tondo unenggi Fan-gung-ni Wen-dsi bitche.

[1 Band. L. S. 32.]

Ein Buch in Mandschuischer Sprache, besonders schön gedruckt. Die Bedeutung des Titels ist: «Sammlung der rhetorischen Aufsätze des treuen *Kung's Fan.*» — Das Wort *Kung* bezeichnet bloſs die Würde des Verfassers, etwa wie unser Graf; doch steht es auch für Herr, Gentleman. (*) *Fan* ist Familien-Name. Der Verfasser,

(*) Die Mandschu verändern das Chines. *kung* in *gung,* und das Chines. *Wen-tsi* (litterarische Sammlung) in *Wen-dsi.* Es gehören diese Wörter zu denen, die man aus Faulheit nicht zu übersetzen pflegt.

ein geborner Mandschu, dessen vollständiger Chinesischer Name *Fan-tsching-mo* oder *Fan-lo-schan* war, lebte unter den ersten Kaisern der heutigen Dynastie, widmete sich dem Staatsdienste, und stieg, nachdem er die Würde eines Statthalters der Provinz *Tsche-kiang* mehrere Jahre lang ruhmvoll bekleidet hatte, zur Würde eines Vicekönigs von *Fu-kian*. In dieser Eigenschaft mufste er den Rebellen *Keng-tsching-tschung* bekämpfen, gerieth aber in dessen Gefangenschaft, und starb in derselben, erst 43 Jahr alt, einen schmachvollen Tod. Sechs Jahre später büfste *Keng-tsching-tschung* für alle seine Frevel. Den Inhalt des vorliegenden Nachlasses *Fan-tsching-mo's* bilden vornehmlich musterhaft stilisirte Vorstellungen an den kaiserlichen Hof, die Theils das Interesse der Provinz und anderen Theils eigne Umstände des Referenten betreffen. Die ersten 16 sind aus *Tsche-kiang*, die drei übrigen aus *Fu-kian* erlassen. Zum Schlusse folgt ein Memoire, das *Fan-kung* in seinem Kerker mit Kohle an die Wand schrieb, und welches die denkwürdigsten Ereignisse seines Lebens enthält. Eine vollständige Biographie von fremder Hand bildet die Einleitung des Werkes, das 1708, aus dem Chinesischen übersetzt, im Drucke erschien.

Heilkunde.

I.

張氏醫通

Tschāng-schí-yī-t'ūng.

[4 Bände. L. S. 692-95.]

Die ganze Heilkunde, von (dem berühmten Arzte) *Tschang-schi.* (*) Dieses Werk verfafste *Tschang-lu-yü* aus *Su-tscheu-fu* in *Kiang-nan,* und versah es noch im 79ten Lebensjahr (1695) mit einer Vorrede. Sein Sohn widmete das *Yi-t'ung* im Jahre 1705 dem Kaiser. Die Ausgabe der Bibliothek ist vom Jahre 1709. Es zerfällt in 16 Bücher, deren Inhalt im Allgemeinen folgender ist: Krankheiten und Beschädigungen durch Erkältung, Erhitzung, Feuchtigkeit, Trockenheit, Feuer, Speisen und Getränke u. s. w. — Luft-Krankheiten, Geschwülste, Congestionen — Erbrechen — Krankhaftes Blut — Parcielle Leiden und Schmerzen von mancherlei Art (Kopfschmerz, Rückenschmerz u. s. w.) — Lähmungen und Schlagflüsse — Gemüths-Krankheiten — Krankhafte Ausleerung oder Störung derselben — Übel der Sinn-Organe, Sprach- und Speise-Werkzeuge — Geschwüre und Aussatz — Weibliche Krankheiten — Kinder-Krankheiten.

Die letzten drei Bücher sind ganz mit therapeutischen Vorschriften und Recepten zu Pillen, Mixturen u. s. w. gegen alle in den ersten 16 Bb. besprochenen Krankheiten, Zufälle und Gebrechen angefüllt. *Tschang-schi* bringt auch viele

---

(*) D. h. dem Manne aus der Familie *T'ang.* Siehe oben (unter der Rubrik Philosophie) die Note zu *Hoang-schi.*

Beispiele von merkwürdigen Krankheits-Fällen und ihrer Behandlung, mit namentlicher Nennung der Patienten.

II.

東醫寶鑑

Tūng-yī-pào-kīan.

[5 Bände. L. S. 575-79.]

Kostbarer Spiegel der Ärzte im Osten (d. h. der Ärzte von *Korea*). Verfafst oder gesammelt von einem Ausländer, dem berühmten Arzte *Hiu-sun* aus dem Distrikte *Yang-p'ing-kiun* im Reiche *Korea*, der unter der Dynastie *Ming* lebte. Die vorliegende Ausgabe (vom Jahre 1766) bevorwortete ein gewisser *Fan-yü* aus der Chinesischen Provinz *Hu-kuang*, ein Mitglied der dortigen Provincial-Prüfungs-Commission. Der sehr zerstückelte Inhalt ist im Allgemeinen folgender: Vom Körper des Menschen überhaupt, seiner Entwicklung und seinen physiologischen Gesetzen und Erscheinungen — Von den einzelnen Principen des animalischen Lebens und den Functionen aller innern und äufsern Gliedmafsen, nebst Aufzählung der ihnen eigenthümlichen Übel und Behandlungs-Art derselben — Leidenschaften und Gemüthskrankheiten — Schädliche Einflüsse des Klima's, der Witterung und Tageszeiten — Erscheinungen des Pulses — Anwendung der verschiednen Arznei-Mittel, des Erbrechens, Schweifses u. s. w. Zusammen 9 Bücher.

7*

III.

馮氏錦囊秘録雜症

Fūng-schi-kìn-nāng-pí-lŏ-tsă-tschíng.

[3 Bände. L. S. 697-99.]

Wörtlich: «*Fung-schi's* (des Mannes von der Familie *Fung*) buntseidner Sack, (enthaltend) tiefsinnige Belehrung über die verschiedensten Krankheiten.» Ein Hauptwerk des berühmten Arztes *Fung-tsu-tschan* aus der Provinz *Tsche-kiang*, mit dessen eigner Vorrede vom Jahre 1694. Die vorliegende Ausgabe erschien 1702. Der Verf. sagt in seiner Vorrede, dafs er, seit er sich dem medicinischen Berufe gewidmet, alle vorhandenen Werke über die verschiedenartigsten Krankheiten, die Behandlungs-Art derselben und die Natur der Arznei-Mittel sorgsam geprüft und ausgezogen habe. Das Ergebnifs dieser vieljährigen Bemühungen ist vorliegendes Werk, das, wie viele ähnliche Sammlungen, in gewissem Betrachte eine medicinische Encyclopädie heifsen kann.

IV.

赤水玄珠

Tsch'ĭ-schùi-hiuān-tschū.

[10 Bände. 593-96.]

«Blaue Perlen im rothen Wasser.» Das Werk eines Arztes von der Sekte *Tao,* seines Namens *Sün-tung-su.* Herausgekommen im 24ten der Jahre *Wan-li* (1596). Die Einrichtung ist so ziemlich dieselbe, wie im *Tschang-schi-yi-t'ung.* Der letzte Abschnitt ist den Pocken gewidmet. Die Recepte sind jeder Krankheit, auf welche sie Anwendung finden, beigegeben. 30 Bücher.

V.

傷寒大成

Schāng-hān-tá-tschīng.

[1 Band. L. S. 340.]

Ein Werk über Natur, Diagnose und Behandlungs-Art der Erkältungs-Krankheiten, in zwei grofsen Abtheilungen, von denen die Erste mehr theoretisch ist. Von dem Arzte *Tschang-lu-yü* aus der Provinz *Kiang-nan*, dem Verfasser des *Yi-t'ung* (S. oben), dessen Vorrede das Jahr 1667 als Datum trägt.

VI.

傷寒舌鑑

Schāng-hān-jĕ-kiān.

[1 Band. L. S. 671.]

Untersuchung der Zunge bei Erkältungs-Krankheiten. Eine sehr ausführliche Anweisung zur Prüfung der Phänomene dieses Organs, wie z. B. seiner Farbe, Temperatur, Beschlagenheit, Flecken u. s. w., durch viele Holzschnitte, die lauter ausgestreckte Zungen darstellen, versinnlicht. Nebst Bemerkungen über die Stadien oder Modificationen einer Krankheit, auf welche man aus der Beschaffenheit der Zunge mit Gewifsheit oder Wahrscheinlichkeit schliefsen kann.

VII.

痘疹全集

Téu-tschìn-tsʻiuān-tsĭ.

[1 Band. L. S. 603.]

Über die Pocken und ihre Behandlung. Von *Fung-tsu-tschan*, dem Verf. des obgedachten *Kìn-nang-tsa-tsching*. Gedruckt im Jahre 1702.

VIII.

保嬰書

Pào-yīng-schū.

[1 Band. L. S. 614.]

Von Erhaltung der Säuglinge. Ein Büchlein über Kinder-Krankheiten. Ohne Datum und Vorrede.

IX.

達生篇

Tʻă-sēng-pʻiān.

[1 Heft. L. S. 779.]

Über Schwangerschaft und Entbindung. Nebst Regeln für Schwangere und Wöchnerinnen, und Heilmitteln gegen die Krankheiten und Unfälle, denen sie ausgesetzt sind. Gedruckt im Jahre 1826. Ohne Vorrede.

X.

本草必要

Pèn-ts'ào-pĭ-yáo.

[1 Band. L. S. 605.]

Das Nothwendigste aus der Naturbeschreibung. Verfasser des Werkchens ist ein Arzt, Namens *Wang-jin-ngan,* der in seinem 80ten Lebensjahr (1694) die vorliegende vermehrte Ausgabe besorgte. Das Buch zerfällt in 4 Kapitel, welche Medicamente für Krankheiten aller Art enthalten. Diese Medicamente folgen einander in der Ordnung der Natur-Erzeugnisse aller drei Reiche, von denen sie genommen werden. An der Spitze jedes Artikels steht das Bild des betreffenden Productes: dann folgen seine medicinischen Eigenschaften und ein Verzeichnifs der Krankheiten, in denen es nützliche Anwendung findet. Gelegentlich giebt der Verfasser auch Gründe an, warum ein Heilmittel dem andern vorzuziehen sei.

XI.

雷公藥性炮製

Lūi-kūng-yŏ-síng-p'āo-tschí.

[1 Band. L. S. 604.]

Ein Werkchen, das, wie schon sein Titel besagt, von der Natur und Zubereitung der Arznei-Mittel handelt. Sein Verfasser, der unter der ersten Dynastie *Sung* (im 5ten Jahrh.) lebte, war der Arzt *Lui-hiao,* auch *Lui-kung* (d. i. Herr *Lui*) genannt. Im Jahre 1714 wurde dieses Buch, das im Wesentlichen mit dem Vorhergehenden gleichen Inhalt hat, durch *Tschang-kuang-teu* wieder aufgelegt. Die Zubereitung der Medicamente ist Gegenstand eines Anhangs.

* * *

Die übrigen neu acquirirten medicinischen Werke von kleinerem Umfang sind:

XII. *Pèn-king* (L. S. 691.). Alle Naturwesen nach der hergebrachten Classification, mit Angabe ihres Gebrauchs in der Heilkunde. Von dem mehrmals angeführten Arzte *Tschang-lu-yü* im gleichen Jahre mit seinem *Yi-t'ung* edirt.

XIII. *Yŏ-sing-tschu-tschi* (L. S. 342.). Ein ganz ähnliches Werk von dem Verfasser des Buntseidnen Sackes, in 12 Kapiteln. Ohne Datum und Vorrede.

XIV. *Yi-ngán*. Eine Sammlung von Kranken-Geschichten, aus eigner Erfahrung des ungenannten Verfassers. 5 Kapitel (L. S. 686.).

XV. *Tschìn-tsung-san-méi*. Ohne Datum und Vorrede. Eine Theorie des Puls-Schlags. Wiederum von *Tschang-lu-yü*, dem Verf. des *Yi-t'ung* (L. S. 613.).

XVI. *T'ang-t'eu-ko* (L. S. 620.). Rythmisch abgefafste Anweisung oder Lehrgedicht zur Bereitung von Suppen und Mixturen für allerlei Krankheiten. Herausgegeben von dem 80jährigen Greise *Wan-ngan*. Gedruckt i. J. 1694.

XVII. *Yi-tschì*: «Medicinische Gutachten.» Ein Buch in drei Kapiteln, welches eine Auswahl physiologischer Dissertationen und Placita berühmter Ärzte, gleichsam eine Metaphysik der Medicin von dem naturphilosophischen Standpunkte der Chinesen, enthält. Der Verfasser ist *Sün-tung-su*, den wir schon unter No. II kennen gelernt haben. Das Buch erschien zuerst 1573 (L. S. 363.).

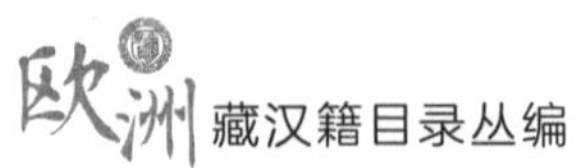

Jugendschriften.

I. *Yeu-hiŏ-kù-ssé-k'iung-lin:* Rubinen-Hain für die das Alterthum studierende Jugend. Eine Art Kinder-Encyclopädie, oder das Gemeinnützlichste aus den verschiednen Zweigen des Wissens, der kindlichen Fassungskraft anbequemt (L. S. 672.).

II. *Tung-yuan-tsă-tssé.* Ein Werk ähnlicher Art, mit vielen rohen Abbildungen. [illegible] Exemplare, jedes in 2 Heften (L. S. 747. 750. a-b. 754. 773. c-d.).

III. *Ts'ian-tssé-king:* Buch der tausend Charaktere. Tausend unter sich verschiedne Wörter, zu verständlichen rythmischen Sätzen von je vier Worten zusammengestellt. Ein litterarisches Kunststück, zum Besten der Jugend und solcher Ausländer, die auf möglichst unterhaltende Weise 1000 Charaktere lernen wollen. Zu Erleichterung des Gedächtnisses waltet eine bestimmte Reim-Endung (auf *ang*) durch das Ganze (L. S. 750. c.).

IV. Andere Edition dieses Büchleins. Weifse Charaktere auf steifem, schwarzem, nach Art der Buddhistischen Bücher gefaltetem Papiere (L. S. 744. a.).

V. Dritte Edition desselben mit Intercolumnar-Umschreibung der Charaktere in *Li*-Schrift (L. S. 772.).

VI. Vierte Edition desselben und Intercolumnar-Umschreibung der Charaktere in *Ts'ao*-Schrift (Gras-Schrift), ein sehr schwieriges Cursiv (L. S. 774.).

VII. *San-tssé-king* (das Dreiwörter-Buch): die bekannte Kinder-Encyclopädie in vierzeiligen Versen, von denen auf jede Zeile drei Wörter gehen. Zwei Exemplare (L. S. 793. b, und 864.). (*)

(*) Ein in Petersburg sehr schön lithographirter Text dieses Büch-

VIII. *Yeu-hiŏ-schi:* Verse zur Unterweisung junger Schüler (L. S. 788. a.).

IX. *Kuei-men-pĭ-tŏ:* Nothwendige Lektüre für Jungfrauen. Ein Büchlein, worin die heranreifende weibliche Jugend mit den Pflichten ihres Berufes rythmisch bekannt gemacht wird. 2 Hefte (L. S. 750. c-d.).

X. *Niù-öll-king:* Kanon für junge Mädchen (L. S. 793. a.).

XI. *Pĕ-kia-sing:* Hundert Familien-Namen. Eine Aufzählung der ältesten Familien-Namen der Chinesen, nebst Aussprache und Bedeutung derselben, und Angabe der ursprünglichen Wohnsitze jeder Familie (L. S. 788. b.).

XII. *Ts'ian-kia-schi-t'u-schu.* Ein Bilder-Büchlein, mit lehrreichen Erzählungen in Versen (L. S. 110.).

Strategie, Gymnastik, Ökonomie, Technik, Astrologie u. s. w.

I. *Hù-k'ian-king:* Kanon der Kriegskunst. Nur Buch 7-20. Da die ersten sechs Bücher fehlen, und der Name des Verfassers nicht, wie gewöhnlich, am Eingange jedes Buches steht, so kann ich über Datum und Verfasser keine Auskunft geben.

II. *Hiung-k'iuan-fă:* Regeln für den Faustkampf. Mit vielen Abbildungen. Zwei Exemplare, jedes zu 2 Heften (L. S. 765. 766.).

---

leins begleitet die Russische Übersetzung desselben von Pater Jakinth Bitschurin, welche 1829 erschienen ist.

III. *Keng-tschĭ-t'u:* Bildliche Darstellung des Akkerbaus und der Cultur der Seide. Mit vielen sehr guten Abbildungen und Erklärungen (L. S. 241. 733.). Zwei Ausgaben; die Erstere (241) ist eine Pracht-Ausgabe auf sehr dickem und weifsem Koreanischem Papier, gedruckt im Jahre 1699.

IV. *Kidi-tsſè-yuan-hoa-tschuan:* Maler-Schule, verlegt in der Bücherhalle *Kidi-tsſè-yuan* (Senfkörner-Garten). Mit vielen ganz und halb illuminirten Holzschnitten (L. S. 675.).

V. *Pi-tschin-t'u:* Bildliche Anweisung, den Pinsel zu führen (L. S. 752.).

VI. *Siang-k'i-kiŭ:* Anweisung zum Chinesischen Schachspiele. (*). Zwei Exemplare (L. S. 108. 794.).

VII. *Siuan-fă:* Rechenkunst (L. S. 144.).

VIII. *Siuan-fă-t'ung-schu:* Vollständiges System der Arithmetik (L. S. 729.).

IX. *Hoang-li.* Ein Chinesischer Staats-Kalender für das 7te der Jahre *Kia-k'ing* (vom dritten Februar 1802 bis zum 22ten Januar 1803). Eine Notiz über denselben findet man in Ideler's Zeitrechnung der Chinesen, S. 23-25 (L. S. 245.). — Ich übergehe ein halbes Dutzend von Provinzial-Kalendern (in Canton und *Fu-kian* edirt), in welchen das Astrologische Hauptsache ist.

X. *Pào-king-t'u:* Kostbarer Spiegel mit Bildern. Ein astrologisches Werkchen (L. S. 625.).

XI. *Schan-pŭ.* Anweisung zum Loosen, vermittelst der *Kua's* des Buches *Yi-king* (L. S. 654-55.).

XII. *Kuàng-yü-hia-ki.* Ebenfalls astrologisch. Von einem gewissen *Hiu-tschin-kiun.* Neu gedruckt im Jahre 1798 (L. S. 648.).

(*) Vgl. meinen Artikel: «Zur Etymologie des Schachspiels» (abgedruckt im Magazin des Auslands, Dezember-Heft 1835, No. 154).

XIII. *Tschin-tsſè-ts'ang-schu.* *Tschin-tsſe's* Buch von geheimniſsvollen Dingen. Ein astrologisches Werk in 12 Kapiteln, verfaſst von *Tschin-ying*, der dieses Buch zuerst im Jahre 1684 publicirte. Neu gedruckt im Jahre 1820 (L. S. 700.).

XIV. *Kian-mung-schu:* Traum-Buch (L. S. 751.).

XV. Katalog einer Chinesischen Bücherhalle, mit beigesetzten Preisen der Bücher (L. S. 782.).

Von Missionairen verfaſste und übersetzte Werke.

I. *Tung-si-sſè-ki-ho-hŏ:* Synchronistische Geschichte des Ostens und Westens (China's, des übrigen Asiens und Europa's). Tabellarisch zusammengestellt von dem Britischen Missionair Medhurst (L. S. 621.).

II. *Kù-kin-wán-kuĕ-kang-kian:* Kurzer Abriſs der allgemeinen Weltgeschichte. Von dem Deutschen Missionair Gützlaff (L. S. 858.).

III. *Ts'ă-schi-sŏ-mèi-yuĕ-t'ung-ki-tschuan:* Summarischer Monat-Bericht zur Kenntniſs der Sitten des Zeitalters. Die beiden ersten Kapitel des «Chinesischen Magazins», gedruckt in den Jahren 1815 und 1816 (L. S. 158. 159.).

IV. *Tung-si-yang-k'ào:* Erforschung des Ost- und West-Meeres. Eine von dem Missionair Gützlaff angefangene Monat-Schrift, worin er die wichtigsten politischen Ereignisse resumirt, geographische Notizen über Europäische Reiche giebt, nützliche Erfindungen bespricht, und überhaupt den Chinesen Europäische Cultur beizubringen sucht. 5 Hefte (L. S. 815.).

V. *Tĭ-siuàn-tsúi-yáo-mèi-yuĕ-ki-tschuan:* Monatlicher Bericht über eine Auswahl sehr nothwendiger Dinge. Batavisch-Chinesisches Magazin von Medhurst. 1 Heft (L. S. 224.).

VI. *Kù-kin-sching-sſé-ki:* Geschichte der Handlungen heiliger Personen älterer und neuerer Zeit. Eine biblische Geschichte, von dem Britischen Missionair Milne (L. S. 223.).

VII. *Yéu-hiŏ-tsiàn-kiài-wén-t'ă:* Leicht verständliche Belehrung der Jugend in Fragen und Antworten. Ein kleiner Katechismus für Kinder. Gedruckt im Jahre 1816 (L. S. 157.).

VIII. *Wén-t'ă-tsiàn-tschù:* Leicht faſsliche Belehrung in Fragen und Antworten. Ebenfalls ein Katechismus (L. S. 162.).

IX. *Ye-su-tschi-pào-hiun:* Die kostbaren Lehren Jesu. Ein Traktat von Gützlaff (L. S. 828.).

X. *Kuan-schi-yáo-yan:* Nothwendige Worte zu Ermunterung des Zeitalters. Von demselben (L. S. 832.).

XI. *Nian-tschung-mèi-jĭ-tsào-wàn-k'i-tào:* Morgen- und Abend-Gebete für alle Tage des Jahres. Von Morrison (L. S. 154.).

XII. *Ts'ung-tschin-schĭ-k'i-kià-hoàng:* Haltet die Wahrheit in Ehren und werfet die Lüge von Euch! Ein christlicher Sermon (L. S. 161.).

XIII. *Tsìn-siào-men:* Vom Eingehen in die kleine Pforte. Zwei Exemplare (L. S. 160. 789.).

XIV. *Sin-san-tsſé-king:* Das neue *San-tsſé-king.* Ein Büchlein, welches die Grundlehren des Christenthums in der Form des *San-tsſé-king* (Vgl. Jugendschriften) den Proselyten beibringt (L. S. 784.).

XV. *Taó-tschi-pèn-yuan:* Der Lehre Grundlage. Ähnlichen Inhalts (L. S. 789.).

XVI. *Ma-tsu-po-seng-jĭ:* Geburtstag der *Ma-tsu-po.* Warnung vor dem Cultus einer weiblichen Meer-Gottheit dieses Namens (L. S. 796.). (*)

XVII. *Schin-t'ian-wei-wu-sò-pŭ-tschi:* Es giebt Nichts, was Gott unbekannt wäre. 24 grofse, nur auf Einer Seite bedruckte Blätter, welche eben so viele Exemplare eines Sermones über Gottes Allwissenheit sind (L. S. 816.).

XVIII. *Kiài-tsúi-t'iao:* Von Vergebung der Sünden. Katechetische Fragmente, die Beichte betreffend (L. S. 814. 5 Blätter. Mfs.).

XIX. *Tschang-yuan-hoei-kiáo.* Religions-Gespräch zwischen zwei Freunden, *Tschang* und *Yuan,* von denen der Eine den Anderen zum Christenthum bekehrt (L. S. 771. 778). Zwei Exemplare.

XX. *Schéu-tsai:* Von Ertragung der Leiden (L. S. 769.).

XXI. *Schin-lì:* Von Gottes Eigenschaften (L. S. 789.).

XXII. *Táo-tĕ-hing-fă-yü-sin:* Vom Gedeihen der Lehre im Herzen (L. S. 736.).

XXIII. *Ling-hoen-kuan:* Von der menschlichen Seele (L. S. 738.).

XXIV. *Mei-lŏ:* Abwaschung des Unflats (L. S. 741.).

XXV. *Tschung-sching:* Glockentöne. Enthält Warnungen vor sinnlichen Ausschweifungen (L. S. 739.).

XXVI. Sermon über den biblischen Text: «das Auge des Herren ist überall» (L. S. 813.).

(*) Etwas Näheres über diesen schützenden Genius der Seefahrer (auch *T'ian-héu,* die Himmels-Königin, genannt) findet man in Morrison's Wurzel-Wörterbuch unter dem Zeichen *Héu* (Königin, S. 360), und in Gützlaff's «Ausführlichem Bericht u. s. w.» (Elberfeld, 1834) S. 51 ff.

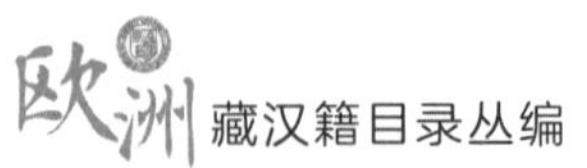

XXVII. *Tschung-hoa-tschu-hiung:* «Ihr meine Chinesischen Brüder etc.» (L. S. 396. 826.). Ein Sermon zur Empfehlung des Ehestandes. 2 Exemplare.

XXVIII. Erklärung der zehn Gebote, von Medhurst (L. S. 226.).

XXIX. Erklärung des Gebetes des Herren, von Milne (L. S. 221.).

XXX. *Sching-schi-schu:* Buch der heiligen Lieder. Die Psalmen, übersetzt von Morrison (L. S. 155.).

XXXI. Psalmen und Gebete der bischöflichen Kirche. Übersetzt von demselben (L. S. 227.).

XXXII. *Yàng-sin-schin-schi:* Herznährende heilige Lieder. Psalmen und Hymnen, nach prosaischen Übersetzungen Morrison's rythmisch bearbeitet von einigen Chinesischen Eingebornen (L. S. 156.).

XXXIII. *Sin-yi-tschdo-schu:* Buch des Neuen Bundes (L. S. 152.).

XXXIV. Ein defectives Exemplar des Neuen Testamentes (L. S. 153.).

XXXV. Neue Übersetzung des Neuen Testamentes auf Steindruck (L. S. 820-21.).

XXXVI. *Schin-t'ian-sching-schu:* Das heilige Buch Gottes. Vollständige Übersetzung der ganzen Bibel. Zuerst erschienen 1828. Wieder aufgelegt 1832. 20 starke Hefte (L. S. 836-56.).

XXXVII. Die ersten fünf Hefte einer Übersetzung des Neuen Testamentes in die Mandschu-Sprache, enthaltend: Marcus — Lucas — Briefe des Paulus — Apokalypse — Matthäus. Der Übersetzer ist Herr Stephan Lipowzow, Translator am Collegium der auswärtigen Angelegenheiten in Petersburg.

XXXVIII. *Schdng-ti-seng-jĭ-tschi-hiu:* Sermon am Geburtstage des Herren. Enthält eine Erklärung der Bergpredigt. Von Karl Gützlaff (L. S. 827.).

XXXIX. *Tù-pŭ-ming-lün-liŏ-kiàng.* Warnung vor dem Würfelspiel. Von demselben (L. S. 829.).

XL. *Sching-king-schĭ-yi:* Erklärung der Heiligen Schrift. Enthält Beweise für die Wahrheit der christlichen Religion. Von demselben. Gedruckt 1835. (L. S. 831.).

XLI. *Fŭ-yin-tschi-tschin-kuei:* Vorschriften des Evangeliums. Handelt von den Pflichten des Christen. Von demselben (L. S. 824.).

XLII. Die Evangelien des Matthäus, Marcus und Johannes, übersetzt von Gützlaff (L. S. 822. 823. 830.). Drei Hefte.

Karten und Pläne.

I. Chinesische Himmels-Karten auf zwei Bogen von enormer Länge, mit Erläuterungen (L. S. 21.).

II. Eine lange Rolle, welcher eine kleine, sauber illuminirte Karte der Provinz *Kuang-tung* (Canton), und ein Plan der Hauptstadt dieser Provinz (*Kuang-tscheu-fu*) aufgeklebt sind (L. S. 26.).

III. Eine Himmels-Karte und eine Karte unserer Hemisphäre, auf welcher das Chinesische Reich bei Weitem den gröfsten Raum einnimmt. (*) Beide auf Einer Rolle, die mit Karte und Plan von Canton in demselben Papp-Kasten liegt, und deshalb unter gleiche Bibliothek-Nummer gekommen ist (L. S. 26.).

IV. Ein grofser illuminirter Plan der Stadt *Pe-king* oder *Schün-t'ian-fu,* unter dem Titel: *Schèu-schén-*

(*) Über diese Karte sehe man Ritter's Asien (Band II, S. 396.).

ts'iuan-t'u, d. h. «Vollständige Karte des Höchsten Gutes (der vortrefflichsten Stadt)» (L. S. 246.).

V. Drei Rollen in Einem Papp-Kasten (L. S. 247, a-c.), bestehend aus:

a. Einem zweiten Exemplare der vorhin erwähnten Karte unserer Hemisphäre. Illuminirt.

b. Einem zweiten Exemplare des Planes der Stadt *Peking,* das nicht illuminirt, und hin und wieder mit kleinen handschriftlichen Noten in Russischer Sprache versehen ist.

c. Einem Exemplare des *San-ts'ai-yi-kuan-t'u,* d. h. Bildliche Darstellung oder bildliche Übersicht aller wissenswürdigsten Dinge (wörtlich: der drei Potenzen, d. h. Himmel, Erde, und Mensch). In dem Magazin des Auslandes (1834. Mai-Heft. No. 61.) habe ich dieses wunderliche kosmologisch-geographisch-historisch-moralische Potpourri unter der Überschrift «Chinesische Encyclopädie auf Einem Bogen» ausführlich charakterisirt.

Diese drei Rollen hatten früher einen Russischen Besitzer. Sie sind Geschenk des Freiherren Alexander von Humboldt.

Erste Zugabe.

S. 19. Die Staunton'sche Übersetzung des Criminal-Codex ist nicht vollständig: sie enthält nur die Grundgesetze (*liu*) und eine Auswahl der Ergänzungen oder besonderen Gesetze (*li*). Auch sind die in das Original aufgenommenen Rechts-Fälle gröfstentheils übergangen.

S. 36, Z. 11, v. O. Lies: Sanskrit- *oder* Pali-Originale.
——— 2, v. U. Lies: nach Art der Indischen Manuscripte.
——— 3, v. U. Statt «in Pappkapseln», l. «in pappenen Futteralen.»

S. 37. प्राज्ञा परामिता *prádjñá parámitá,* oder der Hinübergang *Prádjñá,* bei den Mongolischen Buddhisten *Belge bilik,* ist das aus der Abstraction hervortretende Göttliche, die Urweisheit, oder reine Ur-Natur, zu der alle Wesen vor ihrer Auflösung in das Abstracte sich verklären müssen. Dieses Abstracte bezeichnen die Buddhisten als das ächte oder gleichsam reale Nichts, im Gegensatze zur blofsen Leerheit in der Körperwelt, die nach Belieben auch ausgefüllt werden kann. Das reale Nichts ist und bleibt ewig unveränderlich, obschon es alle Wesen absorbirt. Es gleicht einem Spiegel, der unzählige Bilder in sich aufnehmen und reflectiren kann, ohne dafs eine Veränderung an ihm vorginge. *Tsing-t'ù-wen,* B. 10, Bl. 2 ff.

S. 39, Z. 5, v. U. Der Buddha *Amitábhá,* अमिताभा, ἀμέτρητον φάος, heifst Chinesisch *Wu-liáng-kuang-foĕ,* und Mongolisch *Tsaglaschi ügei gereltu.* Beides sind blofse Übersetzungen des Sanskrit-Wortes. In dem von ausgebreiteter Kenntnifs der Mongolischen Litteratur zeugenden Russischen Commentare zu seiner **Монгольская Хрестоматія** (Th. II, S. 316-19.) hat Kowalewski interessante Notizen über diesen Buddha und eine übersetzte Beschreibung seines verklärten Reiches gegeben, die mit den Schilderungen im *A-mi-ta-king* und im *Tsing-t'u-wen* fast wörtlich übereinstimmt.

S. 42, Z. 4 (Titel) ist für *ts'ing* (W. B. des P. Basil. 5065) zu lesen *tsing* (Ebd. 5053).

S. 43, Z. 10, ist für *hoèi* (W.B. 2864) zu lesen *ts'ân* (Ebd. 3150).

S. 47. *Awalôkita*, अवलोकित, ist Participial-Form von *awalôk*, अवलोक्, ab-lugen, herabschauen. Dieser Buddha ist der *Chongschim Bodhisatwa* der Mongolen. Eine ihn betreffende Mongolische Legende findet man bei Kowalewski a. a. O., T. II, S. 32-37.

S. 49, Z. 12, v. U. ist für sieben Mal zu lesen neun Mal!

S. 77, Z. 12, v. O. *Yè hoă* ist wohl besser zu übersetzen: «Was auf weitem Felde erjagt worden»; denn *yè* bedeutet ursprünglich und im gewöhnlichen Sprachgebrauche s. v. a. ausgedehnte Ebene, Felder, auch Wildnifs.

Zweite Zugabe.

Um von der Art, wie die Chinesischen Buddhisten die Dogmen ihres Glaubens gegen Zweifler in Schutz nehmen, einen Begriff zu geben, lassen wir hier noch unsere Übersetzung einiger Abschnitte des Buches *Tsing-t'u-wen* (vgl. S. 42.) folgen.

Kap. I. §. 3.

«Viele Menschen zweifeln an den Herrlichkeiten des Landes der Verklärung; diefs ist kein Wunder, denn sie sind auf das Zeugnifs ihrer Sinne beschränkt, und sagen deshalb: Was wir nicht mit Augen sehen, mufs eben so sein. Wer in einer armseligen Hütte wohnt, wie kann der wissen, dafs es glänzende Paläste giebt? wer in schlechtem Behälter seinen kärglichen Vorrath an Getraide birgt, wie kann der

8*

von grofsartigen Magazinen eine Vorstellung haben? Eben darum glauben die Bewohner dieser unvollkommenen Welt nicht, dafs es eine verklärte Buddha-Welt giebt. Weil sie in der Bärmutter entstehen, wissen sie nicht, dafs man dort aus Lotos-Blumen geboren wird; weil ihr Leben höchstens hundert Jahre dauert, wissen sie nicht, dafs man dort so viele Jahre lebt, als der Gangges Sandkörner in sich fafst. Weil die Freude hier stets eine Beimischung von Leid hat, ist es ihnen unbekannt, dafs es dort eine ganz ungetrübte Freude giebt. Man darf aber Buddha's Worten darum nicht mifstrauen, weil kein irdisches Auge sieht, was er verheifsen hat; denn Er, der jede Unwahrheit streng verbietet, wird gewifs nicht selber lügen, und die Menschen hintergehen. Wenn ein Mensch den Anderen betrügt, so thut er es entweder, um Vortheile zu erwerben, oder um Nachtheilen auszuweichen. Buddha bedarf Nichts von der Welt — was für Vortheile sollte er also erzielen? Für Ihn ist der Tod ein Schwert, das in leerem Raume geschwungen wird — welchem Nachtheil sollte er ausweichen müssen? Schon die besseren Menschen dieser Erde erlauben sich keinen Lug oder Trug — wie viel weniger wird Buddha Solches thun! Darum sagen ältere Weisen: «Wenn Buddha nicht Wahrheit redet, wer verdient alsdann Glauben?» Ein Fürst des Alterthums setzte einem redlichen Minister ein entehrendes Epitaph; aber der Blitz des Himmels traf den Stein. Buddha's Worte verwahrt man in herrlich geschmückten Kapseln, opfert ihnen duftende Blumen und beweist ihnen gröfsere Verehrung als den Genien des Himmels. Wären diese Worte falsch, so würden sie noch verdammungswürdiger sein, als jene Grabschrift; und doch sind elf Jahrhunderte verflossen, ohne dafs der Himmel seinen Blitz auf sie herabgeschleudert hätte!»

Ebds. §. 7.

«Mancher zweifelt darum an dem Lande der Verklärung, weil er nicht an die Wirkungen früherer Ursachen glaubt. (*) Die *Sûtra's* der heiligen Lehre sagen: «Willst Du die Ursachen eines früheren Daseins ergründen (erfahren, was Du in einem früheren Leben gethan), so merke auf Das, was Dir im jetzigen Dasein widerfährt. Willst Du die Wirkungen eines künftigen Daseins kennen lernen, so beobachte, was Du in diesem Leben thust.» Glaubt ihr nicht an diese Worte, so schauet nur, was vor eueren Augen geschieht. Es giebt Reiche und Arme, Vornehme und Niedrige, Frohe und Traurige, Geplagte und Geniefsende, Menschen von kurzer und Andere von langer Lebensdauer — Glück und Unglück sind sehr mannigfaltig, und sehr verschieden ausgetheilt. Freilich nennt man diefs den Rathschlufs des Himmels; sollte aber der Himmel gegen die Wesen ungerecht sein? Das Wahre von der Sache ist, dafs die Menschen (und die beseelten Wesen überhaupt) in diesem Leben ungleiche Vergeltung empfangen, weil die Handlungen ihres früheren Lebens nicht gleicher Art gewesen sind. Der Himmel verfügt also keineswegs nach Willkühr; er übernimmt nur das Richter-Amt. Darum heifst dieser irdische Leib ein Leib der Vergeltung; es wird mir hienieden vergolten, was ich im vorigen Dasein gethan. Der Mensch empfängt Glück oder Unglück, je nachdem er in seinem vorigen Leben Gutes oder Böses voll-

(*) D. h. an die nothwendige Vergeltung für die Handlungen eines früheren Daseins in einem späteren. Durch den ganzen Kreislauf der Geburten in der materiellen Welt schlingt sich eine ununterbrochene Kette solcher Ursachen und Wirkungen, in welchen der Buddhist die rechte Deutung aller Mifsklänge unseres irdischen Daseins findet.

bracht hat. Weil er aber im Guten nicht vollkommen war, so ist auch sein irdisches Glück unvollkommen. Daher giebt es Reiche und Vornehme, die viele Leiden haben und bald sterben müssen; Arme und Niedrige, die lange leben, und manche Freude geniefsen. Die Vergeltung folgt der That, wie der Schatten dem Körper, wie der Wiederhall dem Rufe. Darum sagt man: Wer edle Früchte säet, der ärndtet edle Früchte — und wiederum: Wer Hanf säet, kann nicht Erbsen ärndten. Wie aber einer geringen Saat schon reiche Ärndte folgt, so ist auch die Vergeltung (des Guten und des Bösen) grofs, wenn gleich die Handlung klein war. Glaubst Du an diese ewige Nothwendigkeit, so darfst Du auch nicht an dem Lande der Verklärung zweifeln; denn Buddha, der keine Unwahrheit sagt, hat Beides verkündet.»

Ebds. §. 8.

«Die Menschen sehen, dafs Gutes und Böses vor ihren Augen geschieht, ohne vergolten zu werden; darum zweifeln sie an den Wirkungen früherer Ursachen, und somit auch an dem verklärten Lande. Sie bedenken aber nicht, dafs Gutes und Böses darum keinesweges unvergolten bleiben, weil die Vergeltung nicht vor ihren Augen erfolgt. Es giebt eine frühe und eine späte Vergeltung. Buddha sagte einmal zu seinem Schüler Ananda: «Mancher, der in diesem Leben Gutes gethan, kommt jenseits an den Ort der Qualen; und Mancher wird unter den himmlischen Genien wiedergeboren, obschon er hienieden Böses gethan hat.» — A. fragte: «wie so das?» — Buddha sprach: «Wenn Jemand hier Gutes thut, und doch in die Hölle wandert, so ist das Gute seines Lebens hienieden noch nicht reif, wohl aber das Böse, so er im vorigen Leben gethan. Wenn Jemand hier Böses thut, und doch in die himmlischen Regionen eingeht, so ist das Böse seines diesseitigen Lebens noch nicht reif, wohl aber das Gute seines vorigen Daseins. (*) Vor der Reife seiner Thaten Vergeltung erlangen, wäre so viel als vor dem Termine zahlen.» . . . . . .

Kap. III. §. 3.

«Der Mensch stirbt eigentlich nie: der Begriff Sterben findet nur auf seinen Körper Anwendung. Weil die Seele kommt und hienieden eine Behausung nimmt, so entsteht ein Körper: diefs nennt man Dasein erhalten. Weil die Seele nach einiger Zeit wieder scheidet, zerfällt der Körper: dieses nennt man Tod oder Aufhören des Daseins. Die Seele ist mein Ich; der Körper nur meine Behausung. Ich komme und ziehe wieder ab; ich entstehe also nicht hier auf Erden, sondern ich trete nur in einen entstehenden und vergänglichen Körper. Eben so ist das Sterben eigentlich kein Sterben, weil nur der Körper zu Grunde geht. Die Menschen dieser Welt wissen aber von ihrer Seele nichts, weil sie nur Körper sehen können; darum lieben sie das, was bei ihnen Leben, und hassen das, was bei ihnen Tod heifst. Verdienen sie nicht tiefes Mitleid? — Wenn aber die Seele kommt, warum kommt sie? Sie folgt den Wirkungen ihrer Thaten; wenn sie geht, warum geht sie? Sie folgt den Wirkungen ihrer Thaten. Waren diese Thaten

---

(*) Ich mufs hier bemerken, dafs nach der Lehre Buddha's weder Belohnung noch Strafe ewig dauert. Jede Vergeltung im materiellen Sinne des Wortes währt nur eine kürzere oder längere Periode; und es ist nichts ewig als das endliche Ziel aller beseelten Wesen, das abstracte Ursein (reale Nichts. S. kurz vorher.), in welches man aber nicht eher eingehen kann, bis man (nach unzähligen Weltaltern) zum vollendeten Buddha sich verklärt hat. Der Himmel selbst gehört zu der vergänglichen Welt, und seine Bewohner, die Genien (worunter auch die Gottheiten der Brahma-Lehre), müssen der Natur eben so gut ihren Zoll entrichten, wie das niedrigste organische Wesen.

irdischer Art, so wird sie unter den Menschen wiedergeboren; waren sie himmlischer Art; so kommt sie unter den Genien ins Dasein. Hat sie Handlungen verübt, die zu einer Wiedergeburt in den Reichen der Dämonen, der Thiere oder der Höllengeschöpfe würdig machen; so wird sie in eine dieser Regionen verwiesen. In jedem dieser Zustände verweilt sie aber nur so lange, bis die Vergeltung vollständig ist (d.h. keine Vergeltung ist von ewiger Dauer). — Sollen wir also über die Handlungen unseres gegenwärtigen Lebens nicht sorglich wachen? Um aber mit Einem Male von der Seelenwanderung erlöst und allem Jammer entrückt zu werden, ist kein Mittel so wirksam, wie die Bewerbung um Eintritt in das verklärte Reich des Amita-Buddha.» (*)

(*) Diese Bewerbung besteht weniger in Werken als in täglichem. brünstigem, mit festestem und freudigstem Glauben verbundenen Gebete zu Amita-Buddha. — Ich beabsichtige, von dem *Tsing-t'u-wen* eine vollständige Übersetzung zu liefern und zwar mit Anmerkungen, worin der Buddhismus, so wie er in China sich gestaltet hat, beleuchtet werden soll.

Catalogue des Livres Imprimés, des Manuscrits et des Ouvrages Chinois, Tartares, Japonais, etc., Composant la Bibliothèque de Feu M. Klaproth.

已故克拉普罗特先生藏中满日文书目

CATALOGUE

DES

LIVRES IMPRIMÉS,

DES MANUSCRITS

ET DES OUVRAGES CHINOIS,

TARTARES, JAPONAIS, ETC.,

COMPOSANT LA BIBLIOTHÈQUE

DE FEU M. KLAPROTH.

PRIX : 4 fr.

PARIS,

R. MERLIN, LIBRAIRE, QUAI DES AUGUSTINS, Nº 7.

—

1839.

NOTICE PRÉLIMINAIRE.

Peu de bibliothèques particulières ont mérité la célébrité qui est acquise à celle de M. Klaproth; aucune n'a été formée avec des soins plus constants ni au prix de plus de sacrifices; aucune n'a servi à de plus fructueuses études et n'a vu naître de plus nombreux comme de plus intéressants travaux. Presque tous les livres en sont rares; et, chose remarquable, ils ont moins de prix encore par leur rareté, que par le mérite et l'utilité qui les ont fait rechercher.

Toute cette seconde partie, qui est la seule dont je doive m'occuper, se recommande surtout par les trois qualités que je viens de signaler : le mérite, l'utilité, la rareté des ouvrages qui la composent. Et comme c'est la première fois qu'une collection aussi considérable de livres de ce genre est offerte aux enchères, j'ai pensé que ma tâche ne devait pas se borner, ainsi que dans un catalogue ordinaire, à transcrire et à traduire des titres, quelquefois inintelligibles, souvent insignifiants pour la plupart de ceux qui les liraient; il m'a semblé qu'il ne serait pas hors de propos d'y joindre quelques lignes sur la nature, le but et l'importance des compositions principales; sur les auteurs à qui on les doit; sur l'époque, et, autant que possible, sur les circonstances où ceux-ci ont écrit. De cette manière, les personnes qui, dans un intérêt d'études spéciales, s'appliquent à réunir tout ce qui a été publié dans chaque pays sur le sujet favori de leurs veilles; celles qui, par goût ou par état, recherchent les curiosités typographiques ou les raretés littéraires, pourront se déterminer dans leur choix avec autant de connaissance et de certitude que les amateurs de la littérature chinoise eux-mêmes.

Le cadre ne permettait pas de s'étendre davantage, et, quelqu'étroites qu'elles fussent, j'ai dû respecter les limites de diverses natures qui s'opposaient à ce que je donnasse plus d'importance à ce travail. Envisagé sous un point de vue plus élevé, il entraînait à des développements considérables, tels qu'en exige tout sujet nouveau; car c'est ainsi qu'il faut considérer l'histoire de la littérature chinoise. Parmi tant de travaux dont le peuple qui la cultive a été l'occasion ou l'objet, on regrette de trouver si peu de tentatives destinées à nous la faire connaître; et cependant elle a, depuis trois mille ans, traversé des époques de progrès et de décadence aussi intéressantes à suivre dans leurs alternatives, à étudier dans leurs résultats, qu'il est curieux d'en rechercher les causes et d'en observer les effets.

Je ne pouvais avoir la prétention d'offrir ici rien de semblable; seulement M. Klaproth étant parvenu à rassembler, pour ainsi dire, dans toutes les branches de connaissances, des ouvrages appartenant aux écrivains les plus marquants de chacun des principaux siècles littéraires de la Chine, il m'a paru que le catalogue de cette partie de sa Bibliothèque, tout en le réduisant à ce qu'il devait être, pouvait devenir encore un travail bibliographique qui ne serait pas indigne de quelque intérêt.

Ce catalogue se compose de livres chinois, tartares et japonais, et de manuscrits rédigés par des Européens, et offrant, soit des traductions de textes originaux, soit des travaux de philologie et d'érudition relatifs aux peuples de l'Asie orientale.

Les livres chinois forment la première et la plus nombreuse de ces quatre séries. La plupart sont bien choisis, et il y en a quelques-uns de fort rares. Je signalerai particulièrement, après la collection complète des livres canoniques, cette suite de philosophes qui ont continué Lao tseu et illustré le siècle des Tcheou, où commence à proprement parler l'histoire de la littérature chinoise; puis quelques traités précieux pour l'intelligence du Bouddhisme, et notamment cette célèbre *somme théologique*, connue sous le nom de *Vocabulaire pentaglotte*. J'indiquerai encore, outre les principaux historiens, ces grands corps d'annales publiés par des commissions officielles qui sont comme autant d'académies; les descriptions géographiques les plus détaillées et les plus complètes, non seulement de la Chine, mais des contrées étrangères, et l'atlas des changements que la succession des dynasties a apportés, soit dans l'extension de l'empire, soit dans la circonscription des provinces. Enfin on y remarquera surtout cette réunion des plus célèbres dictionnaires tant anciens que modernes, quelques poëtes, les meilleurs romans, des répertoires pour l'explication des monuments antiques, ainsi que ces recueils d'érudition et ces encyclopédies qui sont à la fois le résumé de toute la littérature des Chinois, et le miroir où les habitudes de ce peuple de lettrés, la sagacité de leur esprit, la méthode de leurs idées, la progression de leurs connaissances, viennent se reproduire, forme et couleur, avec le plus de fidélité.

A eux seuls, ces ouvrages composeraient une bibliothèque aussi remarquable par le nombre que par la variété. Toutes les parties du savoir humain y sont représentées : en littérature, en philosophie, en histoire, on peut y suivre les dégradations du style depuis les *Kings* et les ouvrages de *Sse ma thsian*, jusqu'aux compositions élégantes de *Tchou hi* et des lettrés de la dynastie des Soung, au XIIIe siècle. Dans les sciences, en philosophie, en érudition, les principaux travaux appartiennent à des temps plus rapprochés ; particulièrement à cette époque où des empereurs tartares, jaloux de ne pas se montrer moins philosophes que les souverains dont ils avaient renversé le trône, donnèrent aux lettres chinoises une vie nouvelle en ordonnant et encourageant des travaux auxquels ils ne dédaignèrent pas eux-mêmes de prendre part. Epoque aussi ingénieuse que riche en moyens, aussi féconde que brillante en résultats, à laquelle on doit ces grandes collections historiques, littéraires, encyclopédiques, dont le nombre presque hyperbolique de volumes excite l'étonnement et l'admiration de ceux auxquels, à cet égard, le doute n'est pas permis ou dont l'incrédulité a pu être convaincue.

Les Tartares, tels que les Mandchous et les Mongols, plus adonnés à l'exercice des armes qu'a la culture des lettres, possèdent beaucoup moins de livres que les Chinois, et leur littérature, toute d'emprunt, est presque entièrement dépourvue de compositions originales. Cette cause, qui, sous un certain point de vue, peut ôter de l'intérêt à l'étude de leur langue, à un autre égard doit ajouter à son utilité. Ainsi, par exemple, les versions mandchoues, plutôt calquées sur les originaux chinois que faites d'après eux, offrent des moyens d'analyse et d'interprétation sans lesquels il faudrait renoncer souvent à la parfaite intelligence de quelques auteurs qui sont aussi riches d'idées qu'avares de mots. Mais ces ouvrages, qu'il faut tirer du centre de la Chine, ne parviennent que difficilement en Europe, où ils sont d'une extrême rareté. Pendant son voyage en Tartarie, M. Klaproth a pu en réunir un assez grand nombre, parmi lesquels il faut citer des versions de presque tous les *Kings* tant du premier que du second ordre; des instructions politiques et morales, dont quelques-unes ont le mérite d'être originales; la traduction du plus célèbre recueil d'annales, et une histoire abrégée de l'empire jusqu'au temps même de la nouvelle dynastie.

Les volumes qui contiennent l'histoire des *Liao*, des *Niu tchi* et des *Youan* ou Mongols, doivent fixer l'attention, à part même la beauté de leur exécution; et il faut en dire autant du manuscrit qui renferme l'histoire des Kalkas. Celui-ci retrace les faits d'une peuplade célèbré qui habite le théâtre même des premiers exploits de Tchinghis-Khan; dans les deux autres sont racontées les conquêtes de trois tribus puissantes qui firent successivement passer sous leur domination tous les peuples de la Tartarie, la Chine elle-même et menacèrent l'Asie d'un envahissement universel.

Enfin, cette seconde série n'est pas moins riche que la précédente en lexiques et vocabulaires. Elle contient les principaux ouvrages élémentaires nécessaires à l'étude du mandchou, tous les traités grammaticaux désirables, deux poëmes tombés du *céleste* pinceau de Khang hi et de Khian loung, et la traduction de l'étrange roman intitulé : *King ping meï;* traduction non moins fameuse que l'original et tout aussi recherchée, à cause tant du nom de son auteur que des circonstances indépendamment desquelles elle a vu le jour.

Les ouvrages japonais forment la troisième catégorie. La langue dans laquelle ils sont écrits a été jusqu'à présent, parmi nous, une des moins connues et des moins cultivées de toutes celles de l'Asie orientale. Son caractère bien prononcé d'originalité, la civilisation avancée du peuple qui la parle, le phénomène de sa formation, étaient cependant des titres suffisants pour attirer l'attention sur cet idiome, presque aussi riche que le chinois en monuments littéraires et non moins curieux à étudier sous le rapport philosophique. Mais d'un côté le petit nombre et l'imperfection des secours élémentaires, de l'autre le peu d'ouvrages japonais qui existent dans nos bibliothèques et la difficulté de s'en procurer, ont rebuté le zèle, arrêté les efforts, empêché les progrès de ceux qui avaient dirigé leurs recherches vers ce point. La nation japonaise, que son caractère fier et soupçonneux, mieux encore que sa position au milieu de mers dangereuses, garantit des atteintes du dehors, a, comme on sait, volontairement renoncé à presque toute relation extérieure et fermé ses ports aux étrangers. La seule exception qu'elle souffre encore, en faveur des Hollandais, est entourée de tant d'entraves, soumise à une jurisprudence si barbare, qu'il est presque impossible à ceux qui en jouissent d'en tirer parti au profit de la science. Mais il faut dire aussi que, lors même que la surveillance dont ils sont l'objet serait moins rigoureuse et moins active, bien peu tenteraient de s'y soustraire pour chercher à recueillir des renseignements sur tout ce qui mérite d'être observé dans cet empire. Leur but, en effet, n'est pas précisément d'augmenter nos collections ou d'ajouter à notre savoir; ce n'est pas nos musées qu'il s'agit d'enrichir, et ils n'ont point à faire preuve de courage et de désintéressement pour cela. A peine, depuis Kœmpfer, peut-on citer trois voyageurs qui soient venus au Japon avec des intentions scientifiques et des goûts littéraires, et qui aient entrepris d'y former d'autres relations que celles qu'on entretient avec des facteurs ou des subrécargues. Ces trois voyageurs sont Thunberg, Titsingh et M. le Dr Siebold. Le premier n'y est resté que dix-huit mois; les deux autres y ont séjourné des années, mais le dernier seul, à l'activité qui lui est naturelle et que stimulait encore son amour pour la science, le dernier joignait des connaissances positives qui manquaient à M. Titsingh. Aussi M. Siebold a su rendre ses efforts plus fructueux qu'aucun de ceux qu'on eût encore tentés, en les dirigeant mieux. Il est vrai qu'il a risqué sa vie pour conserver les trésors qu'il n'avait acquis qu'en compromettant sa liberté, et malheureusement les rigueurs qu'il a si courageusement réussi à tromper en ont provoqué de plus grandes; les ordres sont plus rigoureux, la vigilance est plus active que jamais, en sorte qu'il est à craindre que nous ne puissions de longtemps voir s'accroître nos ressources pour l'étude de la langue et de la littérature, de l'histoire et des institutions japonaises. M. Klaproth possédait quelques-uns des principaux ouvrages nécessaires à cette étude, entre autres plusieurs lexiques et surtout le grand dictionnaire en 12 volumes; des manuels de différents genres, des encyclopédies élémentaires, des ouvrages historiques, et un assez grand nombre de cartes et de plans, sorte de documents qu'il est le plus difficile de se procurer.

Après les ouvrages japonais, et en dernier lieu, viennent un assez grand nombre de manuscrits, rédigés par des Européens, sur divers points d'histoire et de littérature ayant les peuples de la haute Asie pour objet. On comprend qu'il est impossible, parmi des ouvrages de cette nature, d'indiquer quel est le plus rare ou quel peut être le plus utile. Aucun n'est remarquable ni par son antiquité ni par la magnificence de son exécution, mais tous se recommandent également, soit par le nom des auteurs dont ils contiennent les travaux, soit par le défaut de toute publication analogue. Ainsi, ce sont d'abord les essais d'interprétation du P. Fouquet sur le fameux traité philosophique de la Raison et de la Vertu, qu'on a jusqu'à présent, en Europe, vainement essayé de traduire; ce sont des notes et observations recueillies par Muller pendant les dix années qu'il passa à parcourir la Tartarie avec Gmelin et Delisle; ce sont plusieurs des manuscrits de M. Titsingh, et les travaux de Jæhrig, qui accompagna Pallas dans ses voyages en qualité d'interprète; ce sont encore des dictionnaires chinois, mandchous, mongols, japonais; un vocabulaire et une grammaire *Chincheo;* la géographie mandchou-mongole de Bayer, etc., etc.

J'ai réuni dans cette série tout ce que M. Klaproth a laissé de manuscrits, de notes et de matériaux pour des travaux commencés ou projetés. La notice sur les peuples tributaires de la Chine, les extraits servant de supplément à la Géographie impériale, le recueil polyglotte des noms des contrées à l'occident de l'empire, la collection de cartes calquées sur les originaux chinois, différents essais relatifs à la géographie de l'Asie orientale, pourraient, sauf de légères révisions, être livrés au public soit en totalité, soit partiellement, et serviraient bien certainement à faciliter des études ou à compléter des recherches analogues. Son *Marco-Polo* est presque achevé, et on possède les éléments les plus précieux pour la composition d'un nouveau *Mithridates*. Enfin, parmi les dictionnaires chinois, tartares, japonais, copiés de sa main ou rédigés par lui, il s'en trouve plusieurs qui tendent à la solution d'un problème dont on s'est fort occupé, et qui consiste à réunir, dans un format commode, tout ce qui est nécessaire aux Européens pour l'intelligence de la langue chinoise.

Avant de terminer, je dois dire un mot de la classification que j'ai adoptée pour ce Catalogue, car je ne voudrais pas qu'on pût croire qu'elle n'est qu'arbitraire. J'ai suivi la méthode chinoise, à quelques modifications près, auxquelles j'ai été forcé, dans quelques occasions, par l'absence totale ou par le trop petit nombre d'écrits sur certaines matières; dans d'autres, par suite de l'introduction de livres et d'idées appartenant à l'Europe, au milieu d'une bibliothèque venue des extrémités de l'Asie. Dans tous les cas, je me suis rapproché autantque possible du système que je ne pouvais pas admettre entièrement.

J'ai catalogué à part et à leur rang les traités sur des matières différentes qui se trouvaient reliés dans un même volume, en les distinguant par une † ou deux ††, et en renvoyant au recueil dont ils font partie. Ceux-ci sont désignés par une des lettres A—H, et forment la dernière division du Catalogue.

Quant aux titres des ouvrages, je ne me suis, en général, astreint à les traduire d'une manière rigoureusement littéraleque lorsqu'ils présentaient un sens suffisamment clair; pour ceux qui par des allusions ou leur rédaction métaphorique nécessitaient de trop longs développements, je me suis contenté d'en indiquer la signification et le sujet. Je n'y ai été forcé, d'ailleurs, que dans un très-petit nombre de cas, et j'ai rendu compte de ces difficultés toutes les fois qu'elles se sont offertes; car tel est aussi le but des Notices que j'ai ajoutées à chaque article. Toutes les indications que contiennent ces Notices ont été puisées aux meilleures sources ; la plupart sont tirées des livres mêmes que j'avais à faire connaître, ou du moins des préfaces dont ils sont ordinairement accompagnés, et où l'on trouve tous les renseignements de bibliographie désirables. Mais, je le répète, j'ai restreint ceux-ci à ce qu'ils avaient de véritablement essentiel, pour ne point faire mon objet principal d'une considération purement accessoire, et, tels qu'ils sont, j'ose espérer qu'ils pourront donner à ce Catalogue un intérêt qui ne sera pas borné à l'usage pour lequel il a été rédigé.

C. LANDRESSE.

前　言

几乎没有专门的藏书库能够赢得像克拉普罗特先生藏书一样的名声，没有人能够比他投入更持续的关注，比他为建设藏书库做出更大的牺牲，也没有藏书能够用于更富有成效的研究，产生更具价值的成果。几乎所有的书籍都很稀有；而且最重要的是，这一藏书的价值不是体现在稀有程度上，而是表现在研究和使用价值上。

在我负责整理的这第二部分中，我会着重介绍刚才提到的构成此藏书的三个特质：价值、效用以及稀有程度。由于第一次拍卖数量如此巨大的藏书，所以我认为我的工作不能像对待普通藏书目录那样局限在誊抄和翻译标题上，对于将要阅读这些藏书的大多数人来说，如果仅仅提供书籍的标题有时是难以理解甚至是毫无意义的。我认为，仅添加几行关于书籍的主要构成、写作目的和重要性的文字是不恰当的，还应当尽可能地还原当时成书的情况。通过这种方式，在书籍收藏方面有特别研究的人们致力于收藏每个国家的出版物；那些根据偏好或国家搜罗稀有印刷品或文本的人，将从中了解并确定他们的选择，对于中国文献的爱好者也是如此。

现有框架不允许我作更多的扩展，然而我必须尊重各种性质的限制，正是这些限制让我更加重视这项工作。从更高的角度考虑，这项工作可以带来很多研究进展以及新的课题，因为通过这些藏书学者们的研究必须要考虑到中国文学的历史。很遗憾，其中许多文献的成书情况我们已不得而知，并且在三千多年的历史中，这些文献在经历了进步抑或倒退的时代之后也发生了些有趣的变化，我们可以探求导致这些变化的原因并观察其所带来的影响。

我无法提供出任何与克拉普罗特先生藏书类似的东西，可以这样说，在所有的知识类目下，克拉普罗特先生的藏书涵盖了历代中国文学中最杰出作家的精美作品。为他所收藏的这部分书籍编制目录，虽然不能体现其整个藏书规模，但仍不是一项不需要被任何利益所驱使的工作。

该目录包含了汉语、鞑靼语、日语书籍和欧洲人整理的抄本，其内容涵盖了原始文献译本、文献学原作以及与东亚人有关的知识。

汉籍是这四个部分中的第一个也是最大的一个部分。大多数均经过精心挑选，且有一些非常罕见。在儒家经典之后，我会着重描述继老子之后的周代诸子，这里便会涉及中国文学史的情况；然后我会介绍一些珍贵的佛经，特别是被称为vocabulaire pentaglotte的《神学总论》。在主要的历史学家之外，我还会介绍许多官方出版的年鉴，极具学术价值；还有中国及周边国家地区的详细、完整的地理描述以及随着朝代更迭而变化的地理图集。涵盖了帝国内部的各省、各地区及新扩张的地区。最后我们还会展示所收集的古今辞典、诗集、精致的小说集、一些解读文物的汇编集和一些包罗万象的类书。这些书籍既是整个中国文献的总体面貌，又鲜活地反映了中国文人礼俗、智慧、观念和学识生成过程。

就数量和种类而言，仅这些书就可以构成一个出色的图书馆。人文知识的所有部分均在此有所体现：文学、哲学、历史，我们从中可以看到儒学崩坏的过程、司马迁的著作，一直到宋代以朱熹为代表的学者重新构建这一富有智慧的思想体系。越靠近我们所处的时代，越会出现科学、哲学方面的博学作品；特别是在鞑靼皇帝们统治的时代，他们希望有越来越少的哲学家，这样就可以稳固他们的皇权宝座，所以他们改造中国文人，命令和鼓励他们去做一些之前文人所轻视的工作。在那个写作巧妙且丰富的时代，留下了丰硕且辉煌的成果，那些历史、文学、百科类藏书的宏大规模、令人咋舌的书卷数量，不禁让人惊奇和赞叹。对此人们无需质疑，这些藏书足以说明一切。

像满族和蒙古族这样的鞑靼人，他们将更多的精力放在武器的使用而非文化上，所以他们拥有的书籍比汉族人少得多，而且他们的文学少有原创的内容。从某种角度来看，人们可能会因此削减学习鞑靼人语言的兴趣，所以从另一方面，应该增加这种语言的功用。比如，以汉语原创书籍为底本的满语作品，提供给我们一种对原作的分析解释方法，没有这项工作的话我们可能会忽略一些饱含作者智慧的只言片语。但这些从中国腹地搜集到的作品在欧洲极难寻觅，极为稀有。克拉普罗特先生在鞑靼地区游历时收集了大量书籍，包括儒家经典、有关政治和道德训令的原本、最著名的编年史译本以及直到新王朝的帝国简史。

那些精美制作的包含辽、女真以及元或蒙古的历史书籍都应该受到重视。还有喀尔喀斯（Kalkas）历史的手稿，可以追溯考证那些现在居住在成吉思汗曾经立下功勋的地区的游牧民族事迹。其他两本史书讲述的是三个强大部落相继统治鞑靼地区并最终统治了整个中国的过程，威胁了整个亚洲。第二部分在辞典和词汇方面的丰富性不比第一个部分差，包含了一些研究满语的基础著作、语法论著、两本从康熙和乾隆的御作中选摘的诗集和一本题为《金瓶梅》的奇异小说及其满文翻译。满文译本因原作而有名，且非常稀有难寻。

日本书籍构成该目录的第三部分。迄今为止，日语是东亚所有语言中最不出名且我们研究人数最少的一门语言。但它所具有独特性、文明的先进性以及形成现象都能引起人们对这门语言的兴趣。这些作品几乎可以与古代中国文学相媲美，其中也同样不乏有趣的哲学研究。一方面，基本研究资料少且不完善，另一方面，我们图书馆现存日语书籍很少并且采购比较困难，这让意欲研究日语著作的学者踟蹰不前，失去了热情。日本人这一民族，其性格骄傲且多疑，加之处于危险海域，为了防止外部攻击，主动切断了几乎所有的外部联系，并且关闭了向外国人开放的港口。唯一的例外是荷兰人，闭关锁国的日本遵从一种低级的法律条规，这种法律对于出于科学目的来到这里的外国人来说饱受折磨。但我们也必须要说，虽然对这一主题的研究鲜有人涉及，但还是有人会尽量收集日本值得研究的信息。这些人的目的不是为了收藏或猎奇，亦非关乎丰富我们的博物馆——他们无需为此表现他们的勇气和无私。我们必须要提及三位继克姆佛（Englebert Kaempfer, 1651-1716)之后到过日本且具有科学精神和文学品味的旅行者，他们以非商业的其他形式与我们建立了联系。这三位旅行者分别是：桑博格（Carl Peter

Thunberg, 1743–1828)、蒂进（Isaac Titsingh, 1745–1812)和希波尔德（Philipp Franz von Siebold, 1796–1866)。第一位在日本停留了十八个月，其他两位在日本逗留了好几年，尤其是最后一位，十分热爱科学，从事科学活动对他来说是一件十分自然的事情，他补充了蒂进先生所疏忽缺少的知识。希波尔德先生受过良好的指导教育，所以他的努力比其他人的尝试更有成效。他冒着生命危险去保护那些通过牺牲自由而获得的宝藏。但不幸的是，如此勇敢的欺瞒行为带来了更严格的禁令。禁令愈发严格，日本人也愈发警惕，因此我们担心长时间内再也看不到有关日本的语言、文学、历史和制度的研究资料了。然而克拉普罗特先生拥有日本研究所需的一些主要著作，包括几部词典特别是十二卷大词典、各种教材、基本的类书、历史著作以及大量的地图和平面图，这些都是极难获得的资料。

最后一部分，是欧洲人撰写的大量手稿。这些手稿以亚洲人为研究对象，来概述各种历史和文学观点。在这种类型的作品中，我们不可能指出哪本著作是最稀有的或最有用的。我们既不着重强调古老性，也不强调精美性，所有的著作都平等地介绍，包括作者的名字、与同种出版物相比的缺点。首先是P.Fouquet关于著名哲学论著《理性与美德》的论述，我们曾尝试翻译成欧洲语言，但到目前为止毫无结果；接下来是穆勒（Muller）、格梅林（Gmelin）和德利尔（Delisle）在鞑靼十年间所写的笔记和观察报告，还有蒂进先生的几份手稿以及热赫（Jæhrig）的著作，他曾作为帕拉斯（Pallas）的随行翻译参与到旅行之中；此外还有一些汉语、满语、蒙古语、日语词典，一本漳州（Chincheo）的词汇和语法书，拜耶（Bayer）的满蒙地理集，等等。

我为这份藏书目录搜集了克拉普罗特先生留下的所有手稿、笔记和材料，以便计划和着手这项工作。中国属国的介绍、皇家地理集补编的摘要、多种语言的帝国以西地方的地名集、中国地图的拓本、关于东亚地理的各种不同著述，都将部分或全部呈现给公众，定将促进相关课题的研究或补充类似的收藏。克拉普罗特先生的“马可·波罗”快要竣工了，为了组成新米特里达梯（Mithridates）我们拥有了最重要的元素。最后，从他复制或摘抄的汉语、鞑靼语、日语词典中，他发现了一个解决方法，引进一种方便的版式可以使欧洲人更为简便地理解汉语。

在结束之前，为了避免被认为是随意安排，必须解释一下我为这个书目所采用的分类方法——按照中国的分类法进行分类。但是，对于一些类目之下的书籍数量极少或者没有的旧书，以及对于其他欧洲手稿，由于引入的是源于欧洲的书籍和思想，这些情况下会不得不对分类原则作出一些修改。无论如何，我尽可能实现能完美容纳所有书籍的分类体系。

对于同一书籍中的不同主题的分卷，我采取单独分类，用一个“+”或两个“++”加以区分，并指出其所属的书籍。这部分用字母A–H标明，位于目录最后。

当著作的标题能够明确表达出含义时，我就不需要按照严格的对应文字去翻译它们，但是对于那些有着暗示或隐喻的标题，我愿意为读者指出其中的含义和主旨。不过，我只是在极少数必要的情况下才会这样做，这也是我为每个条目加入“说明”的目的。这些说明包含了对书籍来源细致的介绍，其中大部分是我所了解的书籍或是参考其附带的序言，从序言中我们就可以找到一些所需的参考信息。最好，请容我再强调一遍，这些说明将仅限于真正被需要的地方，以免使编写工作的对象反而成为次要部分，正因如此，我真诚地希望这些说明能够为本目录增添实用之外的更多价值。

朗德莱斯
（王辉译，卢梦雅校）

CATALOGUE DES LIVRES

COMPOSANT LA BIBLIOTHÈQUE

DE FEU M. KLAPROTH.

Deuxième Partie.

LIVRES CHINOIS, TARTARES ET JAPONAIS.

LIVRES CLASSIQUES.

I. *Livres canoniques* (Kings).

1. Lou king thou; Figures des six livres canoniques. 1 vol. gr. in-fol., dem.-rel., m. v., fig.

C'est à l'illustre Tchou hi que l'on est redevable de cette collection de figures des objets dont il est parlé dans les *Kings*. Elles sont de diverses sortes; les unes représentent des instrumens de musique et d'astronomie; les autres, des habits, des armes, des ustensiles de toute espèce et jusqu'à des édifices. Enfin, l'on y trouve des notions géographiques sur la situation des pays dont il est parlé dans les anciens livres, ainsi que la généalogie des premiers empereurs et des princes tributaires. Les explications qui les accompagnent sont, en général, fort courtes, mais toujours suffisantes pour l'intelligence de la chose, et du texte où il en est fait mention. Aussi cet ouvrage est-il indispensable pour la lecture des livres canoniques; c'est comme une sorte d'atlas que Tchou hi aurait eu l'intention de joindre au grand corps de commentaires qu'il a composé sur les textes sacrés. Il l'acheva la 1re année Khian tao (1165); on en a fait plusieurs éditions; celle-ci est de la 43e année Wan ly (1615).

2. Tcheou Y thsiouan chou; édition complète de l'*Y king* de la dynastie des Tcheou. 10 cahiers in-4.

L'Y *king* est, pour les Chinois, le livre sacré par excellence; ils le considèrent comme le principe de toute sagesse, le fondement de toute science, la base de toute doctrine. Son antiquité, que l'on fait remonter à 3000 ans avant notre ère, la forme de son contexte, et plus qu'aucune autre raison peut-être, la difficulté de l'interpréter, sont les titres qui ont motivé la sainte vénération dont il est l'objet. Six lignes parallèles et horizontales, dont trois sont entières et trois sont brisées, imaginées par Fou hi et combinées de 64 manières par Chin noung, sont le fond primitif de l'*Y king* et comme autant d'énigmes proposées à la sagacité des philosophes et des érudits. Wen wang, s'il n'est pas le plus ancien, est, au moins le plus célèbre de ceux qui ont essayé de les déchiffrer, et son interprétation, qui date du XIIe siècle avant notre ère, est, en quelque sorte, devenue le texte même de l'ouvrage. Tcheou koung compléta les explications de Wen wang, son père; puis, enfin, Confucius éclaircit, développa et commenta les idées de Wen wang et de Tcheou koung. La réunion des travaux de ces trois philosophes compose l'*Y king* actuel, au sujet duquel on peut voir la notice étendue qu'en a donnée le P. Visdelou, et qui est insérée à la fin de la traduction du *Chou king* du P. Gaubil. Une traduction latine de ce livre, faite par le P. Régis et qui était demeurée inédite, se publie par les soins de M. Mohl.

La présente édition se compose de l'ancienne introduction de l'*Y king*, intitulée : *Lun-li* : de l'ancien texte, tel qu'il a été retrouvé sous les Han, et du texe nouveau, en caractères modernes, accompagné d'un commentaire *variorum* très étendu. On la doit à Yang chi kiao qui la fit imprimer la 24e année Wan ly (1596).

3. KOUEÏ PY Y KING; l'*Y king* expliqué par Koueï py. Pet. in-4, dem.-rel., m. v.

Ancienne édition, sans date. L'auteur de cette interprétation vivait sous les Soung, au commencement du XIIe siècle de notre ère. Son travail sur l'*Y king* est un des plus estimés.

4. TCHEOU GOUROUN I TCHITCHOUNGGE NOMOUN; l'*Y king* de la dynastie des Tcheou, traduit en mandchou. In-4, dem.-rel., m. v. (Avec le texte chinois en regard.)

Ce volume ne contient que les livres 2, 3 et 4.

5. CHOU KING KIANG Y HOEÏ PIEN TSUN TCHOU TA THSIOUAN; le *Chou king* avec les notes de divers auteurs conformes au grand commentaire de Tchou hi. In-4, dem.-rel., m. v.

On sait que le *Chou king* renferme les plus anciens monumens de l'histoire chinoise, recueillis et expliqués par Confucius. C'est le second, et on peut le dire, le plus important de ces livres que l'on a désignés, en Europe, par l'épithète de *canoniques*, parce qu'ils sont, à la Chine, considérés comme la base de la religion et de la politique du gouvernement, plus encore que comme celle de tout enseignement. Les moindres paroles de ces ouvrages sacrés, objets d'études assidues et de méditations constantes, ont fourni matière à une foule d'interprétations littérales, dogmatiques et historiques, qui se sont étendues et multipliées encore par suite de la diversité des opinions qu'une exégèse si long-temps continuée ne pouvait manquer de produire. Parmi tous ceux qui ont consacré leurs veilles à des travaux de ce genre, il n'y en a pas de plus célèbre que Tchou hi que ses compatriotes ont surnommé le Prince des lettres, et qui vivait dans la seconde moitié du XIIe siècle. Ses commentaires, modèles de clarté, d'élégance et de précision, ont mérité d'être adopté dans les écoles, et l'autorité du commentateur est devenue presque égale à celle des textes commentés. Le *Chou king* a été traduit en français par le P. Gaubil.

6. KHAN I ARAKHA OUPALIYAMBOUKHA DASAN I NOMOUN ; en chinois, *Iu tchi fan i Chou king*. Le *Chou king* en chinois et en mandchou, traduit par l'empereur (Khian loung). In-4, dem.-rel., m. v.

Belle édition imprimée la 25e année de Khian loung (1760).

7. TOUNG PAN CHI KING KIAN PEN ; le Livre des vers, édition revue, imprimée sur planches de cuivre. 2 vol. in-8, dem.-rel., m. v.

Des chants populaires où se peignent la simplicité primitive des mœurs chinoises ; des cantiques pieux destinés à inspirer l'amour du bien et l'horreur du mal ; des hymnes nationaux sur le respect dû à l'autorité légitime, sur la décence et la gravité à apporter dans l'accomplissement des cérémonies et du moindre de ses devoirs ; des odes à la louange de personnages éminens par leurs vertus ou leurs talens ; telles sont les quatre divisions de ce livre célèbre, le troisième d'entre les *Kings*. Confucius recueillit et mit en ordre les différentes pièces dont il se compose. De 3,000 qu'il avait rassemblées, il n'en donna que 311. Elles sont remplies d'allusions à des coutumes abrogées, à des faits oubliés ou peu connus, qui en rendraient quelques-unes inintelligibles sans l'excellent commentaire de Tchou hi, où tout est expliqué et éclairci. Le P. de Lacharme a composé une traduction latine du *Chi king* que M. Mohl a publiée. La présente édition, qui contient le résumé des gloses, est de l'année y mao de Khian loung (1795).

8. KHAN I ARAKHA OUPALIYAMBOUKHA IRGEBOUN I NOMOUN ; le Livre des vers en mandchou et en chinois, traduit par l'empereur (Khian loung). In-4, dem.-rel , m. v.

Avec la préface de Tchou-hi, datée de l'année ting yeou, 4e du règne de Chun hi (1177).

9. TOU LIN TCHUN THSIEOU TSO TCHOUAN HO TCHOU ; le Printemps et l'automne, avec les traditions de Tso et la réunion des commentaires par Tou lin. Édition de 1631, en 30 livres, publiée par Tchoung hou. 2 vol. in-4, dem.-rel., m. v.

Le *Tchun thsieou* est le quatrième des livres canoniques, et occupe le second rang parmi les ouvrages historiques des Chinois, qui le placent immédiatement après le *Chou king* dont il est comme la continuation. Confucius, à qui on le doit, y rapporte les événemens de la principauté de Lou, sa patrie, en les liant à ceux des vingt autres états qui composaient alors l'empire. Mais la brièveté de cette chronique pouvant nuire à la parfaite intelligence des faits qui y sont relatés, Tso kieou ming, qui avait été le collaborateur de Confucius, entreprit de les éclaircir en leur donnant les développemens nécessaires. Le *Tchun thsieou* commence à la 49e année de Ping wang (722 ans avant J.-C.) et va jusqu'en 481, deux ans environ avant la mort de son auteur. Les *traditions* de Tso embrassent le même espace de temps et prolongent l'histoire jusqu'à la fin du règne de 'Aï koung, prince de Lou, vers 467. Tcu yu lin, astronome qui vivait sous les Tsin, rédigea ces annales suivant un nouvel ordre, et se servit, pour la première fois, des caractères du cycle de 60, pour l'indication des années.

10. TSIOUAN PEN LI KI TSI TCHOU; le Mémorial des rites, édition complète avec les commentaires réunis. 10 parties en 2 vol., in-4, dem.-rel., cuir de Russie.

Quoique le *Li ki* ne soit pas émané de Confucius, et qu'il ne jouisse pas de la même authenticité que les ouvrages attribués à ce philosophe, néanmoins l'importance du sujet auquel il est consacré l'a fait admettre au nombre des livres canoniques. Les détails qu'il renferme sur tout ce qui regarde les cérémonies publiques et les moindres usages de la vie privée, le rendent très précieux pour la connaissance des mœurs chinoises jusque dans les temps les plus reculés. On ne peut guère en faire remonter la rédaction plus haut que la dynastie des Han, un peu avant notre ère; mais il n'est pas douteux qu'elle n'ait été faite sur des documens de la plus haute antiquité. Taï te est le principal auteur du *Li ki*. Il l'avait divisé en 180 livres, que l'on a depuis réduits à 49. Le commentaire dont cette édition est accompagnée est celui de Tchin hao, écrivain de la fin du XIIe siècle et disciple de Tchou hi. Fan tseu teng y a joint le résumé des gloses les plus estimées. Le tout fut publié la 31e année de Khian loung (1766). L'ouvrage est imprimé à deux colonnes horizontales. La colonne inférieure contient le texte et le commentaire de Tchin hao; la colonne supérieure est remplie par le résumé des gloses.

II. *Livres moraux* (SSE CHOU)

11. TOUNG PAN SSE CHOU TSUN TCHOU HO KIANG; les Quatre livres, avec la paraphrase impériale conforme au commentaire (de Tchou hi), gravés sur planches de cuivre. 2 vol., in-4, dem.-rel., mar. r.

Grande édition, publiée l'année koueï yeou de Kia king (1813). On sait que les quatre livres occupent le second rang parmi les ouvrages classiques des Chinois, et qu'ils sont dus à quatre des principaux disciples de Confucius. C'est en quelque sorte la somme de la doctrine morale de ce philosophe, rédigée sous l'inspiration de ses entretiens et de ses leçons, et presque sous sa dictée. Le 1er est le *Thaï hio* (nº 14); le 2me, le *Tchoung young* (nº 15); le 3me, le *Lun yu* (nº 16); le dernier, plus considérable à lui seul que les trois autres, porte le nom de son auteur, *Meng tseu* (Mencius), que les Chinois regardent comme le premier des philosophes après Confucius, et qui mourut vers l'an 314 avant J.-C. Il existe des centaines d'éditions de ces quatres livres et le nombre de leurs commentateurs n'est pas moins considérable.

12. TCHOUNG JOU TANG SSE CHOU TCHING WEN; les Quatre livres, texte correct (sans commentaire). In-8, v. rac., dent. à fr.

Belle édition en gros caractères, donnée l'année ping tseu (1816).

13. Sse chou tsi tchou; Collection des quatre livres, avec commentaires. (En mandchou et en chinois.) 2 vol., in-4, dem.-rel., m. r.

Grande et belle édition, publiée à Péking, la 5me année Khian loung (1740). Cette traduction passe pour la meilleure qui ait été faite en mandchou, et les commentaires sont ceux de Tchou hi.

14. Thaï hio; la Grande étude. In-fol., broché à la chinoise.

C'est le premier des quatre livres et une sorte de traité de politique et de morale, divisé en onze chapitres, où l'on développe les principes de Confucius relativement aux devoirs qui régissent l'homme, la famille et l'état. Il a pour auteur Tseng tseu, l'un des principaux disciples de Confucius. Cette édition, exécutée à Pétersbourg en 1823, par les soins de M. de Schilling, offre des modèles calligraphiques de la plus grande beauté.

15. Tchoung young; l'Invariable milieu. In-fol., broché à la chinoise.

Grande et magnifique édition, donnée à Pétersbourg, en 1823, par M. le baron Schilling. Le *Tchoung young* est le second des quatre livres. Tseu sse, petit-fils de Confucius, en est l'auteur; il vivait 500 ans environ avant J.-C. M. Rémusat a donné une notice détaillée sur cet ouvrage, en tête de l'édition et de la traduction qu'il en a publiées en 1817.

✝ Lun iu, Tchou hi tsi tchou; les Discours (de Confucius) avec le commentaire de Tchou hi. In-4, dem.-rel., mar. vert. *(Recueil A.)*

Superbe édition *princeps* japonaise d'une grande rareté, avec des internotations en *Kata-kana*. Le *Lun iu* contient les discours, apophthègmes et entretiens philosophiques de Confucius, recueillis par ses disciples, soit dans leurs relations journalières avec lui, soit dans les conférences qu'il eut avec les princes à la cour desquels sa renommée le fit appeler.

III. *Livres classiques élémentaires.*

16. Hiao king, Siao hio tsouan chou. Le livre de l'Obéissance filiale et celui de la Petite étude, avec un commentaire abrégé. In-12, cuir de Russie, fil., dent. à fr. *(Duplanil.)*

L'importance du sujet de ces deux ouvrages, leur antiquité, la correction de leur style, leur ont fait prendre rang, dans la littérature, immédiatement après les *Quatre livres*, et ce sont les premiers que l'on mette entre les mains des enfans. On attribue généralement le *Hiao king* à Confucius, qui aurait légué à son disciple favori, Tseng tseu, le soin de le publier; mais il paraît plus probable de penser que ce dernier seul en est l'auteur, car il n'a fait que résumer, dans la forme même du dialogue, ses entretiens avec son illustre maître, au sujet de la piété filiale. Le *Siao hio* est un recueil

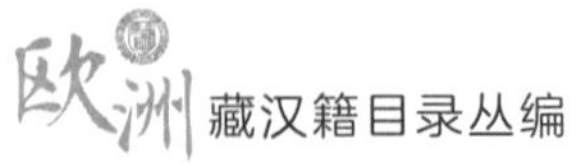

de maximes appuyées d'exemples, rédigé par Tchou hi en 1176. Cette jolie édition est suivie d'une notice historique sur le célèbre philosophe de la dynastie des Soung; elle a été publiée la première année de Khian loung (1736).

† ETJIGE TATCHIKO; TCHOUNG KING; instruction des souverains; livre de la Droiture, en chin. et en mand. (*Recueil* D.)

Recueil de maximes et de préceptes, en 16 paragraphes, où l'on expose les devoirs que les sujets appartenant aux diverses classes de la société ont à remplir envers le souverain, de même que dans le *Hiao king*, auquel on le joint quelquefois, on trace ceux d'un fils envers son père. Ce petit ouvage, qui est immédiatement placé à la suite des livres classiques du second ordre, fut composé, sous les Han, par un docteur nommé Ma young.

17. Collection de livres élémentaires en chinois, publiée l'année keng chin de Kia king (1800). 3 vol. dans un double étui, dem.-rel., m. r., in-8. Très belle édition contenant les ouvrages suivans;

1° *Kiaï youan San tseu king;* livre (en phrases) de trois caractères.

2° *Hoeï youan Thsian tseu wen;* traité de mille mots. (*Voy.* ci-après le n° 22.)

3° *Tchouang youan Yeou hio chy;* leçons en vers pour les commençans.

18. SAN TSEU KING. Livre (en phrases) de trois caractères. In-fol., broché à la chinoise.

Publié à Pétersbourg, en 1819, par M. le baron Schilling.

La composition de ce petit ouvrage remonte à la dynastie des Soung; c'est-à-dire qu'il est antérieur à l'année 1281. On l'attribue à un docteur nommé Wang pe heou, qui l'entreprit pour l'éducation de ses enfans. Ce sont des maximes en vers de trois syllabes, contenant les notions les plus simples de morale et d'histoire. M. Morrison en a donné une traduction dans ses *Horæ sinicæ*.

19. SAN TSEU KING, un second exemplaire de la même édition. In-4, br. à la chinoise. Petit format.

20. MANDCHOU NIKAN KHERGEN I KAMTCHIME SOUGHE SAN TSEU GING BITKHE; le livre (en phrases) de trois caractères, avec commentaire et paraphrase, en chinois et en mandchou. In-8, dem.-rel., m. v.

Edition de la 60me année Khang hi (1796).

21. THSIAN TSEU WEN; traité de mille mots. Cahier in-8.

Les mille caractères dont se compose ce traité, choisis parmi ceux qu'il est le plus utile de connaître, sont disposés de manière à former de huit en huit un sens complet sans qu'aucun soit répété. On raconte que ce travail, dont la difficulté vaincue ne fait pas seule le mérite, fut exécuté en une nuit, et que l'auteur s'y appliqua tellement, ou en ressentit une si grande fatigue, que, le lendemain, ses cheveux et sa barbe étaient blanchis; cet écrivain, nommé Heou hing sse, vivait sous le règne de Wou ti (502-549).

✝ SIN THSIAN TCHOUNG TING THSIAN TSEU WEN THSIAN TCHOU; commentaire sur le livre des mille mots, nouvelle édition corrigée. (*Recueil* E.)

✝✝ JI KI KOU SSE; Souvenirs journaliers d'anciennes histoires. (*Recueil* H.)

Collection célèbre d'anecdotes morales dont il a été fait un grand nombre d'éditions. Elles sont divisées en 5 chapitres; le premier, qui contient 24 traits d'héroïsme filial, a été traduit par Morrison, dans son Dictionnaire (tom. 1er, pag. 724). L'ouvrage est orné de 50 figures.

PHILOSOPHIE. — RELIGIONS.

I. *Traités généraux.*

22. SING LI TY TCHOU TCHING MENG POU HIUN KIAÏ; Exposition de la philosophie naturelle, corrigée, complétée et expliquée. In-8, dem.-rel., m. v.

Le célèbre commentateur des *Kings*, celui qui a attaché son nom aux plus grands monumens de la philosophie et de l'érudition chinoises, Tchou hi, nourri de la lecture de tous les écrits anciens et profondément versé dans la connaissance des systèmes des différentes écoles ou sectes qui, depuis plus de trente siècles, divisaient les esprits à la Chine, entreprit d'en rapprocher les divers points doctrinaux, de les comparer, de les interpréter, et les résultats de ce prodigieux travail, il les réunit dans cet ouvrage, qui est un tableau complet de la philosophie chinoise et de ses variations. Il l'a divisé en deux parties principales, l'une sur la nature, les passions, les vertus, l'ordre, etc., l'autre sur l'action de la nature, le temps, l'astronomie, le gouvernement, etc., et il termine par l'examen des opinions des philosophes qui l'ont précédé. Hou kouang et Tchang wan hian, ses disciples, complétèrent ses recherches et les mirent en ordre. Ce volume, qui appartient à une édition publiée l'année kia chin de Khang hi (1704), ne contient que les 4 premiers livres.

23. YU THSOUAN TCHOU TSEU THSIEOU CHOU; Recueil complet de différens philosophes, édition impériale. 1 cahier in-8.

Ce volume contient les livres 45 à 48 d'une collection considérable, publiée par les ordres de Khang hi, des écrits des philosophes les plus célèbres, tels que Lao tseu, Tchouang tseu, Hoai nan tseu, Tchou hi, etc. Nous n'avons ici que les livres 4, 5, 6 et 7 de la *Philosophie naturelle* de ce dernier écrivain.

24. MANDCHOU NIKAN KHERGEN KAMTCHIKHA SING-LI BITKHE; Livre de la philosophie naturelle, en chinois et en mandchou. In-8, dem.-rel., m. v.

Publié la 10e année Young tching (1732). Ce volume contient les 6 premiers livres.

† GEREN ENDOURINGE DI GIYOUN I TCHALAN TE TOTABOUKHA PÔPAI TATCHIGHIYEN I NOMOUN BITKHE; Livre des précieux enseignemens laissés à la postérité par les saints empereurs. En mandchou et en chinois. (*Recueil* D.)

25. CHAN HAÏ KING TOU KAO; Explication des figures du livre des Montagnes et des Mers. In-12, fig., dem.-rel., m. v.

Le *Chan haï king* contient la description d'un monde imaginaire qui est, pour les Chinois, ce que l'Olympe était pour les Grecs, une mine inépuisable d'où les poètes tirent leurs métaphores les plus recherchées. Il fut composé à une époque fort reculée, puisque, selon quelques-uns, il remonterait jusqu'à l'empereur Yu, c'est-à-dire à 2000 ans et plus avant J.-C. Ce qui est certain, c'est que, sous les Tsin, au IVe siècle de notre ère, il avait été déja commenté plusieurs fois, et que, le siècle suivant, de 32 livres qu'il avait primitivement, il fut réduit à 18. Ce volume est rempli de plus de 100 figures extrêmement bizarres, représentant les prodiges et toutes les choses merveilleuses dont il est parlé dans le *Chan haï king*.

26. SAN KIAO YOUAN LIEOU CHING-TI, FO, SSE, SEOU CHIN KI; Mémoires sur l'origine des divinités des trois religions, celle des saints Empereurs, de Bouddha et des Maîtres (de la doctrine de Lao tseu). In-8, dem.-rel., m. bl., orné de 125 fig.

Tout ce qui concerne la mythologie des trois cultes religieux en honneur à la Chine est renfermé dans ce petit volume, dont on attribue la composition première à Yu pao, qui vivait à la fin du IVe siècle. Mais l'ouvrage original de celui-ci n'existe plus; il a été modifié, refondu, augmenté, défiguré par mille éditeurs qui l'ont interpolé de traditions mensongères et d'explications ridicules. La meilleure de ces rédactions modernes est celle-ci; elle date de la fin du XVIe siècle, et les éditions en sont fort nombreuses. Notre exemplaire est de l'année Ki mao de Kia king (1819).

† CHIN MING WEÏ TCHOU; l'Esprit à qui rien n'est caché est le souverain maître. Pet. in-fol., dem.-rel., m. v. *Manuscrit*. (*Recueil* B.)

A la suite de ce traité sont quatre autres opuscules composés, comme le premier, de passages extraits des principaux livres chinois, et relatifs aux différens systèmes, soit philosophiques, soit religieux, qui ont cours à la Chine. Le dernier contient une exégèse étendue sur la doctrine du *Tao*. Ces manuscrits, tous de la plus belle écriture, sont dus à plusieurs pinceaux, parmi lesquels on distingue celui du P. Prémare; le P. Fouquet y a joint des remarques et quelques explications en latin et en français. Il est probable que ce recueil a été formé par ces deux savans missionnaires, aux yeux de qui le déisme antique de la Chine approchait de la pureté du christianisme, à l'occasion du trop fameux débat relatif aux cérémonies pratiquées par les Chinois en l'honneur du ciel et des ancêtres, et à la valeur des termes consacrés par les livres anciens où il en est fait mention.

II. *Secte du* TAO.

27. LAO TSEU TSI KIAÏ; Recueil d'explications sur Lao tseu. 2 parties en 1 vol., in-4, dem.-rel., m. v.

Lao tseu, né vers la fin du VIIe siècle avant notre ère, est célèbre comme patriarche et réformateur de cette doctrine religieuse qui attribue la formation de toutes choses à un être intelligent et tout puissant, préexistant à l'univers et nommé *Raison*; doctrine qui semble être aborigène à la Chine, puisque déja, dans ce pays, la philosophie avait su s'élever à cette hauteur avant Confucius. On peut voir pour la vie de Lao tseu, ainsi que sur la nature et l'influence du dogme qu'il a prêché, le mémoire de M. Rémusat qui nous dispense d'entrer dans plus de détails. Cet ouvrage fut rédigé l'année keng yen de Kia thsing (1530) ; notre édition est de l'année koueï yeou de Thsoung tching (1633).

28. TAO TE KING PING CHOU; le livre de la Raison et de la Vertu, revu et commenté. 2 cahiers chinois, in-4.

Exemplaire interfolié contenant un commentaire et une traduction en latin et en français, de la main du P. Fouquet.

C'est dans ce célèbre ouvrage de Lao tseu que sont exposés les points de la doctrine des sectateurs du *Tao* ou de la Raison, dont ce philosophe est le chef et le maître. Il est divisé en 81 chapitres, et ce n'est à bien dire, qu'un recueil de définitions et de maximes détachées, où la précision du langage ajoute à l'obscurité d'une métaphysique abstruse. Divers essais tentés en Europe pour traduire ce livre et éclaircir les opinions qu'il renferme, ont dû jusqu'à présent demeurer sans résultat; peut-être y en a-t-il un tout trouvé dans le travail du P. Fouquet, un des missionnaires qui ont poussé le plus loin leurs recherches sur la philosophie chinoise.

29. TAO TE KING CHY TSEU; Commentaire sur le livre de la Raison et de la Vertu. 2 cahiers in-4.

Composé l'année ting yeou de Wan ly (1597).

30. THAÏ CHANG TAO TE PAO TCHANG Y; Secours pour l'interprétation du livre de la Raison et de la Vertu du Très Sublime (Lao tseu). 2 cahiers in-4.

Manuscrit de la plus belle écriture contenant, avec un commentaire très étendu sur le *Tao Te king*, une vie de Lao tseu et un grand nombre de pièces relatives à la composition du livre qui lui est attribué et à l'éclaircissement de la doctrine philosophique dont cet ouvrage est la base. La préface porte la date de l'année i sse de Khang hi (1665).

31. LAO TSEU Y; Commentaire sur Lao tseu. 3 livres en 1 vol., in-4, dem.-rel., m. v.

Publié l'année meou tseu de Wan ly (1588).

† THAÏ CHANG NI ATCHABOUME KAROULARA BITKHE; le livre des Récompenses et des Peines du Très Sublime (Lao tseu), en chinois et en mandchou. (*Recueil* A.)

Cet ouvrage est un recueil de préceptes de morale religieuse à l'usage des sectateurs de Lao tseu, et, en quelque sorte, le livre fondamental de leur foi. Il a été compilé à une époque inconnue, mais fort ancienne, par plusieurs philosophes anonymes, qui ont puisé, dans les annales, les pensées qui leur ont paru les plus propres à faire fleurir la doctrine à laquelle ils étaient attachés. Cette édition fut donnée la 24e année de Khianloung (1759).

32. ATCHABOUME KAROULARA BITKHE; le livre des Récompenses et des Peines, en mandchou. Grande édition ornée de beaucoup de gravures. In-4, dem.-rel., m. r., fil.

Edition de 1673 que l'on croit être la première qui ait été faite de la version mandchoue. *Le livre des Récompenses et des Peines* a été traduit en français par M. Rémusat, d'après le texte chinois, et par M. Klaproth d'après le mandchou.

† TCHOU 'O MOU TSO TCHOUNG CHEN FOUNG HING; qu'il faut pratiquer toutes les vertus et s'abstenir de tous les péchés. In-4, dem.-rel., m. v. (*Recueil* C.)

Cet ouvrage, dont une sentence du *Livre des Récompenses et des Peines* forme le titre, est un recueil des plus célèbres traités de la secte du *Tao*, publié l'année y mao de Young tching (1735), et contenant, entre autres, le *Livre des Récompenses et des Peines*, le *Livre qui éclaire le siècle*, la *Médecine de l'ame;* la parabole du bœuf reprochant à l'homme les mauvais traitemens dont il l'accable (trad. par Morrison, dans ses *Horæ sinicæ*), l'*Examen des mérites et des fautes*, etc., etc.

†† DZI TOUNG DI GIYOUN I BOUTOI SAIIN DE KAROULAME ATCHABOURE BITKHE; livre de la Récompense des bienfaits secrets, par Dzi toung.

YU KOUNG TCHOUN I ENDOURI BE OUTCHARAKHA GI BITKHE; livre de la visite de l'esprit du foyer à Yu koung.

KOUWAN CHENG DI GIYOUN I ILETOLEME ATCHABOUHKA, BITKHEÏ OURGEN BE TARKABOURE BITKHE; Qu'il faut s'abstenir de rechercher l'éclat et les faveurs; discours de Kouwan cheng.

Ces trois opuscules sont en mandchou et en chinois; ils appartiennent à l'école theo-psychologique des docteurs de la Raison, parmi lesquels les deux premiers écrits sont en grand honneur; le troisième, qui est un manuscrit d'une belle main, porte la date de la 6me année du règne de Young tching (1728).

33. TCHOUANG TSEU Y; commentaires sur *Tchouang tseu*. 8 livres en 1 vol. in-4, dem.-rel., m. v.

Tchouang tseu, après avoir été le disciple de Lao tseu, devint le compagnon de ses voyages, et un des plus célèbres propagateurs de sa doctrine. Le système de philosophie morale qu'il développe dans ses éc its, fondé sur les mêmes bases que celui de son maître, fut attaqué avec violence par les partisans de l'école de Confucius, qui le représentaient comme étouffant le germe des vertus, et pouvant détruire tout sentiment de vérité et de justice. Leurs déclamations et les persécutions qu'ils ont suscitées n'ont pas empêché les éditions de cet ouvrage de se multiplier et de se répandre; celle-ci est de l'année meou tseu de Wan ly (1588).

34. Nan hoa tchin king ping chou; le véritable livre de la Fleur de l'Orient, revu et commenté. 3 cahiers chinois, in-4.

Tchouang tseu est l'auteur du *Nan hoa*, Fleur de l'Orient, dont le nom est le même que celui d'une montagne située aux environs de la ville de Chao tcheou, dans la province de Kouang toung, et où se trouve un antique et fameux monastère des religieux de la *Raison*. Le *Nan hoa* est mis à côté du *Tao Te king*, à cause de l'excellence de la doctrine qu'il renferme sur la constitution de l'univers, l'action de la cause première et des causes secondes, la nature de l'homme et les principes de ses devoirs. Le style en est moins obscur que celui de Lao tseu, mais aussi il ne présente pas cette précision sententieuse que les Chinois estiment tant dans l'ouvrage de ce dernier.

35. Hoaï nan houng lie kiaï; très sublimes explications sur le philosophe Hoaï nan tseu. In-4, dem.-rel., m. v.

Il n'y a pas long-temps encore que toute la philosophie chinoise se réduisait, pour nous, aux principes émis par Confucius et ses premiers disciples; c'était du moins les seuls que l'ont eut jugé dignes de quelque attention. M. Rémusat a étendu à cet égard le champ de nos études par ses travaux sur Lao tseu et sur le Bouddhisme; mais les noms de plusieurs philosophes, contemporains ou successeurs immédiats de Lao tseu, au premier rang desquels il faut placer Tchouang tseu et Hoaï nan tseu, sont à peine connus, quoique les fragmens que l'on a traduits de leurs ouvrages soient de nature à inspirer une vive curiosité. Lieou 'an, plus connu sous le nom de Hoaï nan, auquel on ajoute la qualification de *tseu* ou de *wang*, suivant qu'on le considère comme philosophe ou comme prince, vivait 100 ans environ avant notre ère. Il était souverain de l'île d'Hoaï nan, dont il prit le nom, et fut un des plus savants et des plus zélés propagateurs des doctrines de Lao tseu. Ainsi que les anciens philosophes de la même école, et qu'on peut nommer hétérodoxes, son système comprend l'homme, la nature et Dieu lui-même; étudiant la constitution de l'univers, scrutant l'action de la cause première pour la lier à celle des causes secondes, son langage est exempt de voiles allégoriques, sans mythes ni légendes, et s'adresse sans détour à l'intelligence et à la raison. Il ne reste de lui que 21 livres, qui sont comme autant de traités spéciaux sur la raison, la vérité, le monde, le temps, l'ame, la vie, la mort, etc., etc.; mais on croit qu'il en avait composé davantage.

36. Wen chy king chy tseu; explications du livre de Wen chy. 2 cahiers in-4.

Wen chy est un philosophe de l'école de Lao tseu que l'on présume être contemporain de Tchouang tseu, et son ouvrage, divisé en 9 livres, a pour but, comme les écrits de celui-ci, l'exposition et l'explication de la doctrine du *Tao* ou de la Raison. La présente édition est de l'année ting yeou de Wan ly (1597).

37. Hoa chou sin ching; nouvelle publication du livre des Transformations. 2 cahiers in-4.

Ouvrage philosophique appartenant à l'école des sectateurs de la Raison, composé l'année kia 'ou de Wan ly (1594), et publié l'année ting yeou du même prince (1597).

† Thian tsun iu tchou pao king; livre précieux du Gond de Jade de l'Honoré du Ciel. (*Recueil* B.)

Manuscrit d'une superbe écriture, exécuté sur une copie faite l'année Tchi chun, koueï yeou du cycle (1333), d'après une édition donnée par un docteur nommé Youan yang. Ce petit ouvrage, dont le fond paraît être plutôt superstitieux que philosophique, plus cabalistique que moral, est accompagné de gloses et de commentaires fort développés, et appartient, selon toute apparence, aux sectateurs de la Raison. Il est accompagné de 15 figures de cachets talismaniques propres à éloigner les calamités, à procurer le bonheur et à conduire à la vertu.

III. *Bouddhisme*.

38. Tsi yao; Recueil des choses les plus essentielles. 2 parties en 1 vol. in-4, dem.-rel., m. r.

Cet ouvrage, qui ne porte pas d'autre indication que ces mots : *Tsi yao*, est le même que celui que M. Rémusat a décrit sous le titre de *Man han si fan tsi yao*, ou de *Vocabulaire pentaglotte*. La notice qu'il en a donnée (*Mélanges asiatiques*, t. 1er, p. 153) nous dispense d'entrer dans aucun détail sur l'importance et l'utilité de ce livre. Qu'il nous suffise de rappeler qu'il fut composé dans le palais et sous les yeux même de l'empereur Khian loung, vers la seconde moitié du règne de ce prince, par les plus habiles d'entre les mandchous et les mongols, avec le concours des lettrés les plus célèbres et de docteurs tibétains envoyés exprès par le Dalaï-Lama. Au reste, ce livre est moins un vocabulaire, dans le sens ordinaire de ce mot, qu'une nomenclature théologique, philosophique et morale, à l'usage des sectateurs de Bouddha, laquelle établit une synonymie du plus haut intérêt pour l'intelligence du Bouddhisme. Cet exemplaire est chargé d'interprétations manuscrites.

39. Bouts siyaou dsou i; Collection de figures bouddhiques en japonais; édition augmentée. 5 vol., pet. in-4, cart. à la japonaise.

Le 1er vol. contient le texte et les autres renferment 164 planches, représentant plus de 800 sujets. C'est un véritable panthéon bouddhique où tous les saints, tous les personnages fameux par leur piété, illustres par leur savoir, divinisés par cette religion, ont non seulement trouvé place, mais où l'on en a consacré une aussi aux vêtemens religieux, aux objets du culte, aux instrumens propres aux sacrifices. Chaque figure est accompagnée d'une explication en chinois et en japonais et souvent même du nom indien du personnage représenté. Cet ouvrage peut être d'un grand secours pour l'interprétation des doctrines indo-chinoises. Il est bien exécuté et a été publié au Japon la 3me année Ghen rok (1690).

40. FO CHOUE O MI TO KING; livre d'*Amitaba* expliqué par Bouddha. In-8, dem.-rel., m. v., fig.

Amitaba, ou suivant la transcription chinoise, *O mi to fo*, est un des principaux personnages de la mythologie bouddhique, et la lumière de ce *Bouddha divin* « éclaire mille myriades de mondes, sans limites et sans fin ». Cet ouvrage, particulièrement destiné à faire connaître sa puissance et ses attributions, comprend le résumé des différentes doctrines du Bouddhisme, ainsi que l'exposition du système si compliqué de la cosmogonie samanéenne. Les mots *Fo choue*, qui se retrouvent dans le titre d'un grand nombre de livres bouddhiques, indiquent que cet ouvrage est attribué au Bouddha Shâkya-mouni. L'édition est de la 30me année du règne de Khian loung (1765).

41. PAN JO PO LO MI TO SIN KING; livre sacré du cœur parvenu à l'autre rivage par l'intelligence pénétrante, en chinois et en mandchou. Cahier in-4.

Les hommes égarés loin de la connaissance de la divinité et retenus dans le cercle de la vie et de la mort, sont désignés, par les bouddhistes, comme étant sur *cette rive;* ceux qui parviennent à l'état de sainteté par la force d'une intelligence contemplative, sont sur *l'autre rive*. Les moyens d'y arriver forment le sujet de cet ouvrage, l'un des plus importans de la religion samanéenne dont il résume, en quelque sorte, toute la doctrine secrète. On l'attribue à Bouddha lui-même, et son origine est enveloppée de fables. Le célèbre Kieou ma lo chi, qui mourut au commencement du ve siècle, le fit, le premier, connaître à la Chine en le traduisant de l'original indien; depuis lors, c'est celui de tous les ouvrages bouddhiques qui a été le plus souvent traduit, commenté et publié.

42. KIN KANG PAN JO PO LO MI KING; livre sacré de l'arrivée à l'autre rive par l'intelligence pénétrante. In-4. allongé, plié en paravant, fig.

Cet ouvrage est différent du précédent sous un titre à peu près semblable et qui n'offre qu'une transcription incomplète de celui qu'il a en sanscrit (*Pradjna paramita*). Les mots kin kang sont une expression métaphorique exprimant que ce livre est indissoluble comme le diamant. Cette édition est magnifique; elle porte la date de la 2e année Kia king (1798).

43. YOUAN KIO KING; livre des Youan kio. Un vol. in-4, dem.-rel.. m. v.

Les Youan kio (en sanscrit *Pratyeka*) sont une classe de saints qui occupent un rang éminent dans la hiérarchie bouddhique. On les considère comme étant, par la contemplation, parvenus à triompher de la nature mortelle. Leur exemption des vicissitudes de la vie et de la mort, la faculté qu'on leur attribue de devenir hommes ou dieux, leur attirent de nombreux adorateurs dont cet ouvrage est comme le rituel. Il appartient à cette première classe des livres sacrés, que les Chinois désignent sous le nom de *king*, les Indiens par celui de *soutra*, et qui contiennent les dogmes les plus célèbres de la théologie samanéenne, les principes qui font la base de la doctrine, et les textes authentiques et invariables. A la fin du VIIe siècle, un samanéen de Samarcande, nommé Fo to to lo, traduisit le *Youan kio king* d'après les originaux indiens. Cette édition est de l'année jin tchin de Wan ly (1592).

44. Si fang koung khiu; Actes publics (de la foi) en Occident. Cahier in-4, fig.

Recueil de traités moraux, de prières et de pratiques pieuses à l'usage des Bouddhistes, mis en ordre par Chin tsing tchin, et publié la 13e année de Khian loung (1748). Il en a été fait un grand nombre d'éditions; celle-ci est de l'année kia tseu de Kia king (1804); elle contient quatorze opuscules différens et est ornée de plusieurs gravures.

45. Thsian cheou yan Ta peï sin tcheou tsan fa; Préceptes pour la contrition et Invocations du cœur très miséricordieux. In-4, allongé plié en paravent, fig.

Ouvrage publié la 9e année Young lo (1412), par ordre de l'empereur, et appartenant à une des classes les plus nombreuses de la littérature sacrée des Bouddhistes, à celle que les Indiens nomment *Dharanî*, et qui se compose de prières, d'invocations et de formules mystérieuses, au moyen desquelles on parvient à se maintenir dans le bien, à éviter le mal, et à atténuer la gravité des péchés commis. Cette belle édition, imprimée l'année koueï haï de Kia king, est remarquable par le nombre considérable de figures qu'elle contient, exécutées au trait avec beaucoup de finesse et représentant les principaux personnages divinisés par le Bouddhisme.

46. Thaï Tang sy king Tsiun fou sse to pao Fo ta kan yng peï wen; les Peines et les récompenses gravées sur pierre, dans la tour du très honorable Bouddha de la pagode des Mille bonheurs, dans la capitale occidentale de la dynastie des Tang. In-4, allongé, dem.-rel.. m. v.

Impression en blanc sur fond noir, représentant en quelque sorte en *fac-simile* le monument lui-même. Ces inscriptions lapidaires, qui n'offrent rien de curieux sous le rapport de la paléographie, mais qui sont intéressantes par l'esprit plus philosophique encore que religieux qui les a dictées, remontent aux années Thian pao (742-756). Elles furent exécutées, comme l'indique le titre, dans un des temples bouddhiques de Tchhang 'an, aujourd'hui Si 'an fou, qui était alors la capitale de l'empire. Elles ont été recueillies et publiées l'année ting tchheou de Khian loung (1757).

47. Tsing Tchin sse ky; Mémorial des temples bouddhiques sous la dynastie des *Tsing*. Cahier in-4.

Ouvrage intéressant pour l'histoire du Bouddhisme, sous le règne de la dynastie actuelle; il paraît avoir été composé dans les premières années de l'empereur Khang hi.

IV. *Musulmanisme.—Christianisme.*

48. TCHING KIAO TCHIN THSIOUAN; véritable explication de la droite loi. In-4, dem.-rel., m. v.

Cet ouvrage contient un traité de la religion mahométane et l'histoire de son établissement et de ses progrès à la Chine. C'est un sujet plein d'intérêt et encore inconnu en Europe, où l'on soupçonne à peine l'existence de livres musulmans en langue chinoise, quoique l'on n'ignore pas que l'Islamisme ait pénétré en Chine à une époque assez rapprochée de celle de l'Hégire. Cet ouvrage fut composé sous les *Ming*. Il parut, pour la première fois, l'année jin ou de Tsoung tching (1642) et fut publié de nouveau l'année ting yeou de Chin tchi (1657). L'exemplaire de M. Klaproth est de cette seconde édition.

49. YE SOU KI LI SSE TOU 'O TCHU KIEOU TCHE SIN Y TCHAO CHOU; Nouveau Testament de Notre Seigneur Jésus-Christ. Canton, 1813, 2 vol. in-4, v. f., dent.

Grande édition en caractères cursifs et sur papier blanc. Cette traduction est due à M. Morrison.

50. CHIN CHI CHOU I PEN YAN I TCHHOU; traduction du livre de Poésie sacrée, en chinois. In-12, m. r., riche reliûre.

C'est une version des pseaumes de David, publiée à Canton, en 1818, par M. Morrison.

51. ENDOURINGGE EVANGGELIOUM MATTEÏ OULAKHA SONGKOÏ; le Saint-Évangile selon St. Matthieu, en mandchou. In-4, br. à la chinoise.

Traduction de M. Lipovtsov, publiée à St.-Pétersbourg, en 1822.

52. CHING KIAO CHIN PIN LUN; Dissertations orthodoxes sur la vraie religion. Un cahier in-8.

53. THIAN CHIN HOEÏ KHO MOU LO; Sommaire de l'entretien des anges. Un cahier chinois, in-4.

En 1661, le P. Brancati, jésuite sicilien, publia, sous le titre d'*Entretien des anges,* une exposition des dogmes de la religion chrétienne, dont le présent volume est un extrait adapté au rit grec, et publié à Péking, par l'archimandrite russe Hyacinthe Bitchourin.

54. JESUITICA. In-8, dem.-rel.. m. v. Volume contenant :

1° CHING KIAO SING TCHING; Notice exacte des Saints-maîtres.

C'est une histoire de la mission des jésuites à la Chine, avec une notice sur les religieux de cet ordre qui en ont fait partie et l'indication des ouvrages chinois composés par plusieurs d'entre eux. Elle commence à saint François Xavier et s'arrête à Thomas Pereira, 12e année Khang hi (1673). Les auteurs sont Han lin et Tchang king. Le P. Couplet en a fait une traduction qui est insérée à la suite de l'Astronomie du P. Verbiest, et qui a été aussi publiée séparément. Notre exemplaire, interfolié de papier blanc, contient une traduction latine des titres des ouvrages qui y sont catalogués, et la transcription des noms des missionnaires a qui on les doit. Ces additions précieuses sont de la main de M. Klaproth.

2° THIAN TCHU CHING SIANG LIO CHOUE; Explication abrégée de la sainte image du maître du ciel.

Cet opuscule du P. Jean de Rocha, portugais, est de l'année ki weï, de Wan ly (1719).

3e WAN WE TCHIN YOUAN; Origine véritable des dix millé (de toutes) choses.

Célèbre traité du P. Jules Aleni, surnommé le Confucius du nord, qui vivait en Chine de 1613 à 1649, et qui avait acquis une connaissance si parfaite de la langue chinoise, que cet écrit de philosophie chrétienne est regardé, par les lettrés eux-mêmes, comme un des plus élégans qui aient été composés dans les temps modernes. Il en a été fait un grand nombre d'éditions et il en existe une traduction en mandchou.

55. TOUMEN TCHAKAI OUNENKGI SEGIYEN; Origine véritable des dix mille choses. In-8, dem -rel., m. v.

C'est une traduction en mandchou du traité chinois du P. Aleni, intitulé : *Wan we tchin youan;* elle fut faite sous le règne de Khang hi. *V.* ci-dessus la notice de l'ouvrage original.

JURISPRUDENCE. — POLITIQUE. — ADMINISTRATION.

56. THAÏ THSING LIU LI TSENG TING HOEÏ TSOUAN THSIOUAN PIEN; Recueil complet des lois pénales de la dynastie des Thsing, revu et augmenté. 40 livres en 5 vol. in-4, dem.-rel., m. r., fil. Grande édition impériale.

Ce code se compose de deux séries bien distinctes. La première comprend les anciennes lois pénales en vigueur sous les précédentes dynasties, révisées, refondues et adaptées aux nouvelles formes du gouvernement, par ordre de Chun tchi, et publiées en 1647; la seconde contient toutes les lois supplémentaires, lesquelles sont revues et modifiées tous les cinq ans par une sorte de conseil-d'état. Chaque article des lois comprises dans la première série est accompagné d'un commentaire de l'empereur Young tching. L'ouvrage entier a été traduit en anglais par sir G. Staunton, en 1810, sur l'édition de 1799. Celle-ci, qui est de la première année Tao kouang (1820), renferme beaucoup de lois nouvellement promulguées ainsi que de nombreuses et importantes additions.

57. TCHOUWAN EMOU KHATCHIN I BITKHE; Livre des onze articles, en mandchou. In-4, oblong. (*Manuscrit.*)

Traité de paix entre la Chine et la Russie, conclu au mois d'octobre 1727, par le comte Sawa Wladislawitche Ragousinski, et ratifié en juin 1728. Cette pièce diplomatique, fort curieuse, règle la délimitation des frontières des deux états; M. Klaproth l'a traduite en français dans sa *Chrestomathie mandchoue.*

58. KAO TCHHANG KOUAN LAÏ WEN; Lettres venues de la cour de Kao tchhang, en ouigour et en chinois. In-fol.

L'état de Kao tchhang, ou des Ouigours, forme le quatrième département des royaumes étrangers tributaires du peuple chinois. Il s'étend depuis Kashgar jusqu'à Kamoul, et est devenu célèbre dans ces derniers temps par les discussions qu'ont soulevées non seulement la nature de la langue qui y est en usage, mais jusqu'à l'existence des peuplades tartares qui le composent. Ce volume renferme quinze placets, ou pièces diplomatiques adressées à la cour de Péking par les princes ou commandans des villes principales de ce royaume. L'exécution, qui en est magnifique, a été faite à St. Pétersbourg par les soins de M. le baron Schilling. Le P. Amiot a traduit en français ces quinze *suppliques*, sur la version chinoise qui y est jointe, et l'on a inséré ce travail dans le XIVe vol. des *Mémoires concernant les Chinois.*

59. KHAN I ARAKHA AMPASAI MOUTCHILEN BE TARKABOURE BITKHE; Exhortation morale adressée aux magistrats par l'empereur (Chun tchi), en mandchou et en chinois. In-8, dem.-rel., m. v.

Depuis les premiers temps de la monarchie, les souverains chinois sont dans l'usage d'adresser, soit à l'armée, soit aux fonctionnaires civils et aux peuples des différentes provinces, des édits sous forme d'instructions, dont le sujet est plus habituellement moral que politique ou administratif. C'est un ouvrage de ce genre que l'on a ici; il a été publié l'anée y weï de Chun tchi (1655).

60. ENDOURINGGE TATCHIGHIYEN NEILEME BADARAMBOUKHA BITKHE; Ample explication de la Sainte Instruction, en mandchou et en chinois. In-4, dem.-rel., m. v.

La *Sainte Instruction*, sous la forme que lui avait donnée Khang hi de qui elle est émanée, se composait de seize maximes exprimées en sept caractères. L'empereur Young tching, jugeant qu'il pourrait être utile de les développer, rédigea, sous ce titre d'*Ample explication*, une paraphrase où chacune des idées exposées à peine par son auguste prédécesseur, sont développées de manière à présenter des notions curieuses relativement aux obligations du prince et des sujets et aux devoirs qui constituent l'état de la société chinoise. On a fait sur ce double thème un commentaire que M. Milne a traduit en anglais. Notre exemplaire est de l'édition impériale, publiée à Péking en 1724.

† HIANG YO THSIOUAN CHOU; Livre qu'on explique au peuple. (*Recueil* B.)

Ce sont les seize maximes de la *Sainte Instruction*, mises à la portée du peuple au moyen d'un commentaire fort développé, dans lequel la paraphrase de l'empereur Young tching se trouve fondue. Telle est, en effet, la célébrité du petit ouvrage de Khang hi, qu'il sert de texte à des leçons publiques, données deux fois par mois aux fonctionnaires de tous grades, civils et militaires.

61. CHENGDSOU GOSIN KHÔWANGDI I BOOI TATCHIGHIYEN I TEN I GISOUN; Sublimes instructions domestiques de l'empereur Chengdsou (Khang hi). 2 cahiers in-4, dans leur enveloppe chinoise. Edition impériale.

Ces instructions, adressées par Khang hi aux princes ses fils, ont été publiées par son successeur Young tching, la 8ᵉ année du règne de ce dernier (1730). C'est un des ouvrages les meilleurs et les plus importans qui aient été composés en mandchou. On en trouve une double traduction, italienne et française, dans le IXᵉ vol. des *Mémoires concernant les Chinois*.

† TERGHI KHESE; Paroles d'en haut. (*Recueil* B.)

Discours de l'empereur Young tching à ses peuples pour les exhorter à la bienséance, publié à Péking en 1725, et imprimé en rouge.

†† TCHA CHOU; Y TCHAO; Dernières volontés de l'empereur Young tching, publiées à Péking, en 1735. (*Recueil* D.)

62. TA HING HOANG TI HOEÏ TCHAO; Dernière volonté du grand empereur auguste (Kia king). Péking, 1820; imp. sur pap. jaune, pet. in-fol. allongé.

Une traduction française de cette pièce a été donnée dans le *Journal asiatique*, tom. 1, pag. 175.

63. TCHANG TCHI KING HO PIAO CHY; Adresse de félicitation à la nouvelle impératrice mère, pour le solstice d'hiver 1820, en chinois et en mandchou, sur papier jaune. 2 part., pet. in-fol. allongé.

64. KOUANG HAÏ KOUAN CHOUÏ TSE; Tarif de la douane maritime de Canton. In-4, dem.-rel., cuir de Russie.

Les noms des marchandises sont accompagnés d'une traduction française manuscrite, ce qui rend ce volume doublement intéressant, comme document de commerce et comme vocabulaire tout spécial, offrant des synonymies qui ne se trouvent dans aucun dictionnaire européen.

65. THAÏ THSING TSIN CHIN THSIOUAN CHOU; Etat complet de tous les grands mandarins en exercice. 4 cahiers, in-12.

Le nombre des magistrats dont il est fait mention dans cette sorte d'almanach impérial, s'élève à près de 9,000, et il ne s'agit que de ceux qui sont nommés par l'empereur. On évalue à 40,000 le nombre des magistrats subalternes ou employés en sous ordre.

66. THAÏ THSING TSIN CHIN THSIOUAN CHOU; Le même ouvrage que le précédent, pour l'année 1795. 4 part. en 2 vol., in-8, dem.-rel., m. v.

† THAÏ THSING TSIN CHIN THSIOUAN CHOU; Almanach impérial pour l'année koueï siu de Chun tchi (1646). In-4, dem.-rel., m. v. (*Recueil* D.)

67. DAITCHING GOUROUN I ABKAI WEKHIYEKHE I TEKHI TCHAKOUTCHI ANIYA I ERIN FORKHON TON I BITKHE; Almanach impérial mandchou, pour la 48e année de Khian loung (1783). In-fol., dem.-rel., m. v.

C'est un tableau complet et authentique de la situation politique et de l'état administratif de la Tartarie chinoise.

68. TAITSING OLON-OUN TEGRI DJIN TATKOKSAN Ô TERIKON ON, etc.; Almanach impérial, en mongol, pour la 1re année de Khian loung (1736). In-fol., dem.-rel., m. v.

L'extrême rareté des livres écrits en mongol donne beaucoup de prix aux moindres ouvrages publiés dans cette langue.

69. TEN MIÔ BOU KAN; Miroir des dignités pour la (4me) année *Ten miô*, en japonais. 4 cahiers in-8, renfermés dans un double étui, dem.-rel., m. r.

C'est une description statistique de la cour de l'empereur séculier à Yedo, avec une liste de ses officiers, un état de leurs revenus, l'explication de leurs armoiries et la figure des insignes qui leur sont propres. Cet exemplaire contient beaucoup d'interprétations manuscrites en hollandais.

70. Noms des dignitaires japonais, leur généalogie et l'état de leurs revenus, en hollandais. In-fol., dem.-rel. (*Manuscrit.*)

Ce volume provient de la collection de documens sur l'histoire naturelle, civile et politique du Japon, que M. Titsingh, représentant des Hollandais dans ce pays, y avait formée pendant un séjour de plusieurs années. Cette collection, célèbre il y a vingt ans, et dont on prétend que la compagnie anglaise avait offert 500,000 fr, se composait en partie de livres et de mémoires originaux, en partie de traductions rédigées par des interprètes japonais ou avec leur secours. A la mort de M. Titsingh, elle fut malheureusement dispersée, et quelques-uns des meilleurs manuscrits qui la composaient tombèrent alors en la possession de M. Klaproth.

71. Observations sur le Daïri et le Djogoun (ou souverains spirituel et temporel du Japon), accompagnées d'une description du cérémonial de la cour de Yedo, et suivies d'une notice sur les cinq grandes fêtes de complimens, et sur la fête des Lanternes, en hollandais. In-fol., dem.-rel.

Manuscrit de la collection de M. Titsingh.

72. Cérémonies usitées au Japon pour les funérailles, à l'occasion de la fête des Dieux, et dans les mariages; suivies de la description de Yeso, en hollandais. 1752, in-fol., dem.-rel.

Manuscrit de la collection de M. Titsingh.

73. Zi rei teou ran; Deux rituels pour les funérailles, en japonais. 2 part., pet. in-4.

Le premier rituel régle tout ce qui est relatif aux enterremens; le second détermine les prières et les offrandes qui doivent être faites. M. Titsingh a donné une traduction de cet ouvrage (*V.* l'art. suivant), mais en marquant, d'après ses propres observations, les dérogations qui se font parfois au cérémonial.

† Description des cérémonies funèbres des Japonais, en hollandais. In-fol., dem.-rel. (*Recueil* F.)

Manuscrit de M. Titsingh, avec des textes japonais et des figures originales.

HISTOIRE.

I. *Peuple chinois.*

74. Kia tseu hoeï ki; Tableau complet des cycles. In-8, 4 part. en 1 vol., dem.-rel., m. v.

Cet ouvrage est un des plus utiles pour l'intelligence de l'histoire chinoise, et celui de tous au moyen duquel les recherches sont le plus faciles. Tous les faits y sont rapportés avec précision, classés avec méthode, par cycles d'abord, puis par années et par règnes, depuis la 8e année de Hoang ti (2697 av. J.-C.), qui est la première du cycle de 60, jusqu'à la 42e année Kia tsing (1563), où se termine le 71e cycle, ce qui embrasse une période de 4260 ans. L'auteur, nommé Sieï yng ki, vivait à la fin du xvie siècle. Son ouvrage a été continué jusqu'au commencement de la dynastie actuelle (1616), et on y a joint des dissertations sur les temps incertains ou mythologiques antérieurs à Hoang ti.

75. YU TING WAN NIAN LY; Chronologie des dix mille années, publiée par l'ordre de l'empereur. In-8, dem.-rel., m. v.

Avec une une concordance des dates manuscrite.

76. TSOU CHOU KI NIAN; Chronique du livre de Bambou, en 2 livres; copie manuscrite faite à la Chine et de la plus belle exécution. 1 vol. in-4, dem.-rel., m. bl., coins, filets.

Le *Tsou chou* passe pour avoir été composé la 20e année du règne de Nan wang, c'est-à-dire, 295 ans avant J.-C. Il fait partie de la grande collection intitulée : *Han 'Weï thsoung chou*, ou mélanges des dynasties *Han* et *'Weï*. A la copie qu'en possédait M. Klaproth est jointe une lettre autographe du P. Gaubil, relative à la rareté et à l'importance de ce livre, qui contient la série des souverains qui se sont succédé sûr le trône de la Chine, depuis l'époque fabuleuse de Hoang ti, jusqu'à la fin de la dynastie des Tcheou (2704-782 avant J.-C.)

77. SSE KI; Mémoires historiques, composés par *Sse ma thsian*, nouvelle édition publiée en 1806. 5 vol. in-4, dem.-rel., v. f.

Cet ouvrage du grand historien de la dynastie des Han que l'on a, à juste titre, surnommé l'Hérodote de la Chine, est divisé en 130 livres, dont 12 de chronique impériale, 10 de tables chronologiques, 8 de dissertations sur l'histoire des sciences et des lettres, 30 contenant les annales des principales familles et 70 de mémoires sur divers sujets de géographie et d'histoire. Sse ma thsian mourut avant d'y avoir mis la dernière main; mais peu de temps après sa mort, sous le règne de Siouan ti (73 à 49 ans avant J.-C.), ces grandes annales furent publiées par les soins d'un neveu de l'auteur, nommé Phing toung heou. Elles sont aujourd'hui rangées parmi les ouvrages classiques; et l'ordre que l'on admire dans la multitude des faits qui y ont trouvé place, ainsi que la manière toujours élégante et nette dont ces faits sont présentés, justifient cette haute estime.

78. YU PY THOUNG KIAN KANG MOU; Miroir universel, avec les résumés de Tchou hi, revu par l'empereur. 13 vol. in-4, dem.-rel., m. violet.

Ce grand corps d'annales où tous les faits de l'histoire chinoise sont résumés et développés à la fois, se divise en trois parties, dues chacune à un écrivain différent; mais celui qui en est le premier auteur est Sse ma kouang, dont le travail comprend depuis l'an 425 avant J.-C., jusqu'à 960 de notre ère; il l'acheva vers l'an 1084. Comme il ne s'était pas occupé des temps anciens, Kin lou siang, qui vivait à la fin du XIIIe siècle, entreprit d'y suppléer, en composant le *Thsian pian*, ou annales antérieures, qui forme la première partie du recueil; la seconde est le *Tching pian*, ou annales proprement dites; c'est l'ouvrage de Sse ma kouang; la troisième est le *Siu pian*, ou annales supplémentaires; elle continue, depuis l'époque où Sse ma kouang s'était arrêté, jusqu'en 1368, ce qui comprend toute

l'histoire des Soung et celle des Mongols. Dans l'origine, ce livre ne portait que le titre de *Thoung kian*; ce fut le célèbre Tchou hi qui y ajouta les mots *Kang mou* (abrégé de ce qui est remarquable), lorsqu'il le publia en y joignant le sommaire des faits principaux, disposé de manière à ce qu'on puisse saisir ceux-ci au premier coup-d'œil. Cette méthode, qui présente de grands avantages, fut appliquée aux complémens antérieur et postérieur qui furent rédigés depuis. L'ensemble ne forme pas moins de cent onze livres. On a fait beaucoup d'éditions du *Thoung kian*; elles ne sont pas toutes disposées de la même manière, et ne renferment pas les mêmes additions. Notre exemplaire est de l'édition impériale qui fut donnée la 46e année Khang hi (1708). C'est le *Thoung kian kang mou* qui sert de base à la grande histoire de la Chine du P. de Mailla; il y est traduit ou extrait presque en totalité.

79. TSEU DJI TOUNG GIYAN GANG MOU; Miroir universel à l'usage de ceux qui gouvernent. 97 parties en 15 vol., pet. in-fol., dem.-rel., m. r.

Ce magnifique ouvrage est la traduction mandchoue des grandes annales dont nous avons parlé à l'article précédent; elle fut imprimée la 30e année Khang hi (1692), par ordre de l'empereur qui la fit précéder d'une préface de sa propre main. Elle contient quelques additions curieuses et des notes importantes pour la géographie des contrées tartares. C'est sur cette version que le P. de Mailla a composé la sienne.

80. YU TING LY TAÏ KY SSE NIAN PIAO; La suite des dynasties et les événemens de chaque règne, en tables chronologiques publiées par ordre de l'empereur. 10 vol., gr. in 4, dem.-rel., m. v.

Le livre qui porte ce titre est peut-être, pour l'histoire, l'ouvrage le plus précieux de la bibliothèque de M. Klaproth, et c'est sans contredit le plus utile. Il a été composé par plusieurs savans que Khang hi réunit pour cet objet au printemps de 1705, et au nombre des quels figurent Kioung sse koung, Tcheou tsing youan, et Wang tchi tchou, qui sont ceux qui y ont pris le plus de part. Le travail fut achevé en 1712 et présenté à l'empereur qui voulut en composer lui-même la préface et qui en ordonna l'impression la 54e année de son règne (1715). Il est précédé d'une table des cycles, d'un usage indispensable, où la durée et le nom de chaque règne se trouvent marqués; d'une notice sur les savans qui ont concouru à sa rédaction et sur le plan qu'on y a suivi, et d'un index général. L'ouvrage en lui-même est divisé en 100 livres, comprenant depuis l'année 2357 avant J.-C., jusqu'à l'année 1368 de notre ère. On s'est conformé, pour la chronologie, aux dates données par le *Thoung kian kang mou;* mais les événemens de tous genres qui, dans ce dernier ouvrage, se trouvent nécessairement mêlés et confondus dans le cours de la narration historique, sont ici distingués avec soin. Les modifications apportées dans la division de l'empire; la succession des empereurs, des princes, des grands vassaux, des souverains étrangers indépendans ou tributaires; les irruptions des Tartares, les guerres, les révoltes, toutes les circonstances remarquables en un mot, sont disposées, chacune dans une colonne particulière, de manière à faciliter les recherches en les abrégeant.

81. LY SSE KANG KIAN POU; Abrégé des annales de la Chine. 55 livres en 5 vol., in 4, dem.-rel., m. v.

L'exactitude des faits, la concision de détails, le discernement de la critique et la sagesse de la méthode, sont des qualités que les Chinois s'accordent à reconnaître dans cet ouvrage qu'ils placent au premier rang parmi leurs compositions historiques du second ordre. Il fut composé sous la dynastie des *Ming*, par *Youan Liao fan*, qui vivait vers la fin du XVIe siècle et continué, dans cette édition (publiée en 1696) jusqu'au règne de Khang hi (1650), sous lequel il a été traduit en mandchou, ce qui est la meilleure preuve qu'on puisse donner de son mérite.

82. Ly tchao tsy lou; Tableau complet de la suite des dynasties. In-8, dem.-rel., m. v.

C'est un précis extrêmement succinct de l'histoire de la Chine; il est divisé en 12 livres et suivi d'un sommaire du *Toung khian*. Il a été publié l'année kia tchin de Khang hi (1664).

83. Djalan djalan-i khafou boulekou; Miroir exposant les générations par ordre successif. 5 livres en 1 vol., pet. in-fol., dem.-rel., m. v.

Manuscrit mandchou, d'une exécution très soignée, contenant l'histoire abrégée de la Chine jusqu'à l'époque de la dynastie actuelle.

84. Houng kian lou; La grande Histoire. 254 livres divisés en 65 cahiers, in-4.

On peut considérer cet ouvrage comme une continuation indispensable du *Thoung kian kang mou*. Tchou hi s'était arrêté, dans la rédaction de ces grandes annales, à la dynastie des Soung (année 960); le *Houng kian lou* reprend, un demi-siècle plus haut, par l'histoire des cinq dynasties *postérieures*, puis il donne celle des Soung, des Liao, des Hia et des Kin, qui n'avait pas été précédemment traitée. Les Chinois font beaucoup de cas de ce livre, qu'ils estiment surtout à cause du plan que l'auteur a suivi et dont nous essaierons de donner une idée à l'article suivant. Le *Houng kian lou* a été réimprimé souvent; cette édition est de la 36e année Kia tsing (1557); elle a été faite peu de temps après la mort de l'auteur nommé Tchao king pang.

85. Sou Houng kian lou, Youan sse louï pian; Histoire de la dynastie des *Youan* (Mongols), faisant suite au *Houng kian lou*. 42 livres en 15 cahiers, in-4.

Tchao youan ping, surnommé Kiaï chan, l'auteur de cette histoire des Mongols, descendait, à la 3e génération, de l'écrivain à qui l'on doit le *Houng kian lou*. Il annonce, dans sa préface, l'intention de se conformer le plus possible au plan que son aïeul avait suivi, et en effet, il place dans le même ordre l'histoire des empereurs, celle des grands officiers de la couronne, des magistrats célèbres, puis la vie des reines, des lettrés, etc., et enfin les faits relatifs aux peuples étrangers. Il divise les empereurs en trois séries : les quatre premiers, qui sont en quelque sorte les précurseurs de la dynastie, forment la *chaîne de la génération;* ceux qui ont occupé le trône de la Chine sont la *succession*, et ceux qui se sont réfugiés en Tartarie l'*addition*. Les faits présentés avec plus de méthode et d'exactitude qu'on n'avait pu le faire encore, sont classés de telle sorte que ceux même qui sont relatifs à l'astronomie, à la géographie, aux inventions et aux découvertes peuvent se voir d'un coup d'œil sous l'année à laquelle ils se rapportent. Tchao youan ping acheva son ouvrage en 1693; il le présenta à l'empereur, en 1699, et il fut publié la 45e année Khang hi (1706).

86. SOU HOUNG KIAN LOU, etc.; Dernier cahier de l'ouvrage précédent, contenant le 42e livre. Un cahier broché à la chinoise, in-4.

87. SSE TCHING HOEÏ Y; Examen des annales. In-8 dem.-rel., m. v. (*Manuscrit.*)

Ce volume, étant entièrement dépourvu de titre, je me suis servi, pour le désigner, de celui du premier chapitre. Quant au sujet de l'ouvrage, autant que j'en ai pu juger en le parcourant rapidement, ce sont des études historiques particulièrement relatives à l'usurpation et au règne de Young lo, de la dynastie des Ming (1403-1424).

88. TOUNG HOA LOU; Chronique de la Fleur d'Orient, 16 cahiers renfermés dans 4 enveloppes chinoises. In-8, mss., avec les concordances des dates de la main de M. Klaproth.

C'est l'histoire de la dynastie mandchoue actuellement régnante en Chine. Les peines les plus sévères attendent ceux qui prononcent ou écrivent le nom de l'empereur ou de sa famille; c'est un manque de respect digne du dernier supplice; aussi cet ouvrage n'a-t-il pu encore être imprimé; mais il s'en est répandu dans l'empire beaucoup de copies manuscrites, et il en est même venu quelques unes en Europe. Les événemens y sont rapportés brièvement, année par année, et sans réflexions ni développemens, depuis 1559 jusqu'à la mort de Young tching, en 1735. Il existe des copies plus complètes où l'on a ajouté le règne de Khian loung et le commencement de celui de Kia king, en 1795.

89. HOANG TCHAO WOU KOUNG KY CHING; Récit des exploits militaires de la dynastie impériale. In-4, dem.-rel.

Lorsque, vers la fin du XVIe siècle, les Mandchous sortirent de leur obscurité, leurs entreprises guerrières les eurent bientôt rendus célèbres, et cette peuplade prit en peu d'années un agrandissement considérable, qui se termina lorsque la conquête de la Chine et de toute la Tartarie ne lui laissa plus de contrées à envahir. Successivement elle planta son étendard chez les Eleuths, les Tibétains, le Ghorkas et jusque dans le Nepâl. D'un autre côté, l'affermissement de la dynastie des empereurs mandchous entraîna ces princes dans des guerres nombreuses et meurtrières, mais où leurs armes furent presque toujours triomphantes. A plusieurs reprises, les montagnards de Koueï tcheou et les habitans de diverses provinces tentèrent de secouer le joug de la domination étrangère; plus tard, toute la Chine méridionale se révolta contre les Mandchous dont les troupes étaient aux prises avec les Mongols et les soumettaient. Cet ouvrage présente un tableau aussi intéressant qu'animé des différentes entreprises dans lesquelles ils se trouvèrent engagés. Il est divisé en 4 livres et fut publié la 57e année de Khian loung (1792).

90. KOUE LI TCHI; Description historique de *Koue li*. 9 cahiers in-8, dans leur enveloppe.

C'est une histoire de Confucius; Koue li était la résidence habituelle de ce philosophe dans le royaume de Lou, son pays natal. L'ouvrage est divisé en 24 livres et orné de figures. Notre exemplaire est incomplet d'un cahier contenant les livres 4 à 8.

II. *Nations tartares.*

91. Daï Liao-i bitkhe; Livre des grands Liao, en mandchou. 8 parties en un vol., in-fol., dem.-rel., m. v. (Les derniers feuillets sont gâtés par l'humidité.)

Au commencement du xe siècle, une horde tongouse, connue des Chinois sous le nom de *Khi tan*, ayant soumis une grande partie de la Tartarie et tout le nord de la Chine, fonda un empire indépendant qui est celui des *Liao* dont ce volume contient l'histoire. Les *Liao* commandaient à plus de 500 tribus tartares, percevaient les impôts de plus de 60 royaumes et traitaient d'égal à égal avec les souverains chinois. Leur empire s'étendait à l'orient jusqu'à la mer, à l'occident jusqu'à Kashgar; au nord il touchait au Baïkal, et au sud il comprenait le nord-est de la Chine et une partie de la Corée. Pendant plus de deux siècles, ils furent le peuple le plus puissant comme le plus redoutable de la Haute-Asie. En 1125, les *Niu tchi* se révoltèrent contre eux, s'emparèrent successivement de tous les pays qu'ils occupaient et fondèrent un grand empire sur les débris du leur (*V.* l'art. suivant.)

92. Aïsin gouroun-i soudouri; Histoire du royaume d'Aïsin, en mandchou. 9 part en 1 vol., in-fol., dem. rel., m. v.

Les *Niu tchi* ou *Jou tchi* donnèrent à leur nouvel empire le nom d'*Aïsin*, qui signifie *or*. C'est la dynastie *Kin* des Chinois. Les *Kin* sont les ancêtres des Mandchous. Ils eurent bientôt acquis une puissance égale à celle des *Liao*, qu'ils venaient de renverser; mais ils ne surent pas la conserver aussi long-temps qu'eux, et en 1234, ils furent à leur tour subjugués par les Mongols. (*V.* l'art. suivant.)

93. Daï Youwan-i bitkhe; Livre des grands Youan, en mandchou. 15 part. en 2 vol. in-fol., dem.-rel., m. v.

Les *Youan*, commandés par Tchinghis-khan, ruinèrent la puissance des *Kin* comme ceux-ci avaient anéanti celle des Liao, et par leurs conquêtes successives, devinrent maîtres de toute la Chine, et formèrent l'empire le plus vaste dont les hommes aient conservé la mémoire. Il subsista jusqu'à leur expulsion de la Chine en 1368.

La part active que ces trois puissantes nations ont prise, pendant plus de quatre siècles, dans les événemens de l'Asie, donne beaucoup d'intérêt à leur histoire encore mal connue. Ces trois ouvrages forment un corps d'annales suivies et originales de la plus haute importance. Ils ont été composés par ordre des premiers empereurs de la dynastie actuelle, et publiés en 1644 par Khife, Tchampa, Tchaboukhaï et Wang wen kouï. Ils sont d'une exécution magnifique.

94. KALKAÏ DOULIMBI TCHOUGOUN KOUSA; Les bannières de la tribu des Kalkas. 6 part. en 1 vol., in-4, dem.-rel. Manuscrit mandchou de la plus belle exécution.

Les Kalkas sont les descendans des Mongols qui, expulsés de la Chine en 1368, vinrent fonder un nouvel empire sur les bords de la Selinga, de l'Orkhon, de la Toula et du Kerlon. Jusqu'au commencement du XVIIe siècle, ils formèrent une nation indépendante, qui était divisée en 49 bannières et obéissait à trois khans ou chefs principaux; mais les Mandchous, 40 ans environ après leur établissement en Chine, les réduisirent sous leur domination ainsi que Eleuths ou Kalmouks, et d'autres peuplades du Tibet, de Kokonor et de la petite Boukharie. Ce beau manuscrit contient l'histoire des princes de ces différentes races, depuis leur origine jusqu'à l'époque de leur soumission aux Chinois.

95. Observationes historicæ Gerardi Frid. Mulleri quartæ relationi itinerariæ ad illustriss. imperii senatum additæ, et anno 1735, in itinere sibirico Jeniseæ collectæ. In-fol. (*Manuscrit.*)

Contenant des vocabulaires comparatifs de vingt-deux dialectes tartares, des pièces historiques et diplomatiques en russe et en latin. Ces différens ouvrages du célèbre académicien de Pétersbourg ne paraissent pas avoir été jamais publiés. Chaque page, collationnée et paraphée par l'auteur, est terminée par ces mots écrits de sa main : « Apographum hoc cum meo autographo convenire testor, *Gerard Fridrich Müller.* »

96. MONGOLENSIA. In-fol.

Volume manuscrit contenant divers ouvrages traduits du mongol en russe. On y remarque entre autres des notices historiques par le Lama mongol Tsortsii, et surtout le poème héroïque où sont retracés, en sept chants, les hauts faits du *Destructeur des dix maux dans les dix mondes,* Bogda gesser khan. Le Tibet septentrional, la Chine occidentale et les pays voisins du Hoang ho supérieur sont le théâtre des actions de ce héros que la mythologie lamaïque a divinisé. Bergmann a donné plusieurs fragmens de ce poème qui occupe le premier rang dans la littérature des Mongols et des Kalmouks, et M. Schmidt en a récemment publié le texte à St-Pétersbourg. Ce manuscrit, qui est d'une très belle écriture, est en caractères slavons.

97. Index mongol-allemand pour l'ouvrage de Pallas intitulé : Recueil de documens historiques sur les peuplades mongoles. In-4, dem. rel., m. v. (*Manuscrit.*)

Cet index, qui parait fait avec le plus grand soin, peut être d'un grand secours pour la lecture, souvent difficile, de l'ouvrage de Pallas. On a rectifié, dans la transcription des mots, les incorrections que Jœrig, qui servait d'interprète au savant voyageur prussien, a commises. C'est à la fois un vocabulaire assez étendu et une excellente table alphabétique, indispensable pour un livre aussi rempli de détails que l'est celui-là.

III. *Japon.* — *Peuples étrangers.*

98. WA KÀN TI OO NEN FIOO; Exposition chronologique des empereurs du Japon et de la Chine. In-4, dem.-rel., cuir de Russie.

Cette chronologie, imprimée la 5e année Fo rek (1755), commence à l'an 840 avant J.-C., et s'étend jusqu'à l'époque de sa publication. A cet exemplaire est jointe une continuation manuscrite qui va jusqu'en 1796.

99. WA KAN TI OO, etc.; Même ouvrage que le précédent, et même édition. In-4, dem.-rel., m. v.

Cet exemplaire est précieux en ce qu'il contient la transcription manuscrite des noms de tous les empereurs, et la concordance des dates avec le calendrier grégorien.

100. Réflexions sur la chronologie des Chinois, d'après les auteurs japonais, avec quelques observations touchant l'origine des Japonais, et une chronologie comparée de la succession des princes chinois et japonais, jusqu'à l'année 1784, en hollandais. In-fol., dem.-rel.

Manuscrit de la collection de M. Titsingh.

101. NIPON O DAÏ ITSI RAN; Annales des Daïris, ou souverains ecclésiastiques héréditaires du Japon, en japonais. 7 parties en 1 vol. in-4, dem.-rel., cuir de Russie.

L'auteur de cette histoire du Japon est Sioun zaï rin sio, qui la publia la 5e année Keï an (1652). Elle s'étend depuis l'an 660 avant J.-C. jusqu'en 1600 de notre ère. Titsingh en avait laissé une traduction que M. Klaproth a revue et publiée.

102. NIFON O DAY ITZE RAN; Le même ouvrage, traduit en hollandais par M. Titsingh. In-fol., cart. (*Manuscrit.*)

103. SIN DAI-NO, ou KAN YONO MAKI; Histore des générations divines. 2 parties en un vol., in-4, dem.-rel., cuir de Russie.

Ces deux livres, contenant l'histoire des premiers temps du Japon, appartiennent à un ouvrage plus considérable qui se compose de 30 parties différentes ayant toutes pour titre commun les mots *Yamato foumi*, c'est-à-dire, *Annales du Japon*. L'impression en gros caractères en est très belle.

104. DAI WA ZI SI; Origine des choses au Japon. 6 part. en 1 vol. in-4, v. r., dent.

Cet ouvrage, d'un prix infini par l'importance de son sujet, contient des notices historiques sur les découvertes dans les sciences et dans les arts, sur les procédés industriels et l'introduction des usages qu'on ne connaissait pas anciennement au Japon. L'auteur est Kaibara Tokzin. Cette édition est de la 10e année Gen rok (1697).

105. HOANG THSING TCHI KOUNG THOU; Notices sur les peuples tributaires de la Chine sous la dynastie mandchoue, accompagnées de planches. In-fol.

Manuscrit de M. Klaproth, rédigé à Londres en 1825, dans lequel chacun des neuf *Kiouan*, ou livres dont se compose l'ouvrage original, se trouve analysé, extrait ou traduit partiellement en allemand. L'ensemble ne forme pas moins de 250 notices, et M. Klaproth a complété son travail par 17 feuilles de calques exécutés avec le plus grand soin sur les gravures chinoises, et offrant la représentation de 47 personnages appartenant à des peuplades diverses. Cet ouvrage se prolonge jusqu'au milieu du règne de Khian loung, vers 1760.

106. KIAO LIEOU PA TSOUNG LUN; Histoire générale de Java. In-8, dem.-rel., cuir de Russie, carte et fig.

Singulier ouvrage, composé en grande partie d'après des autorités européennes et imprimé, à ce que l'on pense, à Batavia. Il contient une description géographique, statistique et historique de l'île de Java, nommé en Chinois *Kiao lieou pa*.

GÉOGRAPHIE.

I. *Chine et Tartarie.*

107. THAÏ MING Y TOUNG TCHI; Description géographique de l'empire chinois pour le temps de la dynastie des Ming. 40 cahiers en 6 vol. in-4, dem.-rel., m. v.

Aucune nation ne possède, pour la description de son pays, des ouvrages renfermant un ensemble de connaissances aussi détaillées et aussi complètes que celles qui sont réunies dans les travaux exécutés par les Chinois sur leur géographie intérieure. Non seulement la situation des lieux, la division territoriale, les particularités et les accidens du sol y sont calculés et décrits avec la plus minutieuse attention; mais tous les faits que les sciences physiques et naturelles présentent à l'observation, toutes les circonstances dignes d'attention que l'antiquité, l'histoire et la littérature peuvent offrir, y sont notés avec soin. C'est sur ce plan que cet ouvrage a été exécuté, d'après les ordres de Thian chun, empereur de la dynastie des Ming, la 5e année de son règne (1461), par les soins de Li hian, qui en fut le rédacteur principal. Il contient la description des seize provinces de l'empire, en 90 livres, dont le premier renferme les cartes et le dernier est consacré à la description des royaumes étrangers.

108. THAÏ THSING Y TOUNG TCHI; Description géographique de l'empire chinois au temps de la dynastie des *Thsing* (actuellement régnante). Edition impériale. 108 cahiers en 25 vol. in-4, riche dem.-rel., m. v., cartes et plans.

Les conquêtes des Mandchous et l'extension de l'empire du côté du nord, rendaient nécessaire la publication d'une nouvelle géographie officielle, conforme à l'état actuel de l'administration chinoise. Dès les premières années de son règne, Khian loung chargea l'académie des Han lin de réunir les matériaux de ce travail, qui devait avoir pour base et pour modèle les grandes géographies publiées sous les dynasties antérieures et notamment celle des Ming. L'ouvrage fut achevé en 1744 (9e année de Khian loung) et publié à Péking par les soins de Houng tcheou. Il est divisé en 356 livres, dont 342 sont consacrés à la description des 21 provinces de l'empire et 14 à celle des royaumes étrangers. Chaque province est partagée en départemens, chaque département en arrondissement, chaque arrondissement en districts; ce sont autant de grandes divisions qui se subdivisent en 24 articles principaux : 1° ensemble de la province avec l'indication des distances de toutes les villes à celle du premier ordre dont elles dépendent et de leur situation relativement à Péking; 2° climat, état du ciel, observations astronomiques et météorologiques; 3° géographie ancienne, changemens à diverses époques dans la circonscription et la dénomination des lieux; 4° montagnes, fleuves, lacs, localités remarquables; 5° mœurs et usages; 6° routes, canaux, ouvrages publics; 7° écoles, établissemens littéraires; 8° tableaux de population; 9° recensement des terres cultivées et en friche, stériles et en rapport; 10° administration civile; 11° lieux célèbres; 12° antiquités; 13° forteresses et moyens de défense; 14° ponts et gués; 15° digues et jetées; 16° tombeaux et monumens; 17° temples et salles consacrés au culte par le gouvernement; 18° temples et monastères des sectes de *Fo* et du *Tao;* 19° fonctionnaires qui se sont distingués dans l'administration de la province; 20° hommes célèbres; 21° guerriers et grands personnages; 22° femmes illustres par leur noblesse ou leur vertu; 23° saints et immortels; 24° produits.

109. THAÏ THSING Y TOUNG TCHI; Description géographique de l'empire chinois, au temps de la dynastie des *Thsing*. 1 vol. in-4, m. v., fil., cartes et plans.

Ce volume ne renferme que les livres 343 à 356, contenant la description des royaumes étrangers.

110. Supplément à la géographie impériale intitulée THAÏ THSING Y TOUNG TCHI. In-fol., dem.-rel., m. v., fil. *(Manuscrit de M. Klaproth.)*

M. Klaproth a entièrement dépouillé l'avant-dernière édition du *Thaï Thsing Y toung tchi* en la comparant à celle qui avait précédé, et il en a extrait et traduit tout ce qu'il y avait de plus que dans celle-ci. Ce travail, qui renferme plusieurs notices assez complètes pour être publiées, est surtout précieux en ce qui concerne l'extension de l'empire du côté de la Tartarie, et les pays au nord et à l'ouest où, depuis un siècle, les Chinois ont porté leurs armes et imposé des tributs.

111. TSENG TING KOUANG IU KI ; Description de la terre, revue et augmentée: 12 cahiers en 2 vol. in-4, dem.-rel., m. r.

Sous ce titre, *Description de la terre*, est comprise une géographie de l'empire de la Chine, composée, vers le milieu du XVIIe siècle, par Lou ying yang, d'après la division territoriale qui existait de son temps. Mais les empereurs tartares ayant modifié la distribution et la circonscription des provinces, et reculé les limites de l'empire, un lettré nommé Thsaï fang ping reprit le travail de Lou ying yang, et en 1686, il en publia une nouvelle édition revue et augmentée, et mise en rapport avec l'organisation introduite par la dynastie mandchoue. Depuis, cet ouvrage d'un usage journalier et d'une autorité irrécusable, a été réimprimé un grand nombre de fois. Cette édition, qui est d'une date assez récente (7e année Kia king, 1802) est entièrement conforme à l'état actuel de l'administration. Le premier cahier contient les cartes géographiques des 18 provinces, et le dernier, une notice sur la Tartarie, la Corée, le Japon et tous les pays limitrophes de la Chine.

112. THIAN HIA CHOUÏ LO LOU TCHING; Recueil complet de cartes routières pour voyager dans tout l'empire, par eau et par terre. In-12 obl., dem.-rel., m. v.

Ce routier contient un grand nombre de cartes et de plans.

113. SIN THSIAN THIAN HIA CHOUÏ LO LOU TCHING THSIOUAN TOU PY LAN; Recueil complet de cartes routières pour voyager dans tout l'empire, par eau et par terre, nouvelle édition. In-12, dem.-rel., m. bl., cartes et plans.

Autre routier divisé en six livres et extrait, comme l'indique le titre courant, d'un ouvrage plus considérable, intitulé: *Tcheou hing*.

114. CHIN YOUAN CHY LIO; Notice abrégée de la résidence impériale. 2 vol. in-8, dem.-rel., avec cartes et plans.

Description de Péking, en 16 livres, publiée l'année meou chin de Khian loung (1788), par Ou tchang youan. On y trouve tout ce qui a rapport à la géographie physique de la capitale et de ses environs, avec la description de ses édifices accompagnée de notices historiques.

115. HANG TCHEOU FOU KO CHING; Les merveilles de Hang tcheou fou : vues des jardins de plaisance et des palais de l'emperenr. 2 vol in-18, dans un double étui de m. j., fers à froid, dent.

Ces deux petits volumes contiennent 18 vues et un texte explicatif manuscrit, le tout sur taffetas et du fini le plus précieux. Ils sont accompagnés d'une notice mss. de la main du P. Cibot.

La ville de Hang tcheou, capitale de la province de Tche kiang, est célèbre dans tout l'empire, par la beauté des sites qui l'environnent et surtout par le voisinage du lac *Si hou*, dont les bords sont couverts de maisons de plaisance et présentent les aspects les plus agréables.

116. MOUKDEN, GING KHETCHEN I TCHERGI PAÏ NIROUKAN; Nomenclature des villes et de tous les lieux dépendant du gouvernement général de Moukden, en mandchou. Un cahier pet. in-8.

Joli manuscrit destiné à accompagner une carte en quatre feuilles, comprenant : 1° le Changgiyan alin, ou Mont blanc; 2° le pays de Yenden, ancienne résidence des souverains mandchous; 3° le département de Ninggouta, et 4° celui d'Oula.

117. Atlas historique de la Chine, en 21 cartes, par Klaproth (En allemand.) 1821, in-fol.

Texte explicatif en quatorze feuillets; manuscrit original et inédit.

Nomenclature géographique du pays des Mongols, des Kalkas, des Mandchous, etc., avec l'indication de la longitude et de la latitude de chaque lieu. In-fol.

Manuscrit original de 60 pages. Ce relevé a été fait par M. Klaproth, avec beaucoup de soin; c'est en quelque sorte la table du grand atlas exécuté au commencement du XVIIIe siècle, d'après les ordres de Khang hi, et conformément aux observations et instructions des jésuites mathématiciens qu'il avait, à cet effet, envoyés en Tartarie à plusieurs reprises.

II. *Japon et peuples étrangers.*

118. SAN KOKF TSOU RAN TO SETS; Aperçu général des trois royaumes, par Rin si fée. Yedo, 1785, 1 vol. pet. in-fol., contenant, outre le texte, 34 figures et 5 cartes, le tout relié à la japonaise et renfermé dans un double étui, dem.-rel., m. bleu.

Magnifique ouvrage, exécuté avec le plus grand soin et aussi curieux que rare. Il contient la description de la Corée, des îles Lieou kieou, de Yeso et de l'archipel Bo nin Sima, que M. Rémusat a, le premier, fait connaître. M. Klaproth a publié, en 1832, une traduction française de cet ouvrage.

119. RIO TOU TSIOU KOUWAÏ FOU TO KAN; Double routier du Japon. Yedo, 1807, in-8, v. rac., f., rempli de cartes et de plans.

Indépendamment de l'indication des distances, ce Routier donne le prix qu'il faut payer à chaque station, pour les vivres et pour les voitures, et la notice, le plus souvent accompagnée d'une vue, des édifices et choses remarquables qu'on rencontre sur la route. Ce volume est un des plus rares de la collection japonaise de M. Klaproth. Les mesures les plus sévères sont prises au Japon contre l'exportation des livres, mais elles sont surtout rigoureusement exécutées quand il s'agit d'ouvrages contenant des cartes et des plans qui pourraient donner aux Européens des notions sur l'intérieur du pays.

120. Enumération géographique de tous les lieux, des places, montagnes, rivières, etc., des 69 districts du Japon, en hollandais. In-fol., dem.-rel.

Manuscrit de M. Titsingh.

121. De la situation du Japon et de la Corée.=Des pays de Coconor, Sifan et Thybet, et des différens pays entre Hami et la mer Caspienne.=De la grande Muraille et de quelques lieux de la Tartarie.=Des ancêtres et de la mort de Gengiscan. =Mémoire sur le Thybet. In-fol., dem.-rel., m. r.

Copie manuscrite de différens mémoires, encore inédits, du P. Gaubil, sur quelques-uns des points les plus intéressans de la géographie de la Haute-Asie.

† Journal d'observations faites au Japon, par M. Titsingh, depuis le 30 novembre 1788 jusqu'au 13 novembre 1789, en hollandais. (*Recueil* G.)

Ce journal de M. Titsingh n'a pas été publié.

†† Yeso ki; Description de Yeso, avec le récit de la révolte de San-say-in, rédigés la 2e année du nengo Forek (1752), en hollandais. (*Recueil* F.)

Manuscrit de M. Titsingh.

L'auteur de cette description de Yeso est Araï Tzikoungo-no kami; on y a joint deux grandes cartes japonaises, coloriées, de cette île, dont les Japonais ont seuls encore pu visiter l'intérieur, et qui est célèbre par les discussions géographiques auxquelles elle a donné lieu.

122. Khin ting Si yụ toung wen tchi; Recueil des noms des contrées occidentales, en chinois, mandchou, mongol, œlet, tibétain et turc, publié par ordre de l'empereur. 24 livres extraits et traduits en allemand, avec des observations, par M. Klaproth. Manuscrit autographe et inédit d'une exécution très soignée. In-fol., dem.-rel., m. bl.

Les conquêtes des empereurs tartares avaient reculé les limites de l'empire jusqu'en des contrées dont les noms étrangers ne pouvaient, sans de notables altérations, s'exprimer en caractères chinois. Pour obvier aux nombreux inconvéniens qui résultaient d'un mode de transcription arbitraire et souvent méconnaissable, et qui se faisaient chaque jour sentir davantage, Khian loung, en 1763, chargea plusieurs savans de réunir toutes les dénominations géographiques du Tibet, de la Petite Boukarie, etc., etc., ainsi que les noms des personnages marquans, des chefs et des magistrats de ces pays, de donner la traduction de ces différentes dénominations et de les transcrire dans les caractères des six langues indiquées plus haut. Tel est l'ouvrage que M. Klaproth avait traduit ou extrait pour ses recherches particulières de géographie et d'histoire, et qui, par les observations qu'il y a ajoutées, est devenu un travail du plus grand intérêt.

123. Weï Thsang thou chy; Cartes et description de *Wei* et de *Thsang*. 4 cahiers in-8, dans leur enveloppe, avec cartes et figures.

C'est une description du Tibet; Wei et Thsang sont les noms qu'on donne à la partie haute et basse de ce pays. Le présent ouvrage a été composé par Ma chao yu et publié à Péking la 57e année Khian loung (1792); il contient un vocabulaire tibétain. L'archimandrite Hyacinthe et M. Klaproth en ont donné chacun une traduction, l'un en russe, l'autre en français.

124. Kin ching tan kia ping Si yeou tchin thsiouan; Véritable relation d'un voyage dans l'occident, rédigée, avec des observations, par *Kin ching tan*. 20 livres en 4 vol. in-8, dem.-rel., m. bl., ornés de figures bizarres.

Le *Si yeou* est un des quatre ouvrages connus sous le titre de *Sse ta y chou*, les quatre grands livres merveilleux. On le classe parmi les romans, mais il contient en réalité la relation des voyages exécutés au VIIe siècle par Hiuan thsang, lequel employa vingt années à parcourir les pays qui sont compris entre la Chine et l'Inde. A côté de quelques traditions fabuleuses, on y trouve des détails historiques pleins d'intérêt, sur l'introduction et la propagation des doctrines bouddhiques à la Chine. Toutefois, ce n'est pas le récit original du voyageur; ce n'est qu'une sorte de traduction en *siao choue*, ou style familier, qui en a été faite par *Kin ching tan*, lequel vivait vers l'an 1650 et qui a recomposé ainsi plusieurs autres ouvrages en les accompagnant de notes explicatives. La relation de Hiuan thsang qu'il avait divisée en 100 livres, réduite par *Ou y tseu* à ce qu'elle offre de plus merveilleux, ne forme plus que 20 livres dans l'abrégé que nous annonçons.

125. Si iu wen kian lou; Récit de ce qu'il y a de curieux dans les contrées occidentales. In-8, dem.-rel., m. r., cartes.

Les mots *Si iu* s'entendent plus particulièrement de l'Inde que de tout autre pays à l'occident de la Chine. Cette relation est divisée en huit livres; elle a été publiée la 42e année Khian loung (1777).

126. Si iu wen kian lou. 2 cahiers in-8, dans leur enveloppe.

C'est un second exemplaire du même ouvrage.

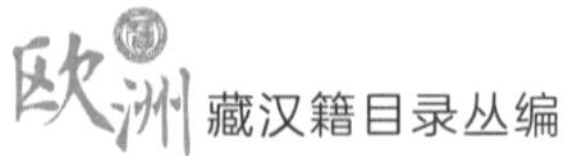

III. *Cartes et plans.*

127. KOU KIN YOUAN KE TY THOU; Atlas des changemens successifs anciens et modernes. In-fol. plié en paravent et recouvert en riche étoffe dite *mandarine*.

Ce magnifique ouvrage, exécuté la 54e année de Khian loung (1788), et publié au Japon la première année Kwan sei (1789), se compose de treize tableaux, gravés au burin sur papier fort et coloriés avec soin, représentant, pour différentes dynasties, depuis les Hia, la carte comparée de l'empire jusqu'à l'époque actuelle. Ces tableaux sont répartis de la manière suivante : 1o carte routière de la Chine pour la dynastie des Thsing, actuellement régnante; 2o carte des neuf *tcheou*, ou divisions établies par l'empereur Yu, telles qu'elles sont rapportées dans le chapitre du *Chou king* intitulé : *Yu koung* (2224 avant notre ère); 3o carte de la répartition des terres par familles sous les Tcheou (1122-722 av. J.-C.); 4o la Chine suivant le *Tchun thsieou* de Confucius (722-480 av. J.-C.); 5o carte du démembrement de l'empire en sept parties, pendant les guerres (480-250 av. J.-C.); 6o carte des 36 provinces sous les Thsin (250-200 av. J.-C.); 7o carte par provinces et districts sous les Han occidentaux (200 av. J.-C.—25 de J.-C.); 8o la même sous les Han orientaux (25-220); 9o la même pendant la division de de l'empire en trois royaumes (220-265); 10o la même sous les deux dynasties des Thsin, orientaux et occidentaux, à laquelle on a ajouté 16 états appartenant aux cinq nations barbares limitrophes, telles que les Hioung nou, les Sian pi, etc. (265-618); 11o la carte des quinze gouvernemens établis par les Tang (618-1370); 12o carte du *Thaï Ming y toung tchi* (*V.* la notice de cet ouvrage, no 108); 13o carte du Japon et de l'Asie (*Ya si ya*).

128. NEÏ FOU IU TI THOU; Cartes des provinces et départemens de la Chine. 8 cahiers in-4.

Magnifique travail, exécuté vers le milieu du siècle dernier, par les ordres de l'empereur Khian loung. Il se compose de 214 cartes, comprenant une carte générale de la Chine dans les temps anciens, sous forme de mappemonde; 15 cartes générales des provinces; 165 cartes particulières des départemens dont chacune de ces provinces est formée; 33 cartes des districts et cantons les plus importans, avec l'indication des particularités locales dignes de remarque qu'ils renferment. Le premier cahier contenant les préfaces et autres pièces liminaires, ainsi qu'un abrégé de la géographie de la Chine, manque à cet exemplaire.

129. TCHI LI KO SENG IU TI THSIOUAN THOU; Atlas complet de chacune des provinces de l'empire. 19 cartes collées sur cartons forts et pliées en paravent. In-fol.

Nous ne connaissons, pour la géographie chinoise, aucun ouvrage mieux exécuté et plus complet dans ses détails que celui-ci; il fut gravé la 11e année Kia king (1806). La première feuille est, comme nous dirions, une carte d'assemblage; sur chacune des autres sont les dix-huit provinces qui composent l'empire, d'après la nouvelle circonscription établie postérieurement au règne de Khian loung, sous lequel on en comptait vingt-et-une.

130. Collection de Cartes de la Chine, de la Tartarie et du Japon, traduites par M. Klaproth et calquées de sa main sur les meilleurs travaux géographiques des Chinois. 354 feuilles sur papier végétal contenues dans un portefeuille rouge.

Cette précieuse collection se divise de la manière suivante :

1° Cartes générales des provinces de la Chine.	17
2° Cartes des départemens, traduites du *Neï fou iu ti thou* (*Voy.* n° 128).	185
3° Frontières du nord et de l'ouest.	6
4° Le Chen si, d'après la nouvelle géographie impériale.	15
5° Départemens de la nouvelle province de Kan sou.	13
6° Cartes traduites de la nouvelle géographie impériale.	9
7° Cartes diverses et séparées.	19
8° Japon.	6
9° Cartes muettes.	84
	354

On ne craint pas d'affirmer que ces calques, dont plusieurs sont lavés avec soin, ne soient beaucoup plus beaux que les originaux qu'ils reproduisent.

131. Cheou chen thsiouan thou ; Carte complète de la capitale de l'Empire. In-plano, sur toile.

Magnifique plan de Péking.

132. Ta Kin tchouan ty ly thou hing ; Carte figurative du pays des grands Kin tchouan. In-plano.

Les trois grandes chaînes qui traversent le Tibet de l'ouest à l'est, et dont les cimes sont les glaciers les plus orientaux de l'Himâlaya, se réunissent en un immense nœud de montagnes qui couvre presque toute la Chine occidentale. La province du Sse tchouán, surtout dans sa partie septentrionale, celles du Hou kouang, du Kouang si et du Kouang toung sont hérissées de ces montagnes. Elles y forment une chaîne d'une largeur considérable, que son élévation a fait nommer la *Chaîne des nuages*, et qui, se dirigeant jusqu'aux sources du Kiang, se prolongent bien au-delà des dominations chinoises. Les peuplades qui y vivent dispersées, étaient divisées en deux gouvernemens, désignés par les noms de petit et de grand Kin tchouan, et confondus sous celui de Miao tseu qui leur était commun. Grace à la nature inaccessible de leur pays, ces montagnards se maintinrent dans une entière indépendance jusqu'à l'époque où Khian loung, à travers mille obstacles et avec des peines infinies, réussit à les soumettre. La carte de cette contrée, alors presque inconnue des Chinois, et dont la configuration est encore ignorée des géographes européens, a été levée par le général Akoui, commandant l'armée qui fit la conquête du pays en 1775.

133. Sin ken Nipon yo tsi ro tei sen tsou ; Carte des routes et étapes du Japon; nouvelle édition. Une feuille de 48 pouces sur 30, cartonnée à la japonaise.

Ce magnifique monument géographique fut exécuté par Tsio den sin si ghikf, d'après les projections mathématiques en usage en Europe, et sur les observations des longitudes et des latitudes auxquelles il a adapté les différens routiers de l'empire japonais. Il acheva son travail la 3e année An yeï (1775).

134. SIN KEN NIPON YO TSI RO TEÏ SEN TSOU; Carte des routes et étapes du Japon; nouvelle édition. In-plano, collée sur toile.

C'est la même carte que la précédente, publiée la 8e année An yeï (1780), à Yedo.

135. NIPON YO TSI. SIN SOOU KAOU TEI KI DAÏ SEN; Grande carte routière du Japon, édition nouvelle augmentée, publiée en 1659. Très longue feuille pliée en paravent et renfermée dans un étui.

Cet exemplaire est chargé d'explications faites en hollandais, par M. Titsingh, et d'autres en français de la main de M. Klaproth.

136. FOUN KEN YEDO DAÏ KOUWAÏ TO; Grand plan colorié de la ville de Yedo. 48 pouces de haut sur 46 de large.

Ce plan, qui est d'une édition assez ancienne, offre cela de curieux qu'il représente la capitale du Japon telle qu'elle était avant le fameux incendie de 1703, qui la réduisit en cendres.

137. GIYO YEDO KOUWAÏ TO. Plan colorié d'Yedo, édition impériale nouvellement gravée l'année *Ten mio* (1781).

Cette carte est sur une moins grande échelle que la suivante, mais elle offre les mêmes détails et elle est exécutée avec autant de soin.

138. GIYO YEDO DAÏ KOUWAÏ TO. Grand plan colorié d'Yedo, édition impériale nouvellement gravée la 7e année *Boun seï* (1824), très grande feuille pliée dans un carton gr. in-8.

139. MIYAKO DAÏ KOUWAÏ TO. Grand plan colorié de Miyako, plié dans un double carton à la japonaise.

On sait que Miyako, tant par son importance comme siége du souverain ecclésiastique du Japon, que par le nombre et la grandeur de ses monumens, est considérée comme la capitale de l'empire. Les temples et les édifices les plus remarquables qu'elle contient, sont indiqués sur ce plan de manière à donner une idée de l'immensité et de la splendeur de cette ville.

140. OSAKA SI SIYAOU TO. Plan d'Osaka, en japonais, grande feuille pliée en in-8.

Osaka, capitale de la province de Sets, est une des cinq villes impériales du Japon.

141. Fi siou tsiyaou ki to. Plan de la baie et de la ville de Nagasaki, en japonais.

Ce plan, levé par ordre du trésorier impérial de Nagasaki, en 1780, est très détaillé et comprend tous les alentours de Nagasaki jusqu'à la pointe de Nomo.

142. Sept autres cartes et plans de différentes villes et de lieux célèbres, en japonais, dont : Plan du port d'Yedo, carte de Yedo et de ses alentours, plan de la *Montagne impériale de la Splendeur du Soleil*, *etc.*, *etc.*, *etc.*

143. Kiou siou kiou ki to. Carte de l'île de *Kiou siou*, en japonais.

Cette carte, publiée à Nagasaki en 1783, contient beaucoup de détails curieux, principalement en ce qui concerne la navigation sur les côtes de la partie S. O. du Japon.

SCIENCES ET ARTS.

1. *Sciences naturelles.*

144. Pen thsao kang mou; Traité général d'histoire naturelle, par Li chi tchin, édition de 1765. 9 vol. pet. in-8, dem.-rel., m. v., fil., avec un grand nombre de figures.

Les végétaux formant, pour les Chinois, la classe la plus nombreuse des productions naturelles, on s'est accoutumé à désigner par ces mots : *Pen thsao*, proprement, *plantes principales*, des ouvrages où il est parlé non seulement des plantes, mais aussi des animaux et des minéraux. On connait sous le même titre, divers traités d'histoire naturelle, tant médicale que proprement dite, antérieurs à celui de Li chi tchin. Le premier est si ancien qu'on le fait remonter jusqu'à l'époque fabuleuse de l'empereur Chin noung à qui on l'attribue. La grande collection de Li chi tchin embrasse tout ce qui est relatif aux productions des trois règnes, sous tous les rapports où les Chinois ont pu les considérer. Elle est divisée en 52 livres contenant 16 classes, 60 ordres, 1874 espèces naturelles et 8160 compositions médicinales. L'auteur mit 26 ans à la former (de 1552 à 1578); elle a été publiée un grand nombre de fois et a servi de base à tous les traités du même genre. M. Klaproth a joint à son exemplaire les synonymies latines linnéennes de toutes les espèces qu'il a été possible de déterminer jusqu'ici.

† Ta kouan Pen thsao; Histoire naturelle des années *Ta kouan*. (*Recueil* D.)

Thang chin wei composa cet ouvrage de tout ce que les *Pen thsao* des siècles précédens, et notamment le *Pen thsao fang chou* contenaient de plus important; il l'acheva dans les années Tching ho (vers 1112). Il lui avait d'abord donné le titre de *Tching louï Pen thsao*; mais ayant présenté son travail à l'empereur Hoeï tsoung, ce prince en fut si satisfait, que, le considérant comme la gloire de l'époque à laquelle il avait été exécuté, il voulut qu'il portât le nom des années Ta kouan (1107-1110), qui sont celles de sa composition, et il a toujours conservé depuis ce titre de *Ta kouan Pen thsao*. Cette édition est de l'année 1469. Elle est divisée en 30 livres contenant dix classes, savoir : les gemmes et les métaux, les plantes, les arbres, l'homme, les quadrupèdes, les oiseaux, les poissons et les insectes, les fruits, les céréales, les plantes potagères. Ces dix classes renferment la description de 1455 espèces naturelles et de 1746 compositions médicinales. Le dernier livre est consacré à l'explication des planches qui sontau nombre de 294. Malheureusement, nous ne possédons ici de ce curieux livre que le premier cahier, et encore est-il abîmé de piqûres de vers. Il contient la préface du nouvel éditeur, celle de l'auteur, l'indication de 247 ouvrages qui ont servi à la composition du *Tching louï Pen thsao*, et une table détaillée du contenu de chacun des 30 livres au moyen de laquelle il nous a été permis de donner la notice qu'on vient de lire.

145. Khieou hoang pen thsao; Plantes dont on peut faire usage dans les temps de famine. 2 vol. in-4, brochés à la chinoise, fig.

Ce recueil est fort recherché à la Chine même; il est divisé en 4 livres et contient la description de 440 sortes d'herbes, d'arbrisseaux et d'arbres qui croissent dans les campagnes, et dont les racines ou les écorces, les fruits ou les bourgeons, les tiges ou les feuilles, peuvent, moyennant certaines préparations qui sont indiquées, servir d'alimens dans les temps de disette. L'auteur à qui on le doit était un prince nommé Tching tchaï, qui vivait sous le règne de Thaï tsou (vers 1380). La première édition parut dans les années Young lo (1403-1425); celle-ci a été donnée la 43e année Kia thsing (1564) et imprimée dans la province de Ho nan, par ordre du gouvernement. Chaque plante est représentée au trait en regard de sa description.

† Description of sticking with the Needle, and of burning Moxa in several complaints, represented in twenty plates, and accompanied by the explanation of the chinese characters on the *Tsoe bosi*, denoting the spots where to perform those operations. In-fol., dem.-rel., fig. (*Recueil* G.)

Manuscrit de M. Titsingh, offrant la traduction d'un traité intitulé, en chinois, *Tchin kieou ki pi tchao*, et composé à Foukousima, en 1780, par un médecin nommé Thai tchoung youan. Le *Tsoe bosi*, ou mieux *Tsou bosi*, dont il est fait mention sur le titre, est une sorte de mannequin sur lequel sont indiqués les endroits du corps où l'on doit porter l'aiguille ou appliquer le caustique. Ces différens points sont marqués ici sur les vingt figures qui accompagnent le mémoire.

146. Ing-ki-li koue sin tchou tchoung teou; Exposé du nouveau procédé d'inoculation apporté du royaume d'Angleterre. Cahier in-8, br. à la ch., avec une planche.

Cette instruction sur la vaccine a été traduite en chinois par sir G. Staunton (Sse tang toung) et envoyée par lui à la cour de Péking où elle fut favorablement accueillie. Il a déja été fait plusieurs éditions de cet opuscule remarquable; celle-ci est de la 10e année Kia king (1805). Il en a été aussi publié une à Londres, il y a quelques années, sous le titre de: « Chinese treatise of the Vaccine, originally printed at Canton in 1805, now lithographied in London, in 1828, by W. Day. In-8. » Elle est entièrement conforme à l'édition originale ci-dessus.

II. *Sciences mathématiques.*

147. TCHY TAO NAN PE LIANG TSOUNG SING THOU; Carte des astres des deux lignes équinoxiales, méridionale et septentrionale.=KOUEN IU THOU; Planisphère terrestre. 2 feuilles in-plano.

On a mal à propos attribué le premier de ces deux planisphères au P. Schall; l'un et l'autre sont du P. Verbiest qui, sous le nom chinois de Nan hoaï jin, succéda au P. Schall dans la charge de président du tribunal des mathématiques, et les composa, vers l'an 1672, par les ordres et pour l'instruction de l'empereur Khang hi. C'est ce planisphère céleste qui a servi de base au travail du P. Grimaldi mentionné à l'article suivant.

148. FANG SING THOU KIAÏ; Table explicative de la disposition des étoiles. Péking, 1711, in-fol., plié en paravent, recouvert en étoffe de soie et renfermé dans un double étui en carton.

L'auteur de cet atlas céleste est le P. Grimaldi, successeur du P. Verbiest dans la charge de président du tribunal des mathématiques. La préface est signée de son nom chinois *Min ming 'o*. Ce magnifique exemplaire, imprimé sur papier fort, fut envoyé par Gaubil à Delisle, l'astronome, et il est chargé de notes et d'explications de la main du savant jésuite.

149. YOUAN THIAN THOU CHOUE; Explication du tableau de la sphère céleste, par Li ming tche. Canton, 1820, 3 part. en 1 vol., pet. in-fol., dem.-rel., m. bleu.

Quoique, depuis près de deux siècles, le tribunal des mathématiques ait adopté le système de Copernic, Li ming tche s'est conformé à celui de Ptolémée et a suivi les règles données à ce sujet par Yang ma nao (le P. Emmanuel Diaz) dans son traité intitulé : *Thian wen lio* (courte explication du Ciel.) La troisième partie de l'ouvrage de Li ming tche contient une mappemonde fort curieuse et les cartes des 18 provinces de la Chine. Ce livre, supérieurement exécuté, renferme en outre un grand nombre de figures.

150. KHANG HI CHI NIAN........YOUEÏ CHI THOU; Seu, typus eclipsis lunæ, anno Christi 1671, imperatoris Cam Hy de-

cimo, die xv^{to} lunæ II^{æ}, id est, die xxv^{to} martii, ad meridianum pekinensem; nec non imago adumbrata diversorum digitorum in horizonte obscuratorum, in singulis Imperii sinensis provinciis, tempore quo luna in singulis oritur, auctore P. Ferdinando Verbiest, S. J., in regia pekinensi astronomiæ præfecto. In-8 alongé, plié en paravant, fig.

En chinois et en mandchou; le titre latin que j'ai transcrit en entier est imprimé en caractères européens.

151. Thaï Thsing Kia king thsi nian souï tseu jin siu chy hian chou; Livre de la règle du temps pour l'année *Jin siu*, 7me de *Kia king* de la dynastie *Thaï Thsing*. In-4, dem.-rel., m. v.

Almanach civil pour l'année 1802, grande édition impériale. La rédaction du calendrier est, en Chine, une affaire d'état, et il y a, depuis des siècles, un tribunal astronomique à Péking, spécialement institué pour cet objet. Chaque année, le résultat de son travail est distribué dans tout l'empire. On y trouve des indications intéressantes sur la cosmogonie et la météorologie, la division du temps, la succession des saisons, les soins à donner à l'agriculture, les fêtes civiles et religieuses, etc., etc. Ce volume contient un autre almanach semblable, mais pour la 11e année du même règne (1806); il y en a deux exemplaires.

152. Thaï Thsing Tao kouang youan nian, etc.; Almanach pour la première année *Tao kouang* (1820). Un cahier in-4, br. à la chinoise.

† Ta thsiouan toung chou; Grand calendrier astrologique pour la 11e année Kia king (1806), avec beaucoup de fig. (*Recueil* E.)

153. Ta thsiouan toung chou; Grand calendrier astrologique. In-8, cahier à la chinoise.

Pour la 9e année Tao kouang (1828).

† Tcheou koung kiaï mong thsiouan chou; Livre des rêves expliqués par Tcheou koung. (*Recueil* E.)

Tcheou koung, dont on emprunte ici le nom, est le même qui administrait l'empire au commencement de la dynastie des Tcheou (vers l'an 1120 avant J.-C.) et qui est célèbre pour ses connaissances en astronomie. C'est parce qu'il a fait un commentaire sur l'*Y king*, qu'on lui attribue ces sortes d'ouvrages, qui sont en général basés sur les *koua*.

†† Tsao fou thsiouan chou; Traité complet pour obtenir le bonheur. (*Recueil* E.)

Livre de divination, pour la 33e année de Khian loung (1768).

III. *Arts.*

155. KIN TCHI YO; Traité de musique. Cahier in-8.

Livre complet de la mesure et de l'accord des tons.

156. TEN SIN KAÏ SIYOU FOKF' SAÏ BEN K'WA RIKF' FEN; sixième livre de Croquis tirés du Cabinet du Nord, exécutés avec un art surnaturel pour servir de modèles. Pet. in 4, cart. à la japonaise.

La collection qui porte ce titre se compose de 10 parties, distribuées en huit volumes, dont chacun, consacré à une série de dessins analogues, est complet pris séparément. Ainsi, ce sixième livre représente différens exercices de force et d'adresse, tels que le maniement de l'arc, de la lance, du bâton, du fusil, et tout ce qui a rapport à la lutte, à l'équitation, à la manière de dompter et de dresser les chevaux, de les ferrer, de les charger et de les conduire, avec des armes et des harnais de toute espèce. Ces figures, gravées sur bois et imprimées en couleur, ne sont pas moins remarquables par l'expression et la naïveté, que par le talent plein de hardiesse et de vérité avec lequel elles sont dessinées. C'est ce que nous connaissons de mieux en ce genre.

157. TEN SIN KAÏ SIYOU FOKF' SAÏ BEN K'WA SIFOU FEN; Dixième livre de Croquis tirés du Cabinet du Nord, etc. Pet. in-4, cart.

Ce volume, qui fait partie de la même collection que le précédent, est principalement consacré à représenter des génies, des sorciers, des faiseurs de tours, des équilibristes et des jongleurs, des caricatures, etc.

158. KIEN KIA KIE KEOU TSE YAO KIEOU CHY EUL FA; Les quatre-vingt-douze règles pour former les caractères. Cahier in-4.

La calligraphie, ou, suivant une expression consacrée, le *mouvement du pinceau*, sous le double rapport de la correction et de l'élégance, a dans les études chinoises, une importance qu'on ne peut apprécier si l'on n'a une idée de la nature des signes dont les Chinois font usage et des graves erreurs où peut entraîner la moindre inexactitude commise en les écrivant; aussi, le nombre des traités composés sur cette matière est-il fort considérable. Celui-ci, qui est un des plus estimés, a été publié et traduit par M. Davis, sous le titre d'*Eugraphia sinensis*, dans le 1er vol. des Transactions de la Société asiatique de Londres. Chaque règle est énoncée en quatre caractères, tracés avec une grande élégance, de manière à pouvoir servir de modèles; mais l'extrême concision du précepte nuit quelquefois à sa clarté, et rend tout-à-fait nécessaires les éclaircissemens dont notre exemplaire est accompagné et que M. Davis n'a pas reproduits. Les mots *Kien kia* désignent selon toute apparence le cabinet du lettré qui a donné ses soins à cette édition.

159. Wou pi thsouan yao thsian tsi; Recueil des choses importantes relatives aux moyens de se défendre par les armes. 2 vol. in-4, dem.-rel., m. v., avec beaucoup de figures.

Cette grande collection de traités sur l'art militaire est considérée comme classique. Elle se divise en deux parties principales, intitulées, l'une : Collection antérieure, l'autre, Collection postérieure. La première contient 22 livres et porte la date de 1494; la seconde est divisée en 21 livres et est de l'année 1599. Le P. Amiot n'a traduit que trois des traités de la première série, dont quelques-uns ne remontent pas à moins de trois siècles avant notre ère.

160. Tchooukhaï baita be ghisourenghe; Discours sur l'art de la guerre, en mandchou. In-4, dem.-rel., m. v. (*Manuscrit.*)

Ce manuscrit renferme une version tartare des traités de Soun tseu et de Ou tseu sur l'art militaire, que le P. Amiot a publiés en français d'après cette version-là même.

161. Collection de mémoires, de notices et d'extraits sur l'Art militaire, traduits du chinois en français par différens missionnaires et par Deguignes le père. (*Manuscrit.*)

Parmi ces pièces, on remarque les suivantes : Mémoire sur l'art militaire, par l'évêque d'Erinée.—Extraits du traité de la guerre intitulé *Vou king*, par le même.—Notices sur le *Pao* (canon), tirées de différens dictionnaires et de plusieurs livres d'annales, avec beaucoup de notes importantes pour l'histoire de l'artillerie en Chine. — Extraits du *Pen thsao* sur le nitre et le salpêtre.—Explication des huit ordres de bataille, traduite du *San thsaï thou hoeï*.—Recueil de figures concernant la guerre (texte explicatif.)—Extraits des dictionnaires chinois relatifs à la guerre, avec beaucoup de notes historiques très détaillées, par Deguignes le père.—Idée de la milice cochinchinoise.—Trente dessins représentant des camps, des plans de bataille, des armes défensives et offensives, des étendards, etc., etc.

† Traité de pyrotechnie, en chinois (sans titre). *Manuscrit* avec beaucoup de figures. (*Recueil* B.)

On peut lire dans les relations des voyageurs le récit des représentations merveilleuses de fleurs, de fruits, d'animaux, etc., que les artificiers chinois exécutent. Rien ne leur semble impossible ; ils savent pétrir la poudre pour lui donner toutes les formes, et l'amalgamer avec mille substances pour produire les couleurs les plus variées et les effets les plus surprenans. Les procédés au moyen desquels ils y parviennent sont rapportés dans ce curieux ouvrage qui paraît être une copie, s'il n'est pas celui-là même d'où le P. d'Incarville a extrait le mémoire qui est inséré dans le t. IV (p. 66) des Mémoires des Savans étrangers, publiés par l'Académie des sciences. Notre manuscrit offre d'abord des figures, au nombre d'une quarantaine, où sont représentées les principales opérations de la pyrotechnie ; puis viennent quelques instructions sur la composition des différens feux, et enfin la préparation de la poudre et l'indication des proportions dans lesquelles les mélanges doivent être opérés pour obtenir tel ou tel effet.

LITTÉRATURE.

1. *Introduction. — Traités généraux et élémentaires.*

162. Lou chou kou; Les causes de la formation des six classes de caractères. 20 cahiers in-4.

Ouvrage extrêmement important pour l'histoire de la langue chinoise, et que l'on peut regarder comme un véritable dictionnaire étymologique. Sa composition remonte à l'année meou 'ou de Yan yeou (1318). Hian houan te, qui en est l'auteur, l'a disposé par ordre de matières et divisé en 33 livres.

163. Tching yun thoung; Guide de la véritable prononciation. In-4, dem.-rel., m. v.

Cet ouvrage, où tous les tons de la langue chinoise sont catalogués et analysés, porte aussi pour titre les mots *Yun mou*, c'est-à-dire *engendrant le son*. Il est divisé en 5 livres, renfermant l'indication de la prononciation de 10,389 caractères, et accompagnés de considérations préliminaires sur la méthode de l'auteur, sur la nature de la langue orale et sur la classification des intonations dont elle est susceptible. Il a été publié par Iu chy liu, avec les corrections et les explications de Taï chy liu, l'année kia siu de Tsoung tching (1634).

164. Peï wen yun fou; Répertoire tonique du *Peï wen*. 26 cahiers in-4, brochés à la chinoise.

Dictionnaire de phrases et de citations offrant des modèles tirés des meilleurs auteurs, et particulièrement destiné à l'explication des expressions métaphoriques usitées dans la poésie chinoise. Entrepris par ordre de Khang hi, la 43e année du règne de ce prince (1704), ce ne fut qu'en 1711 qu'il put être livré à l'impression. 176 savans concoururent à sa rédaction, et le titre de *Peï wen* lui vient du nom de la bibliothèque, ou si l'on aime mieux, de l'académie, où ils se réunissaient pour leur travail. Ces mots *Peï wen* signifient bibliothèque des *amateurs de la littérature*. L'ouvrage complet forme 131 cahiers; M. Klaproth n'en possède que 26, contenant les livres 16, 26 à 30, 50 à 76.

165. Yun fou chi y; Choses omises dans le répertoire tonique. 106 livres en 23 cahiers in-4, à la chinoise.

C'est un supplément à l'ouvrage ci-dessus; il a été publiée la 59e année de Khang hi (1720). L'exemplaire est beau et bien complet.

166. Fa iu hiu tseu; Mots vides produisant le sens. Cahier in-8. *(Manuscrit.)*

Traité des particules suivant les différentes positions qu'elles occupent dans le discours. Ce petit écrit ne manque pas d'un certain intérêt grammatical, à cause du nombre de ces *mots vides* dont il détermine l'emploi, et de l'importance qu'ils ont dans la langue chinoise dont ils constituent presque toute la grammaire. Une note qui se lit sur la première page, attribue ce livre à un missionnaire jésuite nommé Grollet, qui nous est inconnu.

II. *Dictionnaires tout chinois.*

167. Eul ya, suivi du Siao Eul ya. In-4, dem.-rel., m. v.

Le *Eul ya* est le plus ancien vocabulaire chinois. Il est disposé par ordre de matières, en sorte qu'il présente un tableau infiniment précieux des connaissances des Chinois aux époques les plus reculées. Quelque opinion qu'on puisse avoir sur l'antiquité qu'on lui attribue et qui remonterait jusqu'à Tcheou koung (onze siècles avant J.-C.), qui passe pour en être le premier auteur, on ne peut contester son indispensable utilité pour l'intelligence des termes employés dans les temps anciens. Vers l'époque de notre ère, il a été mis en ordre et augmenté par les soins des plus habiles lettrés de la dynastie de Han qui, travaillant sur les traditions encore subsistantes de l'antiquité, ont pu les expliquer d'une manière satisfaisante, tout en n'employant que les définitions les plus précises. Kouo po, qui vivait au IVe siècle de l'ère chrétienne, le publia dans la forme qu'il a aujourd'ui, avec quelques additions et des commentaires.

Le *Siao Eul ya, ou petit 'Eul ya,* qui se trouve dans le même volume, est un ouvrage du même genre que le précédent; il est peut-être aussi curieux, mais il ne jouit pas d'une aussi grande autorité. Il ne contient que treize articles et fait partie de la grande collection intitulée: *Han 'Wei thsoung chou, Mélanges des dynasties* Han *et* 'Wei.

168. Choue wen kiai tseu; Explications des caractères du traité de la littérature. In-8, dem.-rel., m. r.

Composé vers la fin du 1er siècle de notre ère, le *Choue wen* est encore à présent le plus important, comme il est le plus ancien des dictionnaires chinois proprement dits; et bien qu'il ait été en quelque sorte fondu dans des ouvrages plus récents, il n'en est pas moins demeuré la base sur laquelle repose la science des caractères, de leur orthographe et de leurs acceptions primitives. Indépendamment de l'explication des signes et de la définition des mots, il fournit sur les arts, les usages et les opinions de l'antiquité, des renseignemens sans lesquels il est impossible de rien faire de solide en matière de littérature chinoise et dont l'autorité est décisive. L'époque où ce travail fut entrepris est celle du rétablissement des études. Le zèle des lettrés pour retrouver et rétablir les anciens monumens de leur histoire dispersés ou détruits, était continuellement stimulé par les plus importantes découvertes. Des écrits de toute espèce, dans leurs caractères antiques originaux, s'offraient en abondance à leurs recherches et à leurs lumières. Hiu chi dépouilla tous ces documens que plus d'un siècle venait d'accumuler, et en rédigea le précis le plus exact et le plus judicieux, lequel contient, sous 540 clefs ou radicaux, l'explication de 9,353 caractères, plus 1,163 autres qui y ont été ajoutés et qui, tous, sont considérés comme classiques et fondamentaux. Cette édition, d'une impression serrée et très nette, est de l'année kia tseu de Kia king (1804) ; elle est exécutée d'après celle qui a été faite la 3e année Young hi (986).

169. Lou chou tching 'o; Le vrai et le faux des six sortes de caractères (anciens). In-8, dem.-rel., m. v.

Cet ouvrage est précédé d'une excellente table des mots expliqués dans le dictionnaire Choue wen, dont l'usage n'est pas commode à cause de sa distribution en 540 radicaux. Il est accompagné de deux préfaces qui portent les dates de 1350 et 1356, époque de sa composition.

170. Soung pen Iu pian; Livre précieux conforme au texte rédigé sous la dynastie des Soung. In-4, dem.-rel., m. v.

Un des plus anciens et des plus célèbres dictionnaires chinois. A l'époque où il fut composé, le Bouddhisme était très en faveur à la Chine, et les interprètes des livres de l'Inde, soit en altérant la forme des anciens caractères, soit en modifiant leur prononciation afin de leur donner un sens différent de leur acception primitive, avaient introduit un néologisme dont le *Iu pian*, rédigé dans l'esprit de la secte nouvelle, présente de nombreux et curieux exemples. La 9e année Ta thoung des Liang (543), il fut augmenté et mis dans un meilleur ordre, qui est celui qu'il a conservé. Il est divisé en trois parties principales, contenant chacune 10 livres, où la composition des caractères est rapportée à 542 signes élémentaires. Cette édition qui est fort belle, fut publiée la 40e année de Khang hi (1704).

171. Lou chou pen y; Sens primitif des six (classes de) caractères. In-4, dem.-rel., m. v.

Les *Ming*, devenus paisibles possesseurs de l'empire, donnèrent leurs premiers soins à la recherche et à la conservation des anciens monumens, que l'occupation successive de la Chine par les Khitans, les *Niu tchi* et les Mongols avaient dispersés et ruinés en partie. Ceux dont la destruction était consommée, mais qui se trouvaient décrits dans les livres ou subsistant encore par la tradition, furent de nouveau mis en lumière et expliqués. Tchao kou tseu, l'auteur de ce livre, est un des savans de cette époque qui rendit le plus de services à la paléographie chinoise. Il s'occupa de rassembler tous les caractères employés dans les inscriptions d'alors, et en les rapprochant de ceux des temps antérieurs, il les analysa et les expliqua les uns par les autres. Il termina son travail en 1378. Cette édition est de l'année 1520; elle contient l'explication de 1323 caractères numérotés par M. Klaproth.

172. Lou chou tsing wen; Recueil choisi des six (classes de) caractères. In-4, dem.-rel., m. v.

Cet ouvrage, qui est un des plus importans pour l'explication des anciens caractères, passe pour un chef-d'œuvre d'érudition et de critique. Il a été composé par 'Weï hiao, et publié en 6 livres, l'année keng tseu de Kia tsing (1540). On a joint à cet exemplaire des tables manuscrites, en chinois, du contenu de chaque livre et des interprétations françaises.

173. Tchy kou weï wen; Recueil des caractères laissés par l'antiquité. 2 part. en 1 vol. in-4, dem.-rel., m. v.

La disposition de cet ouvrage par ordre de tons, le rend d'un usage plus commode que les deux recueils du même genre inscrits sous les numéros précédens. Li jou tchin qui en est l'auteur, le rédigea la 20e année de Wan ly (1592), et il fut publié deux ans après.

174. YIN YUN TSEU HAÏ; La mer des caractères, rangés par ordre tonique. In-4, dem.-rel., m. v.

Ce lexique passe pour un des plus complets. Il contient l'explication de 66,174 caractères distribués sous 707 radicaux. Les exemplaires en sont rares, même à la Chine.

175. SIN KIAO KING SSE HAÏ PIEN TCHI YN; Véritable prononciation de l'océan des caractères contenus dans les livres. 5 parties en 1 vol. gr. in-4, dem.-rel., m. v.

La bibliothèque royale possède un dictionnaire portant aussi le titre de *Haï pien*, mais ou les caractères sont classés par matières, sous 454 clefs, au lieu de l'être par tons comme dans celui-ci. Le nombre des explications qu'il renferme s'élève à près de 55,000 et celui des clefs sous lesquelles elles sont données est de 439.

176. OU TCHHE YUN SOUÏ; Grand dictionnaire par ordre de tons. 160 livres en 5 vol. in-4, v. br., fil.

M. Morrison parle avec éloge d'un autre dictionnaire tonique, le *Ou tchhe yun fou*, dont le titre, presque semblable à celui-ci, offre aussi l'emploi de cette singulière expression hyperbolique, *ou tchhe*, pour désigner une grande collection, la charge de *cinq voitures;* néanmoins il ne faut pas confondre ces deux ouvrages, qui appartiennent à des auteurs différens. M. Morrison attribue le premier à un écrivain nommé Tchhin, et il aurait été publié sous Khang hi, par Phan ying pin; le second, qui paraît être de la même époque, fut composé par Ling i toung.

177. LOU CHOU FOU; Collection des six classes de caractères. 8 cahiers in-4.

L'auteur de ce dictionnaire a distribué tous les caractères qu'il explique sous 85 clefs, en les rangeant suivant l'ordre de leur prononciation. L'ouvrage contient 20 livres et a été publié la 30e année de Wan ly (1602).

178. HIOUAN KIN TSEU 'WEÏ; Collection des caractères de l'Or suspendu. 12 livres en 2 vol. in-4, dem.-rel., m. v.

L'expression *Hiouan kin (or suspendu)* se rapporte à un trait historique faisant allusion à l'excellence de cet ouvrage, qui est un des dictionnaires par clefs les plus estimés. Il fut composé l'année yi mao de Wan ly (1615), par Meï ying tso, surnommée Tan seng, lequel était originaire de Siouan tching, ville du 3me ordre dans la province de Kiang nan. Il contient l'explication de plus de 33,000 caractères. Les éditions en sont fort multipliées; celle-ci est de la 10e année Young tching (1732).

179. TSEU 'WEÏ POU; Supplément au dictionnaire de Meï tan seng. In-4, dem.-rel., m. v.

Rédigé par 'Ou tchi yi, natif de Si ling, et publié la 5e année de Khang hi (1666).

180. TCHING TSEU TOUNG; Recueil général des caractères corrects. In-8, dem.-rel., m. bl.

Pour servir de supplément au dictionnaire *Tseu 'weï.*

181. FEN YUN TSO YAO; Choix des mots les plus essentiels, rangés par ordre tonique. 4 part. en 1 vol. in-12, v. rac., fil.

C'est une sorte d'index par *tons* pour le dictionnaire de Meï tan seng, intitulé *Tseu 'weï*. Il a été mis en ordre par Wou ki wen.

182. TCHHOUAN TSEU 'WEÏ. Collection des anciens caractères *tchhouan*. 12 cahiers en 1 vol. in-4, dem.-rel., m. v.

L'auteur de ce dictionnaire est Toung weï fou, qui le publia l'année sin wei de Khang hi (1691), d'après l'ordre suivi dans le *Tseu 'weï* (*V.* au sujet de l'écriture *Tchhouan*, le nº 253.)

183. THSAO TSEU 'WEÏ; Dictionnaire des caractères de l'espèce nommée *Thsao*. In-4, dem.-rel., m. bl.

Magnifique exemplaire d'un ouvrage aussi curieux que rare, publié l'année meou chin de Khian loung (1788), par Chy chou tsang. L'écriture *thsao* est extrêmement cursive, remplie de ligatures et d'abréviations qui la rendent fort difficile à lire. Elle fut inventée, au commencement de l'ère chrétienne, par Tchang ping, et elle est depuis lors restée en usage pour écrire les préfaces, les pièces fugitives et ces sortes d'inscriptions que l'on voit tracées sur les éventails, les écrans, etc., et qui seraient indéchiffrables sans le secours de ce dictionnaire dont l'usage est aussi commode que celui du *Tseu 'weï* sur le plan duquel il a été composé.

184. KIAÏ CHING PHIN TSEU TSIAN; Livre des caractères distribués par classes et expliqués par sons; édition publiée l'année ting mao de Khang hi (1687). 3 vol. in-4, dem.-rel., m. v.

Le premier auteur de ce dictionnaire est Yu hian hi de Tsian tang, dans le Tche kiang, qui, en mourant, en laissa les matériaux à Yu te ching, son fils. Celui-ci les mit en ordre et les publia en 1677. Il divisa l'ouvrage en dix sections principales, numérotées avec les caractères du cycle dénaire. Dans la première section, il rangea les caractères suivant l'ordre des 214 clefs, tels qu'ils le sont dans le *Tseu 'weï*, avec des renvois à l'explication qui en est donnée dans les neuf autres sections, où les signes sont disposés méthodiquement en 57 classes, de manière à former une sorte de nomenclature encyclopédique. Cet arrangement rend l'usage de ce dictionnaire difficile, en ce qu'on ne peut entreprendre d'y chercher un mot, si l'on n'a d'avance une notion assez exacte de sa signification. Les missionnaires, dans la vue de faciliter les recherches, ont imaginé de faire relier à part la première section, ou l'*Index* par clefs, et de distribuer le reste de l'ouvrage en sept parties, suivant les accents et de manière à présenter réunis tous les mots dont la terminaison est semblable. Cet exemplaire est, comme presque tous ceux qui sont venus en Europe, disposé d'après ce système que Fourmont a exposé très au long dans ses *Meditationes* (p. 38 et suiv.)

Le *Phin tseu tsian* ne contient que les 20,000 caractères les plus usités.

Ses définitions, à la fois précises et très claires, sont presque toujours accompagnées de notices sur les usages de la Chine qu'on chercherait en vain dans les autres dictionnaires. C'est un livre où l'on peut s'instruire des choses aussi bien que des mots, et qu'on peut consulter non seulement pour des difficultés grammaticales, mais aussi pour y puiser des notions sur les sciences et les arts des Chinois.

185. Tching tseu toung, ou explication des caractères réguliers. Dictionnaire par ordre de clefs, nouvelle édition, publiée la 17e année de Khang hi (1678). 5 vol. in-4, dem.-rel., m. v. Belle édition.

L'auteur de ce dictionnaire est Tchoung tseu lie, surnommé Eul koung, qui, en 1634, était attaché à la grande bibliothèque de Nan tchang fou. Sa pauvreté le contraignit à vendre son travail à un certain Liao pe tseu, sous le nom duquel l'ouvrage parut, pour la première fois, en 1670. Le *Tching tseu toung* est un des dictionnaires que les Chinois estiment le plus, tant pour la clarté et l'élégance des définitions, qu'à cause du choix et de l'abondance des exemples. Il est plus savant que le dictionnaire publié par les ordres de Khang hi, qui l'a remplacé dans l'usage habituel; il est surtout plus riche sous le rapport de l'étymologie.

186. Y wen thoung lan; Examen général des caractères classiques. 7 vol. in-4, dem.-rel., m. v., et un 1er volume en cahier.

Grand dictionnaire par clefs, d'une exécution superbe, et donnant, outre la figure exacte, les différentes formes anciennes, cursives et vulgaires de chaque caractère. Il a été rédigé l'année ting weï de Khian loung (1787), par Cha mou, et il en a été fait, à peu d'années d'intervalle, plusieurs éditions; celle-ci est de la 8e année Kia king (1798). Cet exemplaire n'est pas complet; il y manque les clefs 10 à 29, 147 à 153, 167 à 195. Le 1er vol. qui n'est pas relié contient les préfaces, les différentes tables et l'explication des caractères compris sous les clefs 1 à 9.

187. Y wen py lan; Examen complet des caractères classiques. 8 vol. pet. in-fol., dem.-rel., m. r. (Le 5me vol. manque.)

C'est une nouvelle édition de l'ouvrage précédent, donnée par 'O heou 'an la 11e année Kia king (1806). L'exécution en est remarquable.

188. Khang hi tseu tian; La loi des caractères, rédigée par ordre de l'empereur Khang hi. Péking, 1716, 9 vol. in-4, v. vert, fil., dent. à froid (Grande et belle édition sur papier blanc.)

Ce dictionnaire, disposé suivant l'ordre des clefs et contenant l'explication de plus de 40,000 caractères, est le plus célèbre des ouvrages du même genre, et il n'en est aucun qui soit d'un usage plus général. Il porte le nom du règne de l'empereur Ching tsou Jin hoang ti *(Khang hi)*, d'après les ordres et sous la direction duquel il a été rédigé. Ce prince choisit parmi les lettrés les plus distingués de l'empire, trente docteurs qui employèrent six années à ce travail. L'ouvrage, commencé la 49e année de Khang hi

(1710), ne vit le jour qu'en 1716. C'est cette édition originale, exécutée sous les yeux de Khang hi, que M. Klaproth possède. Elle est précédée d'une préface composée par l'empereur lui-même, et dont l'impression figure de la manière la plus exacte les caractères tombés de son pinceau. Ce morceau curieux est terminé par une liste des noms et titres des trente docteurs qui ont pris part à la composition de ce dictionnaire.

189. Khang hi tseu tian; Le même ouvrage; autre édition portant la même date de 1716. 9 vol. in-8, v. rac., fil.

Cette édition est d'une exécution moins belle et d'un format plus petit que la précédente, mais elle est toute aussi correcte.

III. *Ouvrages grammaticaux et Dictionnaires chinois-européens.*

190. Lou chou chy y; La véritable notion des *Lou chou*, ou des six classes auxquelles les hiéroglyphes se rapportent. Dialogue d'un lettré et d'un vieillard, par Wen kou tseu, philosophe chinois, en français. Pet. in-4, br. *(Manuscrit.)*

Traduction d'un petit ouvrage attribué au P. Prémare, et dans lequel l'auteur expose, sur l'origine des caractères chinois, quelques-unes de ces hypothèses singulières qui avaient séduit plusieurs missionnaires très habiles, et qui tendaient à prouver, suivant l'expression du P. Prémare même, « que la religion chrétienne est aussi ancienne que le monde, et que le Dieu-« homme a été très certainement connu par ceux qui ont inventé les hié-« roglyphes de Chine. »

191. Notitia linguæ sinicæ, auctore P. Premare. 2 cahiers pet. in-4.

Manuscrit exécuté en Chine et que l'on croit être l'original même du P. Prémare; il contient des corrections importantes et des variantes nombreuses qui le font différer en plusieurs points de la publication de Malacca, exécutée d'après une copie incorrecte. On y trouve notamment un *Caput tertium; de sinicâ urbanitate inter loquendum*, de 42 p. qui n'existe pas dans l'imprimé, lequel, comme on sait, n'est pas complet.

Le même ouvrage. In-4, en feuilles.

Belle copie, exécutée sur papier de chine, de la main de M. Stan. Julien. Elle ne contient que l'introduction et la 2e partie.

192. Si jou eul mou tseu; Vocabulaire disposé par tons, suivant l'ordre des mots européens. 3 part. en 1 vol. in-4, dem.-rel., m. v.

Cet ouvrage n'est pas moins remarquable par la singularité de son exécution typographique, que par la manière, souvent ingénieuse, dont les caractères chinois ont été ramenés à l'ordre des élémens de notre écriture; au reste, c'est plutôt un syllabaire qu'un vocabulaire. L'auteur à qui on le doit, le P. Nicolas Trigault, fut un des plus zélés et des plus laborieux apôtres des premiers temps de la mission chinoise. Il mourut en 1628; son livre a été publié la 6e année *Thian khi* (1626).

193. HAN TSEU SI YE; Dictionnaire chinois-latin, par le P. Basile de Glemona. In-fol., cuir de Russie, fil., fers à froid, tr. dor.

Copie très soignée, exécutée à la Chine sur papier du pays, et 1714. M. Abel Rémusat a donné, dans son ouvrage intitulé : *Plan d'un dictionnaire chinois*, une notice détaillée de ce magnifique manuscrit et des tables importantes dont il est suivi. M. Klaproth y a ajouté une longue note très curieuse sur quelques dictionnaires chinois manuscrits rapportés de Chine en Europe.

194. HAN TSEU SI YE; Basilii a Glemona dictionarium sinicolatinum. In-fol., v. jaspé.

Copie manuscrite de la main de l'abbé Dufayel. Suivant une note de M. Klaproth, elle contient l'explication de 9,520 caractères.

195. HAN TSU SI Y; Dictionarium juxta clavium ordinem, auctum et emendatum à J. Klaproth. In-4, cuir de Russie, dor. sur tr., fil., dent. (*Duplanil.*)

Magnifique et précieuse copie du dictionnaire du P. Basile de Glemona, offrant sur la même page, outre l'explication des mots, les variantes des caractères, les synonymes et les rapprochemens entre les signes identiques. Ce manuscrit, de l'exécution la plus soignée, est terminé par différentes tables et nomenclatures, ainsi que par quelques additions utiles que l'on regrette de ne pas trouver dans les ouvrages du même genre composés par les Européens. C'est un travail tout fait, ou tout au moins un excellent modèle à suivre pour la publication d'un nouveau dictionnaire chinois. A la fin du volume on lit : *Concordantiam totius operis ad finem perduxi Dresdæ*, d. 15 sept. 1813. *Fervente gallico marte.* H. J. Klaproth.

196. HAN TSE SY Y; Dictionnaire chinois-latin-français, par le P. de Glemona, publié par M. Deguignes. Paris, 1813, in-fol.

Cet exemplaire, dont M. Klaproth se servait habituellement, peut être considéré comme un véritable manuscrit, à cause des additions qui en couvrent les marges. C'est en quelque sorte la première ébauche du nouveau dictionnaire qu'il avait l'intention de publier. On lit, sur le titre, la note suivante : « Les additions que j'ai faites à ce dictionnaire sont presque toutes originales et extraites des livres et commentateurs chinois. Quand j'ai pris quelque chose dans Morrison, je l'ai cité, ou je l'ai laissé en anglais. 31 juillet 1833. H. J. KLAPROTH ».

197. Dictionnaire chinois, latin et allemand, rédigé suivant l'ordre des tons, par M. Klaproth. In-4, dem.-rel., m. v.

Tom. 1er comprenant les syllabes commençant par les lettres F. H. I.

Y. M. et contenant l'explication de plus de 1,600 caractères, avec la clef de chacun écrite en rouge, de manière à pouvoir la reconnaître aussitôt. C'est le commencement d'un grand travail dans lequel M. Klaproth se proposait de refondre tous les dictionnaires composés par les Européens, afin d'en rédiger un nouveau plus commode et plus complet.

198. Dictionnaire chinois-russe. In-4, dem.-rel., m. r. (*Manuscrit.*)

Dans ce curieux vocabulaire, l'interprétation des mots en russe est donnée en caractères chinois.

199. Table de tous les mots qui composent la langue chinoise, afin de se servir sans peine du *Dictionnaire des Rimes*. In-4. (*Manuscrit.*)

Ce manuscrit, exécuté en Chine avec assez de soin, est précédé d'une préface dans laquelle le missionnaire qui est l'auteur de ce petit vocabulaire, expose les inconvéniens que présente la distribution du dictionnaire *Phin tseu tsian*, et explique la manière dont il pense y avoir remédié au moyen de la table qu'il a rédigée, et qui renvoie, pour chaque son, au tome, au chapitre et à l'article de ce dictionnaire.

200. Bocabulario de lengua Sangleya por las letras de el a. b. c.=Lo que deve saver el ministro para administrar los sacramentos. = Arte de la lengua cHio cHiu. In-12, dem.-rel., m. v. Manuscrit sur papier de Chine, d'une belle écriture.

La langue *cHio cHiu* est la même que celle que les Espagnols ont appelée *Chincheo*, du nom de la ville de Tchang tcheou, ou suivant la prononciation vulgaire, Chion chiou, capitale de la province de Fou kien où cet idiôme ou patois est en usage. C'est en quelque sorte la langue maternelle des Chinois établis aux Philippines, et là sa dénomination se change en celle de *Sangley* sous laquelle ils y sont connus.

IV. *Dialectes de la Tartarie et de l'Inde.*

201. Tsing wen khi meng; Principes de la langue mandchoue, en chinois et en mandchou. 4 part. en 1 vol. in-4, dem.-rel., m. v.

Cette grammaire, publiée l'année Jin tseu de Young tching (1732), fut composée pour l'usage des écoles, par le docteur Cheou phing. Toutes les règles y sont écrites en chinois et les exemples donnés en mandchou. L'analyse que M. Rémusat a faite de cet ouvrage dans ses *Recherches sur les langues tartares*, tom. 1, p. 99, nous dispense d'entrer dans plus de détails.

202. NIKAN GISOUN KAMTCHIKHA MANDCHOURARA FIYELEN I GISOUN; Dialogues chinois mandchous, traduits en russe, par Antoine Wladykine. In-fol., br. en cart. (*Manuscrit.*)

Traduction de la seconde partie du *Thsing wen khi meng*.

203. Grammaire de la langue des Mantchoux. Florence, 1815, In-8. (*Manuscrit.*)

C'est une copie, faite par M. Klaproth, de la Grammaire du P. Amyot; elle offre l'avantage de l'emploi des caractères originaux substitués aux lettres latines employées par le savant jésuite.

204. KIN TING MAN HAN TOUÏ YN TSEU CHY; Modèles pour la transcription des mots mandchous en caractères chinois. Un cahier in-4.

Publié par ordre de l'empereur Khian loung la 37e année de son règne (1772).

† YOUAN YEN TCHING KHAO; Examen des sons originaux (de la langue mandchoue), accompagnés d'exemples. (*Recueil* D.)

A l'usage des Mandchous. On donne d'abord la prononciation en mandchou, puis la liste des mots chinois qui y répondent. La date de la publication de cet ouvrage est de l'année koueï hai de Kian loung (1743).

205. THSING WEN TIEN YAO; Choix de préceptes pour la langue mandchoue. 4 part. en 1 vol., dem.-rel., m. v.

Dictionnaire de phrases chinoises expliquées en mandchou, imprimé en 1739.

206. KHAN I ARAKHA NONKGIME TOKTOBOUKHA MANDCHOU GISOUN I BOULEKOU BITKHE; Miroir de la langue mandchoue, augmenté et revu par l'empereur. 6 vol. pet in-fol., riche dem.-rel., m. v., charnières en mar.

Dans son catalogue des livres chinois de Berlin, M. Klaproth a donné une notice étendue de cet ouvrage, qui fut publié pour la première fois à Péking, en 1708. Il était alors tout en mandchou. L'empereur Khian loung le revit, l'augmenta et le fit imprimer de nouveau en 1772, en y joignant les interprétations chinoises. Il est divisé par ordre de matières, et la totalité des mots qui y sont expliqués est distribuée en 36 classes, formant 292 sections dont plusieurs contiennent un assez grand nombre de sous-divisions. Cette seconde édition est accompagnée d'un index syllabique en 8 livres et d'un supplément par ordre de matières, également en 8 livres. Ce magnifique exemplaire a appartenu à M. Rémusat, et l'on y trouve, transcrites de sa main en encre rouge, un grand nombre de synonymies mongoles.

207. NIKAN KHERGEN I OUPALIYAMBOUKHA MANDCHOU GISOUN I BOULEKOU BITKHE; Miroir de la langue mandchoue interprété en chinois. In-4, dem.-rel., m. v.

Ce dictionnaire est en quelque sorte l'abrégé du précédent et peut le remplacer avec avantage. Il est également disposé par ordre de matières, mais d'une manière moins générale, puisqu'il ne contient pas moins de 280 classes. Il est divisé en 20 livres et a été publié la 13e année de Young tching (1735), avec une préface de cet empereur. Cet exemplaire est enrichi d'une traduction allemande, faite par M. Klaproth, de toutes les sections de l'ouvrage.

208. MANDCHOU ISABOUKHA BITKHE; Dictionnaire mandchou-chinois. 12 part. en 1 vol. in-4, dem.-rel., m. v.

Ce dictionnaire est moins complet, moins détaillé que le précédent, mais l'ordre alphabétique dans lequel il est distribué, le rend d'un usage plus commode. Il fut publié la 16e année de Khian loung (1751), par Li yen sse.

209. Vocabularium sinico-mandshuico-russicum, auctore Alexei Paritschow. *Irkutzkae,* in Sibiriâ, in-fol., cart. (*Manuscrit.*)

210. Dictionnaire mandchou-russe et russe-mandchou. = Dictionnaire mandchou, russe et chinois. = Dictionnaire chinois et mandchou. 4 vol. in-fol., rel.

Beau manuscrit sur papier de chine. M. Klaproth a ajouté des traductions françaises à beaucoup d'articles. La première partie de ce dictionnaire contient de 18 à 19,000 mots, tandis que le dictionnaire du P. Amyot n'en contient pas 14,000. Quant à la partie chinoise et mandchoue, c'est un travail on pourrait dire unique, car on sait qu'il n'existe pas, même à la Chine, de dictionnaire chinois expliqué en Tartare et que tous ont été faits pour le mandchou. Une note semblerait indiquer que ce précieux ouvrage a appartenu à l'interprète Wladykine, auquel il aurait servi pour ses études, pendant son séjour à Péking en 1781.

211. THSING WEN POU LOUÏ, ou bien MANDCHOU GISOUN BE NIYETCHEME ISABOUKHA BITKHE; Collection de pièces en langue mandchoue. 8 cahiers dans leur enveloppe chinoise, in-4.

Cette chrestomathie, en chinois et en mandchou, a été publiée la 51e année de Khian loung (1786).

212. FAN Y LOUÏ PIAN; Phrases chinoises traduites en mandchou, classées méthodiquement. In-8, dem.-rel., m. v.

Cette chrestomathie chinoise-mandchoue est divisée en quatre livres. Le 1er contient les phrases relatives au ciel, le 2e à l'empereur, le 3e aux membres du corps, le 4e aux actions humaines. Elle a été publiée la 14me année de Khian loung (1740).

213. NIKAN KHERGEN KAMTCHIBOUKA MANDCHOU GISOUN I OYOUNGO TCHOURIN BITKHE; Recueil des locutions mandchoues les plus essentielles expliquées en chinois. In-4, dem.-rel., m. v.

C'est un recueil de dialogues où l'on a cherché à réunir les tournures et les idiotismes qui se rencontrent le plus fréquemment dans les deux langues.

214. Dictionnaire mongol-mandchou. 4 vol. in-fol., dem.-rel., m. r. Manuscrit de M. Klaproth.

Disposé par ordre de matières comme le *Grand Miroir de la langue mandchoue*, et distribué en 21 livres et 280 classes. M. Klaproth avait commencé à y mettre les interprétations en chinois et en français, se préparant à le publier avec l'aide des encouragemens que le gouvernement prussien lui accordait.

215. Sur le miroir de la langue mongole. = Elémens de l'écriture et de la langue mongole et eleuthe, 2 parties. = Elémens de l'écriture et de la langue tibétaine. = Catalogue de manuscrits et de livres indiens, tibétains et mongols, recueillis chez les peuples de la frontière mongole. = Miroir des mots mongols logiquement disposés, rédigé la 56e année de l'empereur (Khian loung), par une commission composée de 4 Tibétains, 3 Mongols et 7 Chinois, traduits mot à mot en allemand. 2 part. in-fol., dem.-rel. (*Manuscrit.*)

Ce précieux recueil contient les travaux originaux et inédits de Jean Jæhrig, qui accompagna Pallas dans ses voyages, en qualité d'interprête, et qui, pendant un séjour de dix années au milieu des hordes tartares, avait acquis une connaissance étendue des différens dialectes qui y sont en usage. Ces pièces, rédigées de 1783 à 1793, soit à Irkutsk, soit à Kiakhta même, sont d'une exécution très soignée et accompagnées de caractères originaux.

216. Vocabulaire mongol-français, suivi de notices et d'extraits sur divers sujets d'histoire et de littérature orientales, par M. Klaproth. In-4, cart. (*Manuscrit.*)

217. Dictionnaire kalmouk-allemand. In-4 oblong, dem.-rel.

Manuscrit de la plus belle exécution, et en caractères originaux.

218. KHIN TING TOUNG WEN YUN THOUNG; Traité de la prononciation de différentes langues, publié par ordre de l'empereur. In-4, dem.-rel., m. v.

Plusieurs docteurs de la religion samanéenne composèrent cet ouvrage d'après l'ordre de Khian loung, qui le fit imprimer la 14e année de son règne (1749). Il est divisé en six livres qui contiennent différens syllabaires et des règles pour la lecture et la prononciation du sanscrit, du tibétain et du mongol. A côté des mots imprimés dans chacune de ces langues, on indique leur transcription en caractères chinois. C'est ainsi un vocabulaire fort précieux, indispensable pour l'intelligence des livres bouddhiques qui ont été portés de l'Inde à la Chine et interprétés dans la langue de ce dernier pays, par des écrivains nés, pour la plupart, dans la contrée même où le Bouddhisme a pris naissance. On trouve dans cet ouvrage une notice fort curieuse sur les plus célèbres de ces traducteurs.

219. MIEN TIEN Y YU; Vocabulaire du pays de *Mien tien* (empire Birman). Cahier in-4. *(Manuscrit.)*

Dans ce vocabulaire, les mots, disposés par ordre de matières, sont écrits en caractères birmans accompagnés de leur prononciation et de leur signification en chinois. On y a joint des interprétations en russe auxquelles M. Klaproth a ajouté beaucoup de transcriptions en lettres latines.

V. *Langue japonaise.*

220. SETSI I̊RO FA TE FON; Manuel des sept alphabets. In-fol., cart. (*Manuscrit.*)

Syllabaire japonais en caractères cursifs *Katakana* et *Firokana*, extrait d'un petit volume in-fol., imprimé à Miyako en 1703, lequel contient en effet sept syllabaires; en *Firokana* d'abord, puis six autres dans cette espèce de caractères chinois cursifs, appelés *Yamato kana*, servant à représenter des syllabes japonaises, et à droite desquels on lit, en japonais *Firokana*, la signification qu'ils ont en chinois. Notre manuscrit, qui est d'une belle main, est accompagné de transcriptions en lettres latines. M. Klaproth, dans une note qu'il a jointe au volume, pense que cette copie est la même que celle qui a été faite par le célèbre Witsen pour l'envoyer à André Müller; elle contient en effet quelques corrections de la main de ce dernier. M. Klaproth, qui en est devenu possesseur pendant son voyage en Sibérie, en 1806, y a fait à cette époque d'autres corrections et quelques additions importantes, avec le secours du Japonais Sin sou, baptisé sous le nom de Nicolas Kolotichin.

221. Grammaire japonaise, en partie traduite en allemand, en partie extraite de celle du P. Oyanguren, avec des rapprochemens tirés des grammaires du P. Collado et du P. Rodriguez, par J. S. Vater. In-4, dem.-rel., m. r. *(Manuscrit.)*

222. ZOO SIYOKF DAÏ KOUWAOU YEKI KOUWAÏ GIYOKF FEN DAÏ SEN; Grande édition des feuilles précieuses, augmentée d'additions considérables. 12 vol. pet. in-4, cart. à la japonaise.

Dictionnaire chinois-japonais. On ne possède guère jusqu'ici, en Europe, pour le Japonais, que des vocabulaires composés dans l'espèce d'écriture cursive la plus difficile à lire à raison de ses formes abrégées, et ils sont disposés alphabétiquement, en sorte que pour y chercher un mot, il faut avoir vaincu d'abord la difficulté que sa lecture présente, et savoir comment il se prononce. Aucun de ces désavantages ne se rencontre dans cet ouvrage : en premier lieu, il est aussi complet que possible, et les différentes valeurs des mots y sont rapportées avec toutes les définitions, explications et citations désirables. En second lieu, les mots sont transcrits dans l'écriture *Katakana*, ou avec les caractères réguliers, et ces mêmes mots enfin sont classés par radicaux et selon le nombre des traits, à la manière chinoise, et il ne faut pas oublier que le chinois est à présent et sera longtemps encore pour nous, l'intermédiaire le plus convenable pour aborder l'étude du Japonais. Les caractères sont disposés suivant l'ordre du *Tseu 'weï*, qui paraît avoir servi de base principale à tout le travail; à côté de chacun d'eux se trouve la lecture en *Katakana*, et au dessous les mots japonais correspondans, pareillement en *Katakana*, avec des définitions en chinois. On a ajouté à la série empruntée au *Tseu 'weï* des formes anciennes et japonaises qui sont distinguées par des signes particuliers. La marge supérieure et souvent une partie de la page elle-même, offrant une marge latérale ménagée dans des proportions plus ou moins grandes, sont remplies d'additions qui suivent l'ordre du texte, et où l'on paraît avoir voulu compléter ce dernier par des emprunts faits aux meilleurs dictionnaires. Le *Giyokf fen* a été publié pour la première fois la 4me année Ghen rok (1691). Cette édition est de la 20me année Kio fo (1735).

223. Sin soou, Zi rin giyokf fen, fo yi; Précieux recueil de la forêt des caractères, nouvelle édition augmentée. Pet. in-8 obl., v. rac., dent.

C'est un dictionnaire chinois-japonais qui fut publié pour la première fois, la 9e année Kwan seï (1797), par Ren ten teï. Cette nouvelle édition a été imprimée à Yedo, la 3e année Boun seï (1820). Elle contient des remarques additionelles sur les caractères, leurs modifications, les tons, les variantes, etc., à la suite desquelles il est dit que la présente édition renferme, en forme de supplément, 16,000 caractères de plus que l'ancienne qui en contenait 20,000, et qu'en comprenant 5,000 caractères tant anciens qu'abrégés et autres, il y en a en tout dans ce volume 43,060.

224. Sin zi fiki giyokf fen daï ziyaou; Précieux recueil pour l'intelligence des vrais caractères. In-8, v. br., dent. f.

Autre dictionnaire chinois-japonais, publié la 2e année Boun seï (1819).

225. Kan wa yin riyaou; Vocabulaire tonique chinois-japonais. Pet. in-4, dem.-rel., m. v.

Sans date; mais d'une impression qui paraît ancienne.

226. Zi ten sets yoou sifou; Recueil pour apprendre avec promptitude les règles des caractères. In-18 obl., br. à la japonaise.

Dictionnaire de poche japonais-chinois, dont la distribution commode a fait multiplier les éditions. La première parut l'année keng ou du *Nengo* Kwan ghen (1750); celle-ci est de la 14e année Boun kwa (1817).

227. Ye ki ken; La clef des interprêtes pour les langues du Nord, ou dictionnaire hollandais-japonais. Grand in-4, cuir de Russie. (Riche reliûre de Duplanil.)

L'exécution typographique de cet ouvrage est extrêmement curieuse. On y suit l'ordre alphabétique européen, et le hollandais, imprimé en lettres latines, est accompagné de l'interprétation en japonais. Par la manière dont il est disposé, ce dictionnaire serait d'un grand secours pour la composition d'un dictionnaire japonais-latin. On lit en tête du volume la note suivante, de la main de M. Klaproth : « *Nederduitsche Taal,* sive *Iakuken,* id est « clavis linguæ belgicæ; opus admodum rarum, compendium dictionarii « belgici, auctore Halma, a philologo japonico collatum atque tabulis xylo- « graphicis incisum. Extant editiones duæ, quarum altera in urbe Iedo, « altera in urbe Miyako ante 26 circiter annos apparuit (juillet 1833).

227 *bis*. Dictionnaire japonais-allemand, par Jules Klaproth. Irkutzk, 1806, in-fol, m. r., dent. *(Manuscrit.)*

Un de ces navigateurs japonais jetés par la tempête sur les côtes du Kamtchatka, et que le gouvernement russe avait fait venir à Irkoutsk, remplissait, pendant le séjour de M. Klaproth dans cette ville, la chaire de langue japonaise que l'impératrice Catherine y avait fondée. Cet homme, né à Ysseï, dans la province de Firado, changea le nom de Sin sou qu'il portait dans sa patrie, contre le nom russe de Kolotichin. Il ne manquait pas d'instruction et enseigna les premiers élémens de sa langue maternelle à M. Klaproth qui, sous sa direction et avec son secours, composa ce lexique. Il est extrait d'un dictionnaire japonais-chinois fort estimé, intitulé : *Faya biki sets yoou sifou (Recueil qui enseigne avec promptitude l'emploi des mots)*, et contient, outre le vocabulaire, plusieurs pièces accessoires importantes, telles que différens syllabaires, une table des cycles, la liste des noms propres, une description du Japon, la nomenclature des grandes charges de l'état., etc., le tout en caractères chinois-japonais cursifs, avec la prononciation en Katakana, la signification en Firokana, puis des transcriptions en lettres latines et l'interprétation en allemand. Ce manuscrit est de la plus grande beauté.

228. Vocabulaire japonais-chinois et hollandais-japonais, par ordre de matières. In-fol., br. en cart. (22 feuillets.)

Manuscrit très soigné exécuté par les soins de M. Titsingh. On y a joint plusieurs feuilles de syllabaires détachées.

VI. *Poésie.*

229. Chi yun han ying; Recueil d'expressions poétiques rangées par ordre de tons. Pet. in-8, dem.-rel., m. v.

Ce volume ne contient que les livres IV à XIV.

† Sin tsian tchin thsao tchouan li thsian ia chy; Vers de mille auteurs, en caractères *thsao, tchhouan* et *li,* accompagnés de leur transcription en écriture régulière. Nouvelle édition. (*Recueil* H.)

230. Thsou tseu; Poésies (du pays) de Thsou. In-4, dem.-rel., m. v.

Ce recueil contient d'anciens chants, pour ainsi dire nationaux, réunis à d'autres pièces composées dans toute espèce de rythmes et sur toute sorte de sujets. La plupart appartiennent au poète Khio youan, qui était ministre du roi de Thsou, à l'époque de la décadence de cette principauté (vers l'an 250 avant J.-C.), et qui, par suite de disgrace et inconsolable des malheurs de sa patrie, se donna la mort en se noyant dans la rivière Mi lo. Le Thsou tseu jouit à la Chine d'une grande célébrité et est fort vanté par le P. Prémare, qui le cite comme renfermant des poëmes « où tous les charmes de la plus délicieuse poésie se font sentir, semblables aux plus suaves parfums des fleurs du printemps. » Cette édition, magnifiquement exécutée, et enrichie d'annotations imprimées en bleu et en rouge, est de l'année keng chin de Wan ly (1620) ; nous n'en possédons malheureusement que la seconde partie.

231. Yu tchi Ching king fou; Eloge de la ville de Moukden, édition impériale. In-4, m. v., f., dent. (Belle édition ponctuée.)

Poëme composé par l'empereur Khian loung à la suite d'un voyage qu'il fit, en 1743, dans cette ville, patrie de ses ancêtres. Le P. Amiot en a donné une traduction française.

232. Khan i arakha Moukden i foutchouroun bitkhe; L'éloge de Moukden, en mandchou (en caractères sigillaires, avec la transcription en lettres ordinaires). In-4, dem.-rel., m. v.

En 1748, Khian loung fit imprimer son poëme en trente-deux sortes de caractères chinois dont on avait retrouvé des modèles sur les anciens monumens; et pour que le texte mandchou ne le cédât en rien à l'autre, on imagina trente-deux formes de lettres mandchoues, en sorte que l'édition tartare fut multipliée autant de fois que la chinoise. Ce volume est une de ces singulières éditions.

233. Yu tchi Pi chou chan tchouang chi ; La Ferme du mont Pi chou; vers par l'empereur, en chinois et en mandchou. In-4, dem.-rel. (*Manuscrit.*)

Différens morceaux de poésie et de littérature tombés du pinceau de Khang hi ont été recueillis avec soin et forment une collection de plus de cent volumes, dans laquelle ce poëme descriptif a, selon toute apparence, dû trouver place. Le mont Pi chou, dont le nom signifie *Refuge contre la chaleur*, est un des lieux de plaisance des empereurs tartares. Khang hi en célèbre les beautés, comme plus tard Khian loung chanta celles de Moukden. La date de la composition de ce livre est de la 51e année du premier de ces princes (1712). Chaque vers est accompagné d'un commentaire étendu.

234. Ti pa thsaï tseu Hoa tsien ki; Histoire du papier à fleurs d'or, par le huitième des beaux esprits. 1714, 5 livres en 1 vol. in-8, dem.-rel, m. v.

Cet ouvrage est une sorte de poëme narratif, ou de roman en vers de sept syllabes, genre de composition qui n'est pas commun et dont on connaît peu d'exemples parmi les livres qui ont été apportés de la Chine en Europe.

Le titre que le poëte a choisi désigne une de ces feuilles de papier à fleurs dont les Chinois se servent pour déclarer des sentimens ou exprimer des vœux dont l'union conjugale est l'objet. C'est, en style figuré, adresser des soins à une femme ou la rechercher en mariage. M. Thoms, à qui l'on doit une traduction anglaise du *Hoa tsien*, a rendu ces mots par ceux de *Chinese Courtship*.

235. Sieou siang pa thsaï tseu chou; Le livre du huitième des beaux esprits, orné de figures. 4 cahiers in-12, dans leur enveloppe chinoise.

Le même ouvrage que le précédent, mais d'une édition différente.

† Tchun, lien tsing siouen et Tchun, lien ta kouan; Le Printemps, recueil de distiques sur différens sujets. (*Recueil* E.)

Publié la 35e année Khian loung (1770).

VII. *Romans et pièces de théâtre.*

236. Sse ta y chou ti y tchoung; Le premier des quatre grands livres merveilleux. 2 cahiers in-12.

Ce sont deux parties séparées du célèbre roman historique de Lo kouan tchoung, intitulé *San koue tchi*, ou l'*Histoire des trois Royaumes*. Le premier cahier contient les livres 14, 15 et 16; le second, les livres 45, 46 et 47.

237. Ti san thsaï tseu Iu Kiao Li; *Iu Kiao Li*, Histoire composée par le troisième des beaux esprits (Tchouang tseu). In-8, dem.-rel., m. bl.

Ce roman, l'un des meilleurs qu'on possède à la Chine, a été traduit par M. Rémusat, sous le titre de : *Les deux cousines*.

238. Thsiouan siang kou pen Choui hou tchouan; L'Histoire des Rivages, en 25 livres. 1 vol. in-8, dem.-rel., m. v.

Roman semi-historique, dans le genre du célèbre ouvrage intitulé : *San koue tchi*, ou l'*Histoire des trois Royaumes*. Chi naï 'an, qui en est le premier auteur, est le cinquième des *Thsaï tseu*, ou écrivains par excellence, ainsi nommés à cause de l'élégance de leur style et des qualités de leur esprit. Il raconte les entreprises des pirates et des rebelles qui désolèrent l'empire au xie siècle et l'histoire de leur destruction. Son ouvrage se composait de 75 livres. Lo kouan tchoung le réduisit à 25 et le publia dans la forme qu'il a aujourd'hui. Cette édition est de la 25e année Khang hi (1686); elle est ornée d'une vignette à chaque page.

239. Tseng tchou ti lou thsaï tseu chou chy kiaï; Si siang ki; Histoire du Pavillon occidental; livre du sixième des beaux esprits, édition augmentée de notes. In-8, dem.-rel., m. v., fig.

Le *Si siang ki* est un des romans les plus lus à la Chine, tant à cause de l'élégance de son style, que par rapport à l'intérêt de l'action qui y est développée sous une forme plutôt dramatique que narrative. Il est divisé en 20 parties que l'on pourrait nommer des actes, et de même que quelques autres compositions analogues, son mérite lui a valu d'être revu et annoté par Kin ching tan. Cette édition est de l'année ki yeou de Khang hi (1670).

240. Hao kieou tchouan; Histoire de l'épouse accomplie. In-8, dem.-rel., m. bl., fil.

Roman célèbre, dont la traduction française a eu deux éditions publiées sous le titre de : *Histoire de l'union bien assortie*, lequel, suivant M. Julien, rend d'une manière inexacte le titre de l'original composé d'une expression empruntée au *Chi king*. M. Davis a donné, en 1829, une version anglaise du même ouvrage. Notre édition est de l'année ting weï de Khian loung (1787).

241. Hao kieou tchouan; Histoire de l'épouse accomplie. In-8, dem.-rel., cuir de Russie, fil.

Édition de l'année ping yen de Kia king (1806).

242. Hoa thou youan tchouan; Histoire de la carte peinte, roman en 16 livres. In-8, dem.-rel., m. v.

Le P. Prémare recommande beaucoup ce roman, dont deux chapitres, traduits en français par M. Fresnel, sous le titre de : *Le Livre mystérieux*, ont été insérés dans le *Journal Asiatique*, tom. 1er, pag. 202, et tom. 3, pag. 128.

243 Kin ping meï; En 100 livres, avec une double gravure à chaque livre représentant les principales scènes du roman. 3 vol. in-4, dem.-rel., m. v.

Dans ce roman, dont le titre fait allusion aux noms des trois principales héroïnes, est racontée l'histoire d'un riche droguiste et de ses intrigues amoureuses. Toute une compagnie d'hommes et de femmes y est présentée dans les différens rapports qui naissent de la vie sociale, et on les voit passer successivement par toutes les situations que l'homme civilisé peut parcourir. La traduction d'un pareil livre rendrait superflu tout autre ouvrage sur les habitudes des Chinois; malheureusement, il renferme trop de passages qui ne sauraient être reproduits dans notre langue, et une version latine offrirait des difficultés insurmontables, à cause du grand nombre d'expressions chinoises pour lesquelles on ne pourrait pas trouver de termes équivalens en latin.

Sous le rapport littéraire, les Chinois regardent le *Kin ping meï* comme un chef-d'œuvre; mais les scènes que l'on y voit représentées sont d'une nature telle, que l'empereur Khang hi lança un décret de prohibition contre l'ouvrage, lorsqu'il parut pour la première fois en 1695; circonstance qui, du reste, n'a fait qu'accroître sa célébrité et, en le rendant plus rare, n'a contribué qu'à le faire rechercher davantage.

244. GIN PHINK MEI BITKHE; Le livre *Kin ping meï*, traduit en mandchou. 7 vol. in-4, dem.-rel., m. v.

L'auteur de cette traduction, qui, pour la beauté du style, ne le cède en rien, au dire des Chinois, à l'original, est le frère même de l'empereur, dont un décret venait d'interdire la lecture du *King ping meï*, comme dangereuse pour les mœurs. La date de sa publication est de la 47e année de Khang hi (1708).

245. HOUNG LEOU MENG; Les Songes de la chambre rouge. 4 vol. in 8, dem-.rel., m. bl., fig.

Roman chinois, publié la 56e année de Khian loung (1791). Il a été traduit en anglais sous le titre de : *The Dreams of the red chamber*. C'est la peinture des mœurs de la cour impériale sous la dynastie des Ming.

246. SIEOU SIANG EUL THOU MEÏ TCHOUAN; Roman chinois en six livres, orné de figures. Pet. in-8, dem.-rel., m. r.

Publié la 2e année Kia king (1797).

247. CHY TIAO KIO PEN PA WANG PIEÏ TCHIN HI WEN THSIOUAN TCHOU; Texte où l'on prend les romances et chansons qui sont en vogue. In-12, dem.-rel., m. v.

Recueil d'anecdotes et de petites pièces, au nombre d'environ quarante; chacune est précédée d'une gravure.

248. KIUN SIAO TAO KOUEÏ; Anecdotes plaisantes. In-12, dem.-rel., m. v.

Je n'indique que la première partie de ce volume, qui est un recueil d'anecdotes et de comédies composé de onze opuscules différens qui n'ont pas assez d'importance pour être catalogués séparément.

249. TCHAO CHI KOU EUL; L'orphelin de la famille de Tchao. Cahier chinois in-4.

Cette pièce a été traduite partiellement en français par le P. Prémare et en entier par M. Stanislas Julien, qui a donné l'interprétation de toute la partie lyrique que le premier avait omise. Voltaire en adapta le sujet aux règles de notre scène dans l'*Orphelin de la Chine*. La composition de ce drame, ainsi que celle des deux suivans, remonte au XIVe siècle. L'exemplaire est incomplet du dernier feuillet.

250. LAO SENG EUL; Le vieillard qui obtient un fils, comédie chinoise. Cahier in-4.

Cette pièce a été traduite en anglais et en français. Le premier et le dernier feuillet manquent.

251. TSOU TCHAO KOUNG SOU TCHE HIA TCHOUEN; L'embarquement du prince *Tsou tchao*, drame chinois. Cahier in-4.

VIII. *Paléographie.—Antiquités.—Numismatique.*

252. TSENG TING TSEU HIO TSIN LEANG; Pont pour arriver à la connaissance des caractères; édition revue et augmentée. In-4. dem.-rel., m. v.

L'auteur, nommé Fou jou 'weï, commence par exposer les différentes révolutions que l'écriture a subies depuis la plus haute antiquité, tant dans la forme des signes que dans leur prononciation. Cette introduction historique sur les altérations successives ou simultanées de la langue, est suivie de pièces de vers, propres à servir *d'exercices*, écrites en caractères *tchhouan, li, thsao* et *kiaï* (réguliers). Dans les trois premières formes, chaque caractère est accompagné de celui qui lui est analogue dans l'écriture ordinaire; dans la dernière, au contraire, les caractères, tracés avec la plus rigoureuse exactitude, sont mis en regard de leurs variantes les plus irrégulières et les plus abrégées. Cet ouvrage qui est, comme on le voit, un véritable traité de paléographie, est terminé par le tableau généalogique des familles chinoises connu sous le nom de *Pe kia sing*. Le tout a été publié l'année ting mao de Khang hi (1687).

253. TCHHOUAN LI SIN HOA; Les caractères *Tchhouan* et *Li* tracés de nouveau. In-8, dem.-rel., m. v.

L'écriture *tchhouan* est celle qu'on retrouve le plus habituellement sur les monnaies et les inscriptions antiques. Elle était en usage au temps de Confucius, et on s'en sert encore aujourd'hui pour la gravure des sceaux. L'écriture *Li*, qui remplaça l'écriture *tchhouan*, vers l'époque de la dynastie des Han, 200 ans environ avant J.-C., est fréquemment employée dans l'impression des préfaces. On a recueilli dans ce volume tous les caractères de la première espèce, en y joignant la forme moderne de chacun d'eux. Ce curieux répertoire, indispensable pour l'intelligence de certains monumens de l'antiquité, est divisé en deux livres et précédé d'une introduction contenant les *dix règles* pour bien tracer les caractères *Li*.

254. PO KOU THOU; Représentation de toute l'antiquité. 16 parties en 5 vol. in-4, dem.-rel., m. viol., fig.

Les monumens expliqués dans ce magnifique ouvrage consistent en vases, trépieds et miroirs de bronze, presque tous revêtus d'inscriptions. Le nombre en est considérable, et plusieurs remontent à la dynastie des Chang, c'est-à-dire à plus de 1700 ans avant notre ère. Chaque article se compose de la figure d'un de ces monumens, gravée au trait avec la plus grande finesse; puis l'on donne l'inscription antique qui y est tracée, imprimée en caractères blancs sur un fond noir et au-dessous la traduction en autant de caractères modernes, et en dernier lieu une notice détaillée de l'objet représenté, de ses dimensions, de sa forme, de son poids, avec des observations historiques, archéologiques et philologiques, sur son âge, son emploi et sur les légendes que l'on y lit. L'empereur Kia tsing, de la dynastie des Ming, confia la rédaction de ce grand travail aux plus savans lettrés de l'empire. Cette édition est de l'année jin chin de Khian loung (1752). M. Thoms a donné des extraits étendus de cet ouvrage dans le 1er vol. du journal de la Société Asiatique de Londres.

255. SIAO THANG TSI KOU LO; Recueil de la collection d'antiquités du cabinet *Siao*. In-fol., dem.-rel., m. r.

Magnifique volume imprimé l'année sin weï de Kia king, et contenant la description et les figures d'un grand nombre d'inscriptions et de monumens paléographiques de tout genre.

256. FANG CHI ME POU MOU LO; Catalogue de la collection des Encres de *Fang chi*. In-fol., dem.-rel., m. v., avec des fig. à chaque page.

Les lettrés chinois sont fort curieux des collections de ce genre, et il existe plusieurs catalogues descriptifs et raisonnés de quelques cabinets, célèbres pour la rareté, l'ancienneté et la beauté des morceaux d'encre qui y sont réunis. Un savant, nommé Tcheng chi, imagina le premier, au XIe siècle, de reproduire, soit par des formes particulières, soit par des empreintes, tous les monumens de l'antiquité qu'il avait pu recueillir. Cet exemple eut aussitôt de nombreux imitateurs, et aujourd'hui il n'est pas de lettré de quelque renom qui n'ait son *jardin* ou sa collection d'encres. La description de celle-ci date de l'année meou tseu de Wan ly (1588).

† TSAO TOUNG 'AN THOU CHOU FOU YN LO; Collection de cachets rassemblés dans le cabinet du Repos oriental. In-8, dem.-rel., m. v. (*Recueil* H.)

Chaque cachet de cette singulière collection est imprimé en rouge; à côté de l'empreinte se trouve d'abord la transcription, en caractères ordinaires, de la légende qu'elle reproduit, puis l'explication détaillée du sens de cette légende, et enfin la description du cachet lui-même, quant à sa forme et à la matière dont il est fait. Le nombre des empreintes est de plus de 200.

257. Ectype de l'inscription de YU, en douze feuilles, caractères blancs sur fond noir.

Copie figurée du monument élevé par l'empereur Yu, sur le mont Heng, après qu'il eut fait écouler les eaux qui inondaient la Chine. M. Klaproth, qui préparait un nouveau travail, tant sur l'authenticité de ce célèbre monument, déja défendue par lui contre Hager, en 1811, que sur l'interprétation du texte même, qui remonterait à près de quarante-un siècles, avait fait tirer de ce fac-simile un assez grand nombre d'exemplaires aujourd'hui détruits.

258. KWAN SEÏ KOOU FAOU KAGAMI; Miroir de numismatique des années *Kwan sei*, en japonais. Pet. in-4, fig.

Publié la 6e année Kwan seï (1794), par Riou sek yen ou, et contenant la représentation et la description de près de 200 monnaies ou médailles, pour la plupart chinoises, appartenant à diverses époques.

259. Ko sen ka fou; Anciennes monnaies, avec leur valeur approximative, en japonais. Pet. in-4, fig.

C'est le catalogue d'une collection particulière, dans laquelle on voit figurer plusieurs médailles ou pièces de monnaie frappées en Europe. Il est divisé en deux parties, suivies d'un petit appendice contenant les médailles fausses. Il a été publié à Yedo la 5e année Kwan seï.

260. Catalogues et descriptions de monnaies japonaises, en hollandais, avec fig. In-fol., dem.-rel. (*Manuscrit*)

Recueil formé par M. Titsingh, qui s'était particulièrement occupé de la numismatique japonaise, et avait rassemblé une collection de plus de 2000 pièces. Notre manuscrit contient les figures, parfaitement exécutées sur papier de chine, de 63 monnaies d'or et de 30 monnaies d'argent.

IX. *Histoire littéraire.—Philologie.—Bibliographie.*

261. Loung weï pi chou; Collection de ce que renferme le *Loung weï*. 36 cahiers dans 5 enveloppes, in-12.

Les mots *Loung weï* (*majesté du dragon*) désignent le cabinet particulier de l'empereur, proprement ses archives secrètes. Ce recueil, qui en est tiré, est extrêmement curieux et paraît fait avec beaucoup de soin. Il contient différens mémoires d'érudition, parmi lesquels plusieurs, consacrés à la géographie générale, renferment des notices sur les pays voisins de la Chine et les contrées de l'occident; sur l'Inde, la Perse, l'Arabie, la Turquie, l'Europe, l'Afrique, la Malaisie, Formose, etc., le tout accompagné de figures de monnaies, de costumes et d'un spécimen de différentes langues et des caractères qui leur sont propres. Malheureusement M. Klaproth ne possède pas la collection complète de ces mémoires, qui se compose de 80 volumes, contenant chacun un ou plusieurs traités et formant ainsi, même pris isolément, un ouvrage complet. L'édition est de l'année kia yen de Khian loung (1794).

262. Kiun chou pi kao; Examen approfondi de divers ouvrages. In-4, dem.-rel., m. v.

Mélanges de critique et d'érudition, recueillis par Youan liao fan, et publiés l'année jin 'ou de Tsoung tching (1642), en 4 livres accompagnés de cartes et figures.

† King hio kao; sse hio kao; wen ty kao; li hio kao; Notices historiques des *Kings*, des annales, et des systèmes sur la nature de l'homme. (*Recueil* H.)

Manuscrit d'une écriture élégante.

263. KHIN TING SSE KOU THSIOUAN CHOU KIEN MING MOU LO; Catalogue abrégé de tous les ouvrages composant la collection des Quatre Magasins, publié par ordre de l'empereur. 4 vol. in-8, dem.-rel., m. r.

Dès les premières années de son règne, Khian loung fit rechercher les meilleurs écrits dans tous les genres composés en chinois, et forma le projet de les réunir dans une même collection, qui reçut le titre de collection des Quatre Magasins, ou Trésors. Le P. Amiot pensait qu'on lui avait donné ce nom par analogie avec l'expression des Quatre Mers, qui désigne l'empire, auquel on n'assigne point de bornes; voulant indiquer par là l'immense étendue de ce recueil. Mais, suivant une interprétation plus plausible donnée par M. Julien, cette locution se rapporte à la division bibliographique même adoptée par les Chinois, qui rangent tous les livres en quatre classes, savoir : les *Kings*, les Annales, les *Tseu* ou Philosophes, et enfin les Collections. Les livres ainsi réunis étaient appelés *Sse kou chou*, expression qui permet de supposer qu'une salle particulière était consacrée à chaque division. Quoiqu'il en soit, et pour en revenir à la publication dont il s'agit, elle devait, d'après un premier plan arrêté en 1761, former 168,000 volumes. En 1774, un rapport fut fait à l'empereur sur les progrès de cette immense entreprise et des ordres nouveaux vinrent en presser l'exécution. En 1821, près de 80,000 volumes avaient paru. L'ouvrage que nous annonçons sous ce numéro est un précis ou catalogue méthodique et raisonné de toute la collection. Il se compose de 20 livres et a été publié à Péking, la 39e année de Khian loung. (1762).

† Liste des livres chinois apportés sur le vaisseau nommé *le Prince de Conty*, par le P. Fouquet.

C'est le catalogue d'une collection, aussi considérable que bien choisie, de livres chinois réunis par le P. Fouquet et rapportés par lui en Europe en 1720. Cette bibliothèque chinoise, dit M. Rémusat, fait également honneur au goût et au savoir de celui qui en avait su rassembler les matériaux. Elle contient l'indication de 340 ouvrages, avec une traduction française du titre de chacun, écrite de la main même du savant missionnaire. Il est à regretter que ces livres aient été dispersés. La majeure partie a passé à la bibliothèque de la Propagande, à Rome, dont elle forme le fonds principal; il y en a quelques-uns à la Bibliothèque Royale de Paris.

264. Catalogue des livres et manuscrits chinois et mandchous de la bibliothèque de l'Académie impériale des Sciences, rédigé par ordre de S. Ex. le comte Alexis de Rasumowski, au mois d'août 1810, par M. Klaproth (en allemand). In-fol., m. r. *(Manuscrit original.)*

Les ouvrages que M. Klaproth a catalogués comme appartenant alors à l'académie de Pétersbourg, sont au nombre de 186, rangés sous onze divisions. Le titre de chacun est accompagné de notices assez étendues. Tout le manuscrit est de la plus grande netteté.

X. *Encyclopédies.*

265. LOUI CHOU SAN THSAÏ THOU HOEÏ; Collection de tout ce qui se rapporte aux trois agens principaux (le Ciel, la Terre et l'Homme), accompagnée de planches et d'explications. 14 vol. in-4, dem.-rel., m. j.. fig.

C'est l'original de la célèbre encyclopédie japonaise, dont M. Rémusat a donné une analyse détaillée (t. XI des *Notices des Mss.*). Parmi les livres chinois qui sont venus en Europe, il n'en est pas de plus utile ni de plus important que ce magnifique ouvrage, où l'on trouve, classées méthodiquement, des notions sur tout ce qui, aux yeux des Chinois, peut être un objet d'étude dans l'univers, et qui offre le tableau le plus fidèle et le plus complet, non seulement des lumières et du génie, mais des mœurs et des habitudes de la nation chinoise. Khiu yu foung, qui est le principal auteur de cette encyclopédie, l'a divisée en 14 sections, formant 116 livres; tous les articles qu'ils renferment, au nombre d'environ 6,000, sont presque invariablement composés d'une planche et d'un texte explicatif. Cette édition a été donnée par Wang youan han, de Yun kian, en 1609; elle est supérieurement exécutée, et, ce qui est rare, imprimée sur papier très blanc.

266. WA KAN SAN SAÏ TO KOUWAÏ; Collection de tout ce qui se rapporte aux trois agens principaux, etc. Cahier in-4.

Partie détachée de la grande encyclopédie japonaise, comprenant les pages 33 à 52 du XVe livre. Elle contient : 1o les quatre accents, accompagnés de règles et d'exemples pour la prononciation chinoise et japonaise; 2o la manière dont l'*Irofa* (l'alphabet) a été formé au moyen de caractères chinois; 3o l'histoire de l'introduction de l'écriture sous ses deux formes, *Katakana* et *Firokana*; 4o peinture; 5o numération; 6o poids et mesures; 7o arts libéraux. M. Rémusat, dans l'analyse si complète qu'il a donnée de l'encyclopédie japonaise, ne fait aucune mention de cette partie, qui manquait peut-être à l'exemplaire de la Bibliothèque Royale à l'époque où il a rédigé son travail.

267. IU TCHI YOUAN KIAN LOUÏ HAN; Encyclopédie méthodique tirée du Miroir des sources de l'empereur. 32 vol. in-8, dem.-rel.

Ce grand et précieux ouvrage, qui contient, en 450 livres, un tableau complet de toutes les sciences cultivées par les Chinois, depuis l'astronomie jusqu'à l'histoire naturelle des poissons et des insectes, fut publié par une réunion des plus savans lettrés de l'empire, d'après les ordres de l'empereur Khang hi, la 49e année de son règne (1710). Les mots *Youan kian* (miroir des sources, littéralement, miroir *profond*), sont le nom allégorique que ce prince avait donné à sa bibliothèque, conformément à l'usage des lettrés, et qu'il mettait sur le frontispice des livres qui y avaient été composés.

268. WEN HIAN THOUNG KHAO; Examen général des écrits et des sages. 100 parties reliées en 20 vol. in-4, dem.-rel., m. bl.

Cette vaste encyclopédie, le plus important recueil de la littérature chinoise, est connue par des notices détaillées de MM. Rémusat et Klaproth, et les renseignemens de tout genre que les savans y ont puisés à toutes les époques, sont bien propres à en faire apprécier la valeur. M. Rémusat, dans la notice qu'il a consacrée à Ma touan lin, l'auteur de cet ouvrage, s'exprime ainsi : « On ne peut se lasser d'admirer l'immensité des re- « cherches qu'il a fallu à l'auteur pour recueillir tous ces matériaux, la « sagacité qu'il a mise à les classer, la clarté et la précsion avec lesquelles « il a su présenter cette multitude d'objets dans tout leur jour. On peut « dire que cet excellent ouvrage vaut à lui seul une bibliothèque, et que « quand la littérature chinoise n'en offrirait pas d'autre, il vaudrait la peine « qu'on apprît le Chinois pour le lire. On n'a qu'à choisir le sujet qu'on « veut étudier; tous les faits sont rapportés et classés, toutes les sources « indiquées, toutes les autorités citées et discutées. Ce sont autant de dis- « sertations toutes faites qu'il suffit de faire passer dans nos langues euro- « péennes, et avec lesquelles on peut s'épargner bien des recherches, et se « donner, si l'on veut, un grand air d'érudition. « Cet ouvrage, qui ne comprend pas moins de 348 livres, fût achevé la 6e année yan yeou (1319) et imprimé pour la première fois en 1322. On en a fait depuis plusieurs éditions; celle-ci est de la 12e année Khian loung (1747).

269. WA SETS YOOU SIFOU SITS KAÏ TA SEN; Grand manuel encyclopédique japonais, revu et corrigé. 1 vol. très gros in-4, cart. à la japonaise.

Edition publiée la 9e année Boum seï (1826). Chaque article est accompagné d'une figure représentant l'objet expliqué ou décrit. L'ouvrage, indépendamment de l'intérêt qu'il présente par l'importance de son contenu, est en outre fort curieux par la manière dont il est exécuté.

270. WA KAN SETS YOOU MOU SO FOUKOURO; Sac sans pareil du manuel japonais-chinois. In-4, v. dent., fig.

Ce beau volume est une encyclopédie assez détaillée à l'usage des Japonais et des Chinois; elle est ornée d'un grand nombre de figures qui sont accompagnées d'une explication manuscrite en hollandais. L'édition est de l'année 1819.

271. KIN MOU TSOU I; Encyclopédie élémentaire expliquée avec des figures. 8 part. en 1 vol. in-4, v. f., fil.

Taou saï est l'auteur de cette petite encyclopédie qui parut, d'abord, la 6e année Kouan boun (1666), et en second lieu, la 8e année Gen rok (1695), avec des augmentations considérables, C'est cette édition que possédait M. Klaproth. Elle est divisée en 21 livres, au lieu de 20 qu'avait la première, et elle contient 3,000 articles expliqués et accompagnés de la synonymie des termes japonais et chinois. C'est un excellent vocabulaire où tous les mots indispensables à connaître sont classés méthodiquement et rapprochés de figures qui aident à l'intelligence des définitions.

XI. *Mélanges.*

272. SIN TSENG YEOU HIO KOU SSE KIOUNG LIN; Précieux recueil des traditions de l'antiquité à l'usage des étudians, nouvellement augmenté. In-4, dem.-rel., cuir de Russie, figures.

Encyclopédie historique dans laquelle on a réuni, en 4 livres, des notices sur les connaissances, les usages et les mœurs des anciens Chinois, en prenant pour texte, dans les principaux ouvrages, les passages qui en font mention et qui deviennent l'objet d'un commentaire plus ou moins développé. L'auteur est Tching yun ching de Si tchang. Cette édition fut publiée la 6e année Kia king (1801).

273. YEOU HIO SIEOU TCHY; Connaissances nécessaires à l'instruction de la jeunesse In-8, dem.-rel., cuir de Russie.

Règles de conduite pour les différentes conditions de la vie, publiées l'année ki yeou de Khang hi (1669).

274. TCHEOU CHY PAO YAO THSIOUAN CHOU; Traité complet de ce qu'il y a de plus nécessaire dans les usages de la politesse. 4 parties en 1 vol. in-8, dem.-rel., cuir de Russie.

Divisé en 7 livres. Les trois premiers contiennent des modèles de lettres, les quatre autres, des modèles de complimens réciproques, d'invitations et de billets de visite; le tout à l'usage de ce que les Chinois appellent les quatre classes de vulgaire, qui sont: les étudians, les laboureurs, les artisans et les marchands. Ce volume est de la 59e année de Khian loung (1794); il a été publié par Wang yeou heng de Tchang tcheou.

275. TSENG TING CHY SSE YOUAN LOUNG THOUNG KHAO TSA TSEU; Recueil des termes nécessaires pour la connaissance des affaires du siècle. 4 livres en 1 cahier in-8.

Les termes sont expliqués suivant l'ordre des matières auxquels ils appartiennent, de manière à former une sorte d'encyclopédie lexicographique de toutes les expressions composées employées dans l'usage commun. M. Klaproth a traduit en allemand, sur la couverture, les titres des 70 chapitres que l'ouvrage contient.

276. NANG TCHOUNG KIN SIN; Sentences chinoises. 2 cahiers in-8, renfermés dans un double étui, dem.-rel., m. r.

Charmante édition japonaise, publiée la 11e année Wen hoa (1811).

† Sentences et morceaux extraits de différens auteurs chinois avec leur explication en mandchou. *Manuscrit.* (*Recueil* D.)

277. MAN HAN MING HIAN TSI; Recueil de pensées des sages

célèbres, en mandchou et en chinois. = MANDCHOU NIKAN KHERGEN KAMTCHIME ARAKHA MING KHIYAN TCHI; Recueil de sentences d'hommes célèbres, en mandchou et en chinois. Deux cahiers réunis, in-8.

Cette collection de proverbes et de maximes forme des exercices littéraires gradués en phrases de quatre à sept mots. M. Klaproth n'a publié que 174 maximes du second recueil qui en contient 348.

† 'AN LO MING; Inscriptions joyeuses, publiées par Sou lao, de Meï chan. In-8, dem.-rel., m. v. (*Recueil* E.)

Sortes de sentences ou devises dans le genre de celles que les Chinois tracent sur de longues bandes de papier qu'ils suspendent dans leurs appartemens et qui sont connues sous le nom de *Toui tseu*. Ces mots, inscriptions joyeuses, ne doivent pas s'entendre dans un sens défavorable; l'épithète signifie ici, non pas proprement la joie, mais ce qui est relatif à la paix, au bonheur qu'on goûte sous un bon prince.

278. TOUNG SI YANG KAO MEÏ YOUEÏ TOUNG KI TCHOUAN; Récits historiques mensuels relatifs à l'Asie et à l'Europe. 2 part. in-8.

Premiers cahiers d'un recueil rédigé en chinois, par les membres du collége anglo-chinois de Malacca, et publiés l'année koueï sse de Tao kouang (1833). L'un des cahiers contient une belle carte des deux mers, nommées par les Chinois dont elles baignent les côtes, mer du Midi et mer Orientale.

279. TCHA CHI SOU MEÏ YOUEÏ TOUNG KI TCHOUAN; Récits mensuels pour faire connaître le monde. 24 cahiers in-8 et in-12.

Ce recueil a été publié par M. Milne, à Malacca, de 1820 à 1822. Il contient non seulement des détails sur les progrès de la mission anglaise à la Chine, mais encore quelques faits de l'histoire politique ou littéraire, dignes de fixer l'attention des savans.

280. SINICA.

Carton contenant différentes pièces chinoises, dont plusieurs catalogues de livres, des avis, des instructions politiques et autres, parmi lesquelles on remarque un ordre donné par l'empereur de s'enquérir du sort des PP. Barros, Beauvolier, Provana et Ray. de Arxo. Cette pièce intéressante, en mandchou, en chinois et en latin, est datée de 1716, et imprimée en rouge. Elle se termine par les signatures en *fac-simile* des principaux missionnaires de Péking.—Leçon publique donnée par l'empereur Kia khing sur la première phrase du *Thaï hio*. Morceau très-curieux, débité dans une de ces conférences nommées *King yan*, tenues par l'empereur en personne et où sont convoqués les plus habiles lettrés et tous les grands dignitaires de l'empire.

281. JAPONICA; Syllabaires, vocabulaires, textes et fragmens japonais. Dans un étui, dem.-rel., m. r.

XII. *Recueils.*

282. *Recueil* A. In-4, dem.-rel., m. v., contenant :

1° Lun iu; Discours de Confucius. *Voy.* † 15.
2° Thai chang ni, etc.; Livre des Récompenses et des Peines. *Voy.* † 32.

283. *Recueil* B. Pet. in-fol.. dem.-rel., m. v., contenant :

1° Chin ming wei tchou; L'Esprit est le souverain maître. *Voy.* † 26.
2° Thian tsun iu.....; Livre du Gond de Jade. *Voy.* † 37.
3° Hiang yo.....; Livre qu'on explique au peuple. *Voy.* † 60.
4° Traité de Pyrotechnie. *Voy.* † 161.
5° Terghi khese; Paroles d'en haut. *Voy.* † 61.

284. *Recueil* C. In-4, dem.-rel., m. v., contenant :

1° Tchou 'o mou.....; Qu'il faut pratiquer toutes les vertus. *Voy.* † 32.
2° Dzi toung di.....; Livre de la Récompense des bienfaits secrets.;
Yu koung tchoun.....; Visite de l'Esprit du foyer à Yu koung;
Kouwan cheng di.....; Qu'il faut s'abstenir de rechercher l'éclat;
Pour ces trois opuscules, *Voy.* †† 32.
3° Liste des livres chinois du P. Fouquet. *Voy.* † 263.

285. *Recueil* D. In-4, dem.-rel., m. v., contenant :

1° Thai Thsing, etc.; Almanach impérial pour l'année 1646. *Voy.* † 66.
2° Ta kouan Pen thsao; Histoire naturelle des années *Ta kouan*. *Voy.* † 144.
3° Sentences en chinois et en mandchou. *Voy.* † 276.
4° Youan yen tching khao; Examen des sons de la langue mandchoue. *Voy.* † 204.
5° Tcha chou.....; Dernières volontés de l'empereur Young tching. *Voy.* †† 61.
6° Geren endouringe......; Livre des précieux enseignemens. *Voy.* † 24.
7° Etjige tatchiko; Livre de la Droiture. *Voy.* † 16.

286. *Recueil* E. In-8, dem.-rel., m. v., contenant :

1° 'An lo ming; Inscriptions joyeuses. *Voy.* † 277.
2° Tcheou koung kiai.....; Livre des rêves expliqués par Tcheou koung. *Voy.* † 153.
3° Tchun; Le Printemps, recueil de distiques. *Voy.* † 235.
4° Ta thsiouan toung chou; Calendrier astrologique pour 1806. *Voy.* † 152.
5° Tsao fou thsiouan chou; Traité pour obtenir le bonheur. *Voy.* †† 153.
6° Sin thsian tchoung.....; Commentaire sur le livre des mille mots. *Voy.* † 21.

287. *Recueil* F. In-fol., dem.-rel., contenant :

1° Description des cérémonies funèbres des japonais. *Voy.* † 73.
2° Notice sur la poudre Dosia, et sur son inventeur Kobo Daïsi.
3° Yeso ki; Description de Yeso. *Voy.* †† 121.
4° De l'acupuncture et du moxa, avec 20 planches lavées à l'encre de chine.

288. *Recueil* G. In-fol., dem.-rel., contenant :

1° Description of sticking with the Needle, etc. *Voy.* † 145.
2° Journal d'observations de M. Titsingh. *Voy.* † 121.
3° Traduction en hollandais du *San kokf tsou ran.* (*Voy.* sur cet ouvrage le n° 118.)
4° Notice des charges et emplois des principaux fonctionnaires du Japon.

289. *Recueil* H. In-8, dem.-rel., m. v., contenant :

1° Tsao toung 'an.....; Collection de cachets. *Voy.* † 256.
2° Sin tsian tchin....; Vers en caractères *thsao*, *tchhouan* et *li*. *Voy.* † 229.
3° King hio kao.....; Notices historiques des *Kings*. *Voy.* † 262,
4° Ji ki kou sse; Souvenirs journaliers d'anciennes histoires. *Voy.* †† 21.

— —

290. Geographia Mandgjurica et Mungalica, cum gradibus longitudinis et latitudinis ex mappis sinicis à me fidelissimè descripta; adjectâ pronunciatione. Primus meridianus per Pequinum ductus, indè Orientem et Occidentem versus ceteri meridiani numerantur. T. S. Bayer. Gr. in-4, dem.-rel., mar. vert.

Manuscrit original et inédit, avec des corrections et additions de la main de M. Klaproth. Il contient l'indication de 3,260 localités, tant de la Mongolie, que du pays des Mandchous. Il faut ajouter ce précieux travail à la liste des ouvrages de Bayer dont Sharpe a donné une notice détaillée dans son appendice au *Syntagma dissertationum* de Hyde.

Ce volume a été indiqué d'une manière inexacte, dans la 1re partie du présent catalogue, sous le n° 972.

FRAGMENS D'OUVRAGES LAISSÉS INACHEVÉS PAR M. KLAPROTH; NOTES ET PAPIERS DIVERS.

291. Mithridates.

On sait que M. Klaproth s'était occupé de la publication d'un nouveau *Mithridates* qui, outre un aperçu grammatical et un texte analysé de chaque langue, devait offrir un vocabulaire comparatif des idiômes des cinq parties du monde, et le tableau du système graphique en usage chez tous les peuples. Une partie des materiaux de ce grand travail étaient déjà sous la main qui devait les mettre en œuvre; nous les avons rassemblés avec soin; ils offriront aux personnes qui s'occupent de l'étude comparative des langues et qui voudraient entreprendre de refaire, sur un plan meilleur et plus vaste, l'ouvrage de Pallas et celui d'Adelung, des facilités que M. Klaproth n'avait acquises qu'au prix d'études infatigables, ou qu'il avait obtenues d'un appel fait aux savants de toutes les nations. Ces pièces, distribuées en 15 dossiers, sont en trop grand nombre pour pouvoir être détaillées; nous nous bornerons à indiquer quelques unes des principales.

I. *Généralités et Plan; Fragments et notes diverses;* dont : des notices grammaticales de plus de 60 langues, idiômes ou dialectes; II. *Hébreu, Samaritain, langues sémitiques;* dont : Précis sur la langue maltaise; vocabulaire comparatif maltais, hébreu, arabe; III. *Langues caucasiennes;* dont: vocabulaires arménien, géorgien, mingrélien, etc. ; IV. *Langues turques;* dont : vocab. kurde, nogaï, karabagh, de Choundir et des Kadschares, d'Iakoutsk, de Crimée, etc. ; V. *Langues ouraliennes;* dont : vocabulaire ostiaque, par Albert; de Perm, par Ponow; Vogoul, par Tchevkalow; Sousdalien; mémoire sur la langue hongroise, par de Gruber; vocab. comparatif de 13 dialectes samojèdes; VI. *Langues tartares;* dont : notice sur la langue mandchoue; vocab. mandchou et mongol; VII. *Chine, Anamite, Cochinchine;* dont : aperçus et notices sur la langue chinoise; vocab. comparatif des différents dialectes chinois; vocab. comp. chinois et cochinchinois; VIII. *Corée, Formose, Japon;* IX. *Tibétain;* X. *Inde*; dont : vocabulaire comp. Zend et Pehlvi; autre de dix dialectes; vocab. Desatir, Kanara, de Bhâgalpour, Singhalais, Telogoo, etc. ; XI. *Philippines, Malais, Polynésie;* XII. *Kouriles et Kamtchatka;* dont : vocab. Sakhalin, par Davidow; Tchouktchis; vocab. comp. des dialectes du Kamtchatka; XIII. *Afrique;* dont : vocab. comp. de 20 dialectes; autre de 60 dialectes; autre des langues du nord-est de l'Afrique; Berber, Guanche, du Bornou; XIV. *Amérique;* XV. *Europe.*

292. Marco Polo.

La nouvelle édition de Marco Polo que M. Klaproth était sur le point de publier, devait se composer du texte de Ramusio revu et complété, et de notes explicatives. Il avait, pour ce travail, consulté, conféré, extrait, traduit même tous les textes chinois, tartares et persans qui pouvaient l'éclairer sur la marche du voyageur vénitien, sur les pays qu'il décrit et les faits qu'il rapporte. En rapprochant ses récits des indications géographiphiques rassemblées à l'époque ou les Mongols étaient maîtres de la Chine; M. Klaproth était parvenu à retrouver dans ces dernières, et sous les mêmes noms, tous les lieux dont Marc Pol avait parlé, et à expliquer ainsi, avec facilité, les points qui avaient le plus embarrassé les précédens commentateurs, à dissiper l'obscurité des uns, à résoudre les difficultés de certains autres, à lever tous les doutes.

Cette liasse contient des passages extraits ou traduits des géographes et historiens orientaux; des collations de textes; quelques unes des notes du nouveau commentaire, et, ce qui est plus précieux, les 116 premiers chapitres du texte de Ramusio, c'est-à-dire plus de la moitié de l'ouvrage, revus, corrigés et annotés, tels enfin que M. Klaproth les avait préparés pour l'impression. En réunissant ces matériaux aux annotations manuscrites qu'il a jointes aux éditions de Marc Pol indiquées dans la première partie de notre catalogue sous les n°s 1006 et 1011, tout porte à croire qu'il serait possible de reprendre et d'achever une entreprise aussi utile que celle dont M. Klaproth avait formé le dessein.

293. Notes, fragments et matériaux relatifs, principalement, à la géographie et à l'ethnographie de la haute et moyenne Asie; sept dossiers contenant :

I. *Itinéraires et routiers;* la plupart traduits des originaux chinois, par M. Klaproth; *Voyages;* II. *Cartes manuscrites et nomenclatures géographiques;* On y remarque le plan d'un atlas historique de la Chine en 24 f[lles]; une nomenclature en Mandchou de la Corée, du Tibet et des pays composant l'Asie supérieure et moyenne; III. *Histoire et philologie chinoises;* dont : une copie ms. de la grammaire du P. Varo où M. Klaproth avait commencé à ajouter les caractères chinois aux transcriptions européennes données seulement par le missionnaire; IV. *Tartarie et Tibet;* dont : Mémoire sur les moyens d'améliorer l'administration des nomades tributaires; Voyage dans la vallée de Baspâ; V. *Japon;* Pièces pour la plupart en Hollandais et provenant de M. Titsingh; VI. *Bouddhisme;* VII. *Mélanges;* dont : Un vol. pet. in-fol. de notes et d'extraits sur divers sujets et en différentes langues, par M. Klaproth; Des lettres et des mémoires de missionnaires; Un mémoire de M. Klaproth sur la cause de la guerre entre la Russie et la Perse; Des dessins de monnaies et d'inscriptions; Fac-simile en 8 feuilles d'une inscription sibérienne, etc., etc.

FIN DE LA 2me PARTIE.

TABLE DES DIVISIONS.

—

—

LISTE ALPHABÉTIQUE DES OUVRAGES.

I.

J.

K.

L.

M.

N.

O.

P.

R.

S.

T.

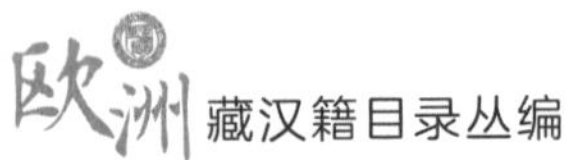

LISTE DES AUTEURS.

D.

F.

G.

H.

I.

J.

K.

L.

M.

N.

O.

P.

FIN.

Übersicht der Chinesischen Mandschouischen, Japanischen und Koreanischen Bücher der K. K. Hof. Bibliothek in Wien

皇家图书馆藏汉、满、日、韩文书目

ÜBERSICHT

DER

CHINESISCHEN, MANDSCHOUISCHEN, JAPANISCHEN UND KOREANISCHEN

BÜCHER

DER

K. K. HOF-BIBLIOTHEK

IN WIEN.

15 *

I. Chinesische und mandschouische Bücher.

I. 欽定七經 Khin ting thsi king. Kaiserliche Ausgabe der sieben King oder canonischen Bücher, vom Jahre 1731, mit ausführlichen Commentaren der verschiedenen Ausleger. Diese Sammlung enthält in 180 Heften, die hier in 33 Bände gebunden sind, folgende Bücher: I. 易經 I-king, das Buch der Verwandlungen [a]). *10 Hefte, Band* 1—2. II. 書經 Chou-king, das Buch der Geschichte [b]). *10 Hefte, Band* 3—4. III. 詩經 Chi-king, das Buch der Lieder [c]). *18 Hefte, Band* 5—7. IV. 礼記 Li-ki, das Buch der Gebräuche [d]). *40 Hefte, Band* 8—18. V. 春秋 Tchhun-thsieou, Frühling und Herbst, oder Chronik des Königreiches Lou, von Confucius. *22 Hefte, Band* 19—22. VI. 儀禮 I-li, das Ritual I-li. *28 Hefte, Band* 23—29. VII. 周禮 Tcheou-li oder 周官 Tcheou kouan, das Ritual der Dynastie Tcheou. *28 Hefte, Band* 30—33.

II. 易經 I-king. Das Buch der Verwandlungen, mit den Commentaren des 朱熹 Tchu-hi. *3 Hefte in 1 Bande* 8°.

---

a) Y-king, antiquissimus Sinarum Liber, quem ex latina interpretatione P. Regis aliorumque Soc. Jesu PP. edidit Julius Mohl. Vol. I. Stuttgartiae et Tubingae, sumptibus J. G. Cottae, 1835. 8°.

b) Le Chou-king, un des livres sacrés des Chinois, traduit par le P. Gaubil revu et corrigé par M. de Guignes. Paris, 1770. 4°.

c) Confucii Chi-king, sive Liber Carminum. Ex latina P. Lacharme interpretatione edidit Julius Mohl. Stuttgartiae et Tubingae, sumtibus J. G. Cottae, 1830. 8°. (*M. vergl. auch Neumann, in Wiener Jahrb. der Literatur. Band* 60, 258. 61. 72. ss. — Schi-king. Chinesisches Liederbuch, gesammelt von Confucius, dem Deutschen angeeignet von Friedrich Rückert. Altona. Hammerich, 1833. 8°.

d) M. vergl. Klaproth, Asiatisches Magazin, Weimar, 1802. *II. p.* 506. ss.

e) M. vergl. Bayer, in Comment. Academ. Petropolit. *t. VIII. p.* 335. ss. und Klaproth *a. a. O. p.* 527. ss.

III. 易經 I-king. Das Buch der Verwandlungen, mit den Commentaren verschiedener Ausleger. *4 Hefte in 1 Bande 8°.*

IV. 易經 I-king. Das Buch der Verwandlungen, mit den Commentaren verschiedener Ausleger. *3 Hefte in 1 Bande 8°.*

V. 書經 Chou-king. Das Buch der Geschichte, mit den Commentaren verschiedener Ausleger. Gedruckt im Jahre 1818. *6 Hefte in 1 Bande 8°.*

VI. 日講書經 Ji kiang Chou king. Das Buch der Geschichte, mit der Auslegung des Kaisers 聖祖 Ching-Tsou *(Khang-hi)* der jetzigen Dynastie. Prächtige Ausgabe vom Jahre 1680. *18 Hefte in 2 Bänden. 8° max.*

VII. Chou-king. Eine lateinische Uebersetzung des Chou-king, mit Erläuterungen. Manuscript auf chinesischem Papier, 220 Blätter in 4°. Die neun letzten Capitel fehlen.

VIII. 詩經 Chi-king. Das Buch der Lieder, mit den Commentaren des Tchu-hi. *3 Hefte in 1 Bande 8°.*

IX. 詩經 Chi-king. Das Buch der Lieder, mit den Commentaren verschiedener Ausleger. *4 Hefte in 1 Bande 8°.*

X. 詩經國風 Chi-king koue foung. Die erste Abtheilung des Lieder-Buches. Fragment einer Ausgabe vom Jahre 1694, mit sehr kurzen Anmerkungen. *1 Heft in 8°.*

XI. 礼記 Li-ki. Das Buch der Gebräuche, mit den Commentaren des Tchu-hi. *4 Hefte in 1 Bande 8°.*

XII. 礼記 Li-ki. Das Buch der Gebräuche, mit den Commentaren verschiedener Ausleger. *6 Hefte in 1 Bande 8°.*

XIII. 春秋 Tchhun-thsieou. Die Chronik des Königreiches Lou, mit den Commentaren verschiedener Ausleger. Ausgabe vom Jahre 1711. *5 Hefte in 1 Bande 8°.*

XIV. 秋春 Tchhun-thsieou. Die Chronik des Königreiches Lou, mit den Commentaren der vorzüglichsten Ausleger. Ausgabe vom Jahre 1766. *10 Hefte in 2 Bänden 8°.*

XV. 朱文公楚辭集註 Tchu wen kong Thsou thseu tsi tchu. Die Poesien des Königreiches Thsou [a]), mit den Commentaren des Tchu-hi. *5 Hefte in 1 Bande 8°.*

---

a) M. vergl. Premare, Notitiae sinicae *p.* 243. §. 10.

XVI. 四書正文 Sse chou tching wen. Die vier Bücher ohne Commentar, nämlich: 1. 大學 Thai-hio, die grosse Lehre, von 曾子 Thseng-tseu, einem der vorzüglichsten Schüler des Confucius [a]). 2. 中庸 Tchoung-young, die unwandelbare Mitte, von 子思 Tseu-sse, einem Enkel des Confucius [b]). 3 論語 Lun-iu, das Buch der Gespräche [c]). 4. 孟子 Meng-tseu, oder die Werke des Meng-tseu [d]), Unser Exemplar war früher im Besitze des berühmten Mis-

---

[a]) Lateinische Uebersetzungen: a) Von P. Ignatius de Costa, mit dem chinesischen Texte. Gedruckt zu Kian-tchang-fou, in Kiang-si, im Jahre 1662, ohne den Originaltext wiederholt, im »Confucius Sinarum philosophus.» *Parisiis* 1689. *p.* 1_39, b) von P. Noel, in den Sinensis imperii libri classici sex. Pragae, 1711. *p.* 1_29. _ Französisch in den Memoires sur les Chinois *tom. I. p.* 136. ss. _ Englisch und chinesisch von Marshman am Schlusse seiner Chinese Grammar Serampore 1814. 4⁰ Neue englische Uebersetzung von Collie: Four Books, Malacca, 1828. 8⁰.

[b]) Tchoung-young, lateinisch und chinesisch von Prosper Intorcetta, Canton und Goa 1667. (*m. s. No. XXIV.*) Dieselbe Uebersetzung ohne den Original-Text im Confucius Sinarum philosophus Paris 1687 *p.* 40_108, in der Sammlung des Melchisedech Thevenot *t. II.* und in Kollar's »Analecta Vindobonensia» *t. I.* 1213. ss. _ Neue lateinische Paraphrase in Noel's Sinensis imperii libri classici sex. Pragae 1711 *p.* 30_73. _ Französisch in den Memoires concernant les Chinois *tom. I. p.* 459. ss. _ Französisch und lateinisch, mit dem Original-Texte und der mandschouischen Uebersetzung nach der zweiten Ausgabe vom Jahre 1755, von Abel-Remusat, in den Notices et Extraites, *t.* X. *p.* 264 ss. Auch besonders abgedruckt mit dem Titel: »L'invariable Milieu, »ouvrage moral de Tseu-sse, en Chinois et en Mandchou, avec une Version litte»rale latine, une Traduction Françoise, et des Notes, précédé d'une notice sur les »quatre livres moraux communément attribués a Confucius, par Abel-Remusat.» Paris, l'imprimerie royale 1817. 4⁰. _ Englisch von Collie: Four Books, Malacca, 1828. 8⁰.

[c]) Lun-iu, lateinisch und chinesisch von Prosper Intorcetta, Goa s. a. nur die erste Abtheilung (M. vergl. *Catalogue des livres imprimés et manuscrits, composant la bibliotheque de feu M. J. P. Abel-Remusat. Paris* 1833. *No.* 1597.) _ Lateinisch im Confucius Sinarum philosophus *p.* 1_159, und in Noel's Sinensis imperii libri classici sex *p.* 75_198. _ Der erste Theil chinesisch mit einer englischen Uebersetzung von Marshman: The Works of Confucius. Serampore 1809. 4⁰. — Deutsch von Wilhelm Schott unter dem Titel: »Die Werke des tschinesischen Weisen Kung-Fu-Dsu und seiner Schüler.» Halle 1826_1832. 8⁰. (Der zweite Theil auch mit lateinischer Uebersetzung.) _ Englisch von Collie: Four Books, Malacca 1828. 8⁰.

[d]) Meng-tseu. Lateinisch von P. Noel, Sinensis Imperii libri classici sex *p.* 199_472. Lateinisch mit dem chinesischen lithographirten Texte von Stanis-

sionärs Pater Ricci, und wurde im Jahre 1687 von G. Everard Rumph aus Amboina an Mentzel geschickt, durch den es an Kaiser Leopold I. kam. *4 Hefte in 1 Bande 8°.*

XVII. 四書正文 Sse chou tching wen. Eine andere Ausgabe der vier Bücher ohne Commentar, von der das erste Blatt fehlt. *6 Hefte in 1 Bande 8°.*

XVIII. 四書正韻 Sse chou tching chou. Die vier Bücher mit den Commentaren des Tchu-hi. *6 Hefte in 2 Bänden 8°.*

XIX. 滿漢字四書 Man han tseu Sse chou. Mandschouisch-chinesische Ausgabe der vier Bücher vom Jahre 1691. *4 Hefte in 1 Bande 8°.* a).

XX. Ein zweites Exemplar des ersten Heftes derselben Ausgabe, welches die Bücher 大學 Thai hio und 中庸 Tchoung-young enthält. *1 Heft in 8°.*

XXI. 御製繙譯四書 Iu-tchi fan-i Sse chou. Die vier Bücher, übersetzt auf Befehl des Kaisers. Mandschouisch-chinesische Ausgabe, mit einer ganz neuen Uebersetzung, gedruckt zu Peking, 1755 b). *4 Hefte in 1 Bande 8°.*

XXII. 大學 Thai-hio. „Confuzii Philosophi Sinensium primarii Tà-Hio, i. e. magna scientia, sive liber primus Tetrabiblii Su Xu dicti, „translatus in sermonem latinum a R. P. Philippo Coupletio S. J. Textum vero sinicum, sive characteres et voces Sinensium, manu licet invalida „adposui Christianus Mentzelius M. D. Fürstenwaldia Marchicus „Brand. MSS. Anno salutis nostrae 1688, aetatis meae 66." Original-Handschrift Christian Mentzel's, mit einer Zueignung an Kaiser Leopold I. *1 Heft in 8°.*

---

laus Julien, unter dem Titel: „Meng-tseu sive Mencium inter Sinenses „philosophos, ingenio, doctrina, nominisque claritate Confucio poximum, edi„dit, latina interpretatione ad interpretationem tartaricam utramque recensita „instruxit, et perpetuo commentario, e sinicis deprompto, illustravit Stanis„laus Julien." Lutetiae Parisiorum, 1824—1829. 8°. 2 Vol. — Englisch von Collie: Four Books, Malacca, 1828. 8°.

a) M. vergl. Remusat in Notices et Extraites. X. 276.

b) Ueber die beiden mandschouischen Uebersetzungen der vier Bücher, vergl. m. Remusat, l'invariable Milieu *p.* 11—23.

XXIII. 大學 Thai-hio. Unter der Aufsicht des Baron v. Schilling in St. Petersburg lithographirt, und auf chinesischem Papier gedruckt. *1 Heft in Folio* [a]).

XXIV. 中庸 Tchoung-young. Chinesisch-lateinische Ausgabe. Goa und Nan-king 1667. *1 Heft in 8⁰* [b]).

XXV. 中庸 Tchoung-young. St. Petersburger lithographische Ausgabe des Baron v. Schilling. *1 Heft in Folio* [c]).

XXVI. 中庸 Tchoung-young. Pariser Taschen-Ausgabe, lithographirt von Levasseur. *1 Heft in 16⁰* [d]).

XXVII. 論語 Lun-iu. Fragmente einer alten Ausgabe des Lun-iu mit Commentaren, welche das Leben des Confucius und den ersten Theil dieses Buches enthalten. *1 Heft in 8⁰.*

XXVIII. 孟子正文 Meng-tseu tching wen. Fragment einer Ausgabe der vier Bücher ohne Commentar, welches die Werke des Meng-tseu enthält. *1 Heft in 8⁰.*

XXIX. 孟子 Meng-tseu. Zweiter Theil der Werke des Meng-tseu mit Commentaren. *1 Heft in 8⁰.*

XXX. 四書 Sse chou. Portugiesische Uebersetzung der vier Bücher, mit den Anmerkungen des Tchu-hi. Manuscript auf chinesischem Papier. *2 Bände in 12⁰. (Cod. msc. n. 9673—9674. olim. H. p. 1054.)*

---

a) M. vergl. Remusat, Melanges asiatiques. II. 346.

b) *Bl. 1. dopp. chin.* a) Titel „Sinarum scientia politico-moralis a P. Prospero „Intorcetta, Siculo Societatis Jesu in lucem edita. b) Nomina moderatorum „provinciae sinicae Soc. Jesu.“ *Bl. 2. dopp. chin.* „Facultas R. P. Vice-Provin-„cialis Feliciani Pacheco. Signata in urbe Quam-cheu metropoli sinensis „provinciae Quamtum, die 31. mensis Julii 1667.“ — *Bl. 3. europ.* Vorrede: „Ad Lectorem.“ *Bl. 4 dopp. chin.* „Scientiae sinicae politico-moralis Liber secun-„dus Chum Youm. Medium, constanter tenendum. Versio literalis.“ *Bl. 5—16. dopp. chin.* Der chinesische Text mit der lateinischen Uebersetzung. *Bl. 17—30. einf.* Fortsetzung *Bl. 34—43. einf.* „Confucii vita.“ Schlussschrift: „Goae iterum „recognitum ac in lucem editum. Die 1. Octobris Anno 1669.“ M. vergl. Kollar, Analect. Vindob. tom. *I, col.* 1213. *ss.* Abel-Remusat in Notices et Extr. *X.* 267.

c) M. vergl. No. XXIII.

d) Das chinesische Räthsel, welches der Herausgeber aus Morrison (Dict. III. 142. M. vergl. Remusat, Melanges asiatiques II. 266. ss.) entlehnt, und auf dem letzten Blatte abgedruckt hat, ist eine wahre Verunstaltung des niedlichen Büchleins.

XXXI. 三字經 San tseu king. Das Buch der drei Buchstaben *1 Heft in 8°* a).

XXXII. 千字經 Thsian tseu king. Das Buch der tausend Buchstaben. *1 Heft in 8°* b).

XXXIII. 幼學詩 Yeou hio chi. Das Versbuch der Kinder. *1 Heft in 8°* c).

XXXIV. 三才圖會 San thsai thou hoei. Figürliche Darstellung des Weltalls. Letzte Ausgabe dieser unter dem Namen der chinesischen Encyclopädie bekannten Compilation des 王圻 Wang-khi, vom Jahre 1609. *XIV Abtheilungen in 116 Büchern. — 107 Hefte in 25 Bänden 8°* d).

XXXV. 初學記 Thsou-hio-ki. Encyclopädie zum Gebrauche der Studenten. Verfasst im Jahre 1134, und seit dieser Zeit unzählige Male aufgelegt. *30 Bücher in 4 Heften, in 1 Bande 8°.*

XXXVI. 綱鑑甲子圖 Kang kian kia tseu thou. Historische Tabelle nach den Cyclen, vom Jahre *425. v. Chr.* bis zum Jahre *1733. n. Chr. 1 Tafel in Folio* a).

XXVII. 萬年書 Wan nian chou. Das Buch der zehntausend Jahre. Chronologische Tabellen. Die Cyclen sind bis zum Jahre *2022. n. Chr.* berechnet. *2 Hefte in kl. Folio, in 1 Bande.*

XXXVIII. 歷代帝王年表 Li tai ti wang nian piao. Synchronistische Tabellen aller Kaiser und der vorzüglichsten Ereignisse der chinesischen Geschichte. Neue Ausgabe vom Jahre 1825, nebst einer

---

a) Russische Uebersetzung von Alexei Leontiew. Petersburg 1779 8°. Englisch von Morrison, in seinen *Horis sinicis London* 1818. 8°. und daraus mit dem chinesischen Texte in Montuccis *Parallel drawn between the two intended Chinese Dictionaries. London (Berlin)*, 1817, 4°. Deutsch von Neumann, *Lehrsaal des Mittelreiches. München* 1836. 4°. *p.* 19—20. nebst dem lithographischen chinesischen Texte, der auch in der *Chrestomatie chinoise Paris* 1833. steht.

b) M. vergl. Montucci *Parall. p.* 122. Der Originaltext, nebst einer koreanischen Uebersetzung, herausgegeben von Dr. v. Siebold. Lugd. Batav. 1833. Fol.

c) M. vergl. Montucci *Parall. p.* 122.

d) M. vergl. Klaproth, Verzeichniss der Berliner Bibliothek *p.* 185. Remusat, in Notices et Extraites *XI.* 130. *ss.*

a) M. vergl. Klaproth Verzeichniss der Berliner Bibliothek *p.* 60.

Uebersicht des kleinen, Jahres- und Tempel-Namen der Kaiser. *4 Hefte in 1 Bande 8°.*

XXXIX. 通鑑綱目 Thoung kian kang mou. Abriss der chinesischen Geschichte, von den ältesten Zeiten bis zur Vertreibung der Dynastie Ming. *54 Hefte in 13 Bänden 12°* a).

XL. 廿四史 Nian-sse sse. Die vierundzwanzig Geschichtschreiber, eine vollständige historische Bibliothek von China, *2366 Bücher in 368 Heften in 4°*, die hier in 47 Bänden gebunden sind. Die einzelnen Abtheilungen dieser hier ganz vollständigen Sammlung sind b):

1. 史記 Sse ki. Die historischen Denkwürdigkeiten des 司馬遷 Ssé-ma-thsian, von 黃帝 Hoang-ti *(2697. v. Chr.)* bis auf die Zeiten des Verfassers *(200. v. Chr.). 130 Bücher in 12 Heften. Band 1—2.*

2. 前漢書 Thsian Hàn chou. Geschichte der früheren Han, von 班固 Pan-kou, vom Jahre *202 v. Chr.* bis *24. n. Chr. 100 Bücher in 19 Heften. Band 3—5.*

3. 後漢書 Heou Han chou. Geschichte der späteren Han, verfasst von 范曄 Fan-i, vom Jahre *25. n. Chr.* bis *220. n. Chr. 130 Bücher in 15 Heften, Band 6—7.*

4. 三國志 San koue tchi. Geschichte der drei Reiche, 魏 Wei, 吳 Ou und 蜀 Cho, verfasst von 陳壽 Tchin cheou, begreift die Geschichte von *200* bis *280 n. Chr.*, und ist von dem gleichnamigen historischen Roman *(Nro. LI.)* wohl zu unterscheiden. *65 Bücher in 9 Heften, Band 8.*

5. 晉書 Tsin chou. Geschichte der Dynastie Tsin *(265—419. n. Chr.)*, verfasst vom Kaiser 代宗 Tai-Tsoung, aus der Dynastie 唐 Thang *(763—779. n. Chr.) 130 Bücher in 24 Heften, Band 9—11.*

6. 宋書 Soung chou. Geschichte der früheren Dynastie Soung *(420—479. n. Chr.)*, verfasst von 沈約 Tchin-yo. *100 Bücher in 16 Heften, Band 12—14.*

---

a) Historie général de la Chine, ou Annales de cet Empire, traduites du Tong kien-kang-mou par J. A. M. Moyriac de Mailla. Paris, 1777. 4° 11 Vol.

b) M. vergl. Klaproth, Verzeichniss der Berliner Bibliothek. *p.* 50—55.

16 *

7. 魏書 Wei chou. Geschichte der Dynastie Wei *(386—550. n. Chr.)*, verfasst von 魏收 Wei-cheou. ***125 Bücher in 20 Heften, Band 15—17.***

8. 南齊書 Nan-Thsi chou. Geschichte der südlichen Thsi *(479—501. n. Chr.)*, verfasst von 蕭子顯 Siao-tseu-hian. ***59 Bücher in 7 Heften, Band 18.***

9. 北齊書 Pe-Thsi chou. Geschichte der nördlichen Thsi *(501—577. n. Chr.)*, verfasst von 李百藥 Li-pe-yo. ***50 Bücher in 4 Heften, Band 19.***

10. 梁書 Liang chou. Geschichte der Dynastie Liang *(501—557. n. Chr.)*, von 姚思廉 Thao-sse-lian. ***56 Bücher in 9 Heften, Band 20.***

11. 陳書 Tchin chou. Geschichte der Dynastie Tchin *(556—589. n. Chr.)*, von demselben Thao-sse-lian. ***36 Bücher in 4 Heften, Band 21.***

12. 周書 Tcheou chou. Geschichte der Dynastie Tcheou *(557—581. n. Chr.)*, von 令狐德棻 Ling-hou-te-fen. ***50 Bücher in 6 Heften, Band 22.***

13. 北史 Pe-sse. Geschichte des Nordens, während des 南北朝 Nan-pe-tchao, oder der Theilung des Reiches in das südliche und nördliche *(386—618. n. Chr.)*, von 李廷壽 Li-thing-cheou. ***100 Bücher in 22 Heften, Band 23—25.***

14. 南史 Nan-sse. Geschichte des südlichen Chinas, während der Theilung des Reiches, von demselben Verfasser, umfasst den Zeitraum von *420—588. n. Chr.* ***80 Bücher in 14 Heften, Band 26—27.***

15. 隋書 Soui chou. Geschichte der Dynastie Soui *(581—618. n. Chr.)*, verfasst von 魏徵 Wei-tching. ***85 Bücher in 14 Heften, Band 28—29.***

16. 唐書 Thang chou. Geschichte der grossen Dynastie Thang, vom Jahre *618—907. n. Chr.*, verfasst von 歐陽修

Ngeou-yang-sieou und 宋祁 Soung-khi. *225 Bücher in 45 Heften, Band 30—35.* [a]).

17. 舊五代史 Kieou Ou-tai-sse. Die alte Geschichte der fünf kleinen Dynastien *(907—960. n. Chr.). 152 Bücher in 14 Heften, Band 36—37.*

18. 新五代史 Sin Ou-tai-sse. Neue Geschichte der fünf kleinen Dynastien *(907—960.n. Chr.). 74 Bücher in 8 Heften, Band 38.*

19. 東都事畧 Toung-tou-sse-lio. Abgekürzte Geschichte des Hofes der östlichen Soung *(960—1126. n. Chr.). 130 Bücher in 12 Heften, Band 39—40.*

20. 南宋書 Nan-Soung chou. Geschichte der südlichen Soung *(1127—1279. n. Chr.). 61 Bücher in 10 Heften, Band 41.*

21. 契丹國志 Khi-tan-koue-tchi. Geschichte der Khitan oder Tataren von Liao *(916—1121. n. Chr.) 27 Bücher in 2 Heften, Band 42.*

22. 大金國志 Ta-Kin-koue tchi. Geschichte der Dynastie Kin *(1115—1234. n. Chr.). 40 Bücher in 3 Heften, Band 43.*

23. 元史 Youan-sse. Geschichte der Mongolen-Dynastie Youan *(1278—1368. n. Chr.)*, verfasst auf Befehl des Kaisers Kao-tsou. *42 Bücher in 16 Heftsn, Band 44—45.*

24. 明史 Ming-sse. Geschichte der Dynastie Ming *(1368—1644. n. Chr.)*, verfasst auf Befehl des Kaisers 高祖 Kao-tsou (Khian-loung) der jetzigen Dynastie. *310 Bücher in 65 Heften, Band 46—47.*

XLI. 錢志新編 Thsian-tchi sin pian. Neue Bearbeitung der chinesischen Münzgeschichte, vom Jahre 1824. *8 Hefte in 2 Bänden. 8° max.*

XLII. 廣輿圖記 Kouang-iu-thou-ki. Geographische Beschreibung von China mit Landkarten. Neue Ausgabe vom Jahre 1802. *12 Hefte in 2 Bänden. 8°* [b]).

---

a) Auszugsweise übersetzt in den Memoires concernant les Chinois *tom. XV. et XVI*

b) M. vergl. Klaproth, Verzeichniss der Berliner Bibliothek *p.* 56, 57, und Catalogue des Livres de M. Abel-Remusat *No.* 1655.

XLIII. 太清一統志 Thai-Thsing-i-thoung-tchi. Die grosse chinesische Reichsgeographie, oder Beschreibung aller der Herrschaft der Mandschou unterworfenen Länder. Neue Ausgabe vom Jahre 1764 *in 424 Büchern. 160 Hefte in 20 Bänden. Fol. min.* [a]).

XLIV. Verzeichniss der Provinzen, der Städte ersten und zweiten Rangs und der Flecken des chinesischen Reiches. *Manuscript auf chinesischem Papier. 1 Heft in 8°.*

XLV. Specialkarten einzelner chinesischer Provinzen. *17 Blätter in 4°.*

XLVI. Grosse Karte von China und der Tartarei, nach den Vermessungen der Jesuiten, auf den Befehl des Kaisers Khang-hi in Kupfer gestochen. *12 Blätter in Fol. max.* [b]).

XLVII. 粤東筆記 Youei-toung-pi-chi. Beschreibung der Provinz Canton. *4 Hefte in 1 Bande 8°. min.*

XLVIII. Pekinger Staatszeitung. Neunundzwanzig Nummern vom zehnten Jahr der Epoche Tao-kouang. *(1830. n. Chr.). 29 Hefte in klein 8°* [c]). Geschenk des Baron von Schilling-Canstadt.

XLIX. 太清律例 Thai-Thsing-liu-li. Poenal Codex der Mandschou-Dynastie. Neue vermehrte Ausgabe vom Jahre 1830. *28 Hefte in 3 Bänden. 8° max.* [d]).

L. 武經 Wou-king. Sammlung der vorzüglichsten Werke über die Kriegskunst. Ausgabe vom Jahre 1688. *10 Hefte in 8°* [e]).

LI. 三國誌 San koue tchi. Die Geschichte der drei Reiche. Der berühmteste historische Roman der Chinesen. *20 Hefte in 3 Bänden 8° min.* [f])

LII. 平山冷燕 Phing chan ling yan. Roman. *8 Hefte in 1 Bande 8°* [g]).

---

a) M. vergl. Klaproth, die Sprache und Schrift der Uiguren *p.* 7.

b) M. vergl. Klaproth, Memoires relatifs a l'Asie. *I.* 312. 313.

c) M. vergl. Journal asiatique 1827. XI. 239. ss.

d) Englische Uebersetzung nach der ersten Ausgabe: „*Ta Tsing Leu Lee, beeing the „fundamental Laws and a Selection from the supplementary Statutes of the Penal „Code of China, translated by* G. Th. Staunton. *London* 1810" 4°. Italienische Uebersetzung: *Milano* 1822. 8° 3 *Vol.*

e) Von einem Theile der in dieser Sammlung enthaltenen Bücher hat man eine französische Uebersetzung unter dem Titel: „*Art Militaire des Chinois, ou Recueil „d'anciens traites sur la guerre, composes avant l'ere chrétienne, par differents „généraux Chinois. Traduit par le* Pere Amyot." *Paris* 1772. 4°.

f) Klaproth, Verzeichniss der Berliner Bibliothek *p.* 149.

g) Klaproth, in Nouv. Journal asiatique 1831. *VII.* 377.

LIII. 好逑傳 Hao-khieou-tchhouan. Geschichte der glücklichen Verbindung. Roman. Ausgabe vom Jahre 1819. *6 Hefte in 1 Bande 8⁰ min.* [a]).

LIV. „Arte de la lengua mandarina, compuesto por el M. R. P. Fran„cisco Varo, de la sagrada orden de N. P. S. Domingo, acrecentado y re„ducido a meyor forma, par N. H. Fr. Pedro de Pinuela, par y commis„sario prov. de la Mission serafica de China. Anandio se un Confessionario „muy util y provechoso, para alivio de los nuevos ministros. Impresso en „Canton, anno de 1703. *1 Heft 8⁰* [b]).

LV. 字彙 Tseu-wei. Buchstaben-Sammlung. Das in China gebräuchlichste Handwörterbuch, nach den 214 Grundzeichen geordnet, verfasst gegen das Ende der Dynastie Ming, und zuerst im Jahre 1615 gedruckt. Die vorliegende, mit den zwölf Classen des Mandchou-Syllabars vermehrte Ausgabe, ist vom Jahre 1786. *14 Hefte in 2 Bänden 8⁰* [c]).

LVI. 字彙 Tseu-wei. Ein anderes unvollständiges Exemplar desselben Wörterbuches, von dem die ersten sechs, und das letzte Heft fehlen. Die vorhandenen Hefte enthalten die Grundzeichen 85—214. *7 Hefte in 1 Umschlage 8⁰.* — Aus der Bibliothek des Prinzen Eugen von Savoyen.

LVII. 增補字彙 Thseng-pou-tseu-wei. Kleines Handwörterbuch, Auszug aus dem vorhergehenden Ausgabe vom Jahre 1749. *8 Hefte in 1 Bande 8⁰.*

LVIII. 康熙字典 Khang-hi tseu-tian. Buchstabenregel des Khang-hi. Eines der vollständigsten chinesischen Wörterbücher, nnd zugleich der officielle Sprchcodex, von einer Commission der Han-lin im Jahre 1710 begonnen, und 1716 vom Kaiser Khang-hi bestätigt. *40 Hefte in 8 Umschlägen 8⁰* [d]).

LIX. Ein anderes Exemplar desselben Wörterbuches, auf weissem Papier. *40 Hefte in 8 Bänden kl. 8⁰.*

---

a) Hau-Kiou-Choan or the Pleasing History, a translation from the Chinese language *(publ. by Hugh Percy)* London, 1761. 12⁰ 4 *Vol.* — Hau-Kiou Chouan, Histoire chinoise, traduite de l'anglais par M*** *(Eidous.)* Lyon, 1766. 12⁰ 4 *Vol.* — Hau-Kiou-Chouan, ou l'Union bien assortie, Roman chinois Paris, 1828. 8⁰ 4 *Vol.* — The fortunate Union, a Romance translated from the Chinese original, with notes and illustrations by John Francis Davis. London, 1829. 8⁰.

b) Ueber diesen ersten Versuch einer europäisch-chinesischen Grammatik s. m. Remusat, Gramm. chin. *pref. p.* 7. Das Buch ist übrigens durchaus nicht so selten, als Remusat glaubte.

c) Klaproth, Verzeichniss der Berliner Bibliothek *p.* 122.

d) Klaproth, a. a. O. *p.* 125.

LX. 三韻易知 San-yun-i-tchi. Das gebräuchlichste unter den nach der Aussprache geordneten (tonischen) Wörterbüchern. Ausgabe vom Jahre 1773. *2 Hefte in 1 Bande 8°.*

LXI. 笠翁詩韻 Li-hi-chi-yun. Kleines Reimlexicon. Gedruckt im Jahre 1674. *1 Heft in 12°.*

LXII. 草字彙 Thsao-tseu-wei. Sammlung der Thsao-Charaktere. Das vollständigste Verzeichniss der Cursiv-Charaktere, nach der Ordnung der Grundzeichen, auf Befehl des Kaisers Khian-loung zusammengestellt, und im Jahre 1782 herausgegeben. *6 Hefte in 2 Bänden 8°.*

LXIII. 佩文韻府拾遺 Pei-wen-yun-fou-chi-i. Verzeichniss der zusammengesetzten Wörter, in tonischer Ordnung. Eines der wichtigsten und unentbehrlichsten Hülfsmittel zum Verständnisse chinesischer Bücher, da die zusammengesetzten Wörter in den übrigen Wörterbüchern beinahe durchgehends fehlen. Verfasst auf Befehl des Kaisers Khang-hi, und im Jahre 1721 herausgegeben. *20 Hefte in 2 Bänden 8°.*

LXIV. 五福永全 Ou-fou-young-thsiouan. Hundert verschiedene Arten der Charaktere 福 fou, 祿 lou, 壽 cheou, 康 khang und 寧 ning zu schreiben. *Manuscript vom Jahre 1608. 1 Heft in 8° max.*

LXV. 清文啓蒙 Thsing-wen-khi-meng. Anfangsgründe der mandschouischen Sprache, verfasst von 舞格 Wou-ki, und herausgegeben im Jahre 1733 von 程明遠 Tching-ming-youan. *4 Hefte in 8°* [a]).

LXVI. 滿漢類書 Man-han-loui-chou. Mandschouisch-chinesisches Wörterbuch, nach den Materien geordnet. *8 Hefte in 8°.*

LXVII. 御製增訂清文鑑

---

a) Eine ausführliche Analyse dieser für das Studium der mandschouischen Sprache unentbehrlichen Grammatik findet man in Remusat's Recherches sur les langues Tartares *tom. I.* M. vergl. auch Klaproth, Verzeichniss der Berliner Bibliothek *p.* 121.

ᠶᡠ ᠴᡳ ... Yu tchi thseng ting Thsing wen kian. Der auf kaiserlichen Befehl verfasste und vermehrte Spiegel der Mandschou-Sprache. 1771 [a]). *48 Hefte (nebst Supplement) in 3 Bänden. Folio min.*

LXVIII. 本草綱目 Pen-thsao kang-mou. Allgemeine Uebersicht der Naturgeschichte, verfasst von 李時珍 Li-chi-tchin. Ausgabe vom Jahre 1655 [b]). *9 Bände in 8°.*

LXIX. 御纂醫宗金鑑 Iu tsouan i tsoung kin kian. Goldener Spiegel der Arzneikunst. Kaiserliche Ausgabe, 1788. *40 Hefte in 7 Bänden. 8° max.*

LXX. 萬病回春 Wan ping tsoui tchhun. Der zurückkehrende Frühling aller Krankheiten. Es ist hier nur die erste Abtheilung dieses berühmten, aus acht Heften bestehenden medicinischen Werkes vorhanden [c]). *1 Heft in 8°.*

LXXI. Anatomische Tafeln [d]). *4 Blätter in gross Folio.*

LXXII. Drei Bände mit chinesichen Pflanzen-Abbildungen. *Folio.*

LXXIII. Ein Band mit Abbildungen, die Cultur, Einsammlung und Zubereitung des Thee darstellend. *Folio.*

LXXIV. Ein Band mit fünfzig verschiedenen chinesischen und japanischen Gemälden. *Folio* [e]).

LXXV. Ein Band mit zweiundsiebenzig chinesischen Gemälden, die verschiedenen Stände darstellend, mit beigesetzten chinesischen Erklärungen. *Folio.*

LXXVI. Ein Band mit Darstellungen verschiedener Kleidungen und Geräthschaften. *Folio obl.*

LXXVII. Ein Band mit fünf chinesischen Holzschnitten und Gemälden. *Folio.*

LXXVIII. Ein Band mit sechsunddreissig in China in Kupfer gestochenen Landschaften. *Folio.*

LXXIX. 道光九年通書 Tao kouang kieou nian.

---

a) Eine sehr lehrreiche Analyse und überaus brauchbare Register zu diesem auf Befehl des Kaisers Khang-hi verfassten, unter Khian-loung vermehrten und 1771 prächtig gedruckten officiellen Sprachcodex der Mandchou, findet man in Klaproth's Verzeichniss der Berliner Bibliothek, *p.* 61—161.

b) M. vergl. Klaproth's Verzeichniss der Berliner Bibliothek *p.* 158—161.

c) M. vergl. Klaproth, a. a. O. *p.* 172.

d) Cleyer medic. sinic. *t.* 1—4.

e) Unter diesen die beiden von Lambeccius Comment. libr. VIII. 655. bekannt gemachten Gemälde.

thoung chou. Astrologischer Kalender auf das neunte Jahr der Epoche Tao-kouang. *(1829. n. Chr.) 1 Heft in 8°.*

LXXX. 方星圖解 Fang sing thou kiai. Chinesische Himmelskarten, verfasst von dem Pater Grimaldi. *(1711 n. Chr.) 11 Blätter in Folio.*

LXXXI. 赤道南北兩總星圖 Tchhi-tao-nan pe-liang-tsoung-sing-thou. Himmels-Planisphaere nach der Ekliptik, verfasst von Adam Schall (湯若望 Tchang chowang). *4 Blätter in Folio.*

LXXXII. Liber organicus Astronomiae Europeae apud Sinas restitutae, sub Imperatore Sino-Tartarico Cam-Hy appellato, auctore P. Ferdinando Verbiest, Flandro-Belga Brugensi e Societate Jesu, Academiae Astronomicae in regia Pekinensis Praefecto. Anno salutis MDC.LXVIII. *117 Tafeln in Folio.*

LXXXIII. Compendium Astronomiae organicae. *8 Tafeln in Folio.*

LXXXIV. Compendium latinum, proponens XII posteriores figuras Libri observationum, nec non priores VII figuras libri organici. *10 Tafeln in Folio.*

LXXXV. Astronomia Europaea sub Imperatore Tartaro-Sinico Cam-Hy appellato ex umbra in lucem revocata, a P. Ferdinando Verbiest Flandro-Belga Brugensi, e Societate Jesu, Academiae Astronomicae in Regia Pekinensis Praefecto. Anno salutis MDC. LXVIII. *Folio.*

LXXXVI. Typus Eclipsis solis anno Christi 1669. Imperatoris Cam-Hy octavo, die primo Lunae 4tae id est 29no Aprilis ad meridianum Pekinensem, nec non imago adumbrata diversorum digitorum in singulis Imperii Sinensis provinciis obscuratorum, auctore P. Ferdinando Verbiest, Societatis Jesu, in Regia Pekinensi Astronomiae Praefecto. *8°.*

LXXXVII. Typus Eclipsis lunae anno Christi 1671. Imperatoris Cam-Hy decimo, die XVto lunae 11mae id est die XXVto Martii, ad meridianum Pekinensem, nec non imago adumbrata diversorum digitorum in horinzonte obscuratorum, in singulis imperii Sinensis provinciis, tempore quo luna in singulis oritur, auctore P. Ferdinando Verbiest, Societatis Jesu in Regia Pekinensi Astronomiae Praefecto. *8°.*

LXXXVIII. Ephemerides Sinicae, sive motus septem Planetarum anni Christi 1679, Imperatoris Tartaro-Sinici Cam-Hy appellati decimi octavi, calculati ad mediam noctem meridiani Pekinensis, auctore P. Ferdinando Verbiest, Societatis Jesu, Astronomiae in regia Pekinensi praefecto. *Folio.*

LXXXIX. Ephemerides Tartaricae, sive motus septem Planetarum anni Christi 1679. Imperatoris Tartaro-Sinici Cam-Hy appellati decimi octavi, calculati ad mediam noctem meridiani Pekinensis, auctore P. Ferdinando

Verbiest, Societatis Jesu, Astronomiae in Regia Pekinensis Praefecto. *Folio 2 Vol.*

XC. 崇禎曆書 Thsoung tching lou chou. Das neunte Heft eines von den Missionären verfassten astronomischen Werkes. *1 Heft 8°.*

XCI. 數表 Sou-piao. Zahlentafeln. Logarithmen von 1—100,000 von den Missionären verfasst. *5 Hefte in 8°.*

XCII. Sou piao. Zahlentafeln. Andere Ausgabe. *14 Hefte in 8°.*

XCIII.[a] 數理精蘊 Sou li tsing yu. Ein geometrisches Werk der Missionäre. *5 Hefte in 8°.*

XCIV. Ein anderes Werk der Missionäre über Geometrie, ohne Titel [a]). *16 Hefte in 8°.*

XCV. Ein Werk der Missionäre über Architektur. *3 Hefte in 8°.*

XCVI. 律呂正義續編 Abhandlung über die Orgel, von einem Missionär. *5 Hefte in 8°.*

XCVII. 琴譜大成 Kin ting ta tching. Regeln, die Flöte (Kin) zu spielen. *3 Hefte in 1 Bande 8°.*

XCVIII. The Pentateuch in Chinese; printed at Serampore, with metallic moveable characters. 1817. 8°. *5 Hefte in 1 Bande.*

XCIX. The Hagiographa in Chinese, printed at Serampore, with metallic moveable characters. 1818. *4 Hefte in 1 Bande.*

C. The Prophetic Books in Chinese, printed at Serampore, with metallic moveable characters. 1819. *1 Band 8°.*

CI. The Historical Books in Chinese; printed at Serampore with metallic moveable characters. 1821. *1 Band 8°.*

CII. The New-Testament in Chinese; printed at Serampore, with metallic moveable characters. 1815—1822. *1 Vol. 8°.*

CIII. 耶穌基利士督我主救者新遺詔書 Ye-su-khi-lis-tou ngo tchu khieou tche sin kouei tchao chou. Das neue Testament, übersetzt von Morrison. 1813. *8 Hefte in 1 Carton 8°.*

CIV. [illegible]

[illegible]

a) Es ist kein Titelblatt vorhanden, die Columnentitel sind durch das ganze Werk, auf jeder einzelnen Seite, mit grösster Sorgfalt mit Tusche überzogen worden.

Mousei Edchen Isous Kheristos-i toutaboukha itche khese oudchoui deptelin. Endouringge Evanggelioum Mattei-i oulakha songkoi. Des neuen Testamentes erster Theil, enthaltend das Evangelium Matthaei. Mandschouische Uebersetzung von **Lipotzow**. Petersburg. *1 Heft 4°. 61 Bl.* a).

CV. Memorial de la vida Christiana, en lengua China, compuesto por el Padre Fr. **Domingo Denieba**, Prior del convento de S. Domingo. Con licencia en Binondoc en casa de Pedro de Cra sangley, impressor de libros. Anno de 1606. *12° min. 3 Bl. lat. Vorrede und Approb. und 131 Bl. chinesischer Text.*

CVI. Simbolo de la Fe, en lengua y letra China, compuesto por el Padre fray **Thomas Major**, de la orden de Sancto Domingo, de la prouincia del sancto Rosario, en las islas Philippinas. Con licenca, en Binondoc en casa de Pedro de vera China Christiano. Anno de 1607. *12°.*

CVII. 天主降生出像經解 Thian tchu kiang sing tchu siang king kiai. Lebens- und Leidensgeschichte des Erlösers, mit Bildern nach Hieronymus Natalis, verfasst von **Julius Aleni**. 1637. *1 Band in 8°.*

CVIII. Eine andere Ausgabe desselben Werkes vom Jahre 1640. *1 Band in 8°.*

CIX. 聖人行實 Ching jin hing chi. Leben der Heiligen, verfasst von dem piemontesischen Jesuiten **Alphonsus Vangoni**, (1605—1640 Missionär in China). Ein Theil der Abtheilung des Lebens der heiligen Frauen (聖女), welcher die Geschichte der heiligen Cäcilia, Elisabeth von Ungarn und Christina enthält. *1 Heft in 8°* b).

CX. 天神會課 Thian chin hoei ko. Uebungen der Engelsbruderschaft, ein Abriss der christlichen Lehre in Fragen und Antworten. Gedruckt im Jahre nach Christi Geburt 1739. (天主降一千乜百三十九年) *1 Heft in 8°* c).

---

a) Journal asiatique II. 635.

b) Das ganze Werk besteht aus sieben Abtheilungen: 1. Apostel, 2. Bischöfe, 3. Märtyrer, 4. und 5. Beichtiger, 6. und 7. Frauen.

c) Dans le temps que la religion jouissoit de la liberté en Chine, on faisoit en quelques endroits des assembleés des jeunes Chretiens, qui disputoient l'un contre l'autre sur la doctrine chretienne, et pour animer d'avantage les enfants on en avait fait une Congregation sous le nom et la protection de S. Anges. Ainsi cet excercice s'appeloit l'exercice, ou les exercices de la Congregation des

CXI. 眞道自證 Tchin tao tséu tching. Der wahren Lehre Beweis. Gedruckt im Jahre 1721. *1 Heft in* 8⁰.

CXII. 初會問答 Thsou hoei wan ta. Fragen und Antworten über die wahre Lehre. *1 Heft in* 8⁰ [a]).

CXIII. 袖經撮節 Tchin king thso thsie. Kurzer Inbegriff der christlichen Lehre. Malacca. *1 Heft in 16⁰*.

CXIV. [illegible] Unterricht in der christlichen Lehre. *1 Heft in* 8⁰.

CXV. Innocentia Victrix, sive Sententia Comitiorum Imperii Sinici pro Innocentia Christianae religionis, lata juridice per annum 1669. et jussu R. P. Antonii de Govvea Societatis Jesu ibidem V. Provincialis Sinico-Latine exposita. In Quam-cheu, metropoli provinciae Quam-tum, in Regno Sinarum. Anno salutis humanae MDC. LXXI. *45 dopp. Bl. 8⁰* [b]).

CXVI. Brevis Relatio eorum quae spectant ad Declarationem Sinarum Imperatoris Kam-Hi, circa coeli, Cumfucii et avorum cultum, datam anno 1700. Accedunt Primatum doctissimorumque virorum et antiquissimae traditionis testimonia. Opera PP. Societatis Jesu, Pekini pro Evangelii propagatione laborantium. *61 dopp. Bl. 8⁰*.

CXVII. Informatio pro Veritate, contra iniquiorem famam sparsam per Sinas, cum calumnia in PP. Societatis Jesu et detrimento Missionis, communicata Missionariis in imperio Sinensi. Anno 1717. *94 dopp. Bl. 8⁰*.

CXVIII. Libellus continens encomia et titulos quos imperator Sinensis (順治) dedit Patri Joanni Adamo Schall, Coloniensi Societatis Jesu, ejus parentibus et avis in tertiam scilicet generationem, anno imperii sui octavo, (1651) ob restauratam ab eo inter Sinas Astronomiam. *1 Heft in 8⁰*.

CXIX. Titulus honorificus et laudes quas Imperator Sinarum Xun chi dictus, anno imperii sui decimo (1653) dedit P. Joanni Adamo Schall Societatis Jesu, ob navatam in restauranda Astronomia operam. Chinesisch und Mandschouisch. *1 Heft in 8⁰*.

Anges, c'est ce qu' exprime le titre Thian chin hoei co. Le livre pour cela est un petit abregé par demandes et par reponses des principaux points de la religion; signe de la croix, Pater, Ave, Credo, les dix commendements, les sept sacraments etc. *Remarques sur ce qu'a dit Mons. Fourmont dans quarante articles de son Catalogue p.* 17. *Msc.* M. vergl. Journal asiatique. VII. 385.

a) Fourmont Catalogus No. 181.

b) Abgedruckt in Kollar's Analect. Vindob. tom. I.

CXX. 御製天主堂碑記 Apographum ejus Elogii quo Sinarum Imperator (順 治) tam legem Dei, quam ejus praeconem P. Joannem Adamum Schall Societatis Jesu extollit, quodque marmori insculptum ante fores Ecclesiae in ipso atrio statuit, anno imperii sui decimo quarto. (1657.) *1 Heft in 8⁰.*

CXXI. Libellus itidem continens Encomia et Titulos, quos Sinarum Imperator P. Joanni Adamo Schall Societatis Jesu, ejus parentibus, avis et proavis, in quartam scilicet generationem anno Imperi sui decimo octavo (1661) contulit, a filio successore anno primo imperii sui confirmatos et traditos. *1 Heft in 8⁰.*

CXXI. Aliquot Panegyrici Mandarinorum Sinensium (quales sunt Colai et Tribunalium Praesides) aliorumque illustrium virorum in laudem P. Joannis Adami Schall Societatis Jesu, ejusque Astronomiae restauratae. *1 Heft in 8⁰.*

CXXIII. Tituli honorifici quos Imperator Sinarum (Kang-hi) anno imperii sui decimo sexto (1677) contulit Patri Gabrieli Magelhans Societatis Jesu. *1 Heft in 8⁰.*

CXXIV. Offener Brief vom 17. Tag des 9. Monates des 55. Jahres der Epoche Khang-hi (31. October 1716), um das Schicksal der von dem Kaiser nach Europa geschickten Missionäre: Ant. Barros, Ant. Beauvolier, Jos. Provana und Raim. de Arxo zu erfahren. Mandschouisch, chinesisch und lateinisch. *Eine Rolle. Folio max.* [a]).

CXXV. 聖廟志輯要 Ching miao tchin thsi yao. Die gesammten Vorschriften des heiligen Tempels, eine buddhaistische Liturgie. Gedruckt im Jahre 1814. *4 Hefte in 8⁰.*

---

a) M. s. Litterae patentes Imperatoris Sinarum Khan-hi, sinice et latine. Cum interpretatione latina P. Ignatii Koegleri S. J. Ex archetypo sinensi edidit, additis notitiis sinicis Chr. Theoph. de Murr. Norimbergae et Altdorfii, 1802. 4⁰.

II. Japanische und koreanische Bücher.

CXXVI. Nippon jo tsi ro tei sen tsu. Allgemeine Karte von Japan; verfasst von Seki sui gen siu. Jedo, 1811. *Folio.*

CXXVII. Halima-no kuni oho sets'. Specialkarte der Landschaft Halima, auf der Insel Nippon; verfasst von Kawatsja Gi suke. Ohosaka, 1749. *Folio.*

CXXVIII. Bun gen Jedo oho jetsu. Plan von Jedo; verfasst von Suwaraja Mohei. Jedo 1826. *Folio.*

CXXIX. Bun gen kwai hoo on Jedo no jetsu. Kleiner Plan der Hofstadt Jedo; verfasst von Suwaraja Mohei. Jedo 1825. *Folio.*

CXXX. Bun gen on Jedo no jetsu. Kleiner Plan der Hofstadt Jedo; verfasst von Nisimuraja Johatsi. Jedo 1804. *Folio.*

CXXXI. Miako tai jetsu. Grosser Plan von Miako; verfasst von Hajasi Josinaga. Miako 1800. *Folio.*

CXXXII. Dairi no tsu. Plan des Dairi, oder des Pallastes des Mikado, in Miako; verfasst von Tsida Zihei. Miako 1817. *Folio.*

CXXXIII. Ohosaka no tsu. Plan der Stadt Ohosaka; verfasst von Halimaja Kuhei. Miako, 1788. *Folio.*

CXXXIV. Nagasaki no tsu. Plan von Nagasaki. Nagasaki, 1820. *Folio.*

CXXXV. Ein Band mit verschiedenen japanischen Karten und Plänen, aus der Sammlung des Baron von Stosch. *Folio.*

CXXXVI. Fudsi-san woo no sin kei. Ansichten des Vulkanes Fudsi zu verschiedenen Jahreszeiten. Holzschnitte von Kobajasi Tsjoo sju. 1822. *Folio.*

CXXXVII. Too kai too tsugi. Wegweiser längs der Landstrasse von Jedo nach Miako. Jedo, 1826. *Folio.*

CXXXVIII. Nikko je kiro ri suno hijoo. Meilenzeiger von Jedo nach Nikko, verfasst von Tai sei too. Jedo, 1826. *Folio.*

CXXXIX. Jak-ken. „Nederduitsche Taal." Holländisches Wörterbuch mit Erklärungen in chinesischen und japanischen Charakteren, herausgegeben von Fuzi ba ja si Tai suke, und gedruckt zu Miako im Jahre 1804. *2 Bände in 8°.*

CXL. Nieuw verzameld Japans en hollandsch Woordenbock, dor den Vorst van het Landschap Nakats Minamoto Masátako. Gedruckt (zu Jedo) by zyn dienar Kami ya Filojosi. 1810. *5 Bände in 8°.*

CXLI. Sin zoo zi lin gjok ben. Verzeichniss der chinesischen Charaktere uud ihrer japanischen Aussprache, verfasst von Kamada tei. Jedo und Ohosaka, 1820. *1 Band in Queroctav* [a]).

CXLII. Kana hiki sets'joo s'ju. Japanisch-chinesisches Wörterbuch. *1 Band in Queroctav.*

CXLIII. Mosiho Gusa. Wörterbuch der Aino-Sprache; verfasst von Mogami Tokunai. Gedruckt zu Matsmaje auf der Insel Jezo, 1804, mit einer kleinen Karte der Insel Jezo, und einer Sammlung von Aino-Gesprächen. *1 Band in* 8°.

CXLIV. Koreanisches Vocabular. *1 Heft in 8°.*

CXLV. Tsjo sien si sjo. Sammlung koreanischer Wörter, nebst einem Syllabar, Gesprächen und Gedichten. Manuscript. *1 Heft in 8°* [b]).

CXLVI. Sittan mata Tai bun. Erklärung der Zeichen und Aussprache der Landzaschrift, von Soo ken soo. Miako, 1788. *1 Band in 8°.*

CXLVII. Seo hon sitate sitsi hen. Sieben Erzählungen aus dem täglichen Leben, von Rioki tane higo. Jedo, 1822. *2 Vol. 8°.*

CXLVIII. Seo hon sitate hatsi hen. Acht Erzählungen von demselben Verfasser. Jedo, 1822. *2 Vol. 8°.*

CXLIX. Ukijo gata rok'mai bjô bu. Sechs Erzählungen von demselben Verfasser. Jedo, 1821. *2 Vol. 8°.*

CL. Sai iro no tsjoku. Sechs Erzählungen von demselben Verfasser. Jedo, 1825. *2 Vol. 8°.*

CLI. Kamijobumi asino nitots' ba. Sagen der Kami, von Tairano Ohohira. Ohosaka, 1811. *3 Vol. 8°.*

CLII. Kami jono wasa goto. Wahre Nachrichten der Kami, von Moto-ori-no butaka. Owari, 1818. *3 Vol. 8°.*

CLIII. Butso dsu wi. Abbildung und Beschreibung aller Buddhaistischen Idole, von Toosa soo seo kino hide nobu. Miako, 1784. *3 Vol. 8°.*

CLIV. Japanischer Kalender auf das Jahr 1649. *Eine Rolle in Folio.*

CLV. Wa kan nen reki sen. Synchronistische Tabellen der Geschichte von Japan und China, bis zum Jahre 1825. *1 Heft in 12°.*

---

a) Das Original des vom Herrn von Siebold herausgegebenen: „*Novus et auctus literarum ideographicarum Thesaurus, sive Collectio omnium literarum Sinensium secundum radices disposita, pronuntiatione japonica adscripta. Opus japonicum in lapide exaratum a Sinensi Ko-Tching Dschang, et redditum curante Ph. Fr. de Siebold. Lugduni Batavorum Ex officina editoris*, 1834. *Folio.*"

b) Das Original der vom Herrn von Siebold herausgegebenen koreanischen Texte.

CLVI. Kin gin tsu rok'. Abbildung und Beschreibung japanischer Gold- und Silbermünzen, von Fudsi hara mori sige. Jedo, 1807. *7 Hefte in 2 Bänden 8°.*

CLVII. Wa kan sen. Abbildung und Beschreibung chinesischer und japanischer Kupfermünzen, verfasst von Josi kawa iken. Ohosaka, 1805. *1 Heft in 8°.*

CLVIII. Wa kan sen. Abbildung und Beschreibung chinesischer und japanischer Kupfer- und Eisenmünzen, von Osaba-too-itsi. Jedo, 1789. *1 Heft in 8°.*

CLIX. Kwa wi. Abbildungen und Beschreibungen japanischer Gewächse, verfasst von Joo nan ten tsju boo. Jedo, 1771. *4 Hefte in 2 Bänden 8°.*

CLX. Kwa dan soo mok gwoo. Anleitung zur Cultur der vorzüglichsten Zierpflanzen, von Fu siwo. Miako, 1789. *5 Bände in 12°.*

CLXI. Wi kan sai oho hin. Beschreibung aller Arten von Kirschen, von Matsu oga tsjo an. Miako, 1758. *1 Band in 12°.*

CLXII. Mume no sina. Beschreibung aller Arten von Pflaumen und Aprikosen, verfasst von Igan sai matsu woga sen sei. Ohosaka, 1760. *2 Bände in 12°.*

CLXIII. Kits hiu rui koo. Monographie der Gattung Bladhia, von Kimura Sjuntok. Miako, 1795. *2 Bände in 8°.*

CLXIV. Soo kwa sju. Sammlung von Blumen zu Sträussen, nach den zwölf Monaten geordnet, verfasst von Ho tei. Jedo, 1810. *1 Band in 8°.*

CLXV. Bu koo san buts si. Flora und Fauna der Gegend von Jedo, von Twa saki zjo sei. Jedo, 1824. *1 Heft in 8°.*

CLXVI. Wi kan sai kai hin. Abbildungen und Beschreibungen von Seethieren (Krabben und Muscheln), verfasst von Matsu oga tsjo an. Miako, 1758. *2 Hefte in 1 Bande 8°.*

CLXVII. Gei sei. Beschreibung von Wallfischen, von Kasi tori ja zje mou. Ohosaka, 1758. *1 Heft in 8°.*

CLXVIII. Je hon musi jera hi. Abbildungen verschiedener Pflanzen und Thiere, von Kita gawa uta maro. Jedo, 1799. *2 Hefte in 1 Bande 8°.*

CLXIX. Kwa tsjo tsuje. Abbildungen von Gewächsen und Vögeln, von Kita wo ko sui sai. Jedo, 1805. *3 Vol. 8°.*

CLXX. Nippon tsjo sjak' sin. Abbildungen japanischer Vögel. Handzeichnungen des Mahlers Toioske zu Nagasaki. *13 Bl.*

CLXXI. Nippon tefu no kagami. Spiegel japanischer Schmetterlinge. Handzeichnungen des Mahlers Toioske zu Nagasaki. *12 Bl.*

CLXXII. Nippon kwa no tsu. Abbildungen japanischer Gewächse. Handzeichnungen des Mahlers Toioske zu Nagasaki. *13 Bl. mit 26 Abbild.*

CLXXIII. Nippon san kai mei buts tsu je. Abbildung und Beschreibung nützlicher Erzeugnisse der Berge und Seen Japans, von Hirase Tessai. Ohosaka, 1753. *5 Hefte in 8°.*

CLXXIV. San kai mei san tsu je. Beschreibung der Erzeugnisse der Berge und Seen, von Ki mura kô kijo. Ohosaka, 1799. *3 Hefte in 8⁰.*

CLXXV. Sin kiu bussui tai sei. Gründliche Anleitung zur Anwendung der Acupunctur und Moksa, von Oka moto itsu boosi. Miako, 1699. *7 Hefte in 8⁰.*

CLXXVI. Je je tsiu kei no tsu. Abbildungen der Venen und Arterien, von Kan sai. Miako, 1825. *Folio.*

CLXXVII. Jak hin sjô sju. Sammlung vorzüglicher Arzneimittel (der europäischen Schule) von Ko rjô sai. Ohosaka, 1826. *1 Heft in 12⁰.*

CLXXVIII. Seo zok tsu si ki. Abbildung und Beschreibung der am Hofe des Mikado gebräuchlichen Gewänder, Insignien und Waffen. Miako, 1692. *2 Hefte in 1 Bande 8⁰.*

CLXXIX. Jebon te bi ki gusa. Anleitung zum Zeichnen von Thieren und Pflanzen, von Kiku ja kihei. Miako 1735. *1 Heft in 8⁰.*

CLXXX. Hoksai sja siu gwa fu. Holzschnitte nach den Handzeichnungen des berühmten Mahlers Hoksai. Jedo, 1813. *1 Heft in 8⁰.*

CLXXXI. Sjo nin hasira date. Holzschnitte von Thieren, als Anleitung für Mahler, von Kiku ja kihei. *1 Heft in 8⁰.*

CLXXXII. Kwa fu. Sammlung von Holzschnitten, nach alten chinesischen Gemälden. *8 Hefte in 8⁰.*

CLXXXIII. Je hon Gen sjo mei jo zo. Blätter des Ruhmes der Feldherren aus dem Hause Minamoto oder Gen. *2 Hefte in 1 Band 8⁰.*

CLXXXIV. Nippon mia maka duako jetsu. Abbildungen japanischer Kamihallen, Buddhatempel, Wohnungen, Schiffe u. s. w. Handzeichnungen des Mahlers Toioske zu Nagasaki. *6 Blätter.*

CLXXXV. Seo tô kwa nin tsu. Verschiedene japanische Costume in Farbendruck, mit beigesetzten Versen. *9 Blätter.*

CLXXXVI. Hon teo seo keo ko tsu. Vierunddreissig Blätter aus einer Gallerie jedoischer Schönheiten, nach Zeichnungen der Mahler Tojokuni und Hoksai. Holzschnitte in Farbendruck.

CLXXXVII. Zwanzig Ansichten von Jedo und seinen Umgebungen. Holzschnitte in Farbendruck. *1 Heft in 8⁰.*

CLXXXVIII. Zwei Blätter mit Versen eines japanischen Dichters in Firakanna. 8⁰.

CLXXXIX. Kasane no irome. Farbentafel für Kleiderzeuge. 8⁰.

Catalogue des Manuscrits et Xylographes Orientaux de la Bibliothèque Impériale Publique de St. Pétersbourg

圣彼得堡皇家公共图书馆东方写本与刻本目录

CATALOGUE

DES

MANUSCRITS ET XYLOGRAPHES

ORIENTAUX

DE LA

BIBLIOTHÈQUE IMPÉRIALE PUBLIQUE

DE

ST. PÉTERSBOURG.

ST. PÉTERSBOURG,

IMPRIMERIE DE L'ACADÉMIE IMPÉRIALE DES SCIENCES.

1852.

PRÉFACE.

La bibliothèque Impériale publique de St.-Pétersbourg doit la principale et la plus précieuse partie de ses trésors aux brillants exploits de nos armes. Monument, comme les autres grandes bibliothèques, du développement de l'intelligence humaine dans toutes ses phases, elle est donc, en même temps, un trophée de nos gloires militaires. Mais en accueillant dans sa paisible enceinte les dons de la victoire, la bibliothèque Impériale, loin de récéler dans le mystère le dépôt qui lui est confié, a en même temps pour mission de le mettre au service de la civili-

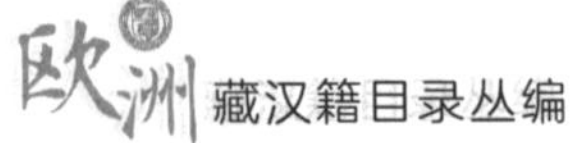

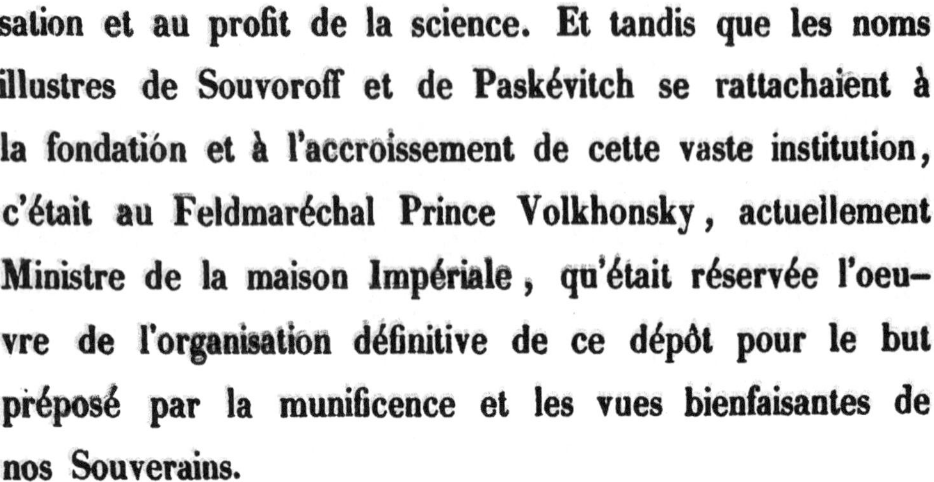
sation et au profit de la science. Et tandis que les noms illustres de Souvoroff et de Paskévitch se rattachaient à la fondation et à l'accroissement de cette vaste institution, c'était au Feldmaréchal Prince Volkhonsky, actuellement Ministre de la maison Impériale, qu'était réservée l'oeuvre de l'organisation définitive de ce dépôt pour le but préposé par la munificence et les vues bienfaisantes de nos Souverains.

Ce que nous venons de dire quant à l'accroissement de la bibliothèque Impériale en général, se rapporte, plus spécialement encore, à sa collection de manuscrits orientaux. Ainsi, en publiant ce catalogue, l'administration de la bibliothèque croit tout autant répondre au voeu depuis longtemps manifesté par tous ceux qui s'intéressent à cette partie, que satisfaire à une juste ambition nationale. Depuis la double acquisition faite à Ardébil et Akhaltsik, la bibliothèque publique s'est placée au rang de celles qui, à juste titre, peuvent s'enorgueillir de leurs manuscrits orientaux et il y avait tout lieu de s'attendre que cette nouvelle source d'instruction stimulerait encore d'avantage l'étude de la littérature de l'orient, déjà si avancée en Russie. Mais une grande lacune continuait encore à entra-

ver l'exploitation de ces richesses, ainsi que des autres, accumulées dans nos différents dépôts. Cette lacune consistait dans le manque de catalogues. Nous possédons, à la vérité, beaucoup de notices détachées, ou de catalogues partiels, dûs aux travaux de Müller [1]), Rosochine et Léontieff [2]), Kamensky et Lipovzoff [3]), Fraehn [4]), Charmoy [5]),

1) De scriptis Tanguticis in Sibiria repertis commentatio; voy. *Commentaria Acad. Imp. Petr.* T. X. Petrop. 1747, p. 420.

2) Ueber die bei der hiesigen akademischen Bibliothek angesammelten Bücher in sinesischer, mandschuischer, mongolischer und japanischer Sprache; voy. *Busse's Journal für Russland*, T. II, p. 128—134. 216—221. 277—280.

3) Каталогъ Китайскимъ и Японскимъ книгамъ въ библіотекѣ И. Академіи Наукъ хранящимся. (1818).

4) Vorläufiger Bericht über eine bedeutende Bereicherung an Arabischen, Persischen und Türkischen Handschriften, die das Asiatische Museum der Kais. Akademie der Wissenschaften in diesem Jahre erhalten hat, etc. St. Petersb. 1819. — Vorläufiger Bericht über eine neue bedeutende Bereicherung des Orientalischen Manuscripten-Apparats der Kaiserl. Akad. d. W. voy. *St. Petersb. Zeit.* No. VI. Beil. 1826. — Ueber die wichtigsten oriental. Handschriften des Rumänzowschen Museums; voy. *Bulletin scientifique de l'Académie.* T. III. 1838. p. 60. — Voy. encore *Bullet. scientif.* T. III, p. 159. T. IV, p. 186—192. T. VII, p. 367. *Bullet. historico-philol.* p. 91 et pp. XII, XIII et XIV de cette préface.

5) Voy. ibid. p. XIII, 1).

IV

Erdmann [1]), Lenz [2]), Petroff [3]), Schmidt [4]), Brosset [5]), Sjö—

---

[1]) Ueber die in öffentlichen und Privatbibliotheken vorhandenen Sammlungen asiatischer Handschriften in Russland; voy. *Dorpater Jahrbücher*, Bd. III. p. 244—254.

[2]) Bericht über eine im Asiat. Museum der Kaiserl. Akademie der Wissenschaften zu St. Petersburg deponirte Sammlung Sanskrit-Manuscripte; voy. *St. Petersb. Zeit.* 1833. No. 219 — 223.

[3]) Nachtrag zu dem Verzeichniss der Sanskrit-Manuscripte des Asiatischen Museums der Kais. Akademie zu St. Petersburg; voy. *St. Petersb. Zeitung*, 1836, No. 249. — Traduction russe: Прибавленіе къ Каталогу Санскритскихъ рукописей etc. Voy. С. П. Вѣдом. 1836. No. 248. — Обозрѣніе арабскихъ, персидскихъ и турецкихъ рукописей, находящихся въ библіотекѣ Имп. Московскаго Университета; voy. Журналъ Минист. Народ. Просв. 1837 г. Мартъ No. 111.

[4]) Anzeige einer von der Regierung neu erworbenen Sammlung Orientalischer Werke; voy. *St. Petersb. Zeit.* 1830, No. 88, et *Das Asiatische Museum*, p. 469. — Neueste Beschreibung der Tibetisch-Mongolischen Abtheilung des Asiat. Museums der Kaiserl. Akad. der Wissenschaften; voy. *Bulletin historico-philologique* T. I. p. 46. — Verzeichniss der Tibetischen Handschriften und Holzdrucke im Asiatischen Museum d. K. A. d. W. von Schmidt u. Böhtlingk, *ibid.* T. IV, p. 82.

[5]) Rapport à l'académie Impér. des sciences sur la bibliothèque chinoise du musée asiatique; voy. *Bullet. scientif.* T. VIII. p. 225. *Das Asiat. Museum*, p. 603. — Catalogue des manuscrits géorgiens conservés dans le musée asiatique, etc. *ibid.* p. 736. — Catalogue des manuscrits arméniens, etc. *ibid.* p. 742. — Notice des manuscrits arméniens appartenant à la bibliothèque de l'institut asiatique établi près le ministère des affaires étrangères; voy. *Bullet. scientif.* T. III. No. 3. — Catalogue de la bibliothèque d'Edchmiadzin. St.-Pétersbourg,

gren [1]), Dorn [2]), Böhtlingk [3]), Desmaisons [4]), Bérésine [5]),

---

1840, etc. Voy. encore *Bullet. sc.* III, p. 317. IV, pp. 63 et 184. V, q. 26—32. et p. 320. VIII, p. 305 *Bullet. historico-philolog.* I, p. 227. VI, p. 380.

[1]) Manuscrit géorgien offert en don au musée asiatique; voy. *Bulletin scient.* T. III, p. 335.

[2]) Ueber einige dem arabischen Institute des Ministeriums der auswärtigen Angelegenheiten zugehörige Aethiopische Handschriften; voy. *Bulletin scient.* T. II. p. 302. — Ueber die Aethiopischen Handschriften der öffentlichen Kaiserlichen Bibliothek zu St. Petersburg. *ibid.* T. III. No. 10. etc. Voy. encore *Bullet. historico-philol.* T. I. p. 49, III. 220—223, IV. 237—9, V. p. 103—106, VI. p. 129—140.

[3]) Ueber einige Sanskrit-Werke in der Bibliothek des Asiatischen Departements; voy. *Bull. hist.-phil.* T. II. p. 339—349. — Ueber eine Pâli-Handschrift im Asiat. Museum der Kais. Ak. der Wissenschaften; *ibid.* I. p. 342—347. — Ueber eine Tibetische Uebersetzung des Amara-Kosha im Asiat. Museum der Kais. Ak. der Wissensch.; *ibid.* III. p. 209—220. — Verzeichniss der auf Indien bezüglichen Handschriften und Holzdrucke im Asiat. Museum der Kaiserl. Ak. d. Wissenschaften; voy. *Das Asiatische Museum*, p. 720.

[4]) Manuscrit de l'arbre généalogique des Turks, par Aboul-Ghazi, envoyé à l'académie par M. Dahl; voy. *Bullet. scient.* T. IV, p. 229.

[5]) Описаніе Турецко-Татарскихъ рукописей, хранящихся въ Библіотекахъ С.Петербурга; voy. *Журн. Мин. Нар. Просв.* 1846, No. 5. 1847, No. 5. 1848, ч. LIX, et 1850, Дек. Отд. III. p. 14. Cf. Путешествіе по Дагестану и Закавказью. Казань, 1849, Приложеніе VIII. (catalogue des manuscrits orientaux de feu Abbas Couli Aga.)

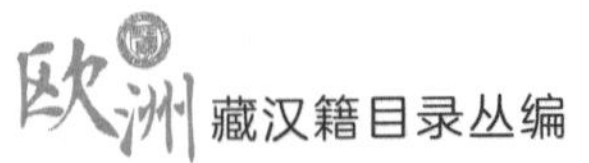

Bansaroff[1]), Schiefner[2]), etc.[3]); mais aucune de nos riches collections, soit à St.-Pétersbourg, soit à Casan, n'a encore été décrite dans toute son étendue. L'administration de la bibliothèque Impériale publique, en se chargeant de cette tâche en ce qui la concerne, s'estime heureuse de pouvoir offrir aux amateurs ce premier essai d'un travail, qui, elle aime à l'espérer, pourra faciliter un genre d'études, par sa nature même si essentiellement important pour la Russie.

Avant d'en venir au mécanisme et à l'économie de notre ouvrage, nous croyons nécessaire d'indiquer som-

---

[1]) Каталогъ книгамъ и рукописямъ на Манджурскомъ языкѣ, находящимся въ Азіатскомъ Музеѣ Импер. Академіи Наукъ; voy. *Bulletin historico-philol.* T. V, p. 84 — 92.

[2]) Nachträge zu den von O. Böhtlingk und I. J. Schmidt verfassten Verzeichnissen der auf Indien und Tibet bezüglichen Handschriften und Holzdrucke; voy. *Bullet. historico-philol.* Bd. V, pp. 15—159. 173 — 176. — Bericht über die neueste Büchersammlung aus Peking; *ibid.* To. IX. No. 1 — 2.

[3]) Каталогъ книгамъ, рукописямъ и картамъ, на Китайскомъ, Манджурскомъ, Монгольскомъ, Тибетскомъ и Санскритскомъ языкахъ, находящимся въ библіотекѣ Азіатскаго Департамента. С. Петербургъ, 1843. — Каталогъ Санскритскимъ, Монгольскимъ, Тибетскимъ, Манджурскимъ и Китайскимъ книгамъ и рукописямъ, въ библіотекѣ Императорскаго Казанскаго Университета хранящимся. Казань, 1834.

mairement les sources dont provient la collection orientale de la bibliothèque, autant pour l'intelligence des abréviations dont nous nous sommes servis en signalant l'origine de chaque pièce [1]), que pour obéir à un sentiment de reconnaissance envers les donateurs qui ont contribué à enrichir notre dépôt par leurs pieuses offrandes.

Le premier fond de cette collection doit son origine à la célèbre bibliothèque Zaluski, transportée sur les bords de la Néva en 1795, après la prise de Varsovie par nos troupes. A défaut de registres et d'autres documents contemporains, il suffit, pour le prouver, des inscriptions et des notes de la main même du Comte Jean Zaluski, que l'on trouve sur les manuscrits venant de cette source.

Bientôt une autre collection beaucoup plus importante vint grossir ce premier noyau. C'était celle du conseiller

[1]) La liste indiquant la concordance de ces abréviations se trouve à la fin de notre préface. Si plusieurs des manuscrits sont restés sans une pareille indication, ce n'est que faute d'avoir pu réussir à préciser leur provenance, qui date, en partie, déjà de fort loin.

de collège Doubrovsky, ancien employé aux affaires étrangères, qui avait profité d'un séjour de plus de vingt cinq ans auprès de nos missions dans différents états de l'Europe et surtout des troubles surgis en France à la fin du siècle dernier, pour recueillir une masse de documents précieux de tous les âges et dans toutes les langues. L'Espagne, l'Angleterre, l'Allemagne et la Hollande, mais principalement l'état d'abandon et la désorganisation des plus belles bibliothèques de la France à cette époque, fournirent une riche moisson aux recherches de cet amateur passionné, et plus tard, revenu dans sa patrie, il s'empressa de déposer son butin scientifique aux pieds de l'Empereur Alexandre, qui, en 1805, ordonna de le réunir à la bibliothèque publique. Cette collection, qui renfermait aussi des manuscrits orientaux, donna lieu à plusieurs articles intéressants de feu M. Adelung [1]), et l'académicien Dorn de son côté publia une notice détaillée sur les manuscrits éthiopiens qui en font partie [2]).

---

[1]) Dans le journal: *Russland unter Alexander dem Ersten*, von H. Storch. St. Petersburg u. Leipzig 1805, Bd. VI, VII (p. 183) u. VIII.

[2]) *Bulletin scientifique* de l'académie des sciences de St.-Pétersbourg. T. III, No. 10. Outre les manuscrits éthiopiens du fond Doubrovsky, cette notice renferme aussi tous ceux écrits dans le même idiome que la bibliothèque acquit plus tard.

IX

Depuis, jusqu'en 1813, notre dépôt ne reçut que de rares augmentations, dues aux offrandes de M. le Comte Ouvaroff (ensuite ministre de l'instruction publique et président de l'académie des sciences), et de MM. Nicolas Khitroff, Froloff et Etter. Le compte-rendu de cette même année (1813) présente l'énumération suivante des manuscrits orientaux qui se trouvaient alors à la bibliothèque:

Hébraïques	6	Thibétains	2
Chaldéens	3	Sanscrits	2
Arabes	42	Mongols	1
Persans	29	Coromandéliens	5
Turcs	17	Camboyens	1
Géorgiens	1	Malabariens	13
Arméniens	2	Egyptiens	3
Chinois	32	Coptes	7
Cochinchinois	1	Ethiopiens	4
Japonais	4	Abyssiniens	2
Mandjoux	4	Madécasses	1
Tanguts	1		

Cette liste, quoique évidemment sujette à quelques erreurs quant à la langue des manuscrits (p. ex. tangut et thibétain signifient la même chose, comme aussi éthio-

b

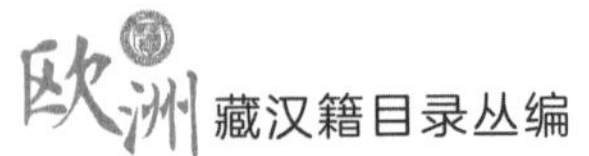

pien et abyssinien etc.), démontre que leur totalité à cette époque ne montait qu'à 183.

Mais, lorsque les portes de la bibliothèque furent ouvertes au public (au commencement de 1814), l'intérêt général pour cet établissement commençant à s'accroître en proportion de son utilité, chaque année pour ainsi dire fut signalée par de nouvelles acquisitions dans ses différentes branches, comme aussi dans celle dont nous nous occupons. Nous citerons parmi les donateurs de manuscrits orientaux: pour 1814, MM. Bogdanoff-Araratsky et Bouldakoff, feu le directeur de la bibliothèque Olénine et le général Tormasoff; pour 1815, le prêtre Laskine et Sokoloff; pour 1816, l'arménien Khodjens; pour 1818 et 1819, MM. Karloff, Mirza Djafar Toptchibacheff, Lazareff, Hohanesian, Rafaïloff, et l'archimandrite Pierre Kamensky; pour 1821, le célèbre voyageur Ker Porter et le général Yermoloff; pour 1824, le général Comte Araktchejeff. De plus, la bibliothèque reçut de la munificence Impériale, pendant la même année 1824, une collection de costumes chinois, présentée par le père Hyacinthe, et, en 1827, deux papyrus égyptiens, offerts par M. Drovetti, consul de France en Egypte [1]). Il fut aussi fait quelques

[1]) Ces papyrus, ainsi qu'un troisième, donné en 1850 par M. de

achats des propres fonds de la bibliothèque, principalement chez MM. Froloff, Spassky (en 1817), Sipakoff (en 1822) et Wängg (en 1823). Enfin, en 1823, elle obtint un envoi de livres chinois, dont l'acquisition avait été faite à Pékin par l'entremise de l'archimandrite Pierre Kamensky, alors chef de notre mission en Chine.

Tels étaient les accroissements de notre dépôt oriental, quand tout à coup les années 1828—1830 vinrent lui amener successivement cinq collections, différentes quant au degré d'importance, mais toutes plus ou moins remarquables. Nous allons les énumérer séparément:

A. Depuis longtemps la bibliothèque d'Ardébil jouissait d'un grand renom en Perse. Formée, en majeure partie, des donations, à titre de legs pieux, du grand Abbas (1585—1627) à la mosquée d'Ardébil, où se trouve le mausolée du cheïkh Sséfy, un des ancêtres les plus illustres de la dynastie des Sséfys, cette collection, dont avaient déjà parlé les voyageurs Oléarius et Morier, n'était pas non plus inconnue en Europe. Enlevée aux Per-

Noroff, adjoint du ministre de l'instruction publique, auraient, à la rigueur, pû être rangés parmi les manucrits coptes; mais comme leur contenu attend encore un déchiffreur, nous avons préféré ne pas en faire mention dans le corps du catalogue.

sans par l'aide-de-camp général Comte Paul Suchtelen, elle fut envoyée, en 1828, à St.-Pétersbourg, et S. M. l'Empereur ordonna de la déposer, comme trophée de la guerre, à la bibliothèque Impériale publique. Elle formait un total de 166 volumes, contenant, les doubles défalqués, jusqu'à 96 ouvrages divers [1]).

B. Après la bibliothèque d'Ardébil, conquise sur la Perse, il nous en arriva une autre, gagnée par nos victoires sur le croissant. Fruit des triomphes du Feldmaréchal Prince Paskévitch, elle fut prise à l'école de la mosquée Ahmed à Akhaltsik, et, en 1829, également réunie à la bibliothèque publique. Moins importante que celle d'Ardébil, elle a cependant aussi son mérite particulier, car, tandis que la première offre une multitude d'ouvrages historiques et poétiques, presque exclusivement persans, les manuscrits d'Akhaltsik, au nombre de 148 volumes, pour la plupart arabes et turcs, traitent de phi-

---

[1]) Un aperçu général de cette collection a été donné par feu M. Fraehn dans la gazette allemande de St.-Pétersbourg de 1829, No. 44, et réimprimé, par M. Dorn, dans le recueil intitulé: *Das Asiatische Museum der Kaiserl. Akademie der Wissenschaften.* St. Petersburg 1846, p. 346 — 352. Cf. aussi la gazette russe de Tiflis, de 1828, No. 2.

lologie arabe, d'exégèse, de philosophie, de mathématique etc. [1]).

C. La fin de la même année 1829 vit incorporer à la bibliothèque publique encore 42 manuscrits orientaux, dont une partie avait aussi été prise aux Turcs et l'autre achetée sur les lieux par leur illustre vainqueur. Renfermant de même quelques ouvrages très importants, ces manuscrits provenaient de l'école de la cathédrale de Bayazid, de la ville d'Erzeroum et du Daghistan [2]).

D. La quatrième collection fut présentée à S. M. l'Empereur, en automne 1829, par le Prince persan Khosraou-Mirza, arrivé à St.-Pétersbourg en mission extraordinaire de la part de son grand-père, Feth Ali Chah. Dans ces manuscrits, tirés tous de la bibliothèque personnelle du Chah, au nombre de 18, l'art des calligraphes

---

[1]) Une notice préalable sur cette collection fut insérée dans la gazette de Tiflis, de 1829, No. 4, ainsi que dans le journal (français) de St.-Pétersbourg, No. 80 et 81 (par M. Charmoy); mais cette dernière était basée sur une liste inexacte, rectifiée seulement plus tard. Voyez aussi un article de M. Fraehn dans la gazette allemande de St.-Pétersbourg, de 1829, No. 139 et 140, et la gazette russe de St.-Pétersbourg de 1830, No. 20.

[2]) Voyez la notice de M. Fraehn dans la gazette allemande de St.-Pétersbourg, de 1830, No. 47 et 48, reproduite dans le Musée asiatique (*Das Asiat. Museum*). p. 378. Cf. la gazette de Tiflis, de 1829. No. 46 et le journal de St.-Pétersbourg de la même année No. 56.

les plus renommés avait rivalisé avec celui du peintre, de l'ornementiste et même du relieur, pour reproduire dignement les chefs-d'oeuvre des premiers poètes et de quelques historiens persans. Leur don était d'autant plus précieux, que plusieurs de ces ouvrages manquaient entièrement aux différentes bibliothèques de notre capitale [1]).

E. La cinquième collection enfin, encore un trophée de nos victoires, se composait de 66 volumes, pris à l'arsénal d'Eskiseraï à Andrinople. Quoique ces volumes ne renferment que des copies du coran, de date moderne, plusieurs brillent par leur beauté. Ils furent déposés à la bibliothèque en 1830.

Les guerres avec la Perse et la Porte Ottomane apportèrent ainsi à la Russie le nombre considérable de 420 numéros, pour l'appréciation desquels, sous le rapport tant intrinsèque qu'ornemental, nous renvoyons les lecteurs à notre catalogue.

Cependant les acquisitions de la bibliothèque ne se

[1]) Voyez la notice à ce sujet de M. Fraehn dans la gazette allemande de St.-Pétersbourg de 1830, No. 16, répétée dans le Musée asiatique, p. 373. Cf. la gazette russe de St.-Pétersbourg de la même année, No. 24

bornèrent pas à celles qui viennent d'être énumérées. Outre quelques manuscrits arméniens et d'autres sur feuilles de palmier, qui lui furent remis en 1831, l'année suivante elle s'enrichit par trois voies différentes: 1) l'archimandrite Pierre Kamensky, de retour de Pékin, présenta 48 volumes chinois, mandjoux et mongols; 2) 9 manuscrits orientaux arrivèrent, par ordre suprême, des biens confisqués du Comte Wenzeslas Rzewuski, et 3) 2 manuscrits furent apportés en don par M. Léontievsky. Plus tard il fut remis d'autres pièces encore de la part de notre ancien ministre en Perse, le Comte Simonitch (en 1838), de la bibliothèque du conseiller privé actuel de la première classe Prince Alexandre Galitzyne (en 1843), et des doubles de l'académie des sciences de St.-Pétersbourg (en 1848). En outre, S. M. l'Empereur fit passer à la bibliothèque publique (en 1833) plusieurs manuscrits orientaux de la ci-devant université et de la société des sciences de Varsovie, et la bibliothèque elle-même acheta quelques pièces chez M. Hyren, ancien employé russe à Constantinople (en 1845) et chez le moulla Abd Allah Kemal-Eddin (en 1846). Tout récemment encore (en 1851), elle fit avec M. de Noroff l'échange de quelques ouvrages imprimés contre un beau manuscrit tamul.

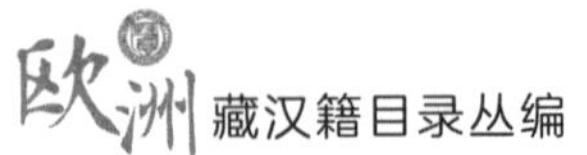

Après cet aperçu rapide de la marche progressive de nos acquisitions, il nous reste à rendre compte de l'idée générale du présent ouvrage et des moyens que nous avons employés pour la mettre à exécution.

En procédant à la confection du catalogue, il fallait, avant tout, résoudre quatre questions préalables.

La *première* de ces questions se rapportait à l'étendue ou aux limites matérielles du travail. Fallait-il, à l'exemple de quelques autres grands catalogues, borner le nôtre uniquement aux manuscrits mahométans, ou bien l'étendre aussi aux autres langues orientales, et y insérer, conjointement avec les pièces hébraïques, syriaques, éthiopiennes, coptes, arméniennes et géorgiennes, tout ce que nous possédons en mandjou, chinois, mongol, calmouc, thibétain (tangut), japonais, sanscrit et même dans les différents idiomes indiens? Ayant en vue de donner à notre catalogue le plus d'universalité et, par là, le plus d'utilité possible, nous avons opté pour le dernier de ces modes [1]).

[1]) Il est presque inutile d'ajouter que, quant aux livres chinois, mandjoux etc., on a suivi la méthode généralement adoptée, c'est à dire de ranger ces productions xylographiques de front avec les manuscrits.

La *seconde* question concernait la substance même du catalogue. Fallait-il rester dans les bornes d'une simple nomenclature des ouvrages, ou donner au travail à faire le caractère d'un catalogue raisonné et détaillé? Ici, le même but d'utilité publique admettant encore moins d'indécision, nous n'avons pas balancé à préférer le système d'une description raisonnée.

La *troisième* question se rapportait au plan du catalogue. Nous l'avons arrêté sur deux règles principales: 1) Les manuscrits seront rangés par ordre de langues, mais, lorsque le même volume renferme des pièces en différentes langues (comme cela arrive assez fréquemment), on l'indiquera par des initiales placées devant chaque partie du volume: A. (arabe), P. (persan), T. (turc). 2) Dans l'ordre de la distribution intérieure des ouvrages en chaque langue, on évitera d'admettre trop de subdivisions, en se bornant à des catégories générales.

La *quatrième* question enfin se rapportait à la langue du catalogue. Dans la supposition que l'idiome français ne pouvait être étranger à aucun de ceux qui s'occupent des études de cette nature, nous l'avons préféré au latin, pour rendre le catalogue plus populaire, et au

c

russe, pour ne pas restreindre son usage exclusivement à la Russie.

Ces premières questions décidées, nous avons passé à la revue des matériaux déjà existants, qui pouvaient nous seconder dans la rédaction du catalogue. Il se trouva que, outre les notices partielles, disséminées dans différentes feuilles périodiques etc., dont nous avons déjà fait mention, la bibliothèque pouvait se servir encore dans cette circonstance: 1) des catalogues inédits sur les collections d'Ardébil et d'Akhaltsik, rédigés en 1829, avec autant de soin que de savoir, par MM. Fraehn, Charmoy et Mirza Djafar Toptchibacheff; 2) des notices sur les manuscrits: a) de Bayazid et d'Erzeroum [1]); b) sur ceux présentés par le prince Khosraou Mirza [2]); c) sur les corans d'Andrinople et d) sur les manuscrits Rzewuski [3]), toutes dressées par M. Fraehn; 3) des catalogues également inédits de l'académicien Brosset sur les manuscrits arméniens et géorgiens et de M. Léontievsky sur les li-

[1]) Le catalogue descriptif (raisonné) de cette collection, préparé par M. Fraehn pour l'impression, ne s'est plus retrouvé. Voy. p. XIII; 2). de la préface.

[2]) Voy. *ibid.*

[3]) Ces deux dernières ont été communiquées à notre rédacteur par l'auteur même.

vres chinois, mandjoux, etc.; 4) de quelques inventaires sur les manuscrits hébraïques, syriaques, arabes, persans, coptes, etc. qui nous étaient restés de notre ci-devant bibliothécaire, actuellement professeur à Casan, M. Gottwaldt; enfin 5) de plusieurs notices, données sur les manuscrits turc-tatars dans l'ouvrage susmentionné d'un autre professeur de Casan, M. Bérésine [1]). Après tout cela, il restait donc: 1) à dépouiller et à décrire ceux de nos manuscrits — et ils formaient encore au moins la moitié de toute la collection — qui jusque là n'avaient pas été suffisamment explorés ou définis, et ensuite à opérer la fusion et la rédaction générale de tous ces travaux épars; 2) à décrire de même les manuscrits indiens, qui n'avaient pas encore été même simplement déchiffrés. La première partie de cette tâche pouvait être élaborée au sein même de la bibliothèque; mais la seconde présentait une difficulté particulière. L'étude des langues indiennes, excepté le sanscrit, n'ayant pas encore acquis droit de cité en Russie, il ne se trouva personne parmi nos orientalistes qui voulût prendre sur lui de déchiffrer ces feuilles de palmier problématiques. Il restait

[1]) Описаніе etc. voy. plus haut p. V.

donc à choisir entre deux alternatives : celle de se borner dans le catalogue à une simple indication de leur nombre, ou bien de recourir aux savants d'un pays, dont les rapports journaliers avec une partie des Indes offraient plus de facilité pour découvrir la clef de ces énigmes. Sur le rapport de l'administration de la bibliothèque, S. M. l'Empereur daigna préférer ce dernier moyen, et tandis que la tâche laborieuse concernant la première et l'incomparablement plus vaste partie du catalogue était confiée à l'un de nos bibliothécaires, l'académicien et conseiller d'état Dorn, déjà si avantageusement connu dans la littérature orientale, un autre de nos fonctionnaires, le conseiller de cour Kossovitch, allait porter les manuscrits indiens à Londres. Nous allons jeter un coup d'oeil rapide sur la marche observée dans chacune de ces opérations.

I.

En chargeant M. Dorn de la partie susdite de l'ouvrage et après avoir consulté ses propres lumières à ce sujet, l'administration de la bibliothèque lui enjoignit d'insérer dans son catalogue, en tant que la chose serait possible, et avec les modifications nécessitées par la marche du temps, les catalogues rédigés pour les collections d'Ardébil et d'Akhaltsik par MM. Fraehn, Charmoy et Top-

tchibacheff, et tout en les prenant pour modèle dans le travail sur les manuscrits non encore décrits, de s'attacher, à leur exemple :

1) A découvrir le véritable titre de chaque ouvrage, le nom de son auteur, l'époque où il a vécu et même, autant que faire se pourrait, celle où il a écrit; et d'accompagner ces données d'un exposé succint de la teneur de chaque manuscrit, de l'indication du degré de son importance, et de renvois aux ouvrages antérieurement publiés en Europe, qui renferment déjà des notices plus ou moins détaillées sur l'une ou l'autre de ces pièces. [1])

2) A déterminer l'âge des manuscrits, les caractères employés par les calligraphes et les noms de ceux-ci, s'ils ont joui d'une certaine réputation, ainsi qu'à annoter spécialement ceux des volumes qui sont autographes et qui, par conséquent, offrent un double intérêt.

3) A fixer aussi l'attention sur les ornements extérieurs

---

[1]) Ces détails, de même que les suivants, se rapportent et devaient se rapporter principalement aux manuscrits mahométans, hébraïques, syriaques et éthiopiens; quant aux manuscrits géorgiens, arméniens, mandjoux, chinois, etc., l'avis des experts et l'exemple d'autres catalogues nous ont fait omettre de plus amples recherches à leur égard, les limites dans lesquelles se sont tenus MM. Brosset et Léontievsky ayant été reconnues suffisantes pour les amateurs, et d'autant plus pour les véritables connaisseurs de ces langues.

et en général sur la partie matérielle des manuscrits, et à faire connaître le nombre des feuillets, en spécifiant, où cela serait possible sans une trop grande perte de temps, la quantité de vers dans les différents poèmes, de même que les lacunes et les défectuosités, sans négliger les particularités relatives aux précédents possesseurs de ces pièces.

4) A insérer dans le catalogue, où cela paraîtrait nécessaire, le commencement de chaque pièce, en y ajoutant, pour les manuscrits défectueux, les mots par lesquels ils se terminent.

«Ce n'est pas sans crainte — dit M. Dorn dans son compte-rendu à l'administration de la bibliothèque — que j'ai accepté cette honorable mission, qui m'imposait, à moi seul, la tâche de continuer le travail d'aussi illustres devanciers et, malgré mon vif désir de laisser les catalogues d'Ardébil et d'Akhaltsik entièrement intacts, d'y faire des modifications que, dans l'état actuel de la science, non seulement ils n'auraient pas balancé eux-mêmes à admettre, mais auxquelles l'un d'eux, M. Fraehn, m'avait de son propre gré engagé à plusieurs reprises. D'un coté ces changements, que du reste je ne me suis jamais permis sans l'autorisation spéciale du même savant [1]),

[1]) Le monde littéraire n'ignore pas que M. Fraehn a terminé sa

étaient impérieusement exigés par les progrès survenus pendant les dernières vingt années dans l'étude des langues orientales et même par la différence du point de vue actuel quant à l'estimation du plus ou moins de rareté de plusieurs manuscrits. D'un autre côté, la section n'étant pas encore rangée d'après un ordre strictement systématique, les différents exemplaires du même ouvrage se trouvaient quelquefois séparés par de grands intervalles, ce qui nécessitait des recherches minutieuses pour découvrir et signaler cette identicité [1]). Enfin, en m'appliquant à obvier, aussi consciencieusement que possible, à toute es-

belle et noble carrière le 16 (28) août 1851, quand la rédaction de notre catalogue touchait déjà à sa fin. Après avoir cité si souvent son nom, nous ne pouvons nous empêcher de répéter ici le premier cri de douleur, échappé, à la nouvelle de sa mort, à l'illustre président de notre académie des sciences, celui qui pendant plus de trente ans avait été le protecteur du célèbre orientaliste. «Depuis la mort de Sylvestre de Sacy — écrivait le Comte Ouvaroff au secrétaire de l'académie qui lui annonçait cette perte — la littérature orientale n'a pas eu à pleurer un plus grand nom que celui de Fraehn; c'est un de ces flambeaux de haute science, un de ces érudits consommés dont la race est épuisée; et c'était, en outre, un homme excellent, plein de bons principes et de bonnes et sages habitudes!»

[1]) Un effet de ce mode de dislocation s'est manifesté dans notre catalogue pour les No. CCLIV et CDLXXXIV qui, comme nous ne nous en sommes aperçu que trop tard, contiennent lemême ouvrage.

pèce d'erreurs et d'omissions, j'ai cru de mon devoir de collationner encore une fois tous les manuscrits, même ceux décrits déjà antérieurement, d'ajouter les noms des calligraphes où l'on n'en avait pas fait mention, etc., et, en cas de doute de ma part, de consulter nos autres orientalistes, parmi lesquels je ne puis refuser mon tribut de reconnaissance non seulement à M. Fraehn, mais aussi au cheïkh Tantavy, au professeur de l'université de St.-Pétersbourg Kazembeg, au moulla Houseïn Feïzoglou et à MM. Ilminsky, Chwolsohn et Schiefner.

«Je n'ai plus — continue M. Dorn — qu'à dire un mot sur l'ordre bibliographique et sur quelques détails secondaires de ce catalogue. Suivant l'exemple de mes prédécesseurs et les instructions qui m'avaient été données, j'ai taché d'éviter toute subdivision trop fastidieuse. Voilà pourquoi, dans les manuscrits persans, la théologie et le droit ne forment pas deux rubriques séparées et quoique l'ouvrage No. CCLIII p. ex., appartienne, à la rigueur, au droit, je me suis cru autorisé, autant par la teneur du commentaire, que parceque l'auteur Ibn Babouyeh [1]) pa-

[1]) M. le conseiller-d'état actuel Tornauw, auquel nous devons un ouvrage estimable sur les éléments de la jurisprudence musulmane (Начала Мусульманскаго правовѣдѣнія. С.Пбгъ 1851), nomme cet au-

raît s'être arrêté au livre de la purification طهارت, à le ranger parmi les ouvrages de théologie. Pour les manuscrits arabes, j'ai suivi la prononciation arabe, et pour les persans et les turcs celle qui est adoptée dans ces deux dernières langues : ainsi on trouvera dans le catalogue différemment : cadhi et cazi, Fadhil et Fazil, Daoulet et Devlet, etc. D'ailleurs, si je n'ai pu réussir à suivre partout une orthographe uniforme, et si l'on voit, p. ex., Djaghataï et Tchaghatai (جغتاى, چغتاى), c'était d'après le manuscrit que j'avais momentanément sous les yeux; et les orientalistes savent bien que l'orthographe ne varie que trop souvent, même dans les différentes copies d'un seul ouvrage, sans que l'on puisse préciser laquelle doit prévaloir. Pour citer un autre exemple, le nom de Gabriel, généralement épelé جبرائل, se rencontre dans le manuscrit No. IV sous la forme جبريل et c'est ainsi qu'il a été tracé dans le catalogue. Enfin j'avais d'abord penché pour une énumération de tous les exemplaires de nos manuscrits, qui se trouvent encore autre part; mais une nomenclature de

---

teur Ibn Bobeweïh (Бобевей), et il est en droit de le faire (v. la remarque au No. CLXI, p. 152); mais j'ai trouvé ce nom épelé dans plusieurs endroits «Ibn Babouyeh ابن بابويه.» (Note de M. Dorn.)

cette nature devant trop retarder notre publication et en grossir le volume, et M. Flügel, éditeur de Hadji Khalfa, ayant d'ailleurs annoncé déjà un catalogue général des manuscrits arabes, persans et turcs, contenus dans les différentes bibliothèques de l'Europe, j'ai préféré n'admettre de mon coté de pareilles citations que dans des cas spéciaux, où cela pouvait paraître particulièrement désirable».

M. Dorn termine son rapport par trois listes: l'une, des catalogues et autres ouvrages qu'il a le plus souvent cités, la seconde, des sources dont s'est composée la collection, avec l'explication des abréviations dont il s'est servi, et la troisième des rubriques sous lesquelles il a rangé tous les manuscrits de la collection. Cette dernière liste fait voir que leur nombre monte actuellement en tout à DCCCCI, sans compter séparément les pièces différentes, réunies souvent dans un seul volume. Nous renvoyons toutes ces trois listes à la fin de notre préface, en y ajoutant encore, à la fin de l'ouvrage même, des registres alphabétiques pour les manuscrits arabes, persans, turcs et tatars, le nombre des autres n'étant pas assez considérable pour exiger une pareille indication.

XXVII

II.

Ce n'est qu'après de longues recherches et mainte tentative infructueuse que le délégué de notre bibliothèque à Londres parvint à découvrir des mains assez habiles et assez expérimentées pour la tâche qu'il s'agissait d'accomplir. Un allemand, natif du duché d'Altenbourg, jeune encore, mais déjà honorablement connu, tant dans sa patrie, qu'en Angleterre, avait consacré toute son existence à l'étude approfondie des idiomes indiens, et tout en remplissant les modestes fonctions de précepteur à une académie de Canterbury, il continuait passionnément ses occupations favorites. Déjà on l'avait employé, avec un succès remarquable, à l'exploration des manuscrits indiens du musée britannique, et ce fut finalement sur lui, à la recommandation unanime de plusieurs célèbres orientalistes et de la société asiatique de Londres, que se fixa le choix de notre envoyé. M. le docteur Reinhold Rost, mû uniquement par l'amour de la science, se prêta avec un zèle infini et un rare désintéressement au service que lui demandait la bibliothèque Impériale publique de St.-Pétersbourg, et grâce à son érudition et à une étude constante de plusieurs mois qu'il a consacrée à nos manuscrits, nous pouvons compléter notre catalogue par un beau tra-

vail sur des documents, écrits dans des langues encore si peu cultivées en Europe.

Cette partie du catalogue, où nous avons laissé l'oeuvre de M. Rost presque entièrement intacte, en nous bornant à la traduire en français, forme les sections XVI—XXIV du corps de l'ouvrage [1]), et, vû le nombre peu considérable des pièces, elle n'y apparait qu'avec la division par langues ou idiomes.

En livrant ce catalogue au public, l'administration de la bibliothèque de St.-Pétersbourg, malgré ses efforts pour éviter autant que possible les erreurs graves qui se glisssent si facilement dans un livre tout hérissé de noms propres et de dates comme l'est celui-ci, n'ose guère se flatter qu'il soit entièrement exempt de fautes, presque inévitables dans un travail d'aussi longue haleine et confectionné originairement par tant de collaborateurs différents; mais elle espère que, tel qu'il est, il suffira pour donner une juste idée des trésors en tout genre contenus dans sa collection, du mérite intrinsèque des pièces qui la com-

[1]) Ajoutons que le manuscrit sanscrit No. DCCCLXXIII, écrit en caractères devanagari, a été expliqué et décrit par un des fonction-

posent, du nombre considérable d'auteurs classiques qui y figurent, de ceux surtout qu'on ne rencontre guère dans les autres bibliothèques de l'Europe. Ce catalogue prouvera, en outre, que notre dépôt est digne, non seulement de fixer l'attention des connaisseurs de la littérature orientale, mais aussi de piquer la curiosité de l'amateur des arts, par le luxe et le soin avec lequel plusieurs de nos volumes ont été confectionnés, tant sous le rapport calligraphique, que sous celui des peintures et autres ornements. Il démontrera enfin, nous aimons à le croire, qu'il était temps de tirer ces chefs-d'oeuvre littéraires et souvent artistiques de l'oubli, où plus d'un précieux document littéraire était enseveli au fond de l'Asie, et de leur donner une destination plus utile que celle de tomber en poussière sur le mausolée du cheïkh Sséfy ou dans la mosquée d'Ahmed-pacha !

naires de la bibliothèque, M. Kossovitch, le même qui avait eu la mission de porter les autres à Londres.

XI. LIVRES ET MANUSCRITS CHINOIS.

A. Théologie.

DCXCII-V.

Sin i djao chou*), *Le Nouveau Testament*, traduit par Morrison, en 8 cahiers; quatre exemplaires dont trois in 8° et le quatrième in-4°.

DCXCVI.

Cheng dsing dji tssé, *Exposition de l'Èvangile*, composée par les catholiques et imprimée en 1790, en 14 parties, reliées en 8 cahiers, en deux enveloppes, in-4°.

DCXCVII.

Tyan chen khoï ké, *Grand-Catéchisme*, composé par le Jésuite *Brancati*, imprimé en 1739. 1 vol. in-4°.

*) Voyez les titres chinois à la fin du catalogue.

DCXCVIII.

Cheng dsyao yao li go yuï, *Grand-Catéchisme*, composé par les catholiques et imprimé en 1782. 1 vol. petit in-8°.

DCXCIX.

Tyan chen khoï ké mou lou, *Catéchisme abrégé*, composé à Péking par l'archimandrite Hyacinthe. 1 vol. in-4°.

DCC.

Le Symbole de la foi, avec une explication détaillée par le missionnaire catholique Thomas, imprimé en 1607 aux îles Philippines, sur papier européen; reliure européenne, 1 vol. in-8°.

DCCI.

Tyan djou dsyao yao suï loun, *Exposition abrégée et absolument nécessaire de la foi chrétienne*, composée par les catholiques, et imprimée en 1670. 1 vol. in-4°.

DCCII.

Dsoung dou tso yao, *Livre de prières*, composé par les catholiques; deux cahiers, in-8°.

DCCIII.

Cheng dsyao ji ké, *Livre de prières*, composé par les catholiques, en 4 cahiers, dans une enveloppe, in-4°.

DCCIV.

Dsing dsyao lu sing djoung go bèï soung, *Monument chrétien en Chine*, érigé en 781 et trouvé en 1636, traduit en

langue russe par Mr. Leontievsky. Sur une feuille de la grandeur du monument. 1 f. gr. in-fol. *(Leont.)*

DCCV.

Même monument avec des éclaircissements, 1 vol. in-4°. Msc.

DCCVI.

Cheng mou cheng i khoï én yuï, *La puissance miraculeuse de la robe de la Ste Vierge*, composée par les catholiques, et imprimée en 1759; 1 vol. in-8°.

DCCVII.

Cheng nyan gouang i *(Четія минея)*, *Vies des Saints*, composées par les catholiques, imprimées en 1738, en 12 parties, reliées en 24 cahiers, en quatre enveloppes, in-8°.

DCCVIII.

Wan ou djen yuan, *Le vrai commencement de la nature*, composée par Jules Alin, 1 vol. in-4°.

DCCIX.

Dsin chi dsin chou, *Sur l'imitation de J. Christ*, traduit par les missionnaires catholiques, et imprimé en 1800, en 4 parties, reliées en 2 cahiers, in-8°.

DCCX.

Djao sing li dsin, *Miracles surnaturels et inexplicables*, dans

une enveloppe avec le Djeng chi lyao cho dsy suï (1 vol.) et Cheng sy yuï lou; in-4°. Msc.

DCCXI.

Djeng chi lyao cho dsy syuï, *Colloques avec soi-même sur la salvation.* Manuscrit, contenu dans une enveloppe avec le Djao sing li dsin et Cheng sy yuï lou. 1 vol. in-4°.

DCCXII.

Cheng sy yuï lou, *Réflexions, qui peuvent servir de guide au Chrétien chaque jour dans le courant d'un mois entier.* Ce manuscrit se trouve dans la même enveloppe avec le Djao sing li dsin et Djeng chi lyao cho dsy suï; in-4°.

DCCXIII.

Djen dao dsy djeng, *La vérité de la réligion évidente par elle même;* publiée par les missionaires catholiques en 1721; les dernières quatre parties reliées ensemble, en reliure européenne; in-4°.

DCCXIV.

Sïng chi mi byan, *Libération du monde de l'égarement;* composée par les catholiques, imprimée en 1704. 1 vol. in-8°. Msc.

DCCXV.

Aï dsin sing tsyuan, *Véritable philantropie,* composée par les catholiques, en trois parties; 1 vol. in-8°. Msc.

DCCXVI.

Meng syang dsi, *Réflexion sur la vanité mondaine des sectateurs de Bouddha*, en 10 cahiers, dans une enveloppe; in 4°.

DCCXVII.

Da fang gouang youan dsïo syou do-lolyo i dsing lyo chou, *Considérations sur la réligion bouddhistique*, en 2 cahiers; in-4°.

DCCXVIII.

Leng yan dsing dsi djou, *Instruction de Bouddha sur la réligion la plus accomplie*, en 10 parties, reliées en 6 cahiers, dans une enveloppe, in-4°.

DCCXIX.

Myao fa lan-khoua dsing myao dsé, *Exposition rare de l'instruction de Bouddha sur le moyen d'atteindre le plus haut degré de sainteté;* publiée en 1127; en 7 parties, reliées en 6 cahiers, dans une enveloppe, in-4°.

DCCXX.

Taï chang gan ing pyan, *Anecdotes relatives à la récompense pour le bien et le mal;* avec planches. 1 vol. in-8°.

DCCXXI.

Dsin gang dsing, *Instruction de Chighiamouni sur la science céleste*, 1 vol. in-8°.

B. Droit.

DCCXXII.

Djoung chou djeng kao pa tsi, *Lois, relatives aux employés militaires mandjoux*, imprimées en 1808, en 32 cahiers, en deux enveloppes, in-4°.

DCCXXIII.

Djoung chou djeng kao lou ïng, *Lois, relatives à l'armée chinoise*, imprimées en 1808, en 40 cahiers; en deux enveloppes, in-4°.

DCCXXIV.

Li bou dsé li, *Lois du ministère des Cérémonies*, imprimées en 1806, en 202 parties, reliées en 24 cahiers, en 4 enveloppes, in-4°.

DCCXXV.

Li bou sin dseng dséli, *Supplément aux lois de Héroldie*, en 66 parties, reliées en 24 cahiers, en 4 enveloppes, in-8°.

DCCXXVI.

Si tchao ding an, *Ordonnances des khans mandjoux*, relatives aux missionaires romains en Chine, en 3 cahiers; in-4°. Msc.

DCCXXVII.

Ordre du roi de Hollande, en hollandais et chinois, publié à Batavie en 1669; sur papier européen. Msc.

C. Philosophie.

DCCXXVIII.

I dsing, *Livre des métamorphoses* (превращеній), en 4 parties, reliées en 2 cahiers, dans une enveloppe, in-12°.

DCCXXIX.

I dsing dji dsé, *Livre des métamorphoses, avec des éclaircissements*, imprimé en 1750, en 12 parties, reliées en 6 cahiers, dans une enveloppe, in-8°.

DCCXXX.

Dao dé dsing, *Instruction de Loou tssu sur la loi et la vertu*, en 2 cahiers, dans une enveloppe, in-4°.

DCCXXXI.

Sy chou djeng wen; *Ouvrage composé de quatre livres*, mais dont il n'y a qu'une partie c.-à-d. *L'instruction supérieure* Da sïo, in-8°.

DCCXXXII.

Sy chou khou bo dsé, *Les quatre livres, éclaircissements de* Khoubo. Ici il n'y a que la seconde section Sya-yuï de la seconde partie Loung yuï; reliée à l'européenne, in-4°.

DCCXXXIII.

Da sïo, *Instruction supérieure*, qui n'est qu'une seule partie des *quatre livres* de l'original. 1 vol. in-fol.

DCCXXXIV.

Djoung yung, *Connaissance du milieu*, texte d'une partie des *quatre livres*. 1 vol. in-fol.

DCCXXXV.

Djoung yung, *Connaissance du milieu*, une partie des *quatre livres*, in-8°. Msc.

DCCXXXVI.

Meng dsy, *Instruction de Meng*, avec commentaire, une partie des *quatre livres*, 1 vol. in-12°.

DCCXXXVII.

Ji dsyang sy chou dsé i, *Les quatre livres* avec une explication détaillée, imprimés en 1677, en 26 parties, reliées en 12 cahiers, en 2 enveloppes, in-4°.

DCCXXXVIII.

Nyu erl dsing, *Instruction morale pour les filles*, en vers. 1 vol. in-8°.

DCCXXXIX.

Erl chi sy syao, *Vingt quatre anecdotes*, relatives à la révérence due aux parents, imprimées en 1736, en langue chinoise et mandjoue, avec la traduction russe et des dessins. 1 vol. in-8.

DCCXL.

Wan tsuan syun meng dsa dsy, *Instruction morale*, en vers, 2 vol. in-8°.

DCCXLI.

Wan chi toung kao tsi yan dsa dsy, *Instruction morale*, en vers, brochure, in-8°.

DCCXLII.

Dsin chouï toung chou, *Calendrier astrologique*, imprimé en 1774. 1 vol. in-8°.

D. Histoire.

DCCXLIII.

Toung dsyan dji dsé, *Abrégé de l'histoire chinoise* la plus ancienne s'étendant jusqu'à l'an 1279 après J. Chr.; en 28 parties, reliées en 12 cahiers, dans une enveloppe, in-4°. *(Doubr.)*

76

DCCXLIV.

Li tchao dsé lou, *Histoire militaire de la Chine*, depuis 1115 avant J. Chr. jusqu'à 1572 après J. Chr.; en 6 parties, reliées ensemble à l'européenne, 1 vol. in-4°.

DCCXLV.

Losiya go chi, Les trois premiers tomes de l'histoire de l'empire russe par Karamsin, traduits à Péking par Zacharie Léontievsky, et offerts par ce dernier en 1835; 9 cah., dans une enveloppe, in-4°. Msc.

DCCXLVI.

Doung khoua lou, *Chronique de la dynastie mandjoue de* Aïjin-tssïoro jusqu'à l'année 1736; 16 cahiers, en 2 enveloppes, in-4°. Msc.

DCCXLVII.

Pin ding Djoun ga ërl fang lyo tsyan byan, *Chronique militaire mandjoue* depuis 1700 jusqu'à 1753, imprimée en 1770, en 54 parties, reliées en 32 cah., en 4 enveloppes, in-fol.

DCCXLVIII.

Pin ding Djoun ga ërl fang lyo djeng byan, *Chronique de la guere mandjou-djoungarienne*, depuis 1752 jusqu'à 1760, imprimée en 1771; en 85 parties, reliées en 52 cah., en 6 enveloppes, in-fol.

DCCXLIX.

Pin ding Djoun ga ërl fang lyo syuï byan, *Chronique militaire mandjou-djoungarienne*, imprimée en 1770, depuis l'année 1760 jusqu'à 1765; en 32 parties, reliées en 16 cah., en 2 enveloppes, in-fol.

DCCL.

Chou dsing pang syun, *Exposition détaillée de l'histoire chinoise* depuis 2357 jusqu'à 627 avant J. Chr.; en 2 parties, 1 vol. in-4°.

DCCLI.

Li daï di vang sinchi nyankhao tsyuan tou, Les empereurs de la Chine avec le nombre des années de leurs règnes, depuis le premier homme jusqu'en 1644 après J. Chr., et avec les portraits des plus anciens de ces empereurs, sur une grande feuille de papier jaune, y joint la traduction russe.

DCCLII.-IV.

Li daï di vang chi tsy dsi, *Les dynasties chinoises* avec leurs souverains, depuis les temps les plus anciens jusqu'à l'année 1644. gr. in-fol. (3 ex.)

DCCLV.

I yuï so tan, Renseignements sur les étrangers, et particulièrement sur les habitants du Tourkestan oriental, composés en 1760, en 4 parties, reliées en 2 cah. in-8°. Msc.

DCCLVI.

Si tchao sin yuï, *Anecdotes relatives à la dynastie mandjoue;* en 16 parties, reliées en 6 cah., dans une enveloppe, in-8°.

DCCLVII.

Si yuï ven dsyan lou, *Description des états situés au nord-ouest de la Chine,* composée par Tsichi i et imprimée en 1777; en 8 parties, reliées en 2 petits volumes, dans une enveloppe, in-12°.

DCCLVIII.

Khouang tsing dji goung tou, *Exposition, en représentations figurées, des nations connues des Chinois,* avec une courte description, publiée en 1751; en 9 parties, reliées en 8 cah., dans une enveloppe, in-4°.

DCCLIX.

Autre exemplaire du même ouvrage, en 9 cah, dans une enveloppe.

DCCLX.

Daï tsing djoung chou béi lan, *Calendrier officiel,* en 2 volumes, in-8°.

DCCLXI.

Daï tsing dsin chen tsyuan chou, *Calendrier officiel,* avec des notices statistiques sur la Chine; 4 volumes, in-8°.

DCCLXII.

Wan nyan chou, *Calendrier et chronologie chinoise* depuis

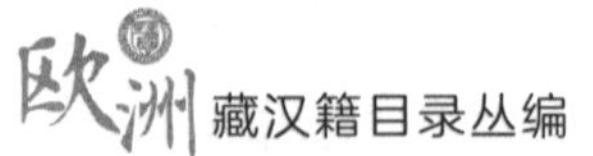

2632 avant J. Chr. jusqu'à présent, en 2 parties, dans une enveloppe, in-4°.

DCCLXIII.

Chi syan chou, *Calendrier pour l'année* 1778. 1 cah. in-8°.

DCCLXIV.

Calendrier pour l'année 1817. 1 cah. in-8°.

DCCLXV.

Chi wo djeou khang, *Indicateur des voies de communication de la Chine*, avec des remarques; en 3 parties, reliées en 2 cah., dans une enveloppe, in-8°.

DCCLXVI.

Gouang yuï dsi, *Géographie chinoise*, avec atlas, contenant 19 cartes, ajoutées à la première partie; imprimée en 1686, en 24 parties, reliées en 16 cah., en 2 enveloppes, in-4°.

DCCLXVII.

Khouang yuï byao, *Abrégé de la géographie chinoise*. Il n'y en a que trois parties, c.-à-d. la 14me jusqu'à la 16me inclusivement, les autres manquent. Elles sont reliées en 5 cahiers, dans une enveloppe gatée, in-4°. *(Doubr.)*.

DCCLXVIII.

Koun yuï tou cho, *Abrégé de la géographie de l'Europe, de l'Asie, de l'Afrique et de l'Amérique*, publié par les missionaires chinois, avec la figure des animaux rares et d'autres objets. L'ouvrage est incomplet. 2 cah., in-4°.

DCCLXIX.

Carte générale, composée par les missionaires catholiques, avec des figures du système de Ptolomée, et des éclipses solaires et lunaires, sur une grande feuille, dans le même carton avec le Koun yuï tsyuan tou.

DCCLXX.

Koun yuï wan go tsyuan tou, Carte générale sur 6 feuilles longues de deux et large d'une toise, composée par les missionaires catholiques, dans le même carton avec no. DCCLXIX.

DCCLXXI.

Carte, contenant les deux hémisphères, coloriée, sur une grande feuille, imprimée en Chine d'aprés la carte composée par les missionaires catholiques.

DCCLXXII.

Daï tsing wan nyan i toung tyan sya tsyuan tou, Carte imprimée et coloriée de l'empire des Daïtsing, sur 4 feuilles, longue de quatre, larges de deux archines.

DCCLXXIII.

Autre exemplaire de la même carte, sur 8 longues feuilles, mais pas colorié. La grandeur est la même.

DCCLXXIV-V.

Daï tsing i toung tyan sya tsyuan tou, *Carte de l'empire des Daïtsing*, imprimée sur une grande feuille, et coloriée. (2 ex.)

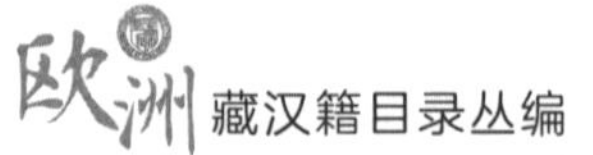

DCCLXXVI.

Djili ghé cheng yuïdi tsyuan tou, *Atlas de l'empire des Daïtsingh*, incomplet, renfermant 18 cartes, reliure chinoise, in-fol.

DCCLXXVII.

Chéou chan tsyuan tou, Plan de Péking, imprimé dans cette ville, et colorié. 1 f. in-fol.

DCCLXXVIII.

Autre exemplaire, mais non colorié.

DCCLXXIX.

Carte du planisphère du nord et du sud, imprimée sur une grande feuille, et coloriée.

DCCLXXX.

Autre exemplaire de la carte mentionnée sous no. DCCLXXII, coloriée, sur une grande feuille.

DCCLXXXI.

Carte d'une ville chinoise, avec vue des édifices, 1 gr. f. in-fol.

DCCLXXXII.

Carte des provinces daïtsinghiennes situées sur la mer, de Houandoung, Foutssian, Djetssiang, Tssiannan, Chandoung et Chentssing, dessinée, longue de 60 archines, large d'une demi archine.

DCCLXXXIII.

Carte générale de l'empire chinois, y ajoutés les états tributaires mongols et autres.

DCCLXXXIV.

Carte du planisphère du nord et du sud, imprimée et coloriée. 1 f. in-fol.

E. Histoire naturelle.

DCCLXXXV.

Sinli dsing i, *Raisonnements de Djousi sur les lois de la nature*, en 12 parties, reliées en 5 cah. dans une enveloppe, in-4°.

DCCLXXXVI.

Ing soung tchao khoï tou erlya, [*Histoire naturelle*, avec figures; en 3 cahiers, dans une enveloppe, in-fol.

DCCLXXXVII.

Ben tsao ganmou, *Histoire naturelle chinoise*, avec [figures d'objets des trois règnes de la nature: en 60 parties, reliées en 40 cahiers, en 4 enveloppes; imprimée en 1657, in-4°. (*Doubr.*)

DCCLXXXVIII.

Tsi feng douï léï, *Botanique chinoise*, parties 5, 6 et 7, reliure européenne, 1 vol. in-4°.

DCCLXXXIX.

Seize dessins chinois, coloriés, relatifs à l'histoire naturelle, in-fol.

L'inscription servant de titre, est conçue en ces termes: *Sentences et passages de Morale appliqués à différents objets en peintures à la page de vis-à-vis.*

F. Médecine.

DCCXC.

Noms des médicaments, avec l'indication de leur usage. 1 vol. in-4°. Msc. *(Suchtel.)*

G. Mathématiques.

DCCXCI.

Liber organicus Astronomiae Europaeae apud Sinas Restitutae sub Imperatore Sino-Tartarico Cam̄ Hȳ appellato Auctore P. Ferdinando Verbiest, Flandro-Belga Brugensi e Societate Jesu Aca-

77

demiae Astronomicae in Regia Pekinensi Praefecto. Anno salutis MDCLXVIII. In-fol. *(Doubr.)*

II. Sciences méchaniques.

DCCXCII.

Tsing ding sy kou tsyuan chou noung chou, *L'Agriculture chez les Chinois*, imprimée en 1774, en 25 parties, reliées en 16 cahiers, en 2 enveloppes, in-4°.

Il y a, en outre, les dessins de tout ce qui a rapport à l'agronomie.

DCCXCIII.

Cheou chi toung kao, *Économie rurale chinoise* (Сельское хозяйство), imprimée en 1742 en 72 parties, reliées en 24 cahiers, en 4 enveloppes, in-4°.

DCCXCIV.

Moyen de faire des lanternes de corne. 1 feuille. Msc.

DCCXCV.

Tchoung i ing dsi, Carte d'adresse d'un marchand chinois, avec des dessins en or, 2 petites feuilles. Il y a encore plusieurs remarques en langue allemande, sur quelques feuilles chinoises, signées: « *A. Müller*, Probst in Berlin am 26 Dec. 1678».

DCCXCVI.

Enseigne d'une boutique de marchand, 1 f.

I. Beaux arts.

DCCXCVII.

Tsi tsyao tou khé bi, Jeu d'enfants, composé de morceaux, propres à former sept figures géometriques. 1 cahier, petit in-8°.

DCCXCVIII.

Collection de costumes d'artisans chinois de toutes professions soit ambulans soit en boutiques, exécutés par des Chinois (?), ce qui est attesté par une remarque de la main de *J. Klaproth*, *Paris* 1 *Avr*. 1828. Reliure européenne, 1 vol. in-fol.

DCCXCIX.

Trente huit dessins chinois, coloriés, exécutés par un Européen, mais reliés à la manière chinoise, 1 vol. in-fol.

DCCC.

Douze peintures représentant des Chinois, reliées à l'européenne; in-4°.

DCCCI.

Dix paysages chinois, exécutés en couleur par un Chinois et reliés à la chinoise, 1 vol. in-fol. *(Sipak.)*

DCCCII.

Gravure, représentant la réception des ambassadeurs birmans chez le khan mandjou Khounli. 1 f.

DCCCIII.

Quarante trois feuilles de carton, coloriées, représentant des personnages chinois ou des pays voisins de la Chine; ouvrage chinois, 2 vol. in-fol.

DCCCIV.

Gravure, représentant une illumination à l'occasion du jour de naissance du khan mandjou Khounli en 1790. In-fol.

DCCCV.

Van chéou cheng dyan tchou dsi, Description de l'illumination dans le palais du khan, situé hors de la ville, au jour de la naissance du khan; il n'y a que la 42ème partie, avec des gravures. In-fol.

DCCCVI.

Cinquante sept peintures, représentant des individus de différentes nations, 1 vol. in-4°. *(Sipak.)*

DCCCVII.

Vingt huit peintures, représentant des Chinois, des Khocandiens et des Coréens, 1 vol. in-fol.

DCCCVIII.

Douze peintures érotiques chinoises, in-4°.

DCCCIX.

De même, 2 pièces, reliées, in-4°.

K. Poésie.

DCCCX.

Dsiao djeng da tssy dsoung loun sy yan dsadsy, Mots arrangés en vers, 1 cah. in-8°.

DCCCXI.

Soung lang ghé, Chansons d'adieu d'une femme au départ de son mari. 1 cah. in-12°.

DCCCXII.

Chi yung dsadsy, Divers mots en vers pour les enfants. 1 cah. in-8°.

DCCCXIII.

Tsaï tcha ghé, Chanson pour les occasions, où l'on boit du thé, 1 cah. in-16°.

DCCCXIV.

Dao tsaï tcha, Vers pour le temps, où l'on boit du thé, 1 cah. in-16°.

DCCCXV.

Da béï douï lyan syuan sin dsi, Vers pour différentes occasions, partie 2de, 2 cah. in-16°.

DCCCXVI.

Tsao tsyué bo yun ghé, Chant, composé par Vang Ing, imprimé sur fond noir en caractères blancs, 1 cah. in-4°.

DCCCXVII.

Moou chi tchen dsyan, Vers, composés par Tchen, 1 cah. in-4°. Msc.

L. Polygraphie.

DCCCXVIII.

Si tchao té dyan, Colloques du khan mandjou Syuanyuï, avec les missionnaires catholiques, imprimés en 1689, 1 cah. in-8°.

DCCCXIX.

Quinze lettres des missionnaires catholiques en Chine (deux adressées à George Alary, etc.), sur des feuilles détachées. Msc.

DCCCXX.

Anecdotes avec de gravures, livre incomplet, sans titre, in-8°. *(Doubr.)*

DCCCXXI.

Khao tsyu tchouan, Roman, dont il ne reste que le cha-

pitre 6 jusqu'à 10 inclusivement. Sur la feuille extérieure: *M. Deguignes, Censeur Royal.* 2 cah. in-8°.

DCCCXXII.

Béï soung dji tchouan, Roman (4me partie) 1 cah. in-8°. Sur la dernière feuille nous lisons: *Liber Sinicis characteribus impressus, a celsissimo Principe Ignatio Raczynski Archi-Episcopo Gnesnensi Bibliothecae Collegii Polocensis S. J. adscriptus.*

DCCCXXIII.

Dsin lan tsyan, Roman, chapitre 4 jusqu'à 8 inclusivement. cah. in-8°.

DCCCXXIV.

Sin dseng van bao yuan loung dsadsy, Quelques réflexions sur des objets différents. 1 cah. in-8°.

DCCCXXV.

Khouang tchao li tsi tou chi, Description des ustensiles employés aux sacrifices, de l'habillement du peuple, des instruments astronomiques et physiqnes, des drapeaux, de l'habillement militaire, des armes et autres objets; imprimée en 1766, en 18 parties; 16 cahiers, en deux enveloppes, in-4°.

DCCCXXVI-VII.

San tsaï i gouan tou, Carte, représentant le gobe celéste, la terre et l'homme, avec son histoire, gr. in-fol. (2 ex.)

M. Histoire littéraire.

DCCCXXVIII.

Min sin bao dsyan, Raisonnements sur l'esprit de la littérature classique chinoise, 1 cah. in-8°.

DCCCXXIX.

Tïan syo dsi dsé, Bibliographie des livres chinois, composée par les missionnaires catholiques, en 9 parties, dans une enveloppe. 1 cah. in-8°. Msc.

DCCCXXX.

Каталогъ книгамъ и рукописямъ на китайскомъ, маньджурскомъ, монгольскомъ, тибетскомъ и санскритскомъ языкахъ, находящимся въ библіотекѣ Азіатскаго Департамента. Санктпетербургъ 1844. c.-à-d. Catalogue de livres, manuscrits, en langue chinoise, mandjoue, mongole, tibétaine et sanscrite, qui se trouvent à la bibliothèque du Département Asiatique (du Ministère des affaires étrangères); St. Pétersbourg 1844. in-8°. *lithogr.*

DCCCXXXI.

Tïan djou cheng dsyao djou choudsing dïan ming, Catalogue des livres, publiés par les missionnaires catholiques en Chine, 1 cah. in-4°. Msc. *(P. Kam.)*

N. Linguistique.

DCCCXXXII.

Kangsi dsydïan, Dictionnaire détaillé, publié en 1716; en 40 cahiers, en 6 enveloppes, in-fol.

DCCCXXXIII.

Une seule partie du même dictionnaire, in-4°. *(Olen.)*

DCCCXXXIV.

Djeng dsy toung, Dictionnaire, imprimé en 1670, en 26 parties, dont il n'y a que 18; les parties 4, 9, 12, 14, 19, 21, 22, 24 manquent; relié à l'européenne en 18 cahiers, in-4°.

DCCCXXXV.

San dsy dsing, *Livre d'instruction élémentaire*, lithographié à St. Pétersbourg, 1 cah. in-8°.

DCCCXXXVI.

Mots chinois, arrangés d'après la prononciation, avec la traduction espagnole; reliés à l'européenne, in-4°. Msc.

DCCCXXXVII.

Douï syang dsadsy, Dénominations de différents objets avec leurs figures, à l'usage des enfants, 1 cah. (en deux parties), in-8°.

78

DCCCXXXVIII.

Dseng bou chi chi yuan loung toung kao dsadsy, Divers mots et termes avec l'explication. 2 cah. in-8°.

DCCCXXXIX.

Sin tchou douï syang mèngou dsadsy, Mots chinois avec la représentation de l'objet qu'ils signifient, la prononciation mandjoue, la traduction mongole, et la prononciation des mots mongols dans la langue chinoise. 1 cah. in-8°.

DCCCXL.

Fang yan dsadsy, Différents mots avec leur prononciation. 2 cah. in-8°.

DCCCXLI.

Exercices de traduction de la langue chinoise et mandjoue, en langue russe et latine, par **Kamensky**; reliés à l'européenne, 1 vol. in-fol. Msc.

DCCCXLII.

Exercices de traduction de la langue chinoise en langue latine par le Jésuite Noël, ou suivant l'inscription sur la feuille servant de titre: *Liber sententiarum ex sinico in latinum idioma traductus a P. Francisco Noël Societatis Jesu Missionario Sinensi.* — Plus bas: *Nancham in Chinâ* 1700. Une autre remarque est conçue en ces termes: *Tiré de la Bibliothèque privée de Mr. P. J. Baudewyns,*

anc. Profess. à l'Academie, Direct. act. de l'Ecole seconde à Bruxelles. Acquis et envoyé au Temple de mémoire à Puławy ce 27 *Nov.* 1810 *par moi, Général de division Sokolnicki.* — Relié à l'européenne, 3 vol. in-4°. Msc.

XII. LIVRES ET MANUSCRITS MONGOLS.

A. Théologie.

DCCCXLIII.

Tegri in edsenou ounektchi djirou moun bitchic, *Livre de la vraie religion de Dieu*, composé par Matthieu Ricci, traduit de la version mandjoue. 2 cah. in-4°.

DCCCXLIV.

Feuille, trouvée dans un tombeau, appartenant à une Pradjnâpâramitâ, ou traité de métaphysique bouddhique. Voy. *Ouvr. Tibét.* no. DCCCLIII.

Catalogo delle Opere Giapponesi e Cinesi Manoscritte e Stampate Conservate nella Biblioteca della R. Accademia dei Lincei

灵采学院图书馆藏中日文印本写本目录

CATALOGO DELLE OPERE GIAPPONESI E CINESI MANOSCRITTE E STAMPATE

CONSERVATE NELLA BIBLIOTECA DELLA R. ACC. DEI LINCEI (Fondo Caetani e fondo Corsini).

Nota del prof. G. Vacca, presentata dal Socio I. Guidi.

Nessuna biblioteca italiana possiede ancora una raccolta di opere cinesi e giapponesi paragonabile a quelle fondate in questi ultimi anni nelle principali capitali di Europa e di America. È da augurarsi che anche l'Italia riesca presto a possedere una collezione abbastanza completa di opere che vanno diventando rare, assai rapidamente, anche nell'estremo Oriente.

Le biblioteche italiane conservano tuttavia numerose opere cinesi e giapponesi, le quali però, a causa dell'assenza di cataloghi [1], non solo stampati, ma anche manoscritti, spesso non sono ordinate e sono per la maggior parte inaccessibili agli studiosi.

Alcune di esse sono rare ed hanno un valore considerevole, che deriva loro, non solo dall'esser esemplari di opere divenute

---

[1] Il solo catalogo stampato di opere cinesi e giapponesi possedute dalla Biblioteca Nazionale Vittorio Emanuele di Roma, fu compilato dal prof. C. Valenziani e pubblicato nel *Bollettino italiano degli Studî Orientali*, Firenze 1882. Tali opere però insieme con molte altre successivamente acquistate dalla stessa biblioteca, da molti anni giacciono inaccessibili agli studiosi.

Hanno invece cataloghi manoscritti la Biblioteca Orientale dell'Istituto di Studî Superiori di Firenze, e quella della Scuola Orientale della R. Università di Roma.

rare anche nella Cina e nel Giappone, ma anche perchè sono tra i primi libri dall'estremo oriente venuti in Europa. Tale è ad esempio il cosiddetto atlante del CARLETTI, che si conserva nella Biblioteca Nazionale di Firenze ed è stato illustrato dal Klaproth, dal Puini, e dal Frescura.

In occasione del dono fatto dal principe Caetani all'Accademia dei Lincei, ho creduto opportuno di descriverne le opere cinesi e giapponesi, ed in pari tempo ho aggiunto la breve lista dei libri cinesi antichi già posseduti dalla Biblioteca dell'Accademia.

Tra le opere del fondo Caetani meritano particolare menzione alcuni belli esemplari di libri illustrati da Hokusai (1).

Del fondo Corsini, tra le opere stampate meritano speciale attenzione gli opuscoli di propaganda cattolica del secolo XVII, alcuni dei quali sono oggi rari.

È assai preziosa la grammatica cinese del P. Varo, la prima grammatica della lingua cinese stampata per gli Europei.

Tra i manoscritti è notevole il dizionario del P. Basilio da Glemona, non solo perchè è una bella copia, ma anche perchè esso dimostra che in Roma se ne era intrapresa la stampa, ed è forse questo il primo tentativo di stampare un dizionario cinese in Europa.

Catalogo dei libri giapponesi illustrati.

(Fondo CAETANI).

1. *Hokusai mangwa* (北 齋 漫 畫) « Schizzi » di HOKUSAI, quattordici parti, 1817-1834 (cm. 16 × 22) xil. color. (copia imperfetta contenente soltanto le parti 1-4, 6-14). 13 fasc.
2. *Hokusai ringwa* (北 齋 臨 畫) « Disegni » di HOKUSAI (copia imperfetta contenente soltanto la prima parte) (cen-

(1) La più ricca collezione, che si conservi in Italia, di libri antichi giapponesi, illustrati, è quella che si conserva nel Museo EDOARDO CHIOSSONE, in Genova. Essa consta di 226 opere in 658 volumi.

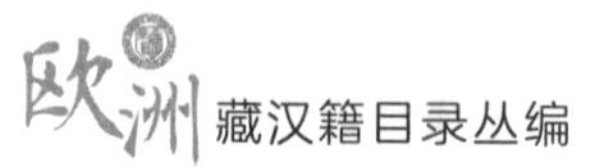

timetri 16 × 23). (Anche la Bibl. del British Museum possiede soltanto questa prima parte). 1 fasc.

3. *Hokusai gwafu* (北齋畫譜) « Schizzi » di HOKUSAI, tre parti. 1849 (cm. 16 × 23) xil. color. (copia imperfetta contenente soltanto le parti seconda e terza). 2 fasc.

4. *Hokusai mangwa* (北齋漫畫) « Schizzi » di HOKUSAI, quattordici parti. 1817-1834 (cm. 16 × 22) xil. color. (altra copia imperfetta, contenente le parti 7-10, 12). 5 fasc.

5. *Yehon Musashi abumi* (繪本武藏鐙) « Disegni di staffe della provincia di Musashi », 1836 (xilogr. in nero). Un volume (cm. 15,5 × 22,5). 1 fasc. [1].

6. *Ban shioku dzukō* (萬職圖考) « Diecimila disegni » di KATSUSHIKA TAITO (葛飾戴斗), cinque parti, 1836-38 (cm. 15 × 22) xil. color. (copia imperfetta contenente soltanto la quinta parte). 1 fasc.

7. *Soshingwafu* (素眞畫譜) « Disegni di Soshin » di YŌGETSU SOSHIN (搖月素眞), prima serie, Yedo, 1858 (cm. 15 × 22) xil. color. (Anche la Bibl. del Brit. Mus. [2] possiede soltanto questa prima serie). 1 fasc.

8. *Inakanotsuki*, pictured by BAIREI KŌNO (亥中之月), Z. Tanaka, Kioto, 1889 (cm. 17 × 24) xil. color. (venticinque tavole di disegni di animali). 1 fasc.

9. *Tōkaidō fūkei dzuye* (東海道風景圖會) « Paesaggi del Tōkaidō » di HIROSHIGE (廣重), in due parti, Tōkyō, 1851 (cm. 12 × 18) xil. color. (copia imperfetta contenente soltanto la seconda parte). 1 fasc.

10. *Kwachō sansui dzushiki* (花鳥山水圖式) « Disegni di fiori, uccelli e paesaggi » di KATSUSHIKA ISAI (葛飾爲齋), cinque volumi oblunghi (*maki*), Tōkiō, 1881 (cm. 18 × 12) xilogr. in nero (copia imperfetta contenente soltanto il secondo volume). 1 fasc.

---

[1] Per più complete notizie sui n. 1-5 si vedano i numeri LXXVI, CX, CV, XCI, del catalogo pubblicato nell'opera: « *Hoksaï* » par MICHEL REVON. Paris, 1898, p. 349 e segg.

[2] *Catalogue of Japanese Printed Books ... in the Library of the British Museum*, by R. K. DOUGLAS, London, 1898.

11. *Kwachō gwafu* (花鳥畫譜) « Schizzi di fiori ed uccelli », s. d. (cm. 12 × 18) xil. color. 1 fasc.
12. *Manzō shashin dzufu* (萬象寫眞圖譜) « Diecimila oggetti fedelmente rappresentati » di GIOKUSAI SADAHIDE (玉蘭齋貞秀), 1864 (cm. 12 × 18) xil. color. (copia imperfetta contenente soltanto le serie 2ª e 4ª; la Bibl. del Brit. Mus. possiede soltanto le serie 1ª e 2ª). 2 fasc.
13. Composizioni drammatiche (*Jōruri.* 淨琉理) illustrate con xilogr. a colori (copia incompleta, contenente soltanto i fasc. 1, 3 e 5) (di fogli 3 + 16, 3 + 14, 3 + 16 rispettivamente) (cm. 11 × 16,5). 3 fasc.
14. *Igagoye dōchū* (伊賀越道中) xil. color. (copia incompleta, contenente soltanto il fasc. 2°, 9 fogli). 1 fasc.
15. Due album di disegni xilogr. a colori, s. d., in carta raggrinzata, intitolati (大倭東錦繪) (cm. 15 × 22). 2 fasc.
16. Tre album oblunghi contenenti acquerelli a mano, a colori, senza data nè autore, contenenti 12 + 10 + 12 acquerelli (cm. 25 × 16,5). 3 fasc.

Libri cinesi.

17. *Chi ch'iao t'u hsiang* (七巧圖解). Un fascicolo di 42 fogli, contenente molti disegni che possono eseguirsi per mezzo di sette pezzi di legno, formanti un quadrato. (*Loculus Archimedius*), 1826 (cm. 11 × 17). 1 fasc.
18. *Iu-kiao-li* (玉嬌梨), *Roman Chinois*, traduit par M.r ABEL-REMUSAT, ... Texte autographié et publié par J. C. LEVASSEUR, ... Paris, 1829 (un fasc. di fogli 4+15+16 contenente i primi due capitoli del romanzo) (cm. 14×21).
19. *Sse min p'ien yung* etc. (四民便用不求人萬斛明珠) (incompleto). Un fascicolo contenente i capp. 14, 15 e 16, di fogli 13, 14, 15 rispettivamente (cm. 14×21). Il cap. 14 tratta del modo di costruire tombe e sepolcri; il cap. 15 di diversi metodi di divinazione; il cap. 16 di chiromanzia, etc.; s. d. nè luogo di stampa. 1 fasc.

A) Opere stampate.
(Fondo Corsini).

Una busta in cartone colla segnatura (**44-A-1**), e la dicitura: « libri varii - lingue et carte sinensi in sina editi ». Comprende i numeri 1-14:

N. 1. 總(牘)撮要敍 (*Tsung-tu ts'o yao hsü*), scritta da 萬濟國 (Francisco Varo, Domenicano?). Porta la data 康熙戊申 (1668). Un fascicolo di cm. 9 × 13,5; frontespizio con una croce; 3 fogli doppî colla prefazione; 2 fogli indice; 67 foglietti doppî contenenti la parte prima dell'opera. Sulla copertina è scritto a mano: « *Orationes et litaniae B. V. & SS.* ». Nel primo foglio del testo è detto che l'opera è stata corretta dal padre 賴蒙篤 (*Lai mun tu*) dello stesso ordine dei *predicatori* (?) (傳教會).

N. 2. Un volumetto s. d. comprendente le quattro preghiere, i dieci comandamenti, e le domande e risposte per il battesimo (領洗問答). 9 fogli (cm. 11,5 × 19).

N. 3. 天主聖教四字經文 (*Tien chu sheng chiao ssu tze ching wen*). (Cordier [1], n. 18). Una specie di catechismo cristiano in versi di 4 sillabe, di Giulio Aleni (艾儒略). La prefazione porta la data del 1650 ed è firmata da 湯若望 (P. Johann Adam Shall von Bell). Un vol. di 43 fogli (cm. 12,5 × 18,5).

N. 4. Un volumetto manoscritto in caratteri cinesi, con la trascrizione latina a fianco in colonna, intitolato: *Dialogo sopra la confessione*. Senza data (cm. 15,5 × 20). 11 fogli doppî numerati.

N. 5. 天主聖教約言 (*Tien chu sheng chiao yo yen*). Compendio della dottrina cristiana, dovuto al P. Joao Soerio S. J. (蘇如漢). L'opuscolo è senza data, ma il

---

(1) H. Cordier, *L'imprimerie sino-européenne en Chine, ...* (Publ. de l'Éc. de Langues orient. vivantes). Paris, 1901.

Soerio fu in Cina dal 1595 al 1607. Quindici fogli doppî (cm. 15 × 22,5). (Cordier, n. 299).

N. 6. BREVIS RELATIO EORUM, | quae spectant ad Declaratio | nem Sinarum Imperatoris | Kam Hi | circa cœli, Confucii, et auorum | cultum, datam anno 1700. | .... opera P.P. Societat. Jesu Pekini pro | Evangelii propagatione laborantium. (cm. 15,5 × 22,5). 61 fogli doppî, legati alla cinese, in xilogr. (e non *avec des caractères en bois*, come dice il Cordier, n. 392).

N. 7. 論音特典. Un fascicoletto intitolato: *Favori fatti dall'Imperatore della Cina ricevendo un Europeo nella città di Jen ceufu* (1705, 3° mese 9° giorno, fino al 4° mese 10° giorno). Un fasc. di 3 fogli doppî, xil. (cm. 16,5 × 23).

N. 8. 十慰 (*Shih wei*) *Decem christianae consolationes pro afflictis*. Di ALFONSO VAGNONI S. J. (高一志); s. d., edizione antica del Fukien. (Il P. Vagnoni morì nel 1640). (Cordier, n. 330) (cm. 16 × 26). 56 fogli doppî.

N. 9. 同善說 (*Tung shan shuo*) s. d. nè nome di autore. Un fasc. in 5 fogli doppî (cm. 16 × 25). Il titolo è tradotto: « *Discursus virtutum in genere* ». Non citato dal Cordier.

N. 10. 聖教信證 (*Sheng chiao hsin teng*). *Catalogus Patrum Societatis Jesu qui ab anno 1581 usque ad 1681 in Sina Jesu Christi fidem propagarunt*, ubi singulorum nomine patria, praedicatio, mors, sepultura, libri sinice editi recensentur. (Cordier, p. IX); xilogr. cinese antica di 31 fogli doppî (cm. 17 × 26).

N. 11. 西方答問 (*Hsi fang ta vên*). « *Domande e risposte intorno all'Occidente* », di GIULIO ALENI S. J. (艾儒略), xil. del 1642(eseguita a 武林), con prefazione di 米嘉穗 (*Mi Kia sui*), del 1641. 56 fogli doppî (cm. 16 × 26). (Cordier, n. 23).

N. 12. *Codice di lingua de' tartari orientali della Cina* (cm. 16 × 27). 25 fogli doppî.

N. 13. 西洋新法歷書 (*Hsi yang hsin fa li shu*), « *Nuovi metodi dell'astronomia occidentale* » in 100 libri, compilata da varî missionarî gesuiti nel 1634. Esemplare incom-

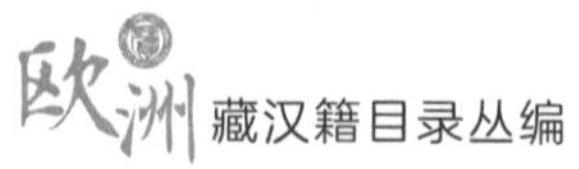

pleto, contenente soltanto il libro secondo dell'opera: 測量全義 (*Ts'e liang tsüan i*), « *Trattato completo dell'arte di misurare* » di Giacomo Rho (羅雅谷). Un volume xilogr. di 32 fogli doppî (cm. 16,5 × 27). [Porta scritto il falso titolo: *Elementi di Euclide*].

N. 14. 勑諭 (*Ch'i yü*). Decreto imperiale, in data 1653, 3° mese. 4° giorno, in onore di Johann Adam Shall von Bell (湯若望). Un fasc. in cinese ed in mancese in xilogr., tiratura in inchiostro rosso, con carte adorne di draghi, 21 fogli doppî (cm. 19 × 30) (cfr. Cordier, n. 294).

— 金剛般若波羅密經 (*Chin kang pan jo polomi ching*), (Vadjra tchedika sûtra). Un volume oblungo, s. d., xilogr. (cm. 6 × 18,5), a paravento legato in stoffa (**44, A, 27**).

— 啓札新聲 (*Ch'i cha hsin sheng*), s. d., in sei volumi. Copia incompleta, contenente il solo primo volume, intitolato: 婚姻類, cioè « *delle cerimonie nuziali* ». 56 fogli doppî xilogr. (cm. 10 × 14), legati all'europea, con una legatura in damasco (**44, A, 40**).

— 玄賞易經本義 (*Hsüan shang i ching pên i*). « Il libro delle Mutazioni, con commenti ». Bella edizione del Fu-kien, stampata durante gli anni 萬歷 (1573-1619). Quattro volumi in xilografia legati all'europea in cartone verde. in due volumi. Alcuni fogli mancano, altri sono legati fuori di posto. Due volumi di fogli 95, 98 rispettivamente (cm. 14,5 × 25). Erroneamente la legatura porta scritto in oro: *Confusii sinensis I, II*; ed inesattamente un antico possessore, sul primo foglio, tradusse il titolo del libro: « *De generatione et corruptione rerum naturalium* » (**44, A, 12-13**).

— 書經直解 (*Shu ching chih chieh*), « Commento al *Shu ching* ». Opera incompleta s. d. nè luogo di stampa; quattro volumi xilogr., comprendenti i libri 7-13 (cm. 15,5 × 25) in una scatola in cartone (**44, A, 9**).

— 正字通 (*Chêng tse t'ung*): *Dizionario classico della lingua cinese. secondo l'ordine delle 214 classifiche.* La prima prefazione porta la data 1685. Bella edizione antica di quest'opera, dovuta principalmente al letterato Chang Tse-

LIEH della dinastia *Ming* e ad altri. 26 fascicoli xilogr. (cm. 17,5 × 26), in tre buste in stoffa **(122, E, 1-3)**. ⟨Il primo volume porta scritta sul primo foglio la inesatta indicazione: *Dictionarium Lexici sinensis impressum anno Imperii Kanchy Imperatoris tertio, a Christo nato 1684*; *auctore Yuen-ky, cognomine uv.* Si tratta invece del 14° anno di K'ANG-HSI; WU YUEN-CH'I è l'autore della prima prefazione, e non già del dizionario⟩.

— VARO FRANCISCO, Arte | de la lengua | mandarina | compuesto por el M, R°, | P^e, fr. Francisco Varo de la Sa | grada Orden de N. S. P. Domī|go, acrecentado, y reducido a | mejor forma, por N°, H°, fr. Pedro de | la Piñuela P^{or}. y comissario Pror, | de la Mission Serafica de China, | Añadiose un | Confessionario muy util. y | provechoso para alivio | de los nueos Ministros |

Impreso en Canton año de 1703

Volume stampato in xilogr. col metodo cinese. Consta di un foglio, frontespizio; 3 fogli doppî, numerati sul taglio (一 二 三) ed in basso con * ** *** contenenti il *Prologo*; 50 fogli doppî numerati (in cinese 一 ... 五 十) ed in alto ogni pagina numerata con cifre arabiche 1 ... 99; la centesima pagina, bianca, porta il n. 100 scritto in inchiostro rosso; infine 10 fogli doppî numerati sul taglio con cifre cinesi, ed in cifre arabiche 1-10, contenenti: « Brevis methodus confessionis etc. composita a R° P. Basilio a Glemona Vicario Apostolico Provinciae Xēn-si Ord. Minor. refor. ». In tutto 64 foglietti doppî.

L'esemplare, — che porta il n. 2095 della Collez. Corsiniana, e la segnatura **44, A, 15**; le dim. 23,8 × 16, ed è rilegato in cuoio rosso con lo stemma di Papa Corsini (Clemente XII) in oro — è completo e non ha i difetti di quello descritto da Cordier: *L'Imprimerie Sino-Européenne en Chine*, Paris, Impr. Nat. 1901, pp. 54-58, e cioè il foglio 20 è numerato 二 十 giustamente e non 三 十 (Cordier, loc. cit., p. 55); ed il foglio 5° della grammatica è bene legato.

Seguendo H. Cordier (loc. cit., p. 57), un esemplare, e precisamente quello da lui descritto, è stato comprato nel 1885 dal dott. Julius Platzmann di Lipsia, per L. 1500.

L'esemplare dell' Acc. dei Lincei era vagamente indicato come esistente in Roma dal Neumann (Cordier, loc. cit., p. 57).

B) **Manoscritti** (cod. 903).

(Fondo Corsini).

漢 字 西 譯 (*Hán zú sȳ y̆*). Dictionarium Sinico=Latinum | Reverendissimi Patris Basilii à Glemona Itali, | Missionarii Sacrae congregationis de Propaganda | Fide, | nec non Vicarij Apostolici Provinciae Scènsī | cum Indice copioso characteribus inueniendis accomodato. | eorumque Sinicis Elementis, ac linearum varie componentium | Elencho. | . His accessere Sinensium Antitethorum, Particularum nu | meralium, Vocum, quibus additur particula Tà, atque | Cognominum accuratae collectiones, cum Ciclo Sinico. | [Constantia, et | Labore].
Cantone, anno Domini MDCCXXVI

Mss. di carte 668 (cm. 22 × 31,5) (**44**, A, **2**) rilegato in cuoio. Il foglio I porta scritto: Imprimatur | Fr. B. Quanelli | ... |

H. Cordier [1] descrive due copie manoscritte di questo dizionario, una colla data 1714, ed un'altra colla data: Macao. 1733. La copia posseduta dall'Accademia dei Lincei è interessante perchè ha servito per un tentativo di stampa di un dizionario cinese-latino. Infatti tra il foglio 4 ed il foglio 5 si trova una striscia di carta sulla quale è stampata in xilografia una colonna di caratteri cinesi, delle dimensioni e forma del manoscritto. L'Accademia dei Lincei conserva ancora un certo numero di blocchetti incisi, di legno di bosso. Il lavoro fu del resto appena iniziato. Nel manoscritto, all'ortografia portoghese è sostituita, con correzioni a penna, l'ortografia italiana.

---

[1] H. Cordier, *Bibliotheca Sinica*, tome 1er, Paris, 1881, col. 731.

— Opusculo miscelaneo | que abrasa diferentes materias, y tratados. | E contiene: |

Brebe resumen del Arte de la lengua Mandarina.

Discurso para conocer el modo de conceptuar de los Chinas.

Brebe instruccion de las cortesias y palabras politicas, de las [visitas y conhites.

Catalogo de muchos terminos entre si opuestos y correlativos

Virtudes, nombres sinicos.

Adagios acomodados alos sinicos

Numeros, numerales, y modo de numerar

Adverbios practicados.

Palabras corteses p[a] visitas, y conversaciones, y uso de al-[gunas particulas

Nombres con que se nombran ad invicem, segun la calidad [de los sujetos

Modos de hablar compendiosos y elegantes

. . . . . .

Tratados que refiere, virtudes de la yervas caceras, y enseña algunos remedios | para la salud, y señales de enfermedades | Fin. |

(Senza data, nè nome di autore. Consiste in una breve raccolta di frasi di vario argomento, preghiere, dialoghi, etc., in cinese e spagnuolo. Del cinese è data soltanto la trascrizione portoghese). Un volume in carta cinese, di 77 fogli, rilegato in pergamena, con fregi dorati, col titolo: *compendium gramatice lingue mandarine.* (cm. 14 × 20) (**44, A, 25**).

— 歷代紀年依綱目 etc. (*Li tai chi nien sse kang mu* ...). Un quadro di cm. 58 × 110, in xilografia, montato su tela, in cornice. Consiste in una tabella di 36 colonne, ciascuna di sessanta caselle, corrispondente ai 60 anni del ciclo cinese. In ogni casella sono dati gli anni di regno, coi nomi relativi degli imperatori della Cina. Comincia coi re della dinastia 周, e termina col 44° anno dell'imperatore 康熙 (*K'ang hsi*), (1705).

Chinese Books in Swedish Collections

瑞典所藏中文书籍

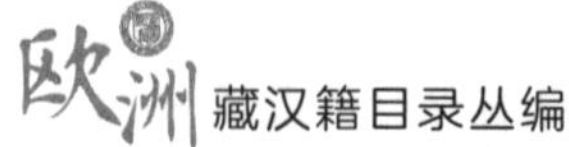

CHINESE BOOKS IN SWEDISH COLLECTIONS

I

BY

BERNHARD KARLGREN

GÖTEBORG 1931
ELANDERS BOKTRYCKERI AKTIEBOLAG

The book list published below is not intended to form a detailed book catalogue, still less a bibliography. It is but an enumeration, in alphabetical order, of the head titles of the works which are at the disposal of sinological students in Sweden. That the list is quite short is due to a peculiarity of the Chinese book world: the s. c. *ts'ung shu*, the collective publications. In a *ts'ung shu* are often included hundreds of different works, and therefore a few lines in our list will in reality correspond to a small library. Thus, for instance, the sixteen items below: 11, 14, 59, 60, 64, 135, 205, 250, 284, 296, 303, 310, 311, 373, 379, 384, constitute, with their 10.380 volumes, a good nucleus of an efficient working library. To publish a detailed list of all the works included in these collective publications would be a very big proposition, and moreover of little service: by aid of the Huei k'o shu mu (n:r 61 below) and the Sü huei k'o shu mu (300) or of the Ts'ung shu kü yao (357) the student can easily find the contents of the various *ts'ung shu*; and an alphabetically arranged key to all the most important *ts'ung shu* has been established by the Ecole Française d'Extrême-Orient, and is now printing.[1])

The pattern of the present list is the »Répertoire des Collections Pelliot A et B du fonds chinois de la Bibliothèque Nationale», published by P. Pelliot in the T'oung Pao 1913. It would be most useful to sinologues if the great European libraries, instead of waiting for the publication of their detailed catalogues of Chinese books, would publish preliminary lists of the present type, which make it possible for the scientific worker to know if a certain book exists in Europe, and where he can go in order to consult it: it is better to know this now, without all the bibliographical data, than to have its existence revealed in twenty years, with full particulars about printing year and place, prefaces, editors, format, colour of paper etc. It is certainly a disadvantage in a list like the present one that the particular editions are

[1]) The first 2 volumes have already appeared: Inventaire du fonds chinois de la bibliothèque de l'Ecole Française d'Extrême-Orient, 1929 ff.

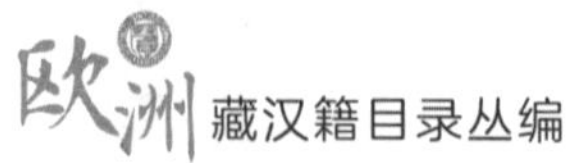

not indicated; but this is of less consequence when it is a question of a library which does not go in for rare and precious first editions (the need of which is, besides, more and more obviated by the laudable activities of the Commercial Press, Shanghai, which publishes great collections of photographic reprints of Sung, Yüan and Ming editions, e. g. the Sï pu ts'ung k'an, n:r 284 below). The principal need, after all, is to know which works are procurable. Chinese literature being immense, and only limited supplies of its most important works being accessible in Europe, research work is often made desperately difficult: it should at least be facilitated by the publication of preliminary book lists from all institutions which possess any serious collections of Chinese prints; afterwards, detailed catalogues and bibliographies will of course be very welcome.

From the present part I are excluded novels and short stories in *pai hua*, as well as a number of recent periodicals; to these branches I hope to revert on another occasion. Excluded are also translations of foreign works (*inter alia* Bible translations), Christian tracts and elementary school books.

The principal Chinese collections in Sweden are those of the City Library of Göteborg (Göteborgs Stadsbibliotek), here indicated by the letter M,[1]) and the Museum of Far Eastern Antiquities (Östasiatiska Samlingarna) in Stockholm (A). A few items are to be found in the Royal Library (Kungliga Biblioteket) of Stockholm (S),[2]) the University Library of Upsala (U) and the Museum of Arts and Crafts (Röhsska Konstslöjdsmuseet) in Göteborg (m). Finally, I have included in the list a certain number of books belonging to my private collection (K), since these books are always at the disposal of students working in Göteborg.

In indicating the number of volumes, I have distinguished between the *pen*, volume printed in old Chinese fashion, and the *vol.*, volume printed in modern European fashion. The thickness of a *pen* rarely exceeds one cm.

---

[1]) The marks M, A etc. are those that have been employed for many years in the general Catalogue of Accessions of the Swedish libraries.

[2]) The Nordenskiöld collection of the Royal Library, principally a collection of Japanese books, contains also a number of Chinese works; since there is already a printed catalogue of the collection: L. de Rosny, Catalogue de la bibliothèque japonaise de Nordenskiöld, 1883, I have not thought it necessary to insert those items in my list here.

前　言

以下书单并非详细的图书目录，更谈不上参考书目，只是按照字母顺序对瑞典汉学学生可能用得到的一些作品标题进行列举。书单相当简短，因为中文图书有一个特点：结集出版，即所谓的“丛书”（ts’ung shu）。一套丛书通常包含数百种各种各样的图书，因此，我们书单中的寥寥几行可能实际上包含很多书籍。例如，以下16个代号共包含10380册图书，组成了有效的藏书核心：11号、14号、59号、60号、64号、135号、205号、250号、284号、296号、303号、310号、311号、373号、379号、384号。针对包含在这些丛书中的所有作品出版一份详细列表是一项浩大的工程，而且也起不到多少作用：借助《汇刻书目》（*Huei k’o shu mu*）（下文的n:r 61号）和《续汇刻书目》（*Sühuei k’o shu mu*）（300号）或《丛书举要》（*Ts’ung shu küyao*）（357号），学生就能很容易地了解不同丛书的内容；另外，法国远东学院（Ecole Française d’Extrême-Orient）为所有最重要的丛书编写了按字母排序的索引，正在陆续出版。①

本书单的样本是保罗·伯希和（P. Pelliot）1913年在《通报》上发表的《国家图书馆中文藏书中的伯希和藏品A和B目录》（*Répertoire des Collections Pelliot A et B du fonds chinois de la Bibliothèque Nationale*）。如果欧洲大型图书馆能够出版这种类型的初步书单而非等待出版其中文图书的详细目录，将对汉学家极为有用，因为这能使研究者知道欧洲是否有某本特定的图书，到哪里能找到这本图书：虽然没有所有的书目资料，现在了解初步书单的基本内容也要强于20年后才知道有这样的图书存在以及有关其出版年份和出版地、序言、编者、开本、纸张颜色等全部细节。当然，像目前这样的书单也存在一个缺陷，那就是没有说明具体的版本；但是，只要图书馆不是在寻找珍稀的初版书，这也不会造成什么严重的后果［此外，由于上海的商务印书馆出版了宋、元和明三代版本图书的大量影印本，例如《四部丛刊》（*Sï pu ts’ung k’an*），见下文的n:r 284号，图书馆也越来越不需要找寻这样的初版书了］，毕竟，最主要的需求还是了解哪些作品是可以找到的。中文文献浩如烟海，但在欧洲只能获得极少数最重要的著作，因此研究工作往往很难开展。至少，如果各个机构在获得任何重要中文藏书之后能够出版一份初步书单，将为研究工作提供很大帮助；当然也非常欢迎随后出版详细目录和参考书目。

本目录的第一部分排除了用白话（pai hua）写成的长篇小说和短篇小说以及若干最新的期刊；有关这类书刊，我希望在其他场合讨论。此外，还排除了外国作品的译本（包括《圣经》

---

① 前两册已经面世：*Inventaire du fonds chinois de la bibliothèque de l’ Ecole Française d’ Extrême-Orient*, 1922 ff.

的译本）、宣传基督教的小册子和小学课本。

瑞典的主要中文藏书位于哥德堡市立图书馆（City Library of Göteborg, Göteborg stadsbibliotek），此处用字母M表示[①]，以及斯德哥尔摩市的远东古物博物馆（Museum of Far Eastern Antiquities, Östasiatiska Samlingarna）（A）。斯德哥尔摩皇家图书馆（Royal Library, Kungliga Biblioteket）（S）[②]、乌普萨拉大学图书馆（University Library of Upsala）（U）以及哥德堡罗斯卡艺术博物馆（Museum of Arts and Crafts, Röhsska Konstslöjdsmuseet）(m)也能找到少量中国书籍。最后，我在书单中列出了我私人收藏的一些书籍（K），因为这些图书一直供就读于哥德堡的学生阅读。

在描述书籍册数时，我区分了“本”（pen）（用中国古代方式印刷的一册书）以及“卷”（用欧洲现代方式印刷的一册书）。一“本”书的厚度很少超过一厘米。

（管宇译，彭萍校）

① 标记 M、A 等多年来一直被瑞典的图书馆普遍用于图书编目。

② 皇家图书馆的 Nordenskiöld 藏书主要由日文图书组成，包括一些中文图书。因为这批藏书已经有一份印刷目录，即 L. de Rosny, *Catalogue de la bibliothèque japonaise de Nordenskiöld*, 1883，因此我认为没有必要将这些条目再加入此书单。

1.	Cha i 4 pen, M.	札迻
2.	Cha p'u 4 pen, M.	札樸
3.	Chan kuo ts'ê pu chu 4 pen, M.	戰國策補註
4.	Chan kuo ts'ê (with the Cha ki of Huang P'ei-lie) 5 pen, M.	戰國策黃丕烈札記
5.	Chang shï ki kin cheng shï lu 2 pen, A.	張氏吉金貞石錄
6.	Chang shï ts'ung shu 20 pen, K.	張氏叢書
7.	Ch'ang an huo ku pien 2 pen, A.	長安獲古編
8.	Chao tai ts'ung shu 160 pen, M.	昭代叢書
9.	Chao Wen-min shu Ki kiu p'ien 1 pen, M.	趙文敏書急就篇
10.	Chê kiang t'u shu kuan ts'ung shu 16 pen, M.	浙江圖書館叢書
11.	Cheng t'ung Tao tsang 1120 pen, M.	正統道藏
12.	Cheng tsï t'ung 16 pen, M.	正字通
13.	Cheng t'ang tu shu ki 24 pen, M.	鄭堂讀書記
14.	Chï pu tsu chai ts'ung shu 240 pen, M.	知不足齋叢書
15.	(Yü tsuan) Chou i chê chung 10 pen. M.	御纂周易·折中
16.	Chou i pen i 2 pen, M.	周易本義
17.	Chou kin wen ts'un 2 pen, A.	周金文存
18.	Chou king t'ang chung ting k'ao shï po wei 1 pen, A.	籀經堂鍾鼎考釋跋尾
19.	Chou k'ing shu lin 4 pen, A.	籀廎述林

20.	(K'in ting) Chou kuan i su 24 pen, M.	欽定周官義疏
21.	Chou li cheng i 20 pen, K.	周禮正義
22.	Chou shu küe pu 2 pen, K.	周書斠補
23.	Chou Suei ting t'u k'uan chï 1 pen, A.	周遂鼎圖款識
24.	Chou Ts'in chu tsï kiao chu shï chung 10 pen, K.	周秦諸子校注十種
25.	Chu shu ki nien tsi cheng 24 pen, M.	竹書記年集證
26.	Ch'u ts'ï sin chu 2 pen, K.	楚辭新註
27.	Ch'un hua ko t'ie shï wen 10 pen, M.	淳化閣帖釋文
28.	Ch'uan shan i shu 100 pen, K	船山遺書
29.	Chuang tsï tsi kie 4 pen, K.	莊子集解
30.	Chuang tsï tsi shï 10 pen, K.	莊子集釋
31.	Chuang tsï ts'ien shuo 2 pen, K.	莊子淺說
32.	(K'in ting) Ch'un ts'iu chuan shuo huei tsuan 20 pen, M.	欽定春秋傳說彙纂
33.	Ch'un ts'iu pei chï 4 pen, S.	春秋備旨
34.	Ch'un tsai t'ang ts'üan shu 100 pen, K.	春在堂全書
35.	Chung hua ta tsï tien 4 vol., K.	中華大字典
36.	Chung kuo jen ming ta tsï tien 1 vol., M.	中國人名大辭典
37.	Chung kuo chê hüe shï ta kang 1 vol., K.	中國哲學史大綱
38.	Chung ting tsï yüan 3 pen, M	鍾鼎字原

39.	Er ming ts'ao t'ang kin shï tsü 16 pen, A.	二銘艸堂金石聚
40.	Er ya yin t'u 3 pen, M.	爾雅音圖
41.	Feng ni k'ao lüe 10 pen, A.	封泥考略
42.	Fu chai ts'ang king 2 pen, A.	簠齋藏鏡
43.	Fu shï Yin k'i lei tsuan 4 pen, AM.	簠室殷契類纂
44.	Hai yen Chang shï shê yüan ts'ung k'o 8 pen, M.	海鹽張氏涉園叢刻
45.	Han hüe hie sheng 8 pen, M.	漢學諧聲
46.	Han kien 4 pen, M.	汗簡
47.	Han shu pu chu 40 pen, K.	漢書補注
48.	Han shu pu chu pu cheng 1 pen, K.	漢書補注補正
49.	Han t'ung yin ts'ung 8 pen, A.	漢銅印叢
50.	Han Wei ts'ung shu 120 pen, M.	漢魏叢書
51.	Han Wei ts'ung shu (fotogr. ed. Com. Pr.) 40 pen, M.	漢魏叢書
52.	Heng hien so kien so ts'ang ki kin lu 2 pen, A.	恒軒所見所藏吉金錄
53.	Ho shï i shu 85 pen, K.	郝氏遺書
54.	Hou Han shu (fotogr. repr. og Palace ed.) 12 pen, M.	後漢書
55.	Hu hai lou ts'ung shu 32 pen, K.	湖海樓叢書
56.	Hu shï wen ts'un 4 vol., K.	胡氏文存
57.	Huai mi shan fang ki kin t'u 2 pen, A.	懷米山房吉金圖

58. Huai nan hung lie tsi kie 6 pen, K. 淮南鴻烈集解

59. Huang Ts'ing king kie 360 pen, M. 皇清經解

60. Huang Ts'ing king kie sü pien 320 pen, M. 皇清經解續編

61. Huei k'o shu mu 20 pen, M. 彙刻書目

62. Hung wu cheng yün 10 pen, M. 洪武正韻

63. Hüe hai t'ang tsi 40 pen, M. 學海堂集

64. Hüe tsin t'ao yüan 200 pen, M. 學津討原

65. I hai lou kin shï wen tsï 1 pen, A. 藝海樓金石文字

66. I king pei chï 5 pen, S. 易經備旨

67. (K'in ting) I li i su 28 pen, M. 欽定儀禮義疏

68. I lin 2 pen, K. 意林

69. I nien lu huei pien 8 pen, K. 疑年錄彙編

70. I shu ts'ung pien 24 pen, AM. 藝術叢編

71. I tsai t'ang ku yü t'u lu 1 pen, A. 奕載堂古玉圖錄

72. I ts'ie king yin i yin Shuo wen tsien 4 pen, K. 一切經音義引說文箋

73. I ts'un ts'ung shu 30 pen, M. 佚存叢書

74. (Yü tsuan) I tsung kin kien 24 pen, A. 御纂醫宗金鑑

75. I wen lei tsü 32 pen, K. 藝文類聚

76. I wen pei lan 42 pen, A. 藝文備覽

77. Jï chï lu tsi shï 16 pen, M.	日知錄集釋
78. K'an miu pu k'üe Ts'ie yün 1 pen, K.	刋繆補缺切韻
79. K'ang hi tsï tien 40 pen, M.	康熙字典
80. K'ang hi tsï tien 32 pen, S.	康熙字典
81. Kang kien i chï lu 16 pen, M.	綱鑑易知錄
82. Kao yu Wang shï sï chung 64 pen, K.	高郵王氏四種
83. K'ao ku t'u with Ku yü t'u 6 pen, A.	考古圖 古玉圖
84. Keng chï t'u 2 pen, A.	耕織圖
85. Ki kin chai ku t'ung yin pu 6 pen, A.	吉金齋古銅印譜
86. Ki kin chï ts'un 4 pen, A.	吉金志存
87. Ki kin so kien lu 4 pen, M.	吉金所見錄
88. K'i ku shï ki kin wen shu 20 pen, A.	奇觚室吉金文述
89. K'ia chai tsi ku lu 28 pen, A.	愙齋集古錄
90. Kiao k'an Shï ki tsi kie so yin cheng i cha ki 2 pen, K.	校刋史記集解索隱正義札記
91. Kie tsï yüan hua chuan 10 pen, S.	芥子園畫傳
92. Kien pen Ch'un ts'iu 8 pen, S.	監本春秋
93. Kien pen I king 3 pen, MS.	監本易經
94. Kien pen Li ki 10 pen, MS.	監本禮記
95. Kien pen Shï king 4 pen, MS.	監本詩經

96. Kien pen Shu king 4 pen, MS. 監本書經

97. Kin shï k'i 4 pen, A. 金石契

98. Kin shï lu 6 pen, A. 金石錄

99. Kin shï shu mu 2 pen, A. 金石書目

100. Kin shï sie 4 pen, A. 金石屑

101. Kin shï so 12 pen, M. 金石索

102. Kin shï so 24 pen, A. 金石索

103. Kin shï ta tsï tien 32 pen, A. 金石大字典

104. Kin shï tsê 10 pen, A. 金石摘

105. Kin shï ts'uei pien 32 pen, M. 金石萃編

106. Kin shï t'u 4 pen, A. 金石圖

106. Kin shï wen tsï 2 pen, A. 金石文字

107. Kin shï wen tsï pien i 9 pen, A. 金石文字辨異

108. Kin shï wen tsï pien i pu pien 5 pen, A. 金石文字辨異補編

109. Kin shï yü kie 4 pen, S. 金史語解

110. Kin shï yüan 6 pen, A. 金石苑

K'in ting ku kin etc. see Ku kin etc.

111. King hün t'ang ts'ung shu 16 pen, K. 經訓堂叢書

112. King i k'ao 50 pen, M. 經義考

No.	Title	Chinese
113.	King tsi chuan ku 12 pen, M.	經籍纂詁
114.	King wu sin shï i k'i k'uan chï 2 pen, A.	敬吾心室彝器款識
115.	King yu T'ien chu tsï yüan 4 pen, M.	景祐天竺字源
116.	King yün lou ts'ung shu 24 pen, M.	經韻樓叢書
117.	King yün tsi tsï si kie 8 pen, M.	經韻集字析解
118.	Kiu ch'ao tung hua lu 22 pen, M.	九朝東華錄
119.	Kiu ch'ao tung hua sü lu 38 pen, M.	九朝東華續錄
120.	K'iu ku tsing shê kin shï t'u 8 pen, A.	求古精舍金石圖
121.	K'iu k'üe chai tu shu lu 4 pen, K.	求闕齋讀書錄
122.	Kiu siao shuo 20 vol., M.	舊小說
123.	Ko chï king yüan 16 pen, M.	格致鏡原
124.	Ku chou p'ien 68 pen, AmSU	古籀篇
129.	Ku chou shï i 2 pen, AM.	古籀拾遺
130.	Ku chou yü lun 2 pen, A.	古籀餘論
131.	Ku kin shuo pu ts'ung shu, 60 pen, M.	古今說部叢書
132.	Ku king kie huei han with Siao hüe huei han 20 pen, K.	古經解彙函小學彙函
133.	Ku hüe huei k'an Ser. I, II 32 pen, M.	古學彙函
134.	Ku i ts'ung shu 48 pen, K.	古遺叢書
135.	(K'in ting) Ku kin t'u shu tsi ch'eng 1628 pen, M.	欽定古今圖書集成

136.	Ku shï wen fang siao shuo 10 pen, M.	顧氏文房小說
137.	Ku ts'üan huei 20 pen, A.	古泉滙
138.	Ku ts'üan ts'ung hua 4 pen, A.	古泉叢話
139.	Ku wen k'uai pi kuan t'ung kie 3 pen, M.	古文快筆貫通解
140.	Ku wen shen 4 pen, A.	古文審
141.	Ku wen ts'ï lei tsuan 12 pen, M.	古文辭類纂
142.	(King Sung pen) Ku wen yüan 2 pen, K.	景宋本古文苑
143.	Ku wen yüan kien 32 pen, M.	古文淵鑑
144.	Ku yü t'u k'ao 2 pen, A.	古玉圖考
145.	Ku yü t'u pu 16 pen, A.	古玉圖譜
146.	Ku yüan ts'uei lu 6 pen, A.	古緣萃錄
147.	Kuan ku t'ang shu mu ts'ung k'o 20 pen, AM.	觀古堂書目叢刻
148.	Kuan ku t'ang huei k'o shu 16 pen, K.	觀古堂彙刻書
149.	Kuan ku t'ang so chu shu 14 pen, K.	觀古堂所著書
150.	Kuan siang lu ts'ung shu 60 pen, A.	觀象廬叢書
151.	Kuan t'ang tsi lin 6 pen, A.	觀堂集林
152.	Kuang ch'uan shu po 6 pen, A.	廣川書跋
153.	Kuang tung sin yü 10 pen, S.	廣東新語
154.	Kuei kia shou ku wen tsï 2 pen, A.	龜甲獸骨文字

No.	Title	Chinese
155.	Kuo hüe yung shu chuan yao I vol., K.	國學用書撰要
156.	Kuo yü (with the K'ao i of Wang Yüan-sun) 5 pen, M.	國語汪遠孫考異
157.	Kuo yü Wei kie pu cheng 4 pen, M.	國語韋解補正
158.	Kü lu Sung k'i ts'ung lu I pen, A.	鉅鹿宋器叢錄
159.	K'ü Sung ku yin i 3 pen, K.	屈宋古音義
160.	K'üan heng tu liang shï yen k'ao I pen A.	權衡度量實驗考
161.	Küe chê siang chuan 2 pen, M.	覺者象傳
162.	Kün ku lu kin wen 9 pen, M.	攈古錄金文
163.	K'ün king tsï ku 14 pen, K.	羣經字詁
164.	K'ün shu shï pu 8 pen, M.	羣書拾補
165.	(K'in ting) Li ki i su 32 pen, M.	欽定禮記義疏
166.	Li ki ts'üan wen pei chï 7 pen, S.	禮記全文備旨
167.	Li pien 8 pen, A.	隸辨
168.	Li shï 6 pen, M.	隸釋
169.	Li shu ta tsï tien 20 pen, M.	隸書大字典
170.	Li sü 2 pen, M.	隸續
171.	Li tai chï kuan piao 32 pen, M.	歷代職官表
172.	Li tai chung ting i k'i k'uan chï 4 pen, AM.	歷代鐘鼎彝器款識
173.	Li tai fu p'ai t'u lu I pen, A.	歷代符牌圖錄

174. Li tai fu p'ai t'u lu hou pien 1 pen, A. 歷代符牌圖錄後編
175. Li tai hua shï huei chuan 12 pen, K. 歷代畫史彙傳
176. Li tai ming jen nien pu 10 pen, M. 歷代名人年譜
177. Li tai ti li chï yün pien 16 pen, M. 歷代地理志韻編今釋
178. Li tai ti wang nien piao 4 pen, M. 歷代帝王年表
179. Li T'ai-po ts'üan tsi 24 pen, M. 李太白全集
180. Li T'ai-po wen tsi 10 pen, S. 李太白文集
181. Li yün 6 pen, M. 隸韻
182. Liang lei hien i k'i t'u shï 6 pen, A. 兩罍軒彝器圖釋
183. Liao chai chï i sin p'ing 1 vol., M. 聊齋志異新評
184. Liao shï yü kie 4 pen, S. 遼史語解
185. Lie nü chuan kiao chu 4 pen, K. 列女傳校注
186. Liu king t'u k'ao 12 pen, A. 六經圖考
187. Liu sha chuei kien 3 pen, K. 流沙墜簡
188. Liu shu ku 16 pen, M. 六書故
189. Liu shu t'ung 5 pen, K. 六書通
190. Liu shu yin yün piao 1 pen, M. 六書音韻表
191. Lun heng kü cheng 2 pen, K. 論衡舉正
192. Ma shï wen t'ung 2 vol., K. 馬氏文通

No.	Title	Extent	Chinese
193.	Mao Shi yün ting	3 pen, M.	毛詩韻訂
194.	Meng wei ts'ao t'ang ki kin t'u	4 pen, A.	夢郼艸堂吉金圖
195.	Ming sha shï shï ku tsi ts'ung ts'an	6 pen, K.	鳴沙石室古籍叢殘
196.	Ming yüan	1 pen, M.	名原
197.	Miu chuan fen yün	2 pen, A.	繆篆分韻
198.	Mo hüe wei	1 vol., M.	墨學微
199.	Mo tsï hien ku	8 pen, K.	墨子閒詁
200.	(Ting pen) Mo tsï hien ku kiao pu	2 pen, K.	定本墨子閒詁校補
201.	Mo tsï kiao shï	1 vol., K.	墨子校釋
202.	Mo tsï hüe an	1 vol., M.	墨子學案
203.	Nan ch'un hu yü	4 pen, K.	南潯楛語
204.	Nien i shï yüe pien	6 pen, S.	廿一史約編
205.	Nien sï shï	540 pen, M.	廿四史
206.	Ning shou kien ku	32 pen, Am.	寧壽鑑古
207.	P'an ku lou i k'i k'uan chï	2 pen, A.	攀古樓彝器款識
208.	P'an t'ing siao lu	1 pen, A.	盤亭小錄
209.	Pao king t'ang ts'ung shu	100 pen, K.	抱經堂叢書
210.	Pao yün lou i k'i t'u lu	2 pen, A.	寶蘊樓彝器圖錄
211.	Pei t'ang shu ch'ao	20 pen, K.	北堂書鈔

212. P'ei wen yün fu 95 pen, M. 佩文韻府
213. P'ei wen yün fu shï i 12 pen, M. 佩文韻府拾遺
214. Pen ts'ao kang mu 31 pen, S. 本草綱目
215. Pen ts'ao meng ts'üan 1 pen, S. 本草蒙筌
216. (Yü ting) P'ien tsï lei pien 45 pen, M. 御定駢字類編
217. P'ing tsin kuan ts'ung shu 50 pen, M. 平津館叢書
218. Po Han yen pei 1 pen, A. 百漢硯碑
219. Po i lu kin shï ts'ung shu 10 pen, M. 百一廬金石叢書
220. Po kia sing k'ao lüe 1 pen, M. 百家姓考略
221. (Süan ho) Po ku t'u lu 16 pen A, 24 pen, m. 宣和博古圖錄
222. (Chï ta ch'ung siu) Po ku t'u lu 15 pen, S. 至大重修博古圖錄
223. Po tsï ts'üan shu 110 pen, M. 百子全書
224. Pu Hou Han shu i wen chï 1 pen, M. 補後漢書藝文志
225. Pu San kuo i wen chï 1 pen, M. 補三國藝文志
226. Pu Sü Han shu i wen chï 1 pen, M. 補續漢書藝文志
227. San Kuo chï (photogr. repr. of Palace ed.) 6 pen, M. 三國志
228. San li t'u 2 pen, A. 三禮圖
229. San ling kie 1 pen, AM. 三靈解
230. San tsï king 1 pen, S. 三字經

231. San tsï king hün ku 1 pen, M.	三字經訓詁
232. San t'ung mu lu 12 pen, M.	三通目錄
233. Shao hing nei fu ku k'i p'ing 2 pen, A.	紹興內府古器評
234. Sheng k'o fu Pei Sung pen Shï ku 1 pen, A.	盛刻覆北宋本石鼓
235. Shï hüe ts'ung shu 32 pen, M.	史學叢書
236. Shï ki (Po na ed.) 24 pen, K.	史記百衲本
237. Shï ki (Photogr. repr. of Palace ed.) 14 pen, M.	史記
238. (K'in ting) Shï king chuan shuo huei tsuan 16 pen, M.	欽定詩經傳說彙纂
239. Shï king huei han 11 pen, K.	石經彙函
240. Shï king pu chu pei chï siang kie 4 pen, S.	詩經補註備旨詳解
241. Shï king pu k'ao 5 pen, K.	石經補考
242. Shï ku wen k'ao shï 1 pen, A.	石鼓文考釋
243. Shï li kü Huang shï ts'ung shu 30 pen, K.	士禮居黃氏叢書
244. Shï liu kin fu chai yin ts'un 12 pen, A.	十六金符齋印存
245. Shï san king chu su 160 pen, M.	十三經註疏
246. Shï sing yün pien 8 pen, M.	史姓韻編
247. Shï tsi chuan 4 pen, M.	詩集傳
248. Shï tsï ts'üan shu 48 pen, M.	十子全書
249. Shï wan küan lou ts'ung shu 112 pen, M.	十萬卷樓叢書

250. Shou shan ko ts'ụng shu 179 pen, M. 守山閣叢書
251. Shu i shï suei pi 12 pen, K. 舒藝室隨筆
252. (K'in ting) Shu king chuan shuo huei tsuan 12 pen, M. 欽定書經傳說彙纂
253. Shu king pei chï 4 pen, S. 書經備旨
254. Shu king tsi chuan 4 pen, M. 書經集傳
255. Shuang wang si chai kin shï t'u lu 1 pen, A. 雙王壐齋金石圖錄
256. Shuo fu 40 pen, M. 說郛
257. Shuo wen hi chuan kiao lu 2 pen, M. 說文繫傳校錄
258. Shuo wen kiao i 5 pen, M. 說文校議
259. Shuo wen kie tsï 8 pen, M. 說文解字
260. Shuo wen kie tsï chu 15 pen, M., 8 pen U. 說文解字注
261. Shuo wen kie tsï chu k'uang miu 8 pen, M. 說文解字注匡謬
262. Shuo wen kie tsï ku lin 66 pen, K. 說文解字詁林
263. Shuo wen kie tsï kü tu 15 pen, M. 說文解字句讀
264. Shuo wen kie tsï t'ung shï 8 pen, A. 說文解字通釋
265. Shuo wen kie tsï yün pu 2 pen, M. 說文解字韻譜
266. Shuo wen kien shou tsï tu 1 pen, M. 說文建首字讀
267. Shuo wen ku chou pu 2 pen, AM. 說文古籀補
268. Shuo wen ku chou pu pu 4 pen, K. 說文古籀補補

269. Shuo wen ku chou su cheng 4 pen, M.	說文古籀疏證
270. Shuo wen meng k'iu 2 pen, M.	說文蒙求
271. Shuo wen pen king ta wen 1 pen, M.	說文本經答問
272. Shuo wen shen yin 3 pen, M.	說文審音
273. Shuo wen sheng ting 2 pen, M.	說文聲訂
274. Shuo wen sheng tu piao 2 pen, M.	說文聲讀表
275. Shuo wen shï li 14 pen, M.	說文釋例
276. Shuo wen ta wen su cheng 4 pen, M.	說文答問疏證
277. Shuo wen Tuan chu ting pu 6 pen, M.	說文段注訂補
278. Shuo wen t'ung hün ting sheng 8 pen, K.	說文通訓定聲
279. Shuo wen yin king cheng li 6 pen, M.	說文引經證例
280. Si hia kuo shu lüe shuo 1 pen, M.	西夏國書略說
281. Sï k'u ts'üan shu kien ming mu lu 16 pen, M.	四庫全書簡明目錄
282. Sï k'u ts'üan shu tsung mu 112 pen M.	四庫全書總目
283. Sï pu pei yao 405 pen, K.	四部備要
284. Sï pu ts'ung k'an 2100 pen, M.	四部叢刊
285. (K'in ting) Sï shï 28 pen, U.	欽定四史
286. Sï shu tsi chu 6 pen, M.	四書集註
287. Sï shu tsï ku 18 pen, K.	四書字詁

288. Sï shu ts'o yen 20 pen, S.	四書措言
289. (K'in ting) Si ts'ing ku kien 24 pen, Am.	欽定西清古鑑
290. Si Ts'ing sü kien 42 pen, Am.	西清續鑑
291. Siao hüe k'ao 20 pen, M.	小學考
292. Siao hüe kou ch'en 4 pen, K.	小學鉤沈
293. Siao shuo k'ao cheng 4 vol., M.	小說考證
294. Sin cheng ch'u t'u ku k'i t'u chï 3 pen, A.	新鄭出土古器圖志
295. Sin cheng ku k'i t'u lu 2 pen, A.	新鄭古器圖錄
296. Sin k'an king kie (T'ung chï t'ang). 565 pen, M.	新刊經解(通志堂)
297. (Yü tsuan) Sing li tsing i 6 pen, U.	御纂性理精義
298. Suei hien kin shï wen tsï 4 pen, A.	隨軒金石文字
299. Sü Feng ni k'ao lüe 6 pen, A..	續封泥考略
300. Sü Huei k'o shu mu 10 pen, M.	續彙刻書目
301. Sü K'ao ku t'u 2 pen, A.	續考古圖
302. Sü Ku i ts'ung shu 46 pen, M.	續古遺叢書
303. Sü Tsang king 596 pen, M.	續藏經
304. Süe t'ang so ts'ang ku k'i wu t'u 1 pen, A.	雪堂所藏古器物圖
305. Süe t'ang ts'ung k'o 20 pen, A.	雪堂叢刻
306. Sün tsï tsi kie 6 pen, M.	荀子集解

307. Ta Tai li pu chu 4 pen, U.	大戴禮補注
308. Ta Tai li küe pu 3 pen, K.	大戴禮斠補
309. Ta T'ang liu tien 15 pen, M.	大唐六典
310. Ta tsang king 414 pen, M.	大藏經
311. Ta Ts'ing huei tien 493 pen, M.	大清會典
312. Ta Ts'ing i t'ung chï 60 pen, M.	大清一統志
313. Ta Ts'ing lü li t'ung tsuan tsi ch'eng 24 pen, M.	大清律例統纂集成
314. T'ai hüan king tsi chu 2 pen, K.	太玄經集註
315. T'ai p'ing kuang ki 40 pen, M.	太平廣記
316. T'ai p'ing yü lan 120 pen, M.	太平御覽
317. T'ang shï po ming kia ts'üan tsi 40 pen, M.	唐詩百名家全集
318. T'ang sie pen T'ang yün 1 pen, K.	唐寫本唐韻
319. T'ang Sun kuo t'ing shu pu 1 pen, M.	唐孫過庭書譜
320. T'ang Sung pa ta kia lei süan 6 pen, M.	唐宋八大家類選
Tao tsang, see Cheng t'ung Tao tsang	
321. T'ao chai ki kin lu 8 pen, AM.	陶齋吉金錄
322. T'ao chai ki kin sü lu 2 pen, AM.	陶齋吉金續錄
323. Ti tsang p'u sa pen yüan king (Chinese and manchu transl. printed parallel) 2 pen, S.	地藏菩薩本願經

324. T'ie-yün ts'ang kuei 8 pen, AM. 鐵雲藏龜

325. T'ie-yün ts'ang kuei chï yü 1 pen, AM. 鐵雲藏龜之餘

326. T'ie-yün ts'ang kuei shï i 1 pen, A. 鐵雲藏龜拾遺

327. T'ie-yün ts'ang t'ao 6 pen, A. 鐵雲藏陶

328. T'ien lai ko kiu ts'ang Sung jen hua ts'ê 1 pen, A. 天籟閣舊藏宋人畫册

329. T'ien wen i k'i chï lüe 1 pen, A. 天問儀器志略

330. Ts'ao li ts'un 2 pen, M. 艸隸存

331. Ts'ao shï ki kin t'u 2 pen, A. 曹氏吉金圖

332. Ts'ao shu ta tsï tien 24 pen, K. 草書大字典

333. Ts'ao tsï huei 6 pen, M. 草字彙

334. Tsi ku chai chung ting i k'i k'uan chï 4 pen, AM. 積古齋鐘鼎彝器款識

335. Tsi ku lu 4 pen, A. 集古錄

336. Tsï chï t'ung kien kang mu 160 pen, M. 資治通鑑綱目

337. Tsï huei 13 pen, M. 字彙

338. Tsï shuo 1 pen, M. 字說

339. Tsï tien k'ao cheng 6 pen, K. 字典考證

340. Ts'ï yüan 2 vol., M. 辭源

341. Tsiao shan Chou Han ting ming 1 pen, A. 焦山周漢鼎銘

342. Tsien shou t'ang so ts'ang Yin k'ü wen tsï 2 pen, A. 戩壽堂所藏殷虛文字

343. Ts'ien Han shu (photogr. repr. of Palace ed.) 16 pen, M. 前漢書
344. (K'in ting) Ts'ien lu 2 pen, A. 欽定錢錄
345. Ts'ien pi t'ing ku chuan t'u shï 10 pen, A. 千甓亭古塼圖釋
346. Ts'ien tsï wen 1 pen, S. 千字文
347. Ts'ien tsï wen shï i 1 pen, M. 千字文釋義
348. Ts'in chuan ts'an shï t'i po 1 pen, A. 秦篆殘石題跋
349. Ts'in Han wa tang wen tsï 2 pen, AM. 秦漢瓦當文字
350. Ts'in kin shï k'o ts'ï 1 pen, A. 秦金石刻辭
351. Ts'in shu pa t'i yüan wei 2 pen, A. 秦書八體原委
352. Ts'in shu tsi ts'un 1 pen, A. 秦書集存
353. Ts'ing i ko so ts'ang ku k'i wu wen 10 pen, A. 清儀閣所藏古器物文
354. Ts'ing pai lei ch'ao 48 vol., M. 清稗類鈔
355. Ts'ing tai hüe shu ts'ung shu 24 pen, K. 清代學術叢書
356. Ts'ung ku t'ang k'uan chï hüe 16 pen, A. 從古堂款識學
357. Ts'ung shu kü yao 40 pen, M. 叢書舉要
358. Ts'ung shu shu mu huei pien 4 pen, K. 叢書書目彙編
359. Ts'üan huo huei k'ao 12 pen, A. 泉貨彙考
360. Tu hua chai ts'ung shu 64 pen, M. 讀畫齋叢書
361. Tu Kung-pu ts'ao t'ang shï tsien 12 pen, M. 杜工部草堂詩箋

362.	Tu shï tsi shuo 10 pen, S.	杜詩集說
363.	Tu shu min k'iu ki 4 pen, K.	讀書敏求記
364.	Tu shu ou shï 6 pen, K.	讀書偶識
365.	Tu shu tsa shï 4 pen, K.	讀書雜釋
366.	Tu shu ts'ung lu 6 pen, K.	讀書叢錄
367.	Tuan shï Shuo wen chu ting 2 pen, M.	段氏說文注訂
368.	T'uei an suei pi 8 pen, K.	退菴隨筆
369.	Tun an ku king ts'un 1 pen, A.	遯盦古鏡存
370.	Tun an ku t'ao ts'un 2 pen, A.	遯盦古陶存
371.	Tun huang i shu, i tsi 1 pen, K.	燉煌遺書一集
372.	Tung kuan yü lun 4 pen, A.	東觀餘論
373.	T'ung chï (Cheng, Sü, Huang ch'ao) 392 pen, M.	通志(正續皇朝)
374.	T'ung tien (Cheng, Sü, Huang ch'ao) 65 pen, M.	通典(正續皇朝)
375.	Wang King Wen kung shï 10 pen, M.	王荊文公詩
376.	Wang shï i shu 42 pen, K.	王氏遺書
377.	Wang shï king shuo 2 pen, K.	王氏經說
378.	Wang t'ang kin shï tsi 6 pen, A.	望堂金石集
379.	Wen hien t'ung k'ao (Cheng, Sü, Huang ch'ao) 430 pen, M.	文獻通考(正續皇朝)

380. Wen sin tiao lung kiang su 1 vol., K.	文心雕龍講疏
381. Wen süan p'ang cheng 12 pen, K.	文選旁證
382. Wen süan yin i 6 pen, K.	文選音意
383. Wu fang yüan yin 4 pen, K.	五方元音
384. Wu ying tien tsü chen pan shu 803 pen, M.	五英殿聚珍版書
385. Yang tsê tsi ch'eng 8 pen, A.	陽宅集成
386. Yin chï wen t'u shuo 4 pen, S.	陰隲文圖說
387. Yin k'ü ku k'i wu t'u lu 1 pen, A.	殷虛古器物圖錄
388. Yin k'ü shu k'i hou pien 1 pen, A.	殷虛書契後編
389. Yin k'ü shu k'i k'ao shï 1 pen, A.	殷虛書契考釋
390. Yin k'ü shu k'i tai wen pien 1 pen, AM	殷虛書契待問編
391. Yin k'ü shu k'i ts'ien pien 4 pien, A.	殷虛書契前編
392. Yin k'ü wen tsï lei pien 8 pen, A.	殷虛文字類編
393. Yin Shang cheng pu wen tsï k'ao 1 pen, AM.	殷商貞卜文字考
394. Yin tsê tsi yao 4 pen, A.	陰宅集要
395. Ying huan chï lüe 1 pen, S.	瀛環志略
396. Ying tsao fa shï 8 pen, A.	營造法式
397. Yung feng hiang jen tsi chu 2 pen, A.	永豐鄉人集著

398.	Yü chï k'üan shan yao yen (Chinese and Manchu parallel texts) 1 pen, S.	御制勸善要言
399.	Yü hai 120 pen, M.	玉海
400.	Yü han shan fang tsi i shu 120 pen, M.	玉函山房輯佚書
	Yü tsuan Chou i etc. see Chou i etc.; Yü ting P'ien tsï etc. see P'ien tsï etc.	
401.	Yüan kien lei han 160 pen, M.	淵鑑類函
402.	Yüan k'ü süan 48 pen, M.	元曲選
403.	Yüan shï yü kie 8 pen, S.	元史語解
404.	Yüan shun t'ang pi ki 20 pen, K.	援鶉堂筆記
405.	Yüe ho tsing shê ts'ung ch'ao 20 pen, M.	月河精舍叢鈔
406.	Yün ts'ing kuan kin shï wen tsï 5 pen, A.	筠清館金石文字